■編　集

角濱　春美	青森県立保健大学健康科学部
梶谷　佳子	京都橘大学看護学部

■執筆者（執筆順）

梶谷　佳子	京都橘大学看護学部
仲前美由紀	産業医科大学産業保健学部
中橋　苗代	京都橘大学看護学部
角濱　春美	青森県立保健大学健康科学部
木村恵美子	つがる総合病院看護部
小林　昭子	青森県立保健大学健康科学部
小池祥太郎	青森県立保健大学健康科学部
福井　幸子	青森県立保健大学健康科学部
藤本真記子	青森県立保健大学健康科学部
岡田　純子	京都橘大学看護学部
道重　文子	敦賀市立看護大学看護学部
原　　明子	森ノ宮医療大学看護学部
川北　敬美	大阪医科薬科大学看護学部
奥野　信行	京都橘大学看護学部

本書デジタルコンテンツの利用方法

本書のデジタルコンテンツは、専用Webサイト「mee connect」上で無料でご利用いただけます。

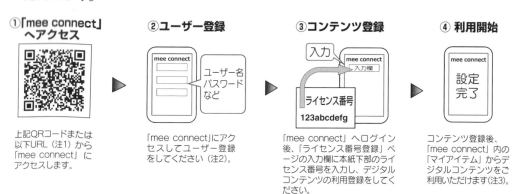

①「mee connect」へアクセス
上記QRコードまたは以下URL（注1）から「mee connect」にアクセスします。

②ユーザー登録
「mee connect」にアクセスしてユーザー登録をしてください（注2）。

③コンテンツ登録
「mee connect」へログイン後、「ライセンス番号登録」ページの入力欄に本紙下部のライセンス番号を入力し、デジタルコンテンツの利用登録をしてください。

④利用開始
コンテンツ登録後、「mee connect」内の「マイアイテム」からデジタルコンテンツをご利用いただけます（注3）。

注1：https://www.medical-friend.co.jp/websystem/01.html
注2：「mee connect」のユーザー登録がお済みの方は、②の手順は不要です。
注3：デジタルコンテンツは一度コンテンツ登録をすれば、以後ライセンス番号を入力せずにご利用いただけます。

ライセンス番号　　e014 0306 tqgg8r

※コンテンツ登録ができないなど、デジタルコンテンツに関するお困りごとがございましたら、「mee connect」内の「お問い合わせ」ページ、もしくはdigital@medical-friend.co.jpまでご連絡ください。

看護実践のための根拠がわかる

基礎看護技術

第3版

編著 角濱春美／梶谷佳子

Evidence-Based Practice

メヂカルフレンド社

序

　本書は，2015年に第2版として刊行された"看護実践のための根拠がわかる"シリーズを，看護と看護教育の現在の状況に即して改訂したものです。

　2019年末から始まったCOVID-19の感染拡大は，パンデミックをひき起こし，看護教育も大きな影響を受けました。特に看護技術教育については，技術を身につけるつけるために必須な，直接「見る・触れる・実践する・技術を体験する・相手の反応を見る」ことが制限されています。このような状況下でも技術力の向上に寄与できるように，改訂に際し以下の内容を重視しました。

１．「実践」の重視
　前版に引き続き，看護技術の根拠を示したうえでより実践的な技術が学べるようにしました。患者への細やかな配慮，こうするとうまく効率的にできるというコツ，患者に安楽をもたらすことのできる経験則が，留意点として記載されています。これが，実際に看護を提供する際の大きな助けになります。

２．「直接見る」ことができる教材へ
　技術の実践について動画を視聴できる教材としました。遠隔での個人学習を視野に入れ，本書の記載内容と直接的に連動し，学生の視点に立って学習しやすい動画となるように作成しました。スマートフォンなどで気軽に見ることができる仕組みとなっているので，予習や復習にも活用しやすくなっています。

３．技術提供の際のアセスメントの強化
　患者にどのような看護技術提供が必要なのかを判断するために，技術提供のためのフローチャートを盛り込みました。これを活用することで，患者の個別性にぴったりと沿う技術が計画でき，実践力の向上につながります。

４．看護技術の構造的理解
　看護技術を構造的に理解できる章立てとしています。
　第Ⅰ章は，看護援助を行う際にいつでも念頭に置かなければならないコミュニケーション，感染予防，安全・安楽，生活環境調整など「看護援助に共通する技術」を取り上げました。感染や安全管理は現在特に重要な分野であり，強化した内容になっています。
　第Ⅱ章は，「ヘルスアセスメントの技術」として，フィジカルアセスメントの技術を取り上げています。看護実践を個別性に基づいて行うためには，正しい患者観察が必要です。本書を1冊持っていれば，アセスメントから看護実践・評価まですべてが行える内容となっています。
　第Ⅲ章は「生理的ニーズの充足と援助技術」とし，生活援助の技術を取り上げました。援助の目的と意義，援助のための基礎知識，患者のアセスメントと援助方法の選択，援助実施時のポイント，および方法と留意点・根拠が示された"看護技術の実際"の表は，心強いナビゲーターになるでしょう。
　第Ⅳ章は「診療に伴う援助技術」として，与薬・採血，罨法，吸入・吸引，皮膚・創傷の管理，死亡時のケアを取り上げました。エビデンスに基づいたガイドラインなどが整備されてきた分野であり，これらの内容が反映されています。

　本書は，貴重な写真を提供していただいた先生方，写真や動画撮影にご協力いただいたモデルの方々や撮影場所を提供していただいた施設の方々，そしてメヂカルフレンド社編集部諸氏，ご意見をくださった皆様など，多くの方々のご協力と熱意によって完成に至ることができました。心から感謝申し上げます。

　本書が活用され，適切に看護技術が実践できる看護師が育成され，看護に喜びを感じる看護師と，看護技術に救われる患者が一人でも増えることを願っています。

2020年11月
角濱春美・梶谷佳子

本書の特長と使い方 — よりよい学習のために —

[学習目標]
各節の冒頭に，学習目標を提示しています。何を学ぶのか確認しましょう。

バイタルサイン，痛みの見方

学習目標
- バイタルサインの重要性と測定の意義を理解する。
- バイタルサインの測定値や一般状態の観察によって得た情報は，看護ケアや治療方針を決定するうえで，重要な資料となることを理解する。
- バイタルサインを正しく測定し，その値を総合的にアセスメントすることができる。
- バイタルサインの測定値を看護ケアに生かすことができる。
- バイタルサインの基礎知識と観察の意義を理解する。
- バイタルサインの観察方法を知る。
- 痛み

バイタルサイン（vital signs）は，生命維持に必要な徴候であり，生きていることを示す証しである。一般的に体温，脈拍，心拍，呼吸，血圧，意識をバイタルサインとよぶ。これらが示す意味と正常な値を知ることは，患者の疾患の程度や状態の的確な理解，そして異常の早期発見につながる。バイタルサインは，比較的容易に測定できるため，必要なときはいつでも身体の生理的な変化を把握することができる。

私たちは通常，呼吸や体温や脈拍を意識せずに日常生活を送っている。これは体温，脈拍，呼吸，血圧が生理的に常に一定の範囲内に調整されていることによる。このように身体内の器官が相互に依存し，かつ協調して働く結果，身体の内部環境が恒常的に維持されている状態を恒常性維持（ホメオスタシス，homeostasis）という。

1 体温

体温とは生体内の温度である。身体の各部によって温度差があり，肝臓や脳などが最も高い。体温は大動脈出口の血液の温度を示す。大動脈の出口付近の血液温度は容易に測定できないため，体表面に近い，測定に便利な場所で得られる皮膚温（腋窩温），体腔内の温度（口腔温，直腸温），外耳道の鼓膜温などを体温とよんでいる。

一般体温の生理的変動
体温には，日常の動作（食事，運動，睡眠，入浴，体位など）におけるもの，年齢差，個人差，測定部位，環境などによる変動がある。

体温の主要な測定部位は，腋窩，口腔，直腸，鼓膜などである。膀胱留置カテーテルの先端にセンサーがついているものでは，膀胱内温度を測定することができる。腋窩温を

看護技術習得に不可欠な知識！
具体的な看護技術を提示する前に，技術習得のために必要な知識を解説しています。技術を用いる際の基盤となるので，しっかり理解しましょう。

個別性を考えた看護技術を

実際に患者に対して技術を実施する場合には，本書で示している基本形をベースに，患者それぞれの個別性を考えて応用することが必要です。

応用できるようになるには，"なぜそうするのか？"といった根拠や留意点までをきちんと学び，基本形を確実に理解・習得することが第一歩です。

「看護技術の実際」
各節で習得してほしい看護技術の実際を，順を追って提示しています。正確な技術の習得に向けて，本書で示している基本形を繰り返し練習し，頭とからだで覚えるよう意識してください。

看護技術の実際

動画を観ることができる！

（腋窩）
- ●目　的：生理的変化を示す指標としての体温を測定する
- ●適　応：〜を必要とする対象（るいそうの著しい患者，乳児を除く）
- ●必要物品：（必要時）腋窩用電子体温計，アルコール綿，（必要時）〜ナル）

方法	留意点と根拠

看護技術の「目的」
何を目指してこの技術を用いるのかを簡潔に示しています。

看護技術の「適応」
この技術が，どんな状態の患者に用いられるのかを示しています。

「方法」に対する「留意点と根拠」が見やすい！
表形式で，左欄には順を追った技術の実施方法を，右欄にはそれに対応する留意点と根拠を明示しています。表形式だから左右の欄を見比べやすく，また対応する箇所には番号（❶など）をふっているので，方法に対する根拠がすぐにわかるようになっています。

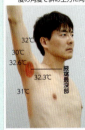
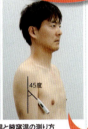

図2-7　腋窩周辺の皮膚温と腋窩温の測り方

5) 予測式の場合は，電子音が鳴ったら取り出し，患者を楽な体位にする。実測式の場合は，そのまま10分間保持した後に体温計を取り出し，患者を楽な体位にする
6) 体温計の数値を読み取る
7) 体温計の電源を切り，アルコール綿で体温計を消毒する。

わかりやすい写真がたくさん！
写真を中心に，イラストや表などがもりだくさんで，イメージしやすくなっています。

- ●後頭リンパ節は，外後頭隆起から横へ，下方に約2cm離れたところにある
- ●深頸リンパ節は，胸鎖乳突筋の深いところにある
4) 鎖骨上リンパ節は，左右の鎖骨の上をまんべんなく触れる（図3-59）

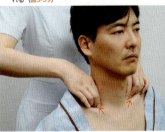
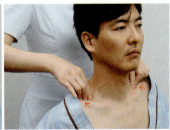

鎖骨のくぼみを探るようにする

図3-59　鎖骨上リンパ節

文献

1) アネット・G・ルー
2) Seidel HM, 他著
3) Bickley LS著, 福
4) 日野原重明編：
5) NPUAPホーム

「文献」
引用・参考文献を提示しています。必要に応じてこれらの文献にもあたり，さらに学習を深めましょう。

動画の視聴法　How to watch videos

本書では，主要な看護技術の手順を動画で提供しています。ぜひご活用ください。

動画の視聴方法

　動画は，専用Webサイト「mee connect」上で，ユーザー登録をしてライセンス番号を入力することでご利用いただけます。登録の詳しい方法およびライセンス番号は，巻頭（「序」の前のページ）にある「本書デジタルコンテンツの利用方法」をご覧ください。

　動画で観ることのできる看護技術には，紙面中にQRコードがついています。

　「mee connect」へのユーザー登録・ライセンス番号入力後に，お手持ちのスマートフォン等でQRコードを読み取ると，個別の動画にアクセスできます。

　また，下記URLにアクセスするか下のQRコードから動画の一覧ページをご覧いただくことができます。

http://www.medical-friend.co.jp/douga_ab/mc/konkyo/kiso/03/konkyo_kiso03.html

ご注意
- 動画は無料で視聴することができますが，視聴にかかる通信料は利用者のご負担となります。
- 本コンテンツを無断で複写，複製，転載またはインターネットで公開することを禁じます。

特別付録　看護技術「手順シート」

　本書では，主要な看護技術の一連の流れをA4サイズの用紙1枚に簡略にまとめた「手順シート」を提供しています。演習や実習で看護技術を実施する際に手順を確認するのに役立ちます。

　「手順シート」のご利用にも，専用Webサイト「mee connect」へのユーザー登録とライセンス番号の入力が必要となります（動画のご利用のために登録済みの場合は不要です）。

【「手順シート」ダウンロード用サイト】

http://www.medical-friend.co.jp/douga_ab/mc/konkyo/kiso/03/konkyo_kiso03_ps.html

動画一覧 video list

第 I 章 看護援助に共通する技術

手洗い	22
ガウンテクニック	25
無菌操作	28
ベッドメーキング	47
臥床患者のシーツ交換	55

第 II 章 ヘルスアセスメントの技術

バイタルサインの測定	81
皮膚・爪のフィジカルアセスメント	98
頭頸部のフィジカルアセスメント	104
耳のフィジカルアセスメント	124
鼻のフィジカルアセスメント	128
眼のフィジカルアセスメント	136
呼吸器のフィジカルアセスメント	149
心血管系のフィジカルアセスメント	167
腹部のフィジカルアセスメント	181
筋骨格系のフィジカルアセスメント	198
神経系のフィジカルアセスメント	221

第 III 章 生理的ニーズの充足と援助技術

食事介助	248
経管栄養法	251
便器を用いる排便・排尿の援助	259
尿器を用いる排尿の援助	263
おむつ交換	265
グリセリン浣腸	269
一時的導尿	271
ベッド上での移動	286
体位変換	291
ベッドからの移乗・移送	300
歩行の援助	306
部分浴	330
全身清拭	334
洗髪	339
口腔ケア	346
陰部清拭	353
寝衣交換	357

第 IV 章 診療に伴う援助技術

直腸内与薬（坐薬）	372
注射与薬	374
採血	393
ネブライザー吸入	417
酸素療法	420
吸引	427
巻軸包帯	460
布帛包帯（三角巾）	469

目次 contents

第Ⅰ章 看護援助に共通する技術　1

❶ コミュニケーション　（梶谷佳子）　2

- ❶ コミュニケーションの意義 …… 2
  - 1) コミュニケーションの目的 …… 2
  - 2) コミュニケーションの要素 …… 2
  - 3) 知覚とコミュニケーション …… 4
  - 4) コミュニケーションの分類 …… 5
  - 5) 本来的手段としてのコミュニケーション …… 5
- ❷ コミュニケーションにおける自己理解と他者理解 …… 7
  - 1) コミュニケーションにおける自己理解 …… 7
  - 2) 自己開示の重要性 …… 7
- ❸ 人間関係を保つコミュニケーション …… 8
  - 1) 第一印象をよくする …… 8
  - 2) 自然な視線 …… 8
  - 3) 向き合う位置 …… 8
  - 4) マナーを大切にする …… 9
- ❹ コミュニケーションにおける聴くということ …… 9
  - 1) 積極的傾聴 …… 9
  - 2) 「傾聴」の効果 …… 9
  - 3) あいづち …… 9
- ❺ アサーティブなコミュニケーション …… 10
- ❻ コーチング・コミュニケーション …… 11
  - 1) コーチング・コミュニケーションとは …… 11
  - 2) コーチングのステップ …… 11
  - 3) コーチングを効果的に行うためのコミュニケーションスキル …… 12

❷ 感染予防　（仲前美由紀）　14

- ❶ 感染とは …… 14
- ❷ 感染予防の意義と3原則 …… 14
  - 1) 感染予防の意義 …… 14
  - 2) 感染予防の3原則 …… 15
- ❸ 標準予防策（スタンダードプリコーション）… 15
  - 1) 手指衛生 …… 15
  - 2) 個人防護具 …… 16
  - 3) 呼吸器衛生／咳エチケット …… 16
  - 4) 患者配置 …… 17
  - 5) 患者用器具と装置 …… 17
  - 6) 環境管理 …… 17
- ❹ 感染経路別予防策 …… 17
- ❺ 消毒と滅菌 …… 17
  - 1) 消　毒 …… 19
  - 2) 滅　菌 …… 19
- ❻ 医療廃棄物の取り扱い …… 20

- 看護技術の実際 …… 22
  - A 手洗い …… 22
    - 1) 流水による手洗い（手指に目に見える汚染がある場合） …… 22
    - 2) 擦式手指消毒 …… 24
  - B ガウンテクニック …… 25
    - 1) 着用方法 …… 25
    - 2) 脱衣方法 …… 26
  - C 無菌操作 …… 28
    - 1) 滅菌バッグの開け方，鑷子の取り扱い方，消毒綿球・ガーゼの受け渡し方 …… 28
    - 2) 滅菌包の開け方 …… 30
    - 3) 滅菌手袋の着脱 …… 31
      - ■着用の仕方 …… 31
      - ■はずし方 …… 32

❸ 安全・安楽 (中橋苗代) —— 34

❶ 医療安全 …… 34
- 1) 医療安全とは …… 34
- 2) 医療事故と医療過誤 …… 34
- 3) 看護職の法的責任 …… 34
- 4) 医療安全におけるわが国の取り組み …… 35
- 5) 医療事故・ヒヤリ・ハット事例の現状 …… 36
- 6) 事故の発生要因 …… 36
- 7) ヒューマンエラーのメカニズム …… 37
- 8) 医療事故を防止するための対策 …… 37

❷ 安　楽 …… 41
- 1) 看護における安楽とは …… 41
- 2) 安楽を阻害する要因 …… 42
- 3) 安楽とリラクセーションのための援助 …… 41

❹ 生活環境調整 (梶谷佳子) —— 45

❶ 生活環境と人間の健康 …… 45
❷ 環境要因 …… 45
- 1) 温度，湿度，気流 …… 45
- 2) 採光と照明 …… 45
- 3) 臭　気 …… 46
- 4) プライバシー …… 46
- 5) 音 …… 46
- 6) 空気の清浄性 …… 46

❸ ベッドおよびベッド周囲の環境調整 …… 47
🌱 **看護技術の実際** …… 47
- A ベッドメーキング …… 47
- B 臥床患者のシーツ交換 …… 55
- C 病室の環境整備 …… 58

第Ⅱ章　ヘルスアセスメントの技術　61

❶ フィジカルアセスメントにおける観察 (角濱春美) —— 62

❶ フィジカルアセスメントとは …… 62
❷ フィジカルアセスメントの活用方法 …… 62
- 1) 系統的アセスメント（系統的レビュー）… 63
- 2) フォーカスアセスメント …… 63

❸ フィジカルアセスメントの基盤となる観察技術 …… 63
- 1) 問診（面接，インタビュー） …… 63
- 2) 視　診 …… 65
- 3) 触　診 …… 65
- 4) 打　診 …… 66
- 5) 聴　診 …… 67

❹ フィジカルアセスメントで得られた結果の活用 …… 68
- 1) 看護過程展開のプロセスとフィジカルアセスメント …… 68
- 2) フィジカルアセスメントと記録 …… 69
- 3) 報　告 …… 69

❷ バイタルサイン，痛みの見方 (木村恵美子) ― 71

- ❶ 体　　温 ……………………………… 71
- ❷ 脈拍・心拍 …………………………… 73
- ❸ 呼　　吸 ……………………………… 74
- ❹ 血　　圧 ……………………………… 76
- ❺ 意　　識 ……………………………… 77
- ❻ 痛みの見方 …………………………… 78
  - 1）痛みとは ………………………… 78
  - 2）痛みの分類 ……………………… 79
  - 3）痛みの観察 ……………………… 79
- 🌱 看護技術の実際 ……………………… 81
  - A 体温測定（腋窩） ………………… 81
  - B 体温測定（口腔） ………………… 82
  - C 体温測定（直腸） ………………… 83
  - D 体温測定（鼓膜） ………………… 84
  - E 脈　　拍 ………………………… 85
  - F 心　　拍 ………………………… 86
  - G 呼　　吸 ………………………… 86
  - H 血　　圧 ………………………… 87

❸ 皮膚・爪・頭頸部 (小林昭子) ― 92

- ❶ 皮膚・爪・頭頸部の構造 …………… 92
  - 1）皮　　膚 ………………………… 92
  - 2）爪 ………………………………… 92
  - 3）頭　　髪 ………………………… 93
  - 4）頭　　部 ………………………… 93
  - 5）顔　　部 ………………………… 93
  - 6）頸　　部 ………………………… 94
- ❷ 皮膚・爪・頭頸部の機能 …………… 95
  - 1）皮膚・爪 ………………………… 95
  - 2）頭頸部 …………………………… 95
- ❸ 皮膚・爪・頭頸部の主な障害 ……… 96
  - 1）皮膚・爪 ………………………… 96
- 2）甲 状 腺 ………………………… 96
- 3）リンパ節 ………………………… 98
- ❹ 皮膚・爪・頭頸部のアセスメントのポイント … 98
  - 1）皮膚・爪 ………………………… 98
  - 2）頭 頸 部 ………………………… 98
- 🌱 看護技術の実際 ……………………… 98
  - A 皮膚・爪 ………………………… 98
  - B 頭 頸 部 ………………………… 104
    - 1）頭　　部 ……………………… 105
    - 2）脳 神 経 ……………………… 112
    - 3）頸　　部 ……………………… 117

❹ 耳・鼻 (小池祥太郎) ― 121

- ❶ 耳・鼻の構造 ………………………… 121
  - 1）耳 ………………………………… 121
  - 2）鼻 ………………………………… 122
- ❷ 耳・鼻の機能 ………………………… 122
  - 1）耳 ………………………………… 122
  - 2）鼻 ………………………………… 123
- ❸ 耳・鼻の主な障害 …………………… 123
  - 1）難　　聴 ………………………… 123
- ❹ 耳・鼻のアセスメントのポイント … 124
- 🌱 看護技術の実際 ……………………… 124
  - A 耳 ………………………………… 124
  - B 鼻 ………………………………… 128

5 眼 (福井幸子) ──── 132

- **1 眼の構造** ……………………… 132
- **2 眼の機能** ……………………… 133
  - 1） 見る機能 ……………………… 133
  - 2） 視路と視野 …………………… 133
  - 3） 外眼筋とその神経支配 ……… 133
- **3 眼の主な障害** ………………… 134
  - 1） 視力障害 ……………………… 134
  - 2） 視野障害 ……………………… 134
- **4 眼のアセスメントのポイント** … 134
  - 1） 視力検査の実施と感染予防 … 134
  - 2） 検眼鏡の使い方 ……………… 134
- 🌱 看護技術の実際 …………………… 136

6 呼吸器 (福井幸子) ──── 144

- **1 呼吸器の構造** ………………… 144
  - 1） 胸腔・気管・肺の構造 ……… 144
  - 2） 肋骨・肋間の位置 …………… 145
  - 3） 指標線 ………………………… 145
- **2 呼吸器の機能** ………………… 145
- **3 呼吸器の主な障害** …………… 146
  - 1） 胸郭の形と胸郭の動きの異常 … 146
  - 2） 肺実質の異常 ………………… 146
  - 3） 肺音の異常 …………………… 146
- **4 呼吸器のアセスメントのポイント** … 149
- 🌱 看護技術の実際 …………………… 149

7 心血管系 (角濱春美) ──── 161

- **1 心血管系の構造** ……………… 161
  - 1） 心臓の構造 …………………… 161
  - 2） 全身の動脈および静脈の走行 … 162
- **2 心血管系の機能** ……………… 162
  - 1） ポンプ機能 …………………… 162
  - 2） 心周期 ………………………… 163
- **3 心血管系の主な障害** ………… 164
  - 1） 心不全 ………………………… 164
  - 2） 末梢血管障害 ………………… 164
- **4 心血管系のアセスメントのポイント** … 165
  - 1） 心臓のポンプ能力のアセスメント … 165
  - 2） 心拡大のアセスメント ……… 165
  - 3） 心音聴取 ……………………… 165
  - 4） 末梢循環障害のアセスメント … 167
- 🌱 看護技術の実際 …………………… 167

8 腹部 (角濱春美) ──── 177

- **1 腹部の構造** …………………… 177
  - 1） 腹部の区分 …………………… 177
  - 2） 腹腔内臓器の構造 …………… 177
- **2 腹部の機能** …………………… 179
- **3 腹部のアセスメントのポイント** … 180
  - 1） 腹部のアセスメントの順番 … 180
  - 2） 腹痛のアセスメント ………… 180
  - 3） 尿・便のアセスメント ……… 180
- 🌱 看護技術の実際 …………………… 181

❾ 筋骨格系　（藤本真記子）　——————190

- ❶筋骨格系の構造 …………………… 190
- ❷筋骨格系の機能 …………………… 192
- ❸筋骨格系の主な障害 ……………… 193
  - 1）疼痛，しびれ ………………… 193
  - 2）運動の異常 …………………… 193
  - 3）形態異常 ……………………… 194
- ❹筋骨格系のアセスメントのポイント …… 194
  - 1）体系のアセスメント ………… 194
  - 2）関節可動域のアセスメント ……… 195
  - 3）筋力のアセスメント ………… 196
  - 4）日常生活動作のアセスメント ……… 196
- 🌱看護技術の実際 …………………… 198
  - Ⓐ体型の把握 …………………… 198
    - 1）身長測定 …………………… 198
    - 2）体重測定 …………………… 199
    - 3）各周囲径の測定 …………… 199
  - Ⓑ関節可動域および徒手筋力テスト …… 202

❿ 神　経　系　（角濱春美）　——————217

- ❶神経系の構造 ……………………… 217
- ❷神経系の機能 ……………………… 218
- ❸神経系のアセスメントのポイント …… 218
  - 1）反射のアセスメント ………… 218
  - 2）知覚のアセスメント ………… 219
  - 3）小脳機能のアセスメント …… 220
- 🌱看護技術の実際 …………………… 221

⓫ 乳房・腋窩・生殖器・肛門　（角濱春美）　——————233

- ❶乳房・腋窩，女性の生殖器・肛門，男性の生殖器・肛門の構造 ……… 233
  - 1）乳房・腋窩 …………………… 233
  - 2）女性の生殖器・肛門 ………… 233
  - 3）男性の生殖器・肛門 ………… 234
- ❷乳房・腋窩，女性の生殖器・肛門，男性の生殖器・肛門の機能 ……… 235
  - 1）乳房・腋窩 …………………… 235
  - 2）女性の生殖器・肛門 ………… 235
  - 3）男性の生殖器・肛門 ………… 235
- ❸乳房・腋窩の主な障害 …………… 235
  - 1）乳がん ………………………… 235
- ❹乳房・腋窩，女性の生殖器・肛門，男性の生殖器・肛門のアセスメントのポイント …… 235
  - 1）乳房・腋窩 …………………… 235
  - 2）女性の生殖器・肛門 ………… 235
  - 3）男性の生殖器・肛門 ………… 236
- 🌱看護技術の実際 …………………… 236
  - Ⓐ乳房・腋窩 …………………… 236
  - Ⓑ女性の生殖器・肛門 ………… 238
  - Ⓒ男性の生殖器・肛門 ………… 239

第Ⅲ章　生理的ニーズの充足と援助技術　　243

❶ 食べること　（梶谷佳子）　　244

- ❶ 援助の目的と意義 …………………… 244
  - 1）身体的意義 ………………………… 244
  - 2）心理的意義 ………………………… 244
  - 3）社会・文化的意義 ………………… 244
- ❷ 援助のための基礎知識 ……………… 244
  - 1）食事援助の基本 …………………… 244
  - 2）誤嚥の防止 ………………………… 245
  - 3）経管栄養法による食事援助の基本 … 245
- ❸ 患者のアセスメントと援助方法の選択 …… 246
- ❹ 援助実施時のポイント ……………… 247
  - 1）食行動のアセスメント …………… 247
  - 2）食事介助の基本事項 ……………… 247
- 看護技術の実際 ……………………… 248
  - A 食事介助（全面介助） ……………… 248
  - B 食事介助（部分介助） ……………… 250
  - C 経管栄養 …………………………… 251
    - 1）経鼻経管栄養法（流動食の経鼻的注入）…… 251

❷ 排泄すること　（梶谷佳子）　　256

- ❶ 援助の目的と意義 …………………… 256
  - 1）生命の維持にかかわる重要な機能 …… 256
  - 2）排泄は日常生活の健康のバロメーター …… 256
  - 3）排泄の自立は人間としての尊厳につながる … 256
  - 4）円滑な排泄は充足した生活の源 …… 256
- ❷ 援助のための基礎知識 ……………… 257
  - 1）正常な排泄 ………………………… 257
  - 2）排便の異常 ………………………… 257
  - 3）排尿の異常 ………………………… 257
- ❸ 患者のアセスメントと援助方法の選択 …… 258
- ❹ 援助実施時のポイント ……………… 259
- 看護技術の実際 ……………………… 259
  - A 便器を用いる排便・排尿の援助 …… 259
  - B 尿器を用いる排尿の援助 ………… 263
    - 1）女性の場合 ……………………… 263
    - 2）男性の場合 ……………………… 265
  - C おむつ交換 ………………………… 265
  - D ポータブルトイレを用いる排泄の援助 …… 268
  - E グリセリン浣腸 …………………… 269
  - F 一時的導尿 ………………………… 271
    - 1）女性の場合 ……………………… 271
    - 2）男性の場合 ……………………… 273
  - G 持続的導尿 ………………………… 275

❸ 動くこと　（岡田純子）　　278

- ❶ 援助の目的と意義 …………………… 278
  - 1）よい姿勢と安楽な体位を保持する援助 … 278
  - 2）「動くこと」の援助 ………………… 278
- ❷ 援助のための基礎知識 ……………… 279
  - 1）体位の安定性を構成する要素 …… 279
  - 2）良肢位の保持 ……………………… 280
  - 3）体位の種類と特徴 ………………… 280
  - 4）ボディメカニクスの活用 ………… 281
  - 5）動くことと不活動状態が及ぼす影響 …… 283
- ❸ 患者のアセスメントと援助方法の選択 …… 284
- ❹ 援助実施時のポイント ……………… 286
- 看護技術の実際 ……………………… 286
  - A ベッド上での移動 ………………… 286
    - 1）枕の与え方，はずし方 …………… 286
    - 2)-① ベッドの上方への移動（看護師1人で行う場合） … 287
    - 2)-② ベッドの上方への移動（看護師2人で行う場合） … 289

3）ベッドの片側への移動 …………………289
　　4）ベッド上でのスライドシートを用いた移動 …290
　Ｂ 体位変換 ………………………………………291
　　1）仰臥位から側臥位 ……………………291
　　2）仰臥位から腹臥位 ……………………293
　　3）側臥位から仰臥位 ……………………293
　　4）仰臥位から端座位 ……………………294
　　5）端座位から仰臥位 ……………………295
　Ｃ 安楽な体位の保持（ポジショニング）………296
　　1）仰 臥 位 ………………………………296
　　2）側 臥 位 ………………………………298

　　3）ファーラー位 …………………………298
　　4）腹 臥 位 ………………………………299
　Ｄ ベッドからの移乗・移送 ……………………300
　　1）車椅子への移乗・移送 ………………300
　　2）ストレッチャーへの移乗・移送 ……303
　Ｅ 歩行の援助 ……………………………………306
　　1）人による援助 …………………………306
　　2）歩行器の使用による援助 ……………307
　　3）杖の使用による援助 …………………308
　Ｆ 関節可動域訓練 ………………………………309

❹ 休む，眠ること　（角濱春美） ───────────── 314

❶ 援助の目的と意義 ……………………………314
　　1）休　　息 ………………………………314
　　2）睡　　眠 ………………………………314
❷ 援助のための基礎知識 ………………………315
　　1）睡眠の生理学的特徴 …………………315
　　2）睡眠の起こるしくみ …………………315
　　3）睡眠困難 ………………………………316

❸ 患者のアセスメントと援助方法の選択 ……316
　　1）患者のアセスメント …………………316
　　2）必要な援助の判断 ……………………317
❹ 援助実施時のポイント ………………………318
　🌱 看護技術の実際 ………………………………318
　　1）筋弛緩法 ………………………………319
　　2）足　　浴 ………………………………319

❺ 身体をきれいにすること　（原　明子・道重文子）───── 320

❶ 援助の目的と意義 ……………………………320
　　1）生理的意義 ……………………………320
　　2）心理的意義 ……………………………320
　　3）社会的意義 ……………………………320
❷ 援助のための基礎知識 ………………………320
　　1）皮膚・粘膜・口腔の機能 ……………320
　　2）入浴の全身への影響 …………………323
　　3）整　　容 ………………………………323
　　4）洗 浄 剤 ………………………………324
❸ 患者のアセスメントと援助方法の選択 ……324
❹ 援助実施時のポイント ………………………325
　　1）清潔ケアのポイント …………………325
　　2）寝衣交換のポイント …………………326
　🌱 看護技術の実際 ………………………………326
　Ａ 入浴介助 ………………………………………326
　　1）浴槽での入浴介助 ……………………326
　　2）特殊浴槽による入浴介助 ……………328
　Ｂ 部 分 浴 ………………………………………330

　　1）足　　浴 ………………………………330
　　2）手　　浴 ………………………………332
　Ｃ 全身清拭 ………………………………………334
　Ｄ 洗　　髪 ………………………………………339
　　1）湯を使う方法（ケリーパッドを使用する方法）……340
　　2）湯を使う方法（洗髪車を使用する方法）……344
　　3）湯を使わない方法 ……………………345
　Ｅ 口腔ケア ………………………………………346
　　1）含 嗽 法 ………………………………346
　　2）口腔清拭法（スポンジブラシを使用する方法）……348
　　3）歯ブラシを用いる方法 ………………349
　　4）義歯の手入れ …………………………351
　Ｆ 陰部洗浄 ………………………………………353
　Ｇ 整　　容 ………………………………………355
　　1）爪切り …………………………………355
　　2）ひげそり ………………………………356
　Ｈ 寝衣交換 ………………………………………357

第Ⅳ章 診療に伴う援助技術　363

❶ 与薬・採血　（川北敬美・道重文子）――――――364

❶与　薬 …………………………364
- 1）与薬とは …………………364
- 2）薬物療法とは ……………364
- 3）薬物の作用に影響する因子 ……364
- 4）投与方法による薬物の体内動態 ……365
- 5）各注射による薬剤の吸収速度，作用持続時間，投与できる量 ……365
- 6）与薬に関する法律・基準など ……366
- 7）与薬上の原則と注意事項 ……367
- 8）劇薬・毒薬・麻薬の取り扱い ……368

❷採　血 …………………………369
- 1）採血とは …………………369
- 2）血液検査結果に影響を及ぼす因子 ……370
- 3）採血時の注意事項 ………370

🌱看護技術の実際 ………………371
- Ⓐ経口与薬 …………………371
- Ⓑ直腸内与薬（坐薬） ……372
- Ⓒ皮膚塗擦 …………………374
- Ⓓ注射与薬 …………………374
  - 1）皮下注射 ………………374
  - 2）皮内注射 ………………380
  - 3）筋肉内注射 ……………381
  - 4）静脈内注射 ……………383
  - 5）点滴静脈内注射 ………386
- Ⓔ採　血 ……………………393

❷ 罨　法　（中橋苗代）――――――398

- ❶罨法の意義 ………………………398
- ❷罨法の種類 ………………………398
- ❸罨法の目的と効果 ………………398
- ❹罨法の生体への影響 ……………399
  - 1）循環器への影響 ………399
  - 2）皮膚組織への影響 ……400
  - 3）感覚器への刺激 ………400
  - 4）筋・神経系への影響 …400
  - 5）代謝への影響 …………401
  - 6）心理的効果 ……………401
- ❺罨法の禁忌 ………………………401

🌱看護技術の実際 ………………402
- Ⓐ温罨法 ……………………402
  - 1）湯たんぽ ………………402
  - 2）温湿布 …………………404
  - 3）ホットパック …………406
- Ⓑ冷罨法 ……………………406
  - 1）氷　枕 …………………406
  - 2）アイスパック …………408

❸ 吸入・吸引　（奥野信行）――――――409

❶吸　入 …………………………409
- 1）ネブライザー吸入 ……409
- 2）酸素吸入（酸素療法） …411

❷吸　引 …………………………413
- 1）吸引とは …………………413
- 2）吸引器の主な種類 ……414
- 3）気管吸引実施時の判断とリスク ……415
- 4）気管吸引の方法 …………415

🌱看護技術の実際 ………………417
- Ⓐネブライザー吸入 ………417
- Ⓑ酸素療法 …………………420
  - 1）中央配管からの酸素吸入 ……421

2）酸素ボンベからの酸素吸入 …………… 424
　　C 吸　　引 ……………………………………… 427
　　　1）口腔・鼻腔吸引 ……………………… 427
　　　2）気管吸引 ……………………………… 430
　　　3）閉鎖式気管吸引 ……………………… 434

④ 皮膚・創傷の管理　（中橋苗代） ── 439

❶ 皮膚の構造と機能 …………………………… 439
❷ 創傷の基礎知識 ……………………………… 440
　　1）創傷の種類 …………………………… 440
　　2）治癒の種類 …………………………… 440
　　3）治癒の形態 …………………………… 442
　　4）創傷の治癒過程 ……………………… 442
❸ 創傷の観察 …………………………………… 443
❹ 創部の環境調整 ……………………………… 443
　　1）創床環境調整 ………………………… 443
　　2）湿潤環境による治癒促進 …………… 444
❺ 創傷処置 ……………………………………… 445
　　1）創・創周囲の洗浄と保護 …………… 445
　　2）ドレッシング材やテープ類による皮膚障害 … 446
❻ 褥瘡の予防と管理 …………………………… 448
　　1）褥瘡の発生要因 ……………………… 449
　　2）褥瘡の好発部位 ……………………… 449
　　3）褥瘡の状態評価 ……………………… 449
　　4）褥瘡発生のリスクアセスメント …… 451
　　5）褥瘡予防のためのケア ……………… 453
❼ 包帯法 ………………………………………… 457
　　1）包帯法の目的 ………………………… 457
　　2）包帯の種類 …………………………… 457
　　3）包帯法を用いるときの注意点 ……… 457
　　4）巻軸包帯を巻くときの注意点 ……… 459

🌱 看護技術の実際 ……………………………… 460
　　A 巻軸包帯 …………………………………… 460
　　　1）環行帯 ………………………………… 460
　　　2）螺旋帯 ………………………………… 461
　　　3）蛇行帯 ………………………………… 462
　　　4）折転帯 ………………………………… 463
　　　5）亀甲帯 ………………………………… 464
　　　　■離間亀甲帯（肘関節に包帯を巻く場合）…… 464
　　　　■集合亀甲帯（肘関節に包帯を巻く場合）…… 465
　　　6）麦穂帯 ………………………………… 466
　　　　■上方麦穂帯（足関節に巻く場合）…… 466
　　　7）反復帯（指に巻く場合）…………… 468
　　B 布帛包帯（三角巾）……………………… 469
　　　1）頭部の三角巾 ………………………… 469
　　　2）提肘三角巾 …………………………… 471
　　　　■骨折の場合 ………………………… 471
　　　　■肩関節脱臼予防の場合 …………… 472
　　　　■アームホルダー …………………… 473
　　　3）そのほかの部位の三角巾 …………… 473
　　　　■上腕・前腕の三角巾 ……………… 473
　　　　■手や足の三角巾 …………………… 473
　　　　■肘の三角巾 ………………………… 473
　　　　■膝の三角巾 ………………………… 473

⑤ 死亡時のケア　（藤本真記子） ── 476

❶ 死への過程 …………………………………… 476
❷ 死亡時の身体的・精神的変化 ……………… 476
　　1）身体的変化 …………………………… 476
　　2）心理的変化 …………………………… 477
❸ 遺される者の悲しみ ………………………… 477
❹ 終末時の看護師の役割 ……………………… 478
❺ 死亡の確認から退院へ ……………………… 479
🌱 看護技術の実際 ……………………………… 479
　　A 死後のケア ………………………………… 479

索　引 …………………………………………… 481

第Ⅰ章

看護援助に共通する技術

1 コミュニケーション

学習目標
- 人間関係形成の基盤となるコミュニケーションの意義を理解する。
- コミュニケーションの構成要素とコミュニケーション過程を理解する。
- 音声言語と身ぶり言語の意義を理解する。
- 看護におけるコミュニケーションの意義を理解する。

1 コミュニケーションの意義

1）コミュニケーションの目的

コミュニケーションとは,「伝える,分かち合う,あるいは共有する」という意味のラテン語からきた言葉である。広辞苑では,「社会生活を営む人間の間に行われる知覚・感情・思考の伝達。言語・文字その他視覚・聴覚に訴える各種のものを媒介とする」としている。

ここでは,ウィーデンバックおよびフォールズの考え方を紹介しながら,コミュニケーションについて考える。

2）コミュニケーションの要素

コミュニケーション現象は,構造的に2種類に分けられる。

（1）一方通行的な相互作用

1つ目は,ただ情報を与えることおよび受け取ることが含まれる。それは一方通行な相互作用を意味し,5つの基本的な構成要素,つまり,「刺激」「送り手」「メッセージ」「伝達経路」「受け手」から成り立っている（図1-1）。

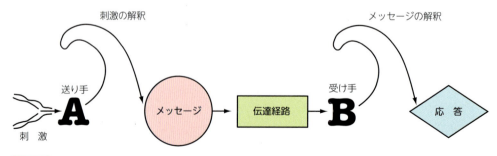

図1-1 コミュニケーションモデル：一方通行的な相互作用

ウィーデンバック E・フォールズ CE著,池田明子訳：コミュニケーション—効果的な看護を展開する鍵,新装版,日本看護協会出版会,2007,p.3より引用

一例として，主治医が，血糖コントロール不良の患者に対するインスリンの変更指示を看護師に伝えた場合を考えると，各構成要素は次のとおりである。
　刺激は，患者の血糖コントロール不良という問題である。
　送り手は，主治医である。
　メッセージは，インスリン変更というオーダーである。
　伝達経路は，音波（声）である。
　受け手は，看護師である。
　刺激の解釈は，個人の思考や価値に多大な影響を受けることから，それによってメッセージや応答は変わってくる。

（2）双方向的な相互作用

　前述の一方向にメッセージが送られるコミュニケーションに対して，もう一つのコミュニケーションは，2人の人間が交互に送り手と受け手の役割を変えながら，連続してメッセージを交換する場合である。つまり，双方向的な相互作用である。この場合，発せられたメッセージが，別のメッセージのための刺激となる（図1-2）。
　例を挙げて考えてみる。

看護師A：あら，雨が降ってきましたね。〈メッセージNo.1〉
患者B：本当ね。お昼から夫がお見舞いに来てくれる予定なのに，大丈夫かしら？〈メッセージNo.2〉
看護師A：天気予報では，お昼から晴れそうだといっていましたよ。〈メッセージNo.3〉
患者B：そうだといいんだけど。〈メッセージNo.4〉

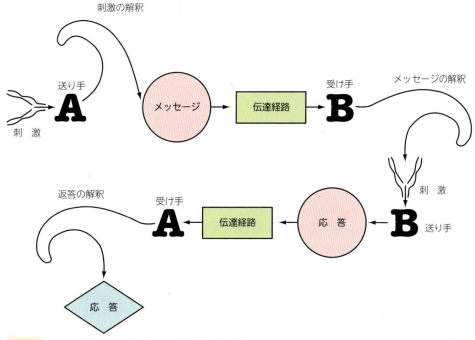

図1-2 コミュニケーションモデル：双方向的な相互作用

ウィーデンバックE・フォールズCE著，池田明子訳：コミュニケーション―効果的な看護を展開する鍵，新装版，日本看護協会出版会，2007，p.4より引用

この4つのメッセージに関する構成要素は次のようになる。

〈メッセージNo.1〉
　刺激は，雨である。
　送り手は，看護師Aである。
　メッセージは，雨が降っているという知らせである。
　伝達経路は，音波（声）から成り立っている。
　受け手は，患者Bである。

〈メッセージNo.2〉
　刺激は，看護師Aの「雨が降ってきましたね」である。
　送り手は，患者Bである。
　メッセージは，患者Bの「本当ね。お昼から夫が……」である。
　伝達経路は，音波（声）から成り立っている。
　受け手は，看護師Aである。

〈メッセージNo.3〉
　刺激は，患者Bの「……大丈夫かしら？」である。
　送り手は，看護師Aである。
　メッセージは，看護師Aの「天気予報では……」である。
　伝達経路は，音波（声）である。
　受け手は，患者Bである。

〈メッセージNo.4〉
　刺激は，看護師Aの「天気予報では……」である。
　送り手は，患者Bである。
　メッセージは，患者Bの「そうだといいんだけど」である。
　伝達経路は，音波（声）である。
　受け手は，看護師Aである。

3）知覚とコミュニケーション

　刺激，送り手，メッセージ，伝達経路，受け手の5つの構成要素は，相互作用全体において欠くことのできないものである。ウィーデンバックとフォールズは，この5つの要素に生命を与えるのは，感じやすくする作用(sensitizing mechanism)—思考・感情のプロセス—であり，それによって構成要素は互いに関係づけられ，意味づけと方向づけを与えられ，コミュニケーション自体の効果が決定されるとしている。つまり，図1-1および図1-2に示されている刺激の解釈およびメッセージの解釈が重要になる。

　また，メッセージを受け取る知覚は，外界にある対象や出来事に気づき，それらと自分の差を認識する過程である。知覚は聴覚，視覚，嗅覚，味覚などの感覚器官をとおして獲得したものであり，知覚できるものはある範囲の刺激に限られている。気づきによって対象や出来事は私たちのなかに存在する。つまり，「あちら側」から「こちら側」へ変換することであり，変換能力が知覚する能力である[3]。いわゆる対象を理解することは，知覚することから始めるということである。

人はそれぞれの準拠枠を採用し物事を解釈する。準拠枠とは解釈の枠組みや基準のことであり，どのように解釈するかは個人がもつ価値観や態度など様々な心理規制によって異なるということである。そこで，私たちは，コミュニケーションの際に，自分の解釈と他人の解釈に違いが生じる可能性を常に考慮に入れておく必要がある。そして，刺激やメッセージの解釈が人により様々であり，メッセージの内容についてある部分がゆがめられたり，切り捨ててしまったり，誤解を生じたりしやすいことに留意する。

加えて，コミュニケーションは常にある文脈のなかで行われる[3]。文脈とはコミュニケーションが行われる状況である。この文脈を無視しては，適切な解釈はあり得ない。場の空気を読みながら，コミュニケーションを行うことが大切である。

上記のことが相手との意思疎通を困難にする要因であり，このことを踏まえてコミュニケーションを行うことが，より相手を理解し，人間関係を構築することにつながる。

4）コミュニケーションの分類

コミュニケーションはその過程のいずれに注目するかによっていろいろに分類することができる[3]。

（1）かかわる人の数による分類
①個人内コミュニケーション：1人の頭の中のコミュニケーション。
②対人間コミュニケーション：2人の相互作用によるコミュニケーション。
③グループコミュニケーション：多人数の相互作用によるコミュニケーション。
④パブリックコミュニケーション：多人数に対してなされるコミュニケーション。

（2）コミュニケーションの動機による分類
①道具的コミュニケーション：目的達成手段としてのコミュニケーション。
②欲求充足的コミュニケーション：緊張や欲求不満の解消のためのコミュニケーション。

（3）コミュニケーション過程のメッセージによる分類
①バーバルコミュニケーション：言葉によるコミュニケーション。
②ノンバーバルコミュニケーション：身ぶり，表情，声の調子など。

（4）手段による分類（表1-1）
①本来的手段：発声言語と身ぶり言語。
②補助的手段：自分の思考，感情，理念などを図式や記号によって説明する際に用いられるもの。

看護場面におけるコミュニケーションは，上記のいずれかが組み合わされて行われることがほとんどである。援助の目的を説明する際，わかりやすくするために身ぶりをつけることもある。また，援助を行っている間も，目的を達成するための声かけだけでなく，緊張を和らげるためにも声かけを行う。患者の気持ちを患者の発する言語だけに頼らず，表情や口調などにより理解しようとする。個人や集団に対して教育的かかわりを行うこともある。何も言わずに患者を見守るという，態度のみのコミュニケーションも存在する。あらゆる看護場面においてコミュニケーションが行われている。

表1-1 コミュニケーション手段

本来的手段 (natural means)	補助的手段 (accessory means)
音声言語 　言語的 　　話し言葉 　　会議 　　口頭での報告，など 　非言語的 　　発声音 　　うめき，笑い **身ぶり言語** 　身体的 　　外観 　　ジェスチャー 　　くせ，ポーズ 　　拍手 　　軽く叩く，など 　生理的 　　赤面する 　　息づかい 　　脈拍 　　涙を流す 　感覚的 　　感じる（触覚） 　　聞く 　　味わう，など	**生物** 　動物 　花 　人間 **物質** 　衣服 　贈り物 　薬 　成型物 　　装飾用小立像（フィギュア） 　　食物の陳列，など 　絵 **走り書き** 　図解 　方向標識 　書かれた言葉，など **編集物** 　参考図書 　チャート 　メモ，記録物，など **演劇** 　寸劇 　ロールプレイング，など

ウィーデンバック E・フォールズ CE 著，池田明子訳：コミュニケーション―効果的な看護を展開する鍵，新装版，日本看護協会出版会，2007，p.42 より引用

5）本来的手段としてのコミュニケーション

　人の肉体的存在―とりわけ声帯と筋肉―から生ずる手段は，コミュニケーションの頼みの綱である[4]。そのなかには，言葉として発せられる発声音と身体の動きおよび様々な種類の顔の表情が含まれる。前者は音声言語（voice language）といい，後者は身ぶり言語（body language）という。両者は，意識的あるいは無意識的に互いを組み合わせて用いられる。

　「目は口ほどに物を言う」ということわざがあるように，目つきは言葉で話すのと同等に気持ちを相手に伝えることができる。また，話し手の伝えたいことが，その人の言っている内容よりも，むしろその言い方や表情のなかに表現されていることがたびたびある。音声言語と身ぶり言語の結びつきによって，ある発言の文字どおりの意味が変わるばかりではなく，言葉の選択とそれに伴う身ぶり言語によって，その送り手のメッセージが好ましい反応をもたらしたり，好ましくない反応をもたらしたりする。

　たとえば，言葉では「大丈夫」と言っていても，苦悶表情をしているなど，音声言語と身ぶり言語の不一致がみられる場合は，身ぶり言語が真意を語る場合もある。

2 コミュニケーションにおける自己理解と他者理解

私たちはコミュニケーションをとおして，自己と他者をよりよく理解している。相互理解において，コミュニケーションは必要不可欠である。

1）コミュニケーションにおける自己理解

自分と他人のコミュニケーション関係をとおして，自己理解，他者理解を深めるために，米国の心理学者のJosephとHarryという2人の名前を合成してジョハリの窓と命名された図式がある（図1-3）。

第Ⅰの窓は，私も他人もわかっている開かれた窓である。第Ⅱの窓は，他人はわかっているが自分にはわからない自己の盲点の窓である。第Ⅲの窓は，私はわかっていて他人にはわからない，隠されている窓である。第Ⅳの窓は，私も他人もわからない未知の窓である。

ジョハリの窓からわかることは，第Ⅰの開かれた窓が大きいほど，他者とのコミュニケーションは良好ということである。自己開示とフィードバックの繰り返しが，第Ⅰの窓を広げることにつながるのである。

2）自己開示の重要性

自己開示とは，ありのままの自分自身を率直に見せること，解放することである。自分をよく知ってもらおうと思えば，積極的に自分のことを話さなければならない。しかし，人はむやみに自己開示するわけではない。親しい人には深い自己開示をするが，それほど親し

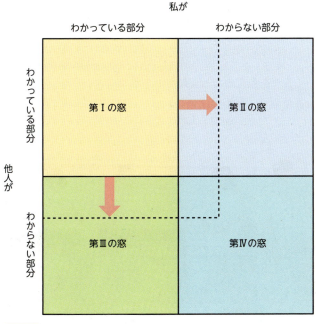

図1-3　ジョハリの窓

くない人には浅い表面的な自己開示になるはずである。

　日常生活の人間関係のなかで自己開示を積極的に試みることで，未知の自分と出会い，それを新しい人間関係の広がりへとつなげていくこともできるだろう。

　コミュニケーション技術の向上は，臨床実習での学びを拡大してくれる。そのために，日常のなかで，同世代だけでなく様々な相手と会話ができるように心がけておくとよい。

　また，近年は，SNSや携帯電話，スマートフォンなどの普及により，通信機器を用いたコミュニケーションも活発に行われている。しかし，医療従事者が行うコミュニケーションは，そのほとんどを相手と対面して行う場合が多い。また，その人々は，心身の健康レベルが低下していたり，コミュニケーション機能に障害をもつ人も少なくない。そう考えると，これまで述べてきたように，相手を知覚し，知覚したことを解釈する能力を向上させるためには，対面する相手に応じた状況でのコミュニケーション能力を高める必要があるといえる。

3 人間関係を保つコミュニケーション

1）第一印象をよくする

　特に初対面の人との出会いにおける第一印象は，その後の人間関係の維持・発展に大きく影響を及ぼす。服装や髪形，化粧，アクセサリーなどの外観にも気を配ることが大切である。

2）自然な視線

　視線を合わせることでかえって相手を緊張させる場合もあるため，相手に応じて自然な視線で，緊張を緩和することも大切である。

3）向き合う位置

　向き合う位置（図1-4）によって，その場の緊張度が変わる。状況を考えながら，相手とどのような位置関係をつくるかを考えることも大切である。
①対面法：二者が向き合う位置で，緊張感は強い。

対面法

90度法

平行法

図1-4　向き合う位置

②90度法：二者が斜めから向き合う位置で，適度に視線を意識しながらの会話になる。
③平行法：二者が肩を並べる位置で，あまり相手の視線を意識せずに話ができる。

4）マナーを大切にする

病室内に入・退室する際には，あいさつをし，自己紹介をする。また，美しくていねいな言葉遣いに心がける。好感をもたれるような態度は，信頼を得るためにも大切である。

コミュニケーションにおける聴くということ

相手の伝えようとすることを理解するには，「聴く」ことが大切である。「聴く」とは，相手の準拠枠にそって理解しようと，相手に耳を傾けることをいう。同じ「きく」と発音しても，「聞く」と「聴く」では意味が異なる。「聞く」は音が耳に入ってくる，聞こえるの意味である。「聴く」は，相手の伝えたいことを相手の枠組みにそって理解しようと耳を傾けることである。

1）積極的傾聴

看護師の態度としては，単に受け身になって聞くのではなく，積極的に相手にかかわる意志で聴く態度が求められる。これを積極的傾聴という。

2）「傾聴」の効果
①自分はこの人に受け入れられていると確認できる。
②自分の話には価値があるという自信をもつことができる。
③自分の存在価値を肯定できる。
④自分の「今」の状態を正しく理解することができる。

3）あいづち

話し相手が話を続けるためには，聴き手があいづちを打ってくれることが必要である。そうでないと話し手は話す意欲が低下し，話せなくなってしまう。あいづちには以下のような種類がある。

（1）肯定的あいづち

相手の話に同感して賛成していることを示す「うん」「はい」などの短い返事である。話し手は自分の話を聴き手が賛成してくれていると考える。

（2）中立的あいづち

相手の話を聴くときに，同調するわけではないが，自分自身がさほど巻き込まれないようにするあいづちである。
①驚きを表す中立的あいづち：「ほぅ」「へぇー」「ほんと」「うそー」などのあいづちは，聴き手の驚きを表しており，聴き手の価値観や賛否の態度は示していない。
②先を促すあいづち：「それから」「それで」などというあいづちは，話に興味をもち，その先が知りたい気持ちを表している。

③キーワードの中立的あいづち：話し手が述べている発言の途中に，特に大切な言葉を挟むことである。

（3）否定的あいづち

「いいえ」「いやー」といったあいづちである。聴き手自身の謙遜を示したり，相手の謙遜の言葉に対して用いることがある。

5 アサーティブなコミュニケーション

　互いを大切にしながら，率直にコミュニケーションをすることを「アサーション」という。アサーションは，私たちが望む自己表現とコミュニケーション，そして人間関係への鍵といえる。

　自己表現には3つのタイプがある。「第1は自分のことだけを考えて，他者を踏みにじるやり方」「第2に自分よりも他者を常に優先し，自分のことを後回しにするやり方」「第3は自分のことをまず考えるが，他者をも配慮するやり方」である（図1-5）。

　アサーティブとは，自分も相手も大切にした自己表現である。自分の気持ち，考え，信念などが正直に，率直に，その場にふさわしい方法で表現され，そして相手が同じように発言することを奨励するのである。その場合，双方の意見の不一致も起こり得る。しかし，互いの意見や気持ちを出し合って，譲ったり，譲られたりしながら，双方が納得のいく結論を導きだそうとし，相互尊重の体験をすることができるのである。

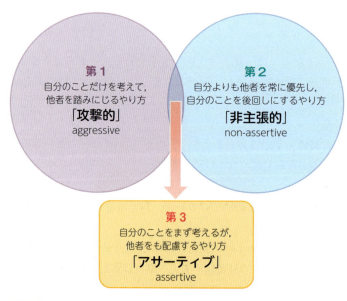

図1-5　自己表現の3つのタイプ

6 コーチング・コミュニケーション

1）コーチング・コミュニケーションとは

　看護師は，人々のニーズを把握し，健康の回復，維持・増進を目指したり，時には安らかな死を目指すために，看護実践を行っている。その際に，人々の意思を尊重し，その人々が目指す目標に向かうことを助ける。

　そもそもコーチングとは，企業人が部下を養成する場合に上手な人間同士のコミュニケーションを利用し，個人のもつ潜在能力や性格の特徴を引き出し，彼らの自主的行動を引き出し，伸ばして発展させるという，ビジネス界に広まった手法である。1990年代に米国のビジネス業界で広まった言葉であり，1990年代後半には，日本のビジネス界でも注目されるようになった。

　すなわち，コーチングとは，相手の自発的な行動を促すコミュニケーションの技術であり，コーチングの技術を用いたコミュニケーションで部下や同僚，患者に自分の主体的な行動が期待できる。多くの場合，ゴールを達成したり，障害を打開するための答えや能力は，その人自身がもっている，と考えるのである。

　「コーチング」では，「質問」や「提案」「承認」などのスキルを使って相手の考えや能力，知識などを引き出す。

　コーチング・コミュニケーションは，双方向的コミュニケーションであり，コーチが声に出して「質問」することで，相手は頭の中で考え，整理し，言葉に直し，声に出して「話す」。相手は声に出して質問に答えることによって，自分で問題を整理し，考えを整理する。いわば，問題解決方法の一つとして考えられる（図1-6）。

　看護場面において，コーチング・コミュニケーションが効果的に活用できれば，人々が自分の抱える健康問題を解決するための手助けとなるであろう。

図1-6　コーチング・コミュニケーション

図1-7 コーチングのステップ

2）コーチングのステップ

コーチングには，以下の7つのステップがある（図1-7）。

①第1ステップ：目標をはっきりさせる。自分のあるべき姿，目標や夢が鮮明になればなるほど行動への強い動機づけになる。

②第2ステップ：相手に今の状況を正確に話してもらう。このことで，現状と目標とのギャップを正確につかむことができる。

③第3ステップ：ゴールに向かうのに「障害」となっていることをすべて挙げてもらう。また，ゴールに向かうのに助けになっている自分の能力や「強み」を明らかにする。

④第4ステップ：「ゴールイメージ」と「現状」とのギャップを埋める「具体的に行動を起こせる方法」を相手から引き出す。

⑤第5ステップ：ゴールが本当に手に入れたかったものかどうかを再確認する。本当に手に入れたかったものであると，より現実味が出てモチベーションが上がる。反対にそれほど手に入れたかったものでないときは，ここで第1ステップに戻ることもある。

⑥第6ステップ：いつまでに行うのか，行動する意思はどのくらいあるのかを確認する。

⑦第7ステップ：コーチングの効果をフィードバックしてもらう。話してもらうことでさらに自分の考えを確信する。

3）コーチングを効果的に行うためのコミュニケーションスキル

（1）承　　認

「承認」とは，相手のよいところを見て心にとめるという意味である。相手の夢，目標，行動，思い，そして過去の歴史を含めて，「正しい」「正しくない」という評価をしない。

相手の言葉の意味だけでなく，その奥深くにある感情や思い入れ，決意までも「承認」することが大切である。「承認」の種類として以下が挙げられる。
①ほめる。
②気持ちを伝える。
③事実を伝える。
④存在に気づいていることを伝える。
⑤叱る。
⑥まかせる。

（2）質　問

　コーチングの場では，コーチはクライアントと対等な関係で，「質問」はクライアント自身の気づきや思考の整理のために行われ，未来や可能性を引き出し，行動を促すことを目的としている。コーチが聴きたいことを聴くのではない。「質問」には以下の目的がある。
①情報収集の質問。
②相手に好意や関心を示す質問。
③相手の意識を自身の内側に向けて考えを深めさせる質問。

　［What］や［How］などの拡大質問をしていくことで，内容が深まる。たとえば，「たばこの本数を減らすために，どんなことならできますか？」などの質問である。また，否定的質問は，質問のなかに否定的な言葉を多く含むため，時には相手から責められていると感じる。たとえば，「できなかった原因は何？」「どうしてできなかったの？」などの質問は，クライアントの原因究明や問題解決に焦点を当てることになり，クライアントは閉塞感を覚えて行動にプレッシャーをかけてしまうおそれがある。肯定的質問は，質問のなかに肯定的な言葉を多く含むので気持ちも前向きにシフトしやすい。たとえば，「すぐにできそうなことはある？」「はっきりしていることは何と何？」などである。できるだけ，肯定的質問や拡大質問で，内容を深めることを考える。

（3）提　案

　「提案」とは，相手に必要な知識を伝えたり，正しい方向を指し示すことをいう。「提案」は相手にYes，Noの選択権がある。提案の効果的なスキルとして以下のことが挙げられる。
①「提案」前に相手の話を十分に聴く。
②許可をとってから「提案」する。
③具体的かつ明確に「提案」する。
④自由に「Yes」「No」の選択をさせる。
⑤「提案」は1回のコーチングに一つとする。

文　献

1) 柳澤厚生編著：ナースのためのコーチング活用術，医学書院，2003．
2) 平木典子：自分の気持ちをきちんと〈伝える〉技術，PHP研究所，2007．
3) 西川一廉・小牧一裕：コミュニケーションプロセス，二瓶社，2002．
4) ウィーデンバック E・フォールズ CE著，池田明子訳：コミュニケーション—効果的な看護を展開する鍵，新装版，日本看護協会出版会，2007．

2 感染予防

学習目標
- 感染の定義，成立過程を理解する。
- 感染予防の必要性，意義を理解する。
- 標準予防策（スタンダードプリコーション），感染経路別予防策を理解する。
- 感染予防に必要な知識を身につけ，清潔・不潔について理解する。
- 感染予防の技術を習得する。
- 無菌操作の技術を習得する。
- 医療廃棄物の取り扱いを理解する。

1 感染とは

　感染とは，病原微生物が人体（生体内）に侵入し，組織内増殖を経て定着し，寄生状態が成立することである。感染が成立するためには以下の6つの要素が必要であり，どれか一つ欠けても成立しない[1)][2)]。

①病原体（病原微生物）：感染の成立には病原体の存在が必要であり，その多くは微生物である。病原性を発揮するには，生体組織への付着力，量，毒性が関係している。

②感染源：病原体が生存あるいは増殖できる場所を指す。院内感染における代表的な感染源は，患者，医療従事者，医療器材である。

③排出門戸：病原体が感染源から排出される出口である。

④感染経路：病原体の主な感染経路は接触感染，飛沫感染，空気感染の3つである。感染防止対策の多くは感染経路に対して行われる。

⑤侵入門戸：病原体が進入する入り口である。

⑥感受性宿主：感染に対する感受性は，宿主の基礎疾患や免疫機能低下の重症度などに影響される。人には防衛機構が備わっているため，健康な人に病原体が侵入したからといって，すぐに感染症を発症するわけではない。感受性の高い対象としては，未熟児，高齢者，糖尿病，後天性免疫不全症候群（AIDS），気管切開，人工呼吸器装着，カテーテル挿入，移植，抗がん剤治療，免疫抑制薬治療，ステロイド薬治療，広域抗菌薬の使用などが挙げられる。

2 感染予防の意義と3原則

1）感染予防の意義

　医療施設では，外来受診患者，家族や見舞い客など外部から病原微生物が持ち込まれ，

至るところに感染源があることから，患者は常に安全が脅かされている状況にある。特に抵抗力が低下している患者や易感染状態にある患者は，常に感染する危険にさらされており，看護師はそれを予防するための知識や技術を身につけることが必要である。また看護師は患者の側にいる時間が長いことから，看護師自らが病原菌の媒介者となる可能性があり，患者および自らの身を守るためにも感染予防が果たす役割は大きい。

2）感染予防の3原則

感染予防の3原則とは，①病原体（感染源）の除去，②感染経路の遮断，③個体（感受性宿主）の抵抗力の増強である。この3要素を予防することが重要であり，特に感染経路の遮断が最も有効である。

3 標準予防策（スタンダードプリコーション）

病原体の伝播防止には，標準予防策と感染経路別予防策の2段階の予防策がある。

標準予防策とは，1996年に米国疾病管理予防センター（Centers for Disease Control and Prevention：CDC）が発表した「病院における隔離予防策のためのCDCガイドライン」のなかで提唱され，すべての人は医療施設で伝播するかもしれない病原体に感染しているか保菌している可能性があると仮定し，感染症の有無にかかわらずすべての患者のケアに際して適用する予防策である。具体的には，患者の血液，体液（唾液，胸水，腹水，心嚢液，脳脊髄液など，すべての体液），分泌物（汗は除く）・排泄物，あるいは傷のある皮膚や粘膜を感染の可能性のある物質とみなし対応することで，患者と医療従事者双方における病院感染の危険性を減少させる予防策である[2]。以下にCDCガイドラインの勧告の一部を述べる。

1）手指衛生

手指衛生は，医療ケア現場において病原体の伝播を減らすための最も重要な行為の一つである。手指衛生の第一選択は擦式消毒用アルコール製剤である。流水下での手洗いよりも除菌効果が高く，保湿効果もあるため，利便性に優れている。ただし，感染性胃腸炎など擦式消毒用アルコール製剤の効果が期待できない感染症もあるため，感染症の流行時期を考慮し手指衛生の方法を選択する。

（1）方　　法

手指衛生の方法を**表2-1**に示す。

（2）実行すべき時期

①患者と直接接触する前。
②血液，体液，排泄物，粘膜，創部に触れた後。
③患者の皮膚に触れた後（バイタルサイン測定，体位変換など）。
④同一患者のケアの際，汚染部位から清潔部位へ手指を移動させるとき。
⑤患者の近くにある医療器具や物品に触れた後。
⑥手袋をはずした後。

表2-1 手指衛生の方法

場面	方法
手指に目に見える汚染がない	①擦式消毒用アルコール製剤 ②抗菌性石けん＋流水（30〜60秒かけた手洗いの評価に基づく）
手指に目に見える汚染がある	非抗菌性石けんまたは抗菌性石けん＋流水
擦式消毒用アルコール製剤の効果が期待できない感染症	抗菌性石けん＋流水

2）個人防護具

血液や体液との接触が予測される場合の使用が推奨される（表2-2）。使用後は医療従事者のユニフォームや皮膚の汚染に留意し、病室から退室する際には、個人防護具（personal protective equipment：PPE）を脱衣して廃棄する。また個人防護具の着脱後および廃棄後には手指衛生を必ず行う。

3）呼吸器衛生／咳エチケット

①ウイルス性呼吸器感染症（インフルエンザ、アデノウイルスなど）の流行期は、感染拡大防止のために医療従事者の教育を行う。
②呼吸器感染症の疑いのある患者やその同行家族に、外来受診時から感染拡大防止のための対策を行う。
③医療施設内の目につくところに「咳やくしゃみの際には口鼻をティッシュペーパーで覆い、ティッシュペーパーを捨ててから、手指衛生を行うこと」と掲示する。

表2-2 個人防護具の種類と着用の留意点

種類	着用の留意点
手袋	①血液、体液、排泄物、粘膜、傷のある皮膚や創部に触れる場合に着用する ②直接的に患者にケアを行う場合は、使い捨ての手袋を着用する ③環境や医療器材の清掃に着用する ④同一患者において、汚染部位から清潔部位へ手指を移動させる場合はケア中に手袋を交換する ⑤同じ手袋を着用して、一人以上のケアを継続してはならない ⑥患者に使用した手袋は再利用しない
ガウン	①処置やケアにおいて、血液、体液、排泄物などで皮膚や衣類が汚染されることが予測される場合に着用する ②排液などの分泌物が認められる場合に着用する ③同一患者との接触であっても、一度はずしたガウンは再利用しない ④使用したガウンは使用した場所で脱衣し、手指衛生を行う ⑤高リスク病棟（ICU、NICUなど）入室時は、日常的にガウンを着用する必要はない
口・鼻・目の防護	①血液、体液、分泌物などの飛散が予測される場合は、飛散の状況に応じてマスク、ゴーグル、フェイスシールドを使用する ②空気感染する感染症（結核、重症急性呼吸器症候群：SARSなど）に感染している患者の飛沫が発生する手技（気管支鏡、気管内吸引、気管挿管など）を実施する場合、フェイスシールドやマスク、ゴーグルを着用する

④医療環境には，手指衛生の呼びかけや実施手順書，手洗い用シンクや手洗い用品，擦式消毒用アルコール製剤などを使用しやすいよう整備する。
⑤呼吸器感染症の流行期には，疑いのある患者や同行家族が医療施設へ来院した際はマスクを提供し，着用を指導する。
⑥呼吸器感染症の疑いのある患者や同行家族が医療施設へ来院した際は，一般待合室において他患者との距離を1m以上あける。

4）患者配置
他人への伝播の危険が疑われる場合，患者をできるだけ個室に配置する。

5）患者用器具と装置
①侵襲的（クリティカル）・半侵襲的（セミクリティカル）医療器材や装置は，高レベルの消毒や滅菌の前に，有機物を除去する。
②血液，体液などで汚染された器具や装置を取り扱う場合，予想される汚染レベルによって手袋やガウンを着用する。

6）環境管理
①病原体で汚染されたと思われる環境表面は，汚染されていない物よりも頻回に洗浄・消毒をする（オーバーベッドテーブル，ベッド柵，ドアノブ，トイレ周辺など）。
②患者の環境を汚染する可能性が高い病原体に対して，殺滅効果のある消毒剤を使用する。
③病原菌（ロタウイルス，ノロウイルスなど）の伝播がある場合は，より効果のある消毒剤に変更する。
④小児患者が使用する玩具を施設側が提供する場合，定期的に洗浄・消毒できる玩具を選択する。

そのほかに，リネン，安全な注射業務，腰椎穿刺処置における感染管理手技，医療従事者の安全に関する勧告が出されている。

4 感染経路別予防策

感染経路別予防策は，標準予防策だけでは感染経路を十分に遮断できない場合に追加される対策である。感染経路には，空気感染，飛沫感染，接触感染の3種類があり（表2-3），それぞれに予防策がとられる（表2-4）。複数の感染経路がある場合には，必要に応じて予防策を組み合わせて適用する。

5 消毒と滅菌

消毒および滅菌は，微生物の主成分であるタンパク質を物理的または化学的に変化させ，その機能を停止させることを目的として行われる。消毒とは人畜に対して有害な微生物，または目的とする対象微生物だけを死滅させることであり，滅菌とは物質中のすべての微

表2-3 感染経路の分類

分類	内容
空気感染	粒径5μm以下の粒子に付着し，長時間空中に浮遊している微生物による感染
飛沫感染	粒径5μm以上の粒子に付着し，短時間で落下してしまう微生物による感染 1m以内の接近で伝播しやすい
接触感染	直接的（患者へのケア，患者の皮膚への接触）・間接的（患者周囲にある器具や物に触れる）に接触することで起こる感染 医療従事者が媒介となることがある

表2-4 感染経路別予防策

予防策	主な病原微生物	内容
空気予防策	結核菌 麻疹ウイルス 水痘ウイルス	・空気感染隔離室への収容が原則 ・個室に空きがない場合，同じ微生物に感染している患者と同室にする ・周囲の区域に対して陰圧監視され，時間当たり6～12回の換気を行う ・空気を戸外に適切に排出するか，室内の空気を再循環前に高性能濾過フィルターにかける ・入退室以外はドアを閉める ・入室時は，N95マスクを着用する ・患者にはサージカルマスクの着用および呼吸衛生/咳エチケットを指導する
飛沫予防策	インフルエンザウイルス 風疹ウイルス ムンプスウイルス アデノウイルス 髄膜炎菌 百日咳菌 ジフテリア菌 マイコプラズマ　など	・原則的には個室が望ましい ・個室に空きがない場合，同じ微生物に感染している患者と同室にする ・個室に空きがない場合は，病原体の毒性，排菌量，同室患者への感染のリスクなどを考慮する（患者同士が約1m離れていること） ・密接な接触の機会が最小限となるよう，ベッド間のカーテンを引いておく ・患者の約1m以内ではサージカルマスクを着用する
接触予防策	多剤耐性菌（MRSA：メチシリン耐性黄色ブドウ球菌，VRE：バンコマイシン耐性腸球菌） 腸管出血性大腸菌 ノロウイルス ロタウイルス 疥癬　など	・原則的には個室が望ましい ・個室に空きがない場合，同じ微生物に感染している患者と同室にする ・個室に空きがない場合は，病原体の毒性，排菌量，同室患者への感染のリスクなどを考慮する（患者同士が約1m離れていること） ・患者とその周囲の環境に接触する際は手袋を着用する ・ガウンを着用する ・退室する場合は，手洗いをする　　など

（CDCガイドライン感染経路別予防策の勧告をもとに一部を要約）

表2-5 医療器材の感染危険度における分類（Spauldingによる分類）

分類	用途	医療器材名	方法
クリティカル器材	無菌の組織（粘膜など）に侵入する器材	手術器機など	洗浄後すべて滅菌処理
セミクリティカル器材	粘膜や損傷皮膚と接する器材	内視鏡，人工呼吸器の部品など	洗浄後高水準消毒，器材によっては中水準消毒
ノンクリティカル器材	無傷の皮膚と接する器材または皮膚と接しない器材	聴診器，体温計など	必要に応じて洗浄後に低水準消毒

生物を死滅させることである。医療器材に関しては，感染危険度に応じて消毒・滅菌の方法が選択される（表2-5）。

1）消　毒
（1）消毒方法
消毒方法を表2-6に示す。
（2）消毒薬の分類（表2-7）
薬物消毒法では，薬液の使用濃度，作用温度，作用時間により効果は変化する。また，それぞれの消毒薬には抗微生物スペクトルがあり（消毒の作用が有効・無効な微生物がいる），消毒の効果が有効であると確認されている消毒薬を選択し，使用する（表2-8）。薬剤の必要原液量の求め方は以下のとおりである。

$$必要原液量 = \frac{希釈濃度}{原液濃度} \times 作成量$$

2）滅　菌
滅菌の方法の代表的なものは高圧蒸気滅菌，過酸化水素低温ガスプラズマ滅菌，エチレンオキサイドガス滅菌があり，残留毒性がなく安全かつ短時間で確実に滅菌できる高圧蒸気滅菌が第一選択である。滅菌の方法と種類，内容，適用を表2-9に示す。

滅菌済みであるかの確認は，滅菌インジケータや検知テープで行う。滅菌済みの場合，指定された色に変化するため，器具の使用時は必ず色の変化を確認する。

表2-6　消毒方法

種類	内容
浸漬法	器材などを完全に浸漬する方法
清拭法	消毒薬をガーゼなどに染み込ませ，表面を拭き取る方法
散布法	清拭法では消毒不可能な隙間などに，スプレー式の道具を用いて消毒薬を散布する方法
灌流法	内視鏡，透析装置など細い内部構造を有している器材に消毒薬を灌流する方法

表2-7　消毒薬の分類

分類	内容
高水準消毒薬（広域）	大量の芽胞を除いて，すべての微生物を死滅させる
中水準消毒薬（中域）	結核菌，栄養型細菌，ほとんどのウイルスと真菌を不活化もしくは死滅させるが，必ずしも芽胞を死滅させるわけではない
低水準消毒薬（狭域）	細菌のほとんど，数種類のウイルスと真菌を死滅させることができる

表2-8 消毒薬の微生物の殺菌効力と適用対象

微生物の殺菌効力
○ 有効
● 一部に抵抗を示す菌株あり
△ 十分な効果が得られない
× ほとんど無効

適用対象
○ 使用可
△ 注意して使用
× 使用不可

水準	分類	一般名	商品名	一般細菌	MRSA	芽胞	緑膿菌	結核菌	HBV	真菌	手指・皮膚	粘膜	金属器具
高水準	アルデヒド類	グルタラール	ステリハイド サイデックス	○	○	○	○	○	○	○	×	×	○
		フタラール	ディスオーパ	○	○	○	○	○	○	○	×	×	○
	酸化剤	過酢酸	アセサイド	○	○	○	○	○	○	○	×	×	△
中水準	アルコール類	エタノール	消毒用エタノール	○	○	×	○	△	△	○	○	×	○
	ハロゲン化合物	次亜塩素酸ナトリウム	ピューラックス ミルトン	○	○	△	○	△	○	○	△	△	×
		ポビドンヨード	イソジン	○	○	×	○	○	△	○	○	○	×
	フェノール剤	フェノール	フェノール	○	○	×	○	○	×	○(糸状菌△)	△	×	○
		クレゾール石けん	クレゾール石けん	○	○	×	○	○	×	△	△	×	○
低水準	界面活性剤	塩化ベンゼトニウム	ハイアミン	○	●	×	●	×	×	○(糸状菌×)	○	○	○
		塩化ベンザルコニウム	塩化ベンザルコニウム オスバン	○	●	×	●	×	×	○(糸状菌×)	○	○	○
	クロルヘキシジン	グルコン酸クロルヘキシジン	ヒビテン	○	●	×	●	×	×	○(糸状菌×)	○	×	○
	両面界面活性剤	塩酸アルキルジアミノエチルグリシン	テゴー51 ハイジール	○	●	×	●	○	×	○(糸状菌×)	○	△	○

深井喜代子編：新体系看護学18基礎看護学③基礎看護学技術，メヂカルフレンド社，2017，p.259-260．尾家重治監：消毒剤マニュアル，第5版，健栄製薬，2012．を参考に作成

6 医療廃棄物の取り扱い

　廃棄物のうち，病院などの医療施設から出される廃棄物を医療廃棄物という。医療廃棄物のうち感染性廃棄物は，廃棄物の処理及び清掃に関する法律（医療物処理法）により感染性産業廃棄物（使用した注射針，ディスポーザブル注射器，汚染された手袋など）と感染性一般廃棄物（血液が付着したガーゼ，臓器や組織など）に区別される（表2-10）。感染性廃棄物の処理は「廃棄物処理法に基づく感染性廃棄物処理マニュアル」（環境省）に基づき実施される。

　感染性廃棄物の容器には，バイオハザードマークを表示することが国際的な基準となっている。バイオハザードマークの色によって廃棄物の内容が違うことを理解し，適切に廃棄することが必要である（表2-11）。

表2-9 滅菌の方法とその種類，内容，適用

方法		種類	内容	適用
物理的	加熱法	乾熱	焼却法	焼却炉その他で焼却する方法	包帯類，シーツ類，紙類など
			火炎法	アルコールランプの炎などを物品に当てる方法 緊急時に用いる	熱によって変質，変形しない製品
			乾熱滅菌法	乾熱滅菌機を用い，高温で行う方法	ガラス，金属製品
		湿熱	煮沸消毒法	沸騰した水の中で15分以上煮沸する方法	
			熱水消毒法	熱水や蒸気を用いる方法	リネン類，吸引瓶など
			高圧蒸気滅菌法（オートクレーブ）	密閉された装置内で，飽和蒸気により加熱することで微生物を死滅させる方法 滅菌法として優れており，病院で最も多く使用される ただし物品の種類や材質に応じて，適した圧力・温度・時間が必要である	滅菌パックされたガーゼ類や布，金属製品，ガラス製品 ※ゴム類，皮は変質するため不適用
	照射法		放射線滅菌法	γ線，電子線，制御放射線（X線）の照射により，微生物を死滅させる方法	ディスポーザブル製品
			紫外線滅菌法	紫外線滅菌灯を使用し，照射する方法	手術室，滅菌室など
			濾過滅菌法	微生物を死滅させる方法とは異なり，細菌濾過器を用いて微生物を除去する方法	気体，液体
化学的	ガス滅菌法		酸化エチレンガス法（EOG: Ethylene Oxide Gas）		プラスチック製品，ゴム製品，内視鏡などの光学器機類など
			過酸化水素ガスプラズマ法		プラスチック製品，電子機器，金属製の製品など

表2-10 廃棄物の分類

種類	感染性	非感染性
一般廃棄物	血液が付着したガーゼ，臓器，組織など	紙くず，包帯，リネン類など
産業廃棄物	使用した注射針，ディスポーザブル注射器，汚染された手袋など	ガラス器具，ビニールチューブ，点滴ボトルなど

表2-11 バイオハザードマークの色と廃棄物

色	廃棄物	種類
赤色	液状のもの 泥状のもの	血液，体液など
橙色	固形物	ディスポーザブル注射器，輸液セット，ドレーン，チューブ類，蓄尿バッグ，手袋，ガーゼ，包帯類，処置用シーツ，綿花，綿球など
黄色	鋭利なもの	注射針，メスの刃，かみそり，ガラス製の検体容器など

看護技術の実際

A 手洗い

1) 流水による手洗い（手指に目に見える汚染がある場合）

- 目　　的：① 両手指を機械的に動かしこすり合わせて，付着した通過性細菌やほこり，皮脂，汗，剥落した皮膚細胞などを石けんと流水により除去することで，患者・看護師を感染から守る
② 擦式消毒用アルコール製剤の効果が期待できない感染症の対象者に対する援助の前後に実施し，患者・看護師を感染から守る
- 使用物品：流水が使用できる流し台，水道水，液体石けん，ペーパータオル，足踏み式ゴミ捨て容器

	方　法	留意点と根拠
1	**手洗いの事前準備をする** 1）爪を切る（➡❶） 2）時計や指輪をはずす（➡❷） 3）衣類の袖口を肘関節上部まで上げる（➡❸）	❶爪の間は汚れがたまりやすく，細菌の温床となりやすい ❷時計や指輪周囲に細菌が増殖しやすい ❸流し台からの汚水が飛散して衣類に付きやすい
2	**流し台に近づき，水道水を出す** 1）センサー式 2）レバー式，手指で開閉	●2）の場合，洗う間，衣類が流し台に触れない位置に立ち，水量は周囲に飛び散らない程度に調整する
3	**流水で十分に手をぬらす（➡❹）（図2-1a）**	❹目に見えて手指が汚れている場合は，手指の汚れをあらかじめ落としておくことで石けんの効果を高める ●温水を繰り返し使用すると皮膚炎のリスクが増加する

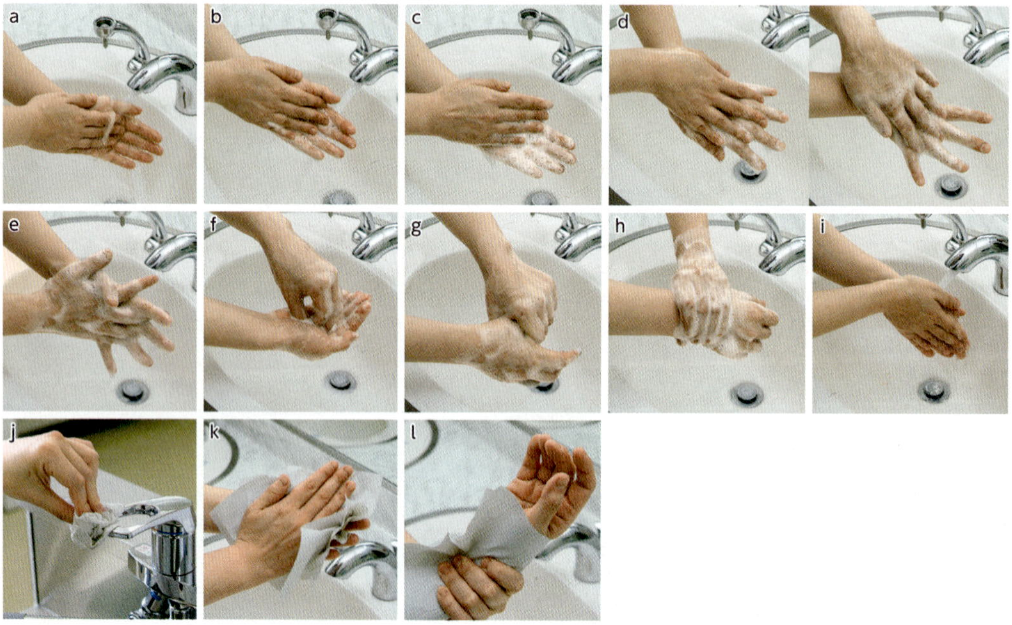

図2-1　流水による手洗い

	方　法	留意点と根拠
4	液体石けんを手掌にのせ，泡立たせながら，手全体に行き渡るようにつける（図2-1b）	●固形石けんを用いる場合，使用する前後に石けんの水洗いをする。石けんの受け皿は細菌繁殖の場となりやすい（➡❺） ❺固形石けんに繁殖した微生物は，次に使用する人に伝わることもある
5	両手掌をこすり合わせ，石けんを泡立てる（図2-1c）	●泡立てにより，泡がクッションとなり皮膚への摩擦力を抑え，皮膚への刺激が少なくなる
6	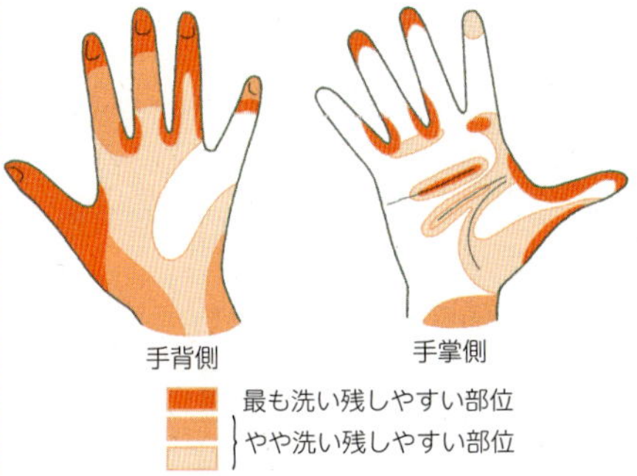 片手の手背をもう片方の手掌でこすり，次に手背側から指間もこすり（➡❻），反対の手も同様に行う（図2-1d）	●手背側の指間は汚れが残りやすいので，よく洗う（図2-2） ❻摩擦（機械的刺激動作）によって分散・乳化を助け，また汚れを取り除く ●こすり洗いは終了まで最低でも15秒必要（CDCガイドラインの勧告）

手背側　手掌側

■ 最も洗い残しやすい部位
■ やや洗い残しやすい部位

Taylor L J：An evaluation of handwashing techniques-1, *Nursing Times*,74：54, 1978. より引用

図2-2 洗い残しが起こりやすい手指の部位

	方　法	留意点と根拠
7	手を組み，指間を洗う（図2-1e）	
8	片方の手掌で指先と爪を小さな動きでこすり，反対の指先と爪も同様に行う（図2-1f）	●爪の間は汚れが残りやすいので，よく洗う
9	母指を握り，手掌で半回転運動の要領で回し洗いし，反対の母指も同様に行う（図2-1g）	●母指は汚れが残りやすいので，よく洗う
10	手首を半回転運動の要領で回し洗い，反対の手首も同様に行う（図2-1h）	●洗い忘れることが多いので，よく洗う
11	流水で手先のほうから手首，前腕の順（➡❼）に石けんを十分に洗い流す（➡❽）（図2-1i）	❼前腕に伝った水が手先に戻ると，汚染された水が手先に触れる ❽石けん成分が残ると手荒れの原因になる
12	水道を止める 1）センサー式 2）レバー式，手指で開閉 手指で蛇口に触れないように（➡❾），ペーパータオルを蛇口にあてて閉める（➡❿）（図2-1j）	● 2）の場合は，蛇口を閉める前に「方法13～15」を行い，手を拭いたペーパータオルを用いて蛇口を閉める ●布タオルは細菌の温床となるので，ペーパータオルを使用する ❾蛇口は汚染されているので，そのまま清潔な手で閉めると手が汚染される ❿眼に見えない汚染がある蛇口は，手洗い後の手で触れると手が汚染される
13	ペーパーホルダーからペーパータオルを取り，手を肘関節より高くして（➡⓫），こすらず軽くたたくように拭き取る（図2-1k）（➡⓬）	⓫手が肘関節より低い位置にあると，手を拭いているときに前腕より水が伝ってくる可能性がある ⓬こすると皮膚刺激が強くなり，手荒れの原因となる
14	手に水分が残らないよう十分に拭き取る（図2-1l）（➡⓭）	⓭しっかり拭くことで細菌の繁殖を防ぐ
15	所定の廃棄容器にペーパータオルを捨てる	

2）擦式手指消毒

- ●目　　的：手指に目に見える汚染がない場合に手指衛生の第一選択として実施し，患者・看護師を感染から守る
- ●必要物品：アルコールをベースにした擦式手指消毒薬，膿盆または受け皿

	方　法	留意点と根拠
1	膿盆または受け皿の上（→❶）で，手掌をすぼめ薬液を床にこぼさないように手指消毒薬を規定量取る（→❷）（図2-3a）	❶床をぬらすことで，患者が転倒する可能性がある ❷規定量（約3mL）を使用しないと効果がない ●ポンプを根元まで押し，規定量を手掌に取る。ただし，規定量はメーカーの指示に従う

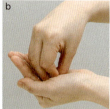

図2-3　擦式手指消毒

2	手掌の中の消毒液に，片手の指先・爪を細かく動かしながら，消毒液を擦り込む（→❸）（図2-3b）	❸手の細菌のほとんどは爪の下に存在する
3	反対側の手掌に残りの消毒液をこぼさないように移し，指先・爪に消毒液を擦り込む（図2-3c）	
4	手掌と手背に消毒液を擦り込み，消毒液を手全体に広げる（図2-3d）	
5	指間，母指に消毒液を擦り込む（図2-3e, f）	
6	手首に消毒液を擦り込む（図2-3g）	
7	消毒液が乾燥するまで，手全体に消毒液を擦り込む（→❹）	❹消毒液が乾燥するまで擦り込むことで，効果が現れる ●5〜6回繰り返して使用すると手がべたつくため，適宜流水による手洗いを実施する ●非抗菌性石けんによる手洗い直後に擦式手指消毒薬を頻回に用いると，皮膚炎の頻度が高くなる可能性がある ●洗い残しが起こりやすい部位（図2-2）を意識して手全体に消毒液が行きわたるようにする

B ガウンテクニック

- 目　　的：患者と看護師または患者間の交差感染を予防し，患者・看護師を感染から守る
- 使用物品：ディスポーザブルガウンまたはディスポーザブルエプロン，マスク（表2-12），擦式手指消毒薬，手袋，足踏式ゴミ捨て容器

表2-12 マスクの種類と適応

種類	特徴	適応
サージカルマスク	5μmまでの粒子を除去できる耐久性のある不織布マスク	①着用者が病原微生物にさらされることを防ぐ ・飛沫感染性疾患患者のケアや呼吸器の分泌物，血液，体液，排泄物を取り扱う際に着用 ②患者が着用者に存在する病原微生物にさらされることを防ぐ ・侵襲的処置や免疫力の低下した患者のケア時に着用 ③咳エチケットとして，周囲に病原微生物を拡散させることを防ぐ
N95マスク	顔にフィットし吸気が漏れない気密性のあるマスク	空気感染する結核菌，麻疹ウイルス，水痘・帯状疱疹ウイルスなどに罹患した患者に接する医療従事者が着用

1）着用方法

	方法	留意点と根拠
〈ディスポーザブルガウン使用〉		
1	擦式手指消毒薬で手指消毒を行う⇒A-2）「擦式手指消毒」参照	
2	ガウンのすそが床に触れないようにガウンを持ち（図2-4a），両肩の縫い目に沿って片手ずつ腕を通し，袖口から手を出す（図2-4b, c）	
3	襟元に沿って手を後ろに回し，ひもをつまみ（➡❶）襟元のひもを結ぶ（図2-4d, e）	❶襟元に沿わせて手を後ろに回すことで，ひもの場所を確認することができる
4	自分の衣類が露出しないように後ろ身頃の内と内を合わせ，余った分を片側に折り返す（➡❷）（図2-4f）	❷自分の衣類を保護する
5	腰ひもを後ろで交差し結ぶ（ひもが長い場合は前で結ぶ）（図2-4g）	
6	頰と顎ラインを覆うようにマスクをし，ノーズピースを鼻の高さに合わせて，プリーツを伸ばす（➡❸）（図2-4h）	❸汚染された空気を吸わないようにする ●ゴーグルやフェイスシールドを着用する場合は，マスクの後に着用する
7	ガウンの袖口を十分に覆うようにして手袋を着用する（➡❹）（図2-4i）	❹自分の皮膚が汚染されないように保護する
〈ディスポーザブルエプロン使用〉		
1	ガウン使用の「方法1〜3」に準じる	
2	エプロンを広げ，首にかける	
3	腰ひもを後ろで結ぶ	

第Ⅰ章 看護援助に共通する技術

方　　法	留意点と根拠

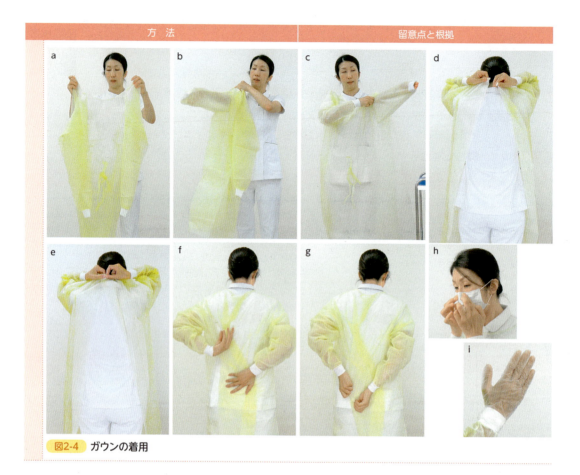

図2-4　ガウンの着用

2）脱衣方法

方　　法	留意点と根拠
〈ディスポーザブルガウン使用〉	
1　手袋の外側に触れずに（➡❶）中表になるようにはずし（➡❷），所定の廃棄容器に捨てる⇒ C 3）「滅菌手袋のはずし方」参照	❶外側は汚染されている ❷汚染された手袋が他に接触しないようにする
2　擦式手指消毒薬にて手指消毒を行う（➡❸）⇒ A-2）「擦式手指消毒」参照	❸目に見えないほどの穴が空いている危険性，手袋をはずす際に無意識のうちに自分の手に触れている可能性がある ●ゴーグルやフェイスシールドをはずす場合は，手袋をはずした後，擦式手指消毒をしてからはずす
3　襟元に沿って手を後ろに回し（➡❹），襟元のひもを解く（図2-5a）	❹むやみに汚染されたガウンに触れないようにする
4　腰ひもを解く（図2-5b）	
5　ガウンの片側袖口の内側に反対側の手指を入れ（図2-5c），手を静かに袖の中に引く（➡❺）（図2-5d）	❺ガウンの外側は汚染されているため外側に触れないように脱ぐため
6　ガウンの内側に入っているほうの手で，反対側の外側の袖をつかみ，手を静かに袖の中に引く（➡❺）（図2-5e）	
7　袖の中から交互に袖をつかみ，両腕を徐々に引き抜く（図2-5f）	

	方法	留意点と根拠
8	ガウンの内側が外側に向くようにガウンを脱ぎ（図2-5g）（➡❻），自分の衣類に触れないように上から下に丸める（図2-5h）	❻汚染された部分が外側に出ないようにする

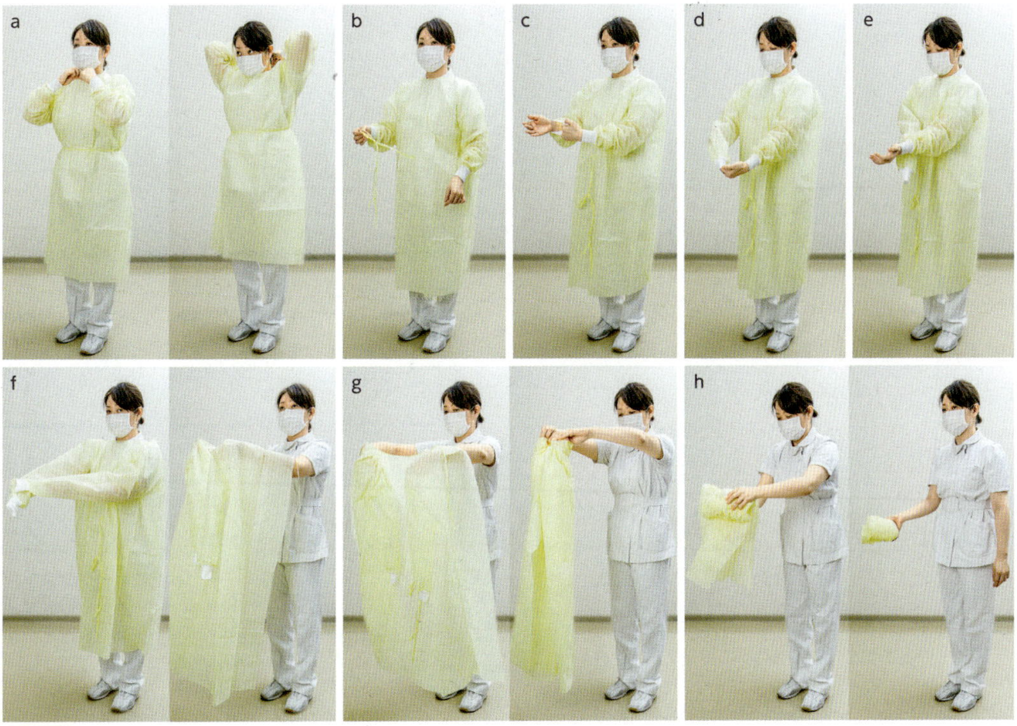

図2-5 ガウンの脱衣

	方法	留意点と根拠
9	擦式手指消毒薬で手指消毒を行う（➡❼）⇒A-2)「擦式手指消毒」参照	❼汚染されたガウンの外側に触れた可能性がある
10	マスクをはずし，マスクの外側に触れないように所定の廃棄容器に捨てる	
11	擦式手指消毒薬にて手指消毒を行う（➡❽）⇒A-2)「擦式手指消毒」参照	❽汚染されたマスクに触れたため

〈ディスポーザブルエプロン使用〉

	方法	留意点と根拠
1	手袋の外側に触れずに（➡❶）中表になるようにはずし（➡❷），所定の廃棄容器に捨てる⇒C-3)「滅菌手袋のはずし方」参照	❶外側は汚染されている ❷汚染された手袋が他に接触しないようにする
2	擦式手指消毒薬で手指消毒を行う（➡❸）⇒A-2)「擦式手指消毒」参照	❸目に見えないほどの穴が空いている危険性，手袋をはずす際に無意識のうちに自分の手に触れている可能性がある ●ゴーグルやフェイスシールドをはずす場合は，手袋をはずした後，擦式手指消毒をしてからはずす
3	ディスポーザブルエプロンの襟元のひもを手前に引っ張り，ひもを切り（図2-6a,b,c），そのまま中表になるように上から下へ垂らす（図2-6d）（➡❹）	❹外側が汚染されているため

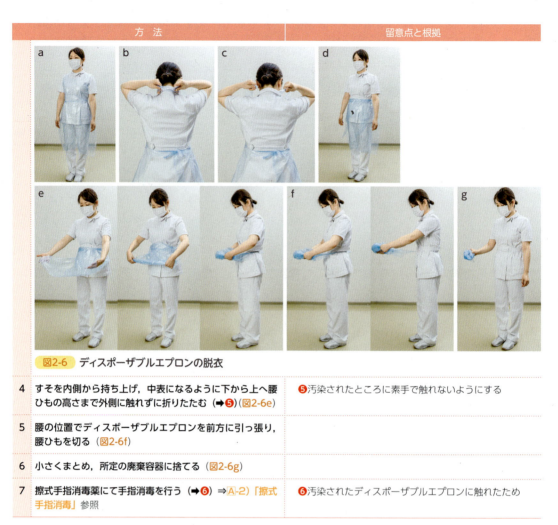

図2-6 ディスポーザブルエプロンの脱衣

方　法	留意点と根拠
4　すそを内側から持ち上げ，中表になるように下から上へ腰ひもの高さまで外側に触れずに折りたたむ（➡❺）（図2-6e）	❺汚染されたところに素手で触れないようにする
5　腰の位置でディスポーザブルエプロンを前方に引っ張り，腰ひもを切る（図2-6f）	
6　小さくまとめ，所定の廃棄容器に捨てる（図2-6g）	
7　擦式手指消毒薬にて手指消毒を行う（➡❻）⇒ A-2 「擦式手指消毒」参照	❻汚染されたディスポーザブルエプロンに触れたため

C　無菌操作

1）滅菌バッグの開け方，鑷子の取り扱い方，消毒綿球・ガーゼの受け渡し方

- 目　　的：滅菌の効果を落とさず，患者を感染の危険から守る
- 使用物品：滅菌バッグされた鑷子，鉗子立て，滅菌パック入りのガーゼ，綿球，膿盆

方　法	留意点と根拠
1　擦式手指消毒薬で手指消毒を行う（➡❶）	❶滅菌物を取り扱うため手洗いは必須
2　使用物品の有効期限（➡❷），破損の有無（➡❸），インジケータが滅菌済みの色に変化しているか（➡❹），確認を行う	❷有効期限が切れていれば，滅菌物として効果がない ❸穴が空いていた場合，滅菌されていることにならない ❹色が変わっていなければ，滅菌されていることにならない
3　＜滅菌バッグされた鑷子の取り出し方＞ 　1）滅菌バッグの台紙側が利き手側に，ビニール側が利き手とは反対の手側になるようにして滅菌バッグの上方を持つ（➡❺）	❺処置は利き手側で実施する

方法	留意点と根拠
2）ビニールから外側にめくるようにして開け（→❻），めくったビニールを離さず握っておく（図2-7a） 3）台紙も外側にめくるようにして開け，めくった紙を離さず握っておく（図2-7b）（→❼）	❻紙のほうが安定するため先にビニール側をめくる ❼開封後の紙を握っていないと，鑷子が触れ，不潔になりやすい ●鑷子の上1/3より下は握らない（図2-8）

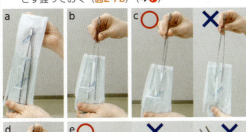

図2-8 鑷子の持ち方

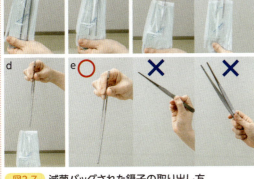

図2-7 滅菌バッグされた鑷子の取り出し方

方法	留意点と根拠
4）利き手で鑷子の上部1/3程度の部分を持ち（図2-7c），鑷子を1本足（→❽）にしてペングリップの持ち方（→❾）で垂直（→❿）に取り出す（図2-7d） 5）取り出した鑷子は垂直に下げ，上に向けたり（鑷子の先端を水平以上に上げない），開いたり（二本足のこと）しない（図2-7e）	❽二股になったまま取り出すより，一本足で取り出したほうが不潔部分に触れる可能性が低くなる ❾細かい作業を行うときは鉛筆持ち（ペングリップ）が効率的である ❿斜めに取り出すと，不潔部分に触れやすくなる ●処置者の鑷子は汚染用，介助者用は清潔用として扱う ●処置者は直接創部などの汚染部位に触れ，介助者は滅菌物を取り出し清潔のまま処置者に渡す
4　介助者は消毒綿球を取り出す 1）消毒綿球入り滅菌カップを開け，綿球が適度に消毒液を含んでいることを確認する（→⓫）（図2-9a，b）。含みすぎの場合，容器の側面に押しつけ，消毒液の含み具合を調整する 2）綿球は相手が取りやすいように端をつかむ（図2-9c, d）（→⓬）（消毒綿球入り滅菌カップから綿球を取り出した後，すぐに蓋を閉める（→⓭））	●処置者が使用した綿球をすぐに置けるように事前に膿盆を準備しておく ⓫消毒液を含みすぎると垂れて床やリネン類を汚染してしまう。また，乾燥していると消毒の意味をなさない ⓬鑷子の接触による清潔鑷子の汚染を防ぐため ⓭落下菌の混入を最小限にとどめ，空気にさらされる時間を少なくする

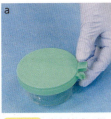
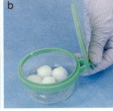

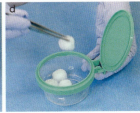

図2-9 消毒綿球の扱い方

方法	留意点と根拠
5　綿球を処置者に渡す 鑷子が水平より上にならないように保持したまま（→⓮）（肘より下），清潔な鑷子（介助者）を上，不潔な鑷子（処置者）を下にする（図2-10a）（→⓮）	⓮消毒液の逆流による汚染を防ぐため
6　ガーゼの滅菌バッグを「方法3」に準じて開封する	

	方　法	留意点と根拠
7	介助者はガーゼの輪の部分をはさみ（➡⓯），必要時処置者に渡す（渡す際は「方法5」に準じる）（図2-10b）	⓯輪は把持しやすい

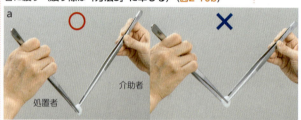

×は鑷子同士が触れて，介助者側も不潔になってしまう。処置者が介助者より上部をつかむと，介助者の鑷子に汚染が広がる可能性がある

図2-10　綿球，ガーゼの渡し方

	方　法	留意点と根拠
8	使用後の鑷子を膿盆または鉗子立てに入れる	
9	擦式手指消毒薬で手指消毒を行う⇒A-2)「擦式手指消毒」参照	

2）滅菌包の開け方

- 目　　的：滅菌の効果を落とさず，患者を感染から守る
- 使用物品：滅菌包，鑷子，その他（注射器，消毒綿球など）

	方　法	留意点と根拠
1	擦式手指消毒薬で手指消毒を行う（➡❶）⇒A-2)「擦式手指消毒」参照	❶滅菌物を取り扱うため手洗いは必須
2	処置台がぬれていないか確認する（➡❷）	❷ぬれていると微生物が浸透して汚染される
3	滅菌包の有効期限（➡❸），破損の有無（➡❹），インジケータが滅菌済みの色に変化しているか（➡❺），確認を行う	❸有効期限が切れていれば，滅菌物として効果がない ❹穴が空いていた場合，滅菌されていることにならない ❺色が変わっていなければ，滅菌されていることにならない
4	滅菌包を十分に広げることのできる場所で滅菌バッグを開封し，滅菌包の差し込んである部分を手前にして処置台の上に置く（➡❻）（図2-11a）	❻滅菌包の内側は清潔であり，汚染されないようにするため

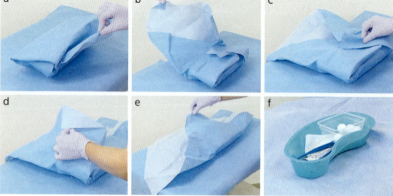

図2-11　滅菌包の開け方

	方法	留意点と根拠
5	処置台より少し離れて立ち，滅菌包の内側に衣類が触れないようにする（➡❼）	❼滅菌包の内側は清潔であり，触れない
6	包布の差し込んである部分をつまみ，そのまま向こう側に広げる（図2-11b）。	
7	左右は同じように外側を軽くつまみ，内側の清潔部分に触れないよう左右に広げる（➡❻）（図2-11c, d）	●包布の各辺が処置台に平行でない場合，衣類などが内側に触れる可能性があり，不潔となりやすいため，留意する
8	手前を外側から軽くつまんで広げる（図2-11e, f）	
9	指示された必要物品を補充する(注射器，注射針，綿球など)	●滅菌物を渡す場合は，清潔区域外で渡す（➡❽） ❽万が一，取り落としたとき，滅菌物がすべて不潔になることを防ぐ
10	使用後は，誰が見ても汚染された物品であることがわかるように包布を除去しておく（➡❾）	❾使用済みであることを周囲に知らせることで，感染の危険を防ぐ

3）滅菌手袋の着脱

- 目　　的：滅菌手袋を着用することで，患者・看護師を感染から守る
- 使用物品：滅菌手袋

■着用の仕方

	方法	留意点と根拠
1	腕時計，指輪をはずし，擦式手指消毒薬で手指消毒を行う（➡❶）⇒ A-2 「擦式手指消毒」参照	❶滅菌物を取り扱うため手洗いは必須
2	自分の手のサイズに合った号数の手袋を選ぶ	●手袋の号数：6＜6.5＜7＜7.5＜8
3	処置台がぬれていないか確認する（➡❷）	❷ぬれていると微生物が浸透して汚染される
4	滅菌包の有効期限（➡❸），破損の有無（➡❹）の確認を行う	❸有効期限が切れていれば，滅菌物として効果がない ❹穴が空いていた場合，滅菌されていることにならない
5	滅菌バッグを開き，滅菌台紙を取り出す（図2-12a）	
6	滅菌台紙の内側に触れないように全体を開く（➡❺）（図2-12b）	●全体を開くとき，再び閉じないように，折り目の交差点を伸ばしてしっかり開く ❺滅菌台紙の内側は清潔であるため
7	片手の手袋の折り返しの端(輪の部分)をつかんで，手袋の清潔部分（外側）に触れないように手にはめる（図2-12c）	●手袋の折り返しの部分は，素手で触れてよいので，しっかりと持ち，手を入れる
8	手袋をはめたほうの示指〜環指をもう一方の手袋の折り返しの間に入れて持ち上げ（➡❻），手にはめる。そのまま折り返し部分を手首に触れないように伸ばす（図2-12d）（➡❼）	●折り返しの輪の部分に手袋をはめた手の母指が触れないようにする（➡❼） ❻滅菌手袋をはめた手は清潔であるため，手袋の外側に触れてもよい ❼滅菌手袋をはめている母指部分を不潔にしないよう皮膚に触れない
9	同様に反対側の手袋の折り返しの間に手を入れ，手首に触れないように折り返しを伸ばす（➡❽）（図2-12e）	❽滅菌手袋を不潔にしないよう皮膚に触れない
10	手を組み，手袋をフィットさせ，作業しやすいようにする（図2-12f）	●指先がフィットするように指を1本ずつ伸ばしてもよい

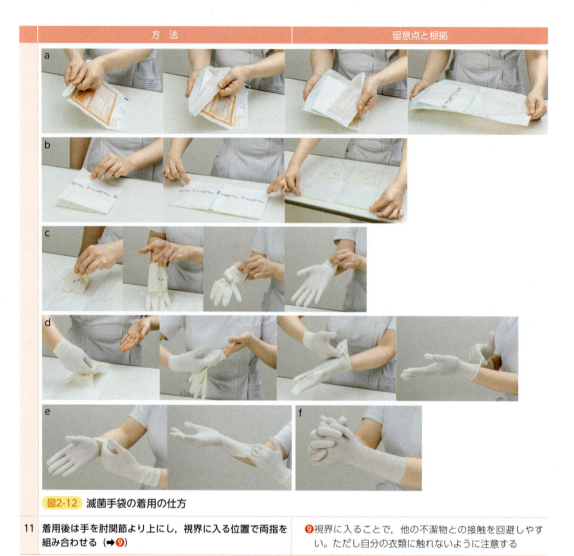

図2-12 滅菌手袋の着用の仕方

方　法	留意点と根拠
11 着用後は手を肘関節より上にし，視界に入る位置で両指を組み合わせる（→❾）	❾視界に入ることで，他の不潔物との接触を回避しやすい。ただし自分の衣類に触れないように注意する

■ はずし方

方　法	留意点と根拠
1 片方の手袋の外側，すそ口2〜3cm上を指で引っ張り（図2-13a），裏返しながら（中表に）手袋をはずす（→❶）（図2-13b）	❶使用後の手袋は汚染されているため，汚染された部分が他に接触しないようにする
2 手袋をはめている手で，はずした手袋を小さく丸めて握る（→❷）（図2-13c）	❷汚染された手袋が他に接触しないようにする
3 素手をもう一方の手袋の内側に入れ，裏返し（中表）ながら手袋をはずす（図2-13d）	

方 法	留意点と根拠

図2-13 滅菌手袋のはずし方

4	所定の廃棄容器に捨てる	
5	擦式手指消毒薬で手指消毒を行う（➡❸）⇒ A-2 「擦式手指消毒」参照	❸手袋に眼に見えないほどの穴が空いている危険性と、手が汚染されている可能性があるため

文 献

1) 堀井久美・沼直美：感染管理,看護実践の科学，32（7）：30-37,2007.
2) 日本看護協会：感染管理に関するガイドブック改訂版，2004.
3) Centers of Disease Control and Prevention (CDC)：Guideline for Isolation Precautions：Preventing Transmission of Infectious Agents in Healthcare Settings，2007.
4) Centers of Disease Control and Prevention (CDC)：Guideline for Hand Hygiene in Health-Care Settings，2002.
5) Centers of Disease Control and Prevention (CDC)：Public Health Guidance for Community-Level Preparedness and Response to Severe Acute Respiratory Syndrome (SARS) Version2，2004.
6) 任和子・他：系統看護学講座専門分野Ⅰ基礎看護技術Ⅱ基礎看護学③，医学書院，2017.
7) 阿曽洋子・氏家幸子・井上智子：基礎看護技術第7版，医学書院，2011.
8) 医療情報科学研究所：看護技術がみえるvol.2 臨床看護技術，メディックメディア，2013.
9) 深井喜代子編：新体系看護学18基礎看護学②基礎看護学技術，メヂカルフレンド社，2017，p.259-260.
10) 深井喜代子監：ケア技術のエビデンス，へるす出版，2006.
11) 大岡良枝・大谷眞千子編：NEWなぜ？がわかる看護技術LESSON，学研メディカル秀潤社，2006.
12) 坪井良子・松田たみ子編：考える基礎看護技術Ⅱ看護技術の実際，第3版，ヌーヴェルヒロカワ，2005.
13) 三上れつ・小松万喜子編：演習・実習に役立つ基礎看護技術，ヌーヴェルヒロカワ，2005.
14) 洪愛子・門田晶子：Q&Aでわかる！洗浄・消毒・滅菌と感染予防Part1基礎編，看護技術，53（8），2007.
15) 藤田烈編著：いまさら聞けない感染対策の常識完全版，INFECTION CONTROL，2007.
16) 茅野崇・鈴木理恵・新谷良澄・他：アルコールゲル擦式手指消毒薬の殺菌効果の検討，環境管理，20（2），2005.
17) 大須賀ゆか：擦式手指消毒法と流水下での手指衛生行動の比較検討，環境管理，20（1），2005.
18) 白石正・仲川義人・中川美貴子・他：看護師に対する新規スキンケアハンドクリームの有用性の検討，医療薬学，32（12），2006.
19) 竹尾惠子監修：看護技術プラクティス，第4版，学研メディカル秀潤社，2019.

3 安全・安楽

学習目標
- 医療や看護における安全・安楽の意義について理解する。
- ヒューマンエラーのメカニズムを踏まえ,事故が起こりやすい状況について理解する。
- 事故を防止するための対策について理解する。
- 看護における安楽の意義を理解する。
- 安楽性を促進するための方法について理解する。

「安全」「安楽」は看護ケアを行ううえでの必須条件であり,医療が提供されるあらゆる場面において,「安全」「安楽」を確保することは看護師の責務である。

1 医療安全

1) 医療安全とは

安全とは,広辞苑によると「①安らかで危険がないこと,②物事が損傷したり危害を受けたりするおそれがないこと」と定義されている[1]。医療に置き換えると,「患者が損傷を受けるなどの危険にさらされていないこと」ということができる。

2) 医療事故と医療過誤

医療事故とは,「医療にかかわる場所や医療の全過程において発生するすべての人身事故であり,医療従事者の過誤・過失を問わない。医療従事者が被害者である場合や廊下で転倒した場合なども含まれる」とされている[2]。また,2014年の第6次医療法改正に伴い設置された医療事故調査制度において,医療事故は「当該病院等に勤務する医療従事者が提供した医療に起因し,又は起因すると疑われる死亡又は死産であって,当該管理者が当該死亡又は死産を予期しなかったものとして厚生労働省令で定めるもの」と定義されている。

医療過誤とは,「医療事故の一類型であり,医療従事者が医療の遂行において医療的準則に違反して患者に被害を発生させた行為である」とされている[2]。

なお,看護業務とかかわって発生し,看護師が当事者あるいは強い関係者となる事故は看護事故という[3]。

3) 看護職の法的責任

医療事故において,看護職が負う可能性がある法的責任には「民事上の責任」「刑事上の責任」「行政上の責任」「服務規定等による処分」がある[4]。

- 民事上の責任：被害者の救済に重きをおき，個人の受けた損害を賠償する責任であり，民法第415条「債務不履行」または第709条「不法行為」に問われる。
- 刑事上の責任：社会の秩序を維持するための規範に違反した場合に刑罰を科せられる責任である。看護職が業務上必要な注意義務を怠った結果，他人を傷害または死に至らしめた場合には，刑法第211条「業務上過失致死傷罪」に問われる。
- 行政上の責任：法により免許を与えられた者が不適切な行為をした場合に監督行政機関から処分を下される責任である。看護職が医療事故によって罰金以上の処罰を受けた場合には，保健師助産師看護師法第14条に基づき，免許の取り消し，業務停止，戒告のいずれかの行政処分が行われる。
- 服務規定等による処分：就業規則に定められた手続きに則り，懲戒処分等の罰が科せられる。

4）医療安全におけるわが国の取り組み

わが国では，1999年に起きた手術患者取り間違い事故，消毒薬の誤注入事故以降，医療安全の意識が高まり，国を挙げて医療安全に向けた取り組みが行われている。わが国の主な取り組みを表3-1に示す。

表3-1 医療安全に対するわが国の主な取り組み

年月	内容
2001（平成13）年4月	厚生労働省医政局総務課に「医療安全推進室」を設置
5月	厚生労働省内に「医療安全対策検討会議」を設置
10月	医療安全対策ネットワーク整備事業（ヒヤリ・ハット事例収集等事業）を開始
2002（平成14）年4月	医療安全対策検討会議にて報告書「医療安全推進総合対策」がまとめられ，具体的対策が示される
10月	病院および有床診療所に医療安全管理体制を整備することを義務化
2003（平成15）年4月	特定医療機関，臨床研修病院において医療安全管理者・安全管理部門・患者相談窓口の設置を義務化
12月	厚生労働大臣医療事故対策緊急アピールを発表（医療安全を医療政策の最重要課題の一つとした）
2004（平成16）年10月	特定機能病院等に医療事故情報収集等の報告を義務化
2005（平成17）年6月	医療安全対策検討会議にて報告書「今後の医療安全対策について」がまとめられ，以下の取り組むべき課題と施策が示された ①医療の質と安全性の向上 ②医療事故などの事例の原因究明・分析に基づく再発防止策の徹底 ③患者・国民との情報共有と患者・国民の主体的参加の促進
2006（平成18）年6月	「良質の医療を提供する体制の確立を図るための医療法等の一部を改正する法律」が成立
2007（平成19）年4月	病院および有床診療所に加え，無床診療所・助産所にも安全管理体制を整備することを義務化
2015（平成27）年10月	医療事故調査制度の発足，医療事故調査制度・支援センターの設立
2016（平成28）年4月	特定機能病院に対して，より高いレベルの医療安全管理体制の整備を義務化

2014年の第6次医療法改正に伴い，2015年10月から医療事故調査制度が開始となった。この制度は，医療事故の再発防止ならびに医療の安全を確保することが目的であり，事故が発生した医療機関は院内調査を行い，その調査報告を民間の第三者機関である医療事故調査・支援センターが収集・分析する仕組みである。医療事故調査・支援センターは，分析した結果を踏まえ再発防止に関する提言をまとめ，発表をしている。

5）医療事故・ヒヤリ・ハット事例の現状

日本医療機能評価機構では，医療事故の発生予防・再発防止を目的として，医療事故およびヒヤリ・ハット事例情報の収集・分析，提供を行っている。ここでは，「医療事故情報収集等事業2018年年報」[5]で報告された医療事故およびヒヤリ・ハット事例について紹介する。なお，ヒヤリ・ハット事例とは，間違った医療の提供が未然に防がれた事例や間違った医療を提供してしまったが結果的に影響がなかった（少なかった）事例のことであり，インシデントともいわれる。ここでは，ヒヤリ・ハットとインシデントを同義として用いる。

（1）医療事故

2018年の医療事故は4,565件あり，医療事故の当事者としては医師の2,767件が最も多く，次いで看護師の2,738件，診療放射線技師の52件であった（複数回答）。医療事故の内容を図3-1に示す。

（2）ヒヤリ・ハット事例

2018年のヒヤリ・ハット事例数は921,140件であった。当事者の職種が明らかとなっている31,073件のうち，当事者として最も多かったのは看護師の27,987件であり，次いで医師の1,920件，薬剤師の1,421件であった（複数回答）。ヒヤリ・ハット事例の内容を図3-2に示す。

6）事故の発生要因

医療事故の発生は単純なものではなく，複数の要因が重なり合って発生することが多い（表3-2）。事故が複数の防御壁をすり抜けて発生する状態を説明したものがスイスチーズモデルである。このモデルでは，エラーは普段は何十もの防御壁により防がれているが，防御壁に欠損（穴）や脆弱性が生じ，偶然にも穴が1列に並んだとき，防御壁をすり抜けて

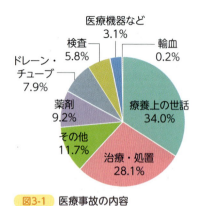

図3-1　医療事故の内容

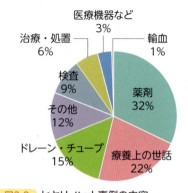

図3-2　ヒヤリ・ハット事例の内容

医療事故情報収集等事業2018年年報のデータより作成

表3-2 医療事故の発生要因

看護師側の要因	・観察力・判断力の不足 ・知識の不足 ・技術の未熟さ，不正確さ
患者側の要因	・身体機能や思考能力の障害 ・知識の不足 ・不適切な生活習慣など
医療機器の要因	・機器，器具類の不良，破損，メンテナンス不足
環境の要因	・設備環境の不備 ・環境衛生の問題
薬剤の要因	・似ている薬品名 ・似ているパッケージ
管理体制の要因	・リスクマネジメント体制の未整備 ・チームの連携不足 ・人員不足

図3-3 スイスチーズモデル

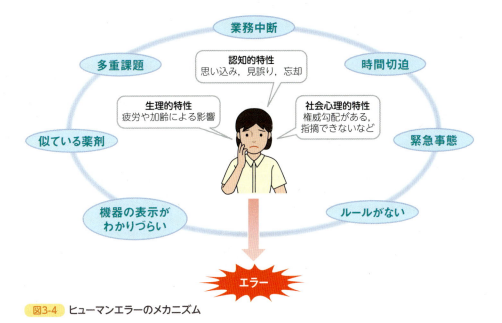

図3-4 ヒューマンエラーのメカニズム

事故が発生することを説明している。図3-3で「誤薬」を例に挙げて説明する。

7）ヒューマンエラーのメカニズム

　ヒューマンエラーとは，文字どおり「人間が犯す過ち（エラー）」であるが，看護の場面では，するべきことを忘れる，間違うなど看護業務上要求されている行為から逸脱した行為をすることといえる。ヒューマンエラーは人間が本来もっている特性と人間を取り囲む環境がうまく合致しないために引き起こされる（図3-4）。エラーを引き起こしやすい要因

表3-3 人間の特性

生理的特性	疲労や加齢による注意力の低下，感覚・知覚の低下など
認知的特性	あいまいな情報に対しては，自分の思い込みで解釈する，自分の見たいものを見る，一度記憶したことを忘れてしまう（記憶は2日後には約1/5しか残っていない）など
社会心理的特性	人間関係が人の行動や判断に影響を及ぼす 権威勾配があると間違いを指摘しにくい，自分1人だけ意見が異なると言えないなど

が多いほど，相乗作用によってさらにエラーが引き起こされるという悪循環が生まれる。

（1）人間の特性

ヒューマンエラーに深くかかわっている人間の特性を表3-3に示す。このような人間の特性を理解することは，ヒューマンエラーを防止するために重要である。

（2）看護現場におけるエラーを誘発しやすい環境

エラーを誘発しやすい環境は様々であるが，看護の現場において特徴的なものが以下の内容である[6]。看護職は，それぞれがエラーを誘発しやすい環境に置かれていることを認識し注意を払う必要がある。

①急変などの救急状況，アラーム対応などの緊急時。
②タイムプレッシャー状況（早くしなければという焦る状況）。
③多重課題に直面し，何を優先すべきかでの迷いや焦りが起きる状況。
④予定外の出来事が発生し，注意がそれる状況（自己抜去などのトラブル）。
⑤業務途中の中断で注意力の途絶する状況。
⑥複数の似た「モノ」と似た患者の同時存在する状況。
⑦業務の同時発生・進行で注意配分の低下する状況。

8）医療事故を防止するための対策

患者の安全を守るため，看護師個人が知識を深め，観察力・判断力，技術力を高めることは言うまでもない。しかし，事故の背後には様々な要因が関与しており，さらに医療は多職種・複数のメンバーで構成される医療チームにより提供されることから，個人の取り組みだけではなく，組織として安全な医療システムを構築することがきわめて重要となる。

（1）個人としての取り組み

・知識の獲得，技術の向上：常に新しい知識を得て，観察力・判断力を養い，技術力向上に向けて訓練を重ねる。
・物品や機器の正しい扱いと点検・整備：機器等の扱いを熟知し，正しく取り扱う。使用前の点検や機器の整備を行う。
・行為の確認：与薬時のダブルチェック，指示書と薬剤の3回以上の照合など確認を徹底する。
・よりよい人間関係の構築：他者とのちょっとしたコミュニケーションエラーが重大な事故につながることがある。それを防止するためには，チームメンバー間でよりよい人間関係を構築し，円滑なコミュニケーションや情報共有を図る。

- 報告・連絡・相談の徹底。
- 自己の健康管理：疲労時は，注意力が低下しエラーを生じやすいため，自己の健康管理を徹底する。

（2）組織としての取り組み
①安全文化の熟成
　組織として安全な医療システムを構築するためには，まず土台として安全文化が培われていなければならない。安全文化とは，安全を最優先事項とする組織文化である。安全文化の要素として，以下の4つが挙げられる[7]。
- 報告する文化：インシデントなどを自ら進んで報告しようとする文化。
- 正義の文化：非難や処罰を行うのではなく情報提供を奨励する文化。
- 柔軟な文化：急変時には状況に応じて，命令系統が明確な垂直型組織と迅速に対応できる水平型組織に組織が柔軟に再構成される文化。
- 学習する文化：正しい情報から結論を導き出す意志・能力，改革を実施する意思をもつ文化。

　このような安全文化を定着・熟成するためには，組織のトップだけでなく，スタッフ個々の意識を高めることが重要である。

②院内報告システム
　医療事故などの再発防止や未然防止のためには，医療安全に関する院内の状況を把握・分析し，安全確保のための対策を検討することが重要である。そのための方法として，院内報告システムがある。

　報告する事例の種類は，患者への影響レベルによってアクシデント，インシデントに分けられる。国や各職能団体，各医療機関により多少定義は異なる。一般的には，アクシデントは，医療に関連して起きた事故のうち，患者に重大な影響を及ぼしたものであり，医療事故に相当する用語として用いられている。インシデントとは，誤った医療行為が患者に実施される前に発見されたもの，あるいは誤った行為が実施されたが患者への影響がなかったものとされ，ヒヤリ・ハットと同義で用いられている。

　発生した重大事故が1件あれば，その背後には事故には至らなかったが，その可能性のある事例（インシデント）が多数あることを示したのが，ハインリッヒの法則である（図3-5）。したがって，インシデント事例を分析することは，将来起こりうる事故を予測し，それを未然に防ぐ対策を検討する手がかりとなる。

　事故の状況などを記載したものはインシデント報告書やヒヤリ・ハット報告書という。レポートには，①日時，②発生場所，③インシデントの内容，④発生状況，⑤患者・家族への対応，⑥発生要因，⑦対策などの項目が含まれる。当事者が記載することが多いが，発見者など当事者以外が行ってもよい。また，これら報告は決して当事者の責任を問うことが目的ではなく，事実を組織として分析し，要因を明確にして対策を検討することが目的である。多くのインシデント報告書を収集するためには，当事者の責任を問う目的ではないことを周知徹底するなど，組織としての環境づくりが大切となる。

③事例の分析
　医療事故やインシデントを防止していくためには，事例の収集が必要であることは上述

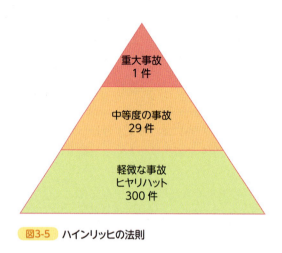

図3-5　ハインリッヒの法則

したとおりである。その目的は，あくまで再発防止であるため，事例の要因を分析し，対策を検討することが重要となる。

　事例の分析において，よく活用されるのがRCA（Root Cause Analysis）であり，一般的に「根本原因分析」と訳されている。種田は，RCAとは「事故を系統的に分析してその根本原因，寄与因子・背後要因を同定し，対策を立案・実施して，再発の予防を図るプロセス」としている[8]。表層的なヒューマンエラーだけでなく，その背後に潜む環境・システムなど様々な要因をきちんと探ったうえで対策を講じる分析手法である。分析手法はたくさんあるが，大きくは事故の構造に基づく分析，フレームワーク型の分析に分かれる。事故の構造に基づく分析は，事故の構造，要因間の関係を明らかにしたうえで対策を考える手法である。事故の構造を検討するため，時間と手間がかかる，専門知識を必要とするなどの特徴がある。フレームワーク型の分析手法は，事故の構造を求めるのではなく，フレームを決めておき，そのフレームの視座から事象に関連した考えられる要因を挙げる手法である。フレームワークがあるため，時間がないときに比較的手軽に実施できるのが特徴である。分析手法にはそれぞれに特徴があるため，その特徴を知ったうえで当該事例に適した手法を選択する必要がある。代表的な手法を表3-4に示す。

④医療チームにおけるコミュニケーション

　医療は，多職種・多数のメンバーで構成される医療チームで活動している。特に，看護師は24時間交代制で患者のケアにあたっており，看護師間，他職種間とのコミュニケーションは非常に重要である。しかしながら，チーム内のコミュニケーションエラーにより，間違った医療行為や不適切なケアが誘発されることが少なくない。正しい情報伝達・共有が行われるようチーム内でのルールづくりをするとともに，職種や経験の壁を越え，意見交換ができるようなアサーティブなコミュニケーションスキルを身につける必要がある。

⑤患者・家族の参加

　医療チームの一員として，患者・家族にかかわってもらうことは，患者への医療の質保障につながるだけでなく，異なる視点をもつ複数の見方が生まれることで医療システムをより安全なものにすることができる。そのため，患者・家族が医療に積極的に参加できるよう，患者・家族との対話を心がけることが大切である。

表3-4 事例の要因分析手法

分析手法	方法
VA-RCA	米国退役軍人病院（VA）の患者安全センターで開発された手法である。出来事流れ図を作成し，出来事背後を「なぜ？なぜ？」と掘り下げていく。この作業を進める際に，RCA質問カードを用いるのが特徴である
ImSAFER	原子力発電所勤務の運転員が，自分の手でヒヤリ・ハットを分析することを目的に開発されたH2-SAFERをベースに河野[9]が医療用に改良したものである。まず，「時系列事象関連図」を作成し，情報を収集・整理する。その後「問題点を抽出」し，「背後要因関連図」を作成，「対策の列挙・決定」を行う。分析には時間がかかるため，医療現場向けにQuickSAFERが作成されている
4M-4Eマトリック分析	米国航空宇宙局（NASA）が採用している分析法である．事故の要因を4つのM（Man：人間，Machine：物・機械，Media：環境，Management：管理）に分け，4つのE（Education：教育・訓練，Engineering：技術・工学，Enforcement：強化・徹底，Example：模範・事例）の視点から対策を検討する
PmSHELLモデル	従来のSHELモデルやm-SHELモデルは産業システムで活用されてきたが，それに河野[9]が患者の要素を加え医療用に改良したものがPmSHELLモデルである ①P（patient）：患者，②L（Liveware）：当事者，③H（Hardware）：ハードウェア，④S（Software）：ソフトウェア，⑤L（Liveware）：当事者以外の人，⑥E（Environment）：環境で構成され，各要素に問題がないかを分析する．m（management）は，各要素間を調整する役割を表している（図3-6）

図3-6 PmSHELLモデル
河野龍太郎：医療におけるヒューマンエラー——なぜ間違えるどう防ぐ，第2版，医学書院，2014, p.60. より引用

2 安 楽

1）看護における安楽とは

　広辞苑によると，安楽は「心身の苦痛がなく，楽な状態」と定義されている[10]。一般社会においては使用されることが少ない用語であるが，看護においては「安楽」が日常的に用いられ，「安全」や「自立」とともに看護ケアを行ううえでの重要な概念とされている。看護大辞典では，安楽は「一般的には身体的にも精神的にも苦痛がない状態，多義的で安楽な状態を『これ』と特定できないが，身体的，精神的，社会的な側面を含む多面的なものである。安楽な状態とは，対象者自身が楽であると感じる主観的な状態であり，対象者自身の身体的・精神的・社会的状況，その人のそれらの状況認識，価値観，時間的な変化

や看護者との相互関係性など，さまざまな要因によって変化する。安楽は人間の基本的な欲求であり，看護行為すべてに含まれる要素である」と定義されている[11]。国外では，キャサリン・コルカバ（Katharine kolcaba）がコンフォートという概念を示している。コンフォートとは，「緩和，安心，超越に対するニードが経験の4つのコンテクスト（身体的，サイコスピリット的，社会的，環境的）において満たされることにより，自分が強化されているという即時的な経験である」と定義している[12]。「緩和」とは具体的なコンフォートにニードが満たされた状態，「安心」とは平静もしくは満足した状態，「超越」とは問題や苦痛を克服した状態であり，安楽によってその人の強みが引き出されると述べられている。

　看護の対象となる人は，疾病や障害により健康レベルが低下し，身体的苦痛を抱えている人が多い。安楽な援助によって苦痛を除去・緩和することは，身体的な安楽だけでなく，不安の緩和など精神的な安楽にもつながる。さらに，安楽であるということは，体力の消耗を最小にし，疲労回復や病気からの回復を促進することにもつながる。そのため，安楽性を促進する援助を積極的に実践していくことが求められる。

2）安楽を阻害する要因

　安楽を阻害する要因として一般的なものを表3-5に示す。安楽は，一人ひとりの感覚に基づく主観的なものであり，他者が客観的に判断することが難しい。そのため，その人にとっての安楽とは何か，安楽を阻害しているものは何かを多角的に判断する必要がある。そのうえで，その人にとって安楽であると感じる援助を提供することが重要である。

3）安楽とリラクセーションのための援助

　安楽性を促進するための具体的な援助としては，安楽な体位の保持，罨法，療養生活における環境調整，傾聴・タッチングなどの精神的安寧を保つための援助，リラクセーション技法（呼吸法，マッサージ，自律訓練法など）などが挙げられる。体位の保持，罨法，環境調整については，他の章を参考にしていただくこととし，ここでは，リラクセーションのための援助について述べる。なお，上述したとおり，安楽は看護ケアにおける基本的構成要素であることから，看護師が実施するすべての看護行為のなかに安楽の要素を含めなければならないことはいうまでもない。

①マッサージ，指圧

　触れる技術にも様々あるが，看護師が日常的に実施しているはマッサージや指圧である。

表3-5　安楽を阻害する要因

患者側の要因	疾病や障害，疼痛，倦怠感，瘙痒感，便秘・腹部膨満感，悪心・嘔吐，同一体位による圧迫，活動制限，生活リズムの乱れなど
看護師側の要因	看護師の知識・技術不足，観察力・判断力の不足，コミュニケーション力の不足，人員不足・多忙な状況など
環境要因	不快な物理的環境（騒音，臭気，不適切な照明，不適切な室温・湿度など），不快な寝具（マットレスの柔軟性，掛け物の重さ，枕の高さ・柔軟性），プライバシーを守りにくい病床環境，人間関係の悪化（同室者・医療者とのトラブルなど）

具体的には清拭時の背部マッサージと足浴・手浴での手足のマッサージ，洗髪での頭部マッサージなど他のケアに併用して行われる場合，筋肉の凝りを解消するための肩や腰のマッサージ，浮腫を解消するためのリンパマッサージなどを単独で実施する場合がある。

　病気で治療を受ける患者は，様々な苦痛や不安を抱え，無意識的に身体をこわばらせていることがある。マッサージや指圧は血液やリンパ液の循環を促進するとともに，緊張を鎮める効果がある。さらに，人の手で丁寧に触れられることで，温もりや人とのつながりを感じ，それが安心感や安寧感へとつながっていく。また，マッサージや指圧には，神経や筋の興奮性を高めたり，疾患部位から離れたところでのマッサージや指圧が，反射機転によって神経や筋肉，内臓などの機能を調整するといった作用もある。

　マッサージや指圧の基本的手技には，ゆっくりとなで，さする軽擦法，ゆっくりと圧を入れ，ゆっくりと圧を離す圧迫法，筋を優しく揉む揉捏法，リズミカルかつ断続的に一定のリズムでたたく叩打法，手掌や手指を細かく振るわせて振動を与える振せん法などの方法がある。ただし，炎症，熱傷，悪性疾患，心疾患などの場合はマッサージが禁忌となる場合もある。実施においては，患者の全身状態を的確に判断し，手技と方法（力加減，触れ方など）を慎重に吟味すること，必要時は医師の判断を受けることが必要である。

②呼吸法

　深呼吸をすることで緊張が緩和するという経験は誰もがもっているであろう。深呼吸の時のゆっくりとした横隔膜の働きは，副交感神経を優位にし，不安や緊張を和らげ，全身をリラックスさせることができる。このように，普段は無意識に繰り返している呼吸を意識的に行うことでリラックスした状態に導くのが呼吸法である。

　呼吸法の基本は，ゆっくりとした腹式呼吸である。まずは，軽く目を閉じ，呼吸に気持ちを向けながら，ゆっくりと口先から軽く吐き出す。続けて4秒を目安に鼻からゆっくりと吸い，腹部に吸い込んでいく。吸い終わったら，一瞬息を止め，休息と呼息を切り替える。その後，口先をすぼめるようにして，ゆっくりと細く長く吐き出す。8秒を目安とし，すべて吐ききるつもりで下腹部を緩めていく。吐く息に合わせて，身体の力を緩めていく。これを繰り返しながら，気持ちが落ち着いたら徐々に普段の呼吸に戻していく。このような呼吸法は，いつでもどこでも実施することができる。不安や痛みが強い場合，検査や処置の前後など，臨床の様々な場面で活用されたい。

文献

1) 新村出編：広辞苑，第7版，岩波書店，2018, p.118.
2) 厚生労働省：リスクマネージメントマニュアル作成指針，2000.
   http://www1.mhlw.go.jp/topics/sisin/tp1102-1_12.html〈アクセス日：2020/3/25〉
3) 川村治子：系統看護学講座　統合分野　看護の統合と実践②　医療安全, 医学書院, 2018, p.11.
4) 日本看護協会：医療安全推進のための標準テキスト, 2013, p.42～46.
5) 日本医療機能評価機構 医療事故防止事業部：医療事故情報収集等事業2018年年報.〈http://www.med-safe.jp/pdf/year_report_2018.pdf〉〈アクセス日：2020/3/25〉
6) 前掲書2) p.26-27.
7) J・リーズン著／塩見弘監訳：組織事故, 日科技連, 1999, p.276-314.
8) 森本剛・他編著：医療安全学, 篠原出版新社, 2010, p.58.
9) 河野龍太郎：医療現場のヒューマンエラー対策ブック, 日本能率協会マネジメントセンター, 2018, p.74－77.
10) 前掲書1) p.124.

11）和田攻・南裕子・小峰光博編：看護大事典，医学書院，2010，p.211.
12）キャサリン・コルカバ著/太田喜久子監訳：コルカバ コンフォート理論―理論の開発過程と実践への適応，医学書院，2008，p.15.

4 生活環境調整

学習目標
- 生活環境と人間の健康の関係について理解する。
- 入院環境を整えることの意義を理解する。
- 環境要因について理解する。
- 病床の環境条件について理解し，環境を整える技術を習得する。

1 生活環境と人間の健康

　人間と環境は相互に影響し合っており，環境は人間の健康に大きな影響を及ぼす。様々な変化に応じて身体の内部環境を一定に保とうとする働きを恒常性の維持（ホメオスタシス）といい，通常は，環境に変化があっても身体はホメオスタシスにより一定の状態を保つことができるが，健康レベルによってはそれが困難になることもある。病院をはじめ療養の場では，健康レベルの低い対象者が多く存在することから，環境が対象者への健康の回復や闘病意欲をもたらす影響の度合いが大きいため，環境を整えることは重要である。

2 環境要因

　人間の生活には物理的環境，社会的環境，人的環境などが絡み合っていることから，生活環境を多面的にアセスメントする。

1）温度，湿度，気流

　室内気候は温度，湿度，気流，放射によって構成されている。室内には温度計，湿度計を備えて客観的な数値を確認するとともに，患者の快適さを確認しながら調節する。
　室内気候の快適条件は，夏の場合には気温25～27℃，湿度50～60％，気流0.3m/秒，また，冬の場合には気温20～22℃，湿度40～50％，気流0.3m/秒である[1]。

2）採光と照明

　太陽の光を採り入れることを採光という。病室内の明るさは昼夜で調節する必要がある。建築基準法第28条には，病室の床面積の1/7以上の部分に採光が確保されなければならないと定められている。照明器具を用いる場合は，自然採光の条件や患者の生活行動によって，また，治療・看護行為の目的によって確保すべき明るさが異なる。

表4-1 病室・病棟におけるにおい（悪臭）

においの種類	発生場所・原因
尿尿臭	病室，トイレ，蓄尿場所，ベッド上排泄
膿臭	術後の化膿臭，がん患者の患部腐敗臭
体臭	汗，分泌物
下水臭	下水，洗面所や風呂場などの生活汚水
建築材臭	病室内の内装材のにおい，家具や装飾材料のにおい
薬品臭	消毒薬，外用薬，ビタミンなどの代謝臭
食物臭	各種食物のにおいが混ざり合って起こる

3）臭　気

病室には様々なにおいがある（表4-1）。対策として，においの原因にふたをするマスキング，におい物質を「吸着」させる，においを「拡散」させる，においを「分解」させる方法がある。においの原因や発生場所など，状況に合わせて方法を選択する。

4）プライバシー

病院や施設で療養生活を送る場合，特に複数の患者が同じ病室で療養生活を送る場合には，プライバシーは重要な環境項目となる。最近は多床室でも個室感覚が得られるような機能をもたせた設計もみられるが，療養生活の大半をベッドで過ごす患者にとって，人的・物理的な環境の調整は不可欠である。

医療法施行規則第16条により，病室の床面積は患者1人につき$6.4m^2$以上にすることと規定されている。

5）音

療養生活では，騒音は患者にとって大きな問題である。病室内における音量は，夜間は40デシベル（dB）以下，昼間は50デシベル以下が望ましい。しかし，受け取る側の心身の状態により音の感じ方は様々なので，病院内の音は大小だけで評価することはできない。騒音の原因となるものを特定し，不必要な音が発生しないように注意する。

6）空気の清浄性

換気をして，屋外の清浄な空気を屋内に導き入れることにより，空気の清浄性が保たれる。シーツ交換時のほこりや排泄援助時の臭気に十分気を配り，換気を行って，空気の清浄化に努める。

3 ベッドおよびベッド周囲の環境調整

患者が療養生活を安全に安楽に過ごせるように，また医療を受けやすいように環境を整え，プライバシーを保つ。環境調整の視点として以下の3つを挙げる。
①安全性が高いこと
②清潔であり，その保持が容易であること
③患者の状況に合っていること

看護技術の実際

A ベッドメーキング

- 目　　　的：安全で安楽な療養生活の場の中心となるベッドを提供する
- 適　　　応：療養生活を送るすべての患者
- 必要物品：マットレスパッド，シーツ類（上シーツ，横シーツ，防水シーツ，下シーツ），毛布，スプレッド，枕，枕カバー）

*ベッドメーキングは1人で行う場合と，2人で行う場合がある。ここでは1人で行う方法を述べる

方　法	留意点と根拠
1　環境，物品の準備をする（図4-1） 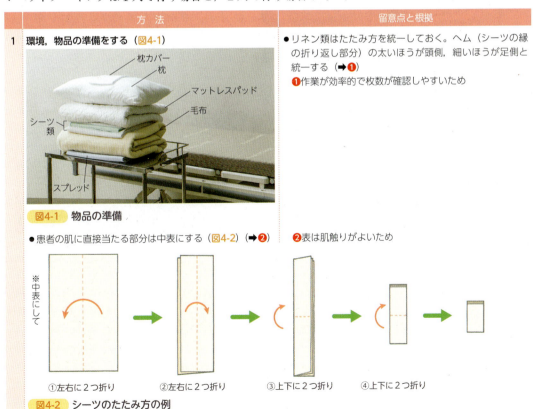 図4-1　物品の準備 ●患者の肌に直接当たる部分は中表にする（図4-2）（→❷） 図4-2　シーツのたたみ方の例 ①左右に2つ折り　②左右に2つ折り　③上下に2つ折り　④上下に2つ折り	●リネン類はたたみ方を統一しておく。ヘム（シーツの縁の折り返し部分）の太いほうが頭側，細いほうが足側と統一する（→❶） ❶作業が効率的で枚数が確認しやすいため ❷表は肌触りがよいため

方　法	留意点と根拠
●実施者の手洗いや身繕いも大切である（➡❸） 1）必要物品を使用順に，輪をそろえてワゴンの上に準備する 2）作業域を考えて椅子，床頭台，オーバーベッドテーブル，ワゴンの位置，物品を配置する 3）ベッドの高さを調整し，ストッパーを確認する（➡❺❻） 4）マットレスをベッドの左右中央（➡❼）に，足元をやや広めに位置させる（➡❽） 5）窓を開ける	❸リネンを清潔に保つため ●枕は一番上かシーツ類と平行に置く（➡❹） ❹重ねたリネン類が安定する ●作業に支障のない位置を考える（➡❺） ❺有効なボディメカニクスが発揮できるようにする ❻ベッドが動くと作業しにくく，危険でもある ❼シーツを均一に入れ込むため。均一に入れると崩れにくい ❽足元は毛布類でくるまれるため
2 右側下シーツを作成する 1）枕，枕カバーは清潔を保持し，椅子に置く 2）マットレスパッドをベッドの上端，左右の中心に合わせて置く 3）下シーツは中心線をマットレスの中心線に合わせて置き（➡❿），上下に広げる（図4-3a） 4）下シーツの右半分を広げ，左半分は中心線が見えるところまで広げておく（図4-3b）	●長さが足りない場合は身体に触れる位置に置くよう調整する（➡❾） ❾身体にパッドの端が段差となって当たるのを避けるため ●マットレスに沿わせるようにして広げる（➡⓫） ❿均等にマットレスを覆うため ⓫空気がシーツの下に入らず，しわになりにくい

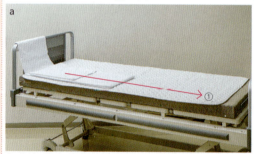

上下に広げる

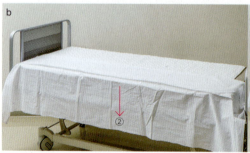 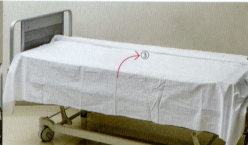

左右に広げる

図4-3　下シーツの広げ方

方　法	留意点と根拠
5）マットレスを枕元から下シーツで包む（図4-4a）	●マットレスの下に手掌を差し入れ，てこの原理を用いて上げる（➡︎⑫） ●マットレスの下のシーツはしっかりと伸ばす ●シーツを入れるときは手掌を下にし，前腕をマットレスに水平に出し入れする（図4-4b）（➡︎⑬） ⑫上から抱え込むと腰に負担がかかる（図4-4c） ⑬手の甲を傷つけにくく，シーツを引っ張るときに力を入れやすい。マットレスが持ち上がらないのでいったん入れたシーツが出てこない。またマットレスが持ち上がらないため，患者への振動が抑えられる

a

正しい方法

b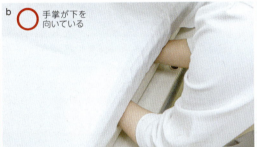

手掌が下を向いている　　手掌が上を向いている

手掌の出し入れの仕方

c

上から抱え込んでいるため，腰に負担がかかる

図4-4　マットレスの包み方

6）枕元の三角コーナーをつくる（➡︎⑭）（図4-5）	●角はくずれないように三角に処理する（図4-5d）（➡︎⑮） ⑭三角コーナーがきれいにつくられていないと，下シーツが崩れやすくなる（図4-6） ⑮シーツを伸ばす方向が繊維の方向と一致するので固定され，崩れにくい

方　法	留意点と根拠
a 直角になるように広げる	b 下側をマットレスの下に入れ込む
c 上側もマットレスの下に入れ込む 押さえる	d コーナーを整える

図4-5　下シーツの三角コーナーのつくり方

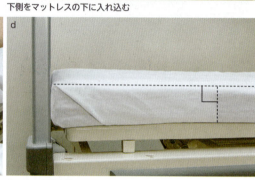

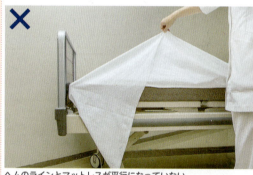

✕ ヘムのラインとマットレスが平行になっていない

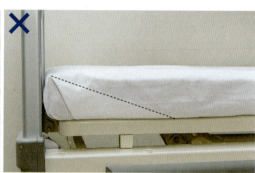

✕ 内側が直角に折られていない

✕ しわを伸ばしながら行っていない

図4-6　下シーツの三角コーナーのつくり方（悪い例）

✕ シーツの上側と下側は，片方ずつマットレスの下に入れ込む。まとめて入れ込まない

方　法	留意点と根拠
7）マットレスの足元をシーツで包む	●縦方向にしわを伸ばし，伸ばしたまま敷き込む（図4-7）  シーツの先端をしっかりと持ち，手関節を屈曲させながら引っ張り，しわを十分に伸ばす 図4-7　しわの伸ばし方
8）足元の側面に三角コーナーをつくる 9）側面に垂れたシーツをマットレスの下に入れる（図4-8）  図4-8　側面に垂れた下シーツの処理	●片側がマットレスの下に入っていないため，中心線をずらさないように引っ張りすぎない（→⓰） ⓰シーツがずれ，均等にマットレスを覆えないため 
3　左側のシーツを広げながら，足元を回って枕元へ移動する	
4　左側下シーツを右側と同様に作成する	●片側が入っているので，しっかりシーツを引き，しわを伸ばす。伸ばしたままゆるめずに敷き込む ●作業効率を考慮し，下シーツだけでなく防水シーツ，横シーツの片側を作成してから，反対側を作成してもよい
5　防水シーツを敷く（図4-9） 　1）中心線に合わせて防水シーツを広げる 　2）側面をマットレスの下に敷き込む 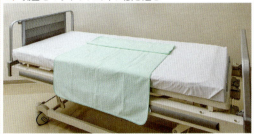 図4-9　防水シーツを敷く	●ベッド上で排泄を行う場合は腰殿部に，悪心・嘔吐などの症状がある場合は枕元に，など目的を考えて敷く場所を決める ●用いる部位，期間は最小限にする（→⓱） ⓱防水布は通気性が悪いため不必要な使用を避ける ●敷いた下シーツをくずさないように，マットレスを大きく持ち上げずに敷き込む

方　　法	留意点と根拠
6　横シーツを敷く（図4-10） 　1）横シーツをさばく 図4-10　シーツを横シーツにさばく方法 　2）中心線を合わせて広げる 　3）側面をマットレスの下に敷き込む	●さばいたときに，上下のヘムが重ならないようにしておく（→⑱）。横シーツの用途は防水シーツのカバーである。防水シーツの肌に当たる部分の素材が綿などでできている場合は，特に必要ない ⑱段差が身体に当たるのを防ぐため ①A点とB点を合わせる ②内側から左手示指〜小指をA点に，母指をB点に入れてはさむ ③右手をB点からシーツ中央線内側に滑らせてC点をつかむ ④シーツの側辺部をはずして振りおろす ⑤C点をB点側に内側から引いて裏返す ⑥ヘムの部分が重ならないよう，また表側が二重にならないようにB点を内側にずらす
7　上シーツのタック，四角コーナーをつくる 　1）幅の広いほうのヘムを頭側，上端に合わせて敷く（→⑲） 　　（外表にする）	⑲襟元の毛布を覆う折り返し分をとっておくため（図4-11）  図4-11　上シーツの広げ方

方　法	留意点と根拠
2）シーツを広げて，足関節のくるあたりにタック（ひだ）をつくる（図4-12）（→⑳）	●タックは下から約15〜20cmのところに，約7〜8cm幅でつくる。患者の身長も考慮する ⑳足関節の動きを妨げないため

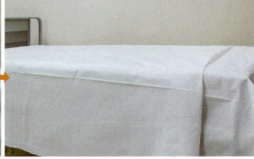

図4-12　上シーツのタックのつくり方

方　法	留意点と根拠
3）足元の四角コーナーをつくる（図4-13）（→㉑）	㉑外が四角だと，中が三角のバイアスになる（平織り繊維の方向に対して斜めになり，布が足の動きによって伸びる）ので足の動きを助けるため

①
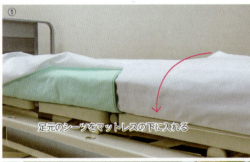
足元のシーツをマットレスの下に入れる

②

マットレスの側面の角に合わせる

③
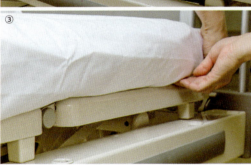

④

⑤

図4-13　上シーツの四角コーナーのつくり方

方　法	留意点と根拠
4）側面は，足元より40〜50cmのところまでマットレスの下に入れる（図4-14） 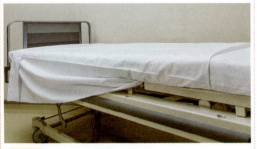 図4-14　上シーツの側面の処理	
8　毛布を掛ける 　1）毛布はベッドの頭側の端から約15cmの位置に中心線を合わせて置き，広げる（図4-15）（➡㉒）  図4-15　毛布を置く位置 　2）毛布の足元をマットレスの下に入れる 　3）足元の四角コーナーをつくる（上シーツに準じる） 　4）側面はシーツ同様に足元より40〜50cmのところまでマットレスの下に入れる（➡㉔）	㉒肩が十分に覆え，顔にはかからない位置であるため ●毛布は引っ張らずにマットレスに沿わせ，タックは不要である（➡㉓） ㉓毛布は伸縮性があるため ㉔全部入れると窮屈であるため
9　毛布の襟元に上シーツを折り返して掛ける	
10　スプレッドを掛ける 　1）下シーツと同様に広げる。このとき，ベッドの厚み分上端からずらしておく（➡㉕） 　2）足元の部分をマットレスの下に入れる 　3）側面は三角をつくるのみとし，マットレスの下には入れ込まない（図4-16） 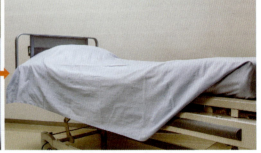 図4-16　スプレッドの処理	㉕枕を覆う分をとっておくため ●入れ込んだ下シーツ，上シーツ，毛布を引き出さないようにする

方法	留意点と根拠
11　反対側の掛け物を掛ける	● 片側が入っているので，しわが残らないように仕上げる
12　枕に枕カバーを掛ける 　　1）枕の輪と枕カバーの輪を合わせて入れる 　　2）カバーの余った部分を床頭台の反対側に折口がくるようにして置く（→㉗）	● 縫い目などを避け，輪の部分が肌に当たるようにする（→㉖） ㉖ 縫い目などの肌への刺激を避け，患者の安楽のため ㉗ 床頭台に置かれている日用品などが入り込まないように
13　クローズドベッドにする 　　クローズドベッドとして，枕をスプレッドの下に入れ，覆っておく（図4-17） 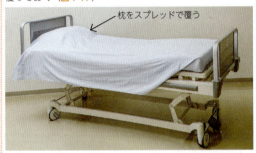 図4-17　クローズドベッド	
14　オープンベッドにする場合（図4-18） 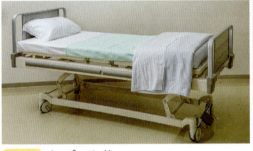 図4-18　オープンベッド 　　1）襟元を整え，上掛けを扇子折りにする	● ベッド上の腰掛ける位置に襟元がこないようにする（→㉘） ㉘ 襟元は患者の顔に触れるため，できるだけ清潔に保っておく
15　環境を整える 　　1）床頭台，オーバーベッドテーブルを元に戻す 　　2）ほこりがおさまったら，窓を閉める 　　3）ベッド，床頭台，オーバーベッドテーブルのほこりを拭き取る	

※昨今の医療施設や老人保健施設などにおける上掛けは，布団と布団カバーを用いることが主流になっている。上記のような毛布とシーツを用いる方法は，布団カバーなどがなく，平織りのシーツが2枚あれば布団カバーの役割を果たすことができるため，技術として習得しておくと便利である。また，下シーツに関しても，ベッド全体を覆うカバーが使用される場合もある。

B 臥床患者のシーツ交換

- ● 目　　的：清潔なリネンに交換することで，患者の皮膚の機能を助けるとともに，気分を爽快にする
- ● 適　　応：ベッド上において自力で体位変換はできるが，座位・立位になれない患者
- ● 必要物品：交換するリネン（シーツ2，枕カバー1，タオルケット1），ランドリーバッグ，粘着クリーナー

方　法	留意点と根拠
1　環境，物品の準備をする 　1）必要物品をそろえる 　2）作業域を工夫する 　3）部屋の環境を調整する（換気，室温）	●適宜声をかけながら，患者の観察も行う ●床頭台，椅子，ワゴン，オーバーベッドテーブルの位置を考慮する（➡❶） ❶ボディメカニクスを発揮しやすいようにするため
2　患者の準備をする 　1）患者にシーツ交換の目的，方法を説明する（➡❷） 　2）排泄の有無を確認する（➡❷） 　3）ベッドのストッパーをかける（➡❸） 　4）換気をする 　5）マットレスの下から現在使用しているリネンをすべて引き出す 　6）掛け物をタオルケットに掛け替える 　7）再利用するリネン類を使用しやすいように椅子などに掛けておく	❷患者の協力を得て，安全・安楽に作業を行うため ❸ベッドが動くと患者が不安を感じるとともに，作業がしにくいため ●振動を与えないように行う（➡❹） ❹振動は患者にとっては不安で恐怖となるため ●タオルケットの下で，掛け物を取り除く（➡❺） ❺患者の保温と不必要な露出を回避するため
3　片側の下シーツを交換する 　1）患者を看護師と反対側の側臥位に体位変換する 　2）交換する側の汚れたシーツを巻き込むように（➡❼）患者の背部に寄せる（図4-19）  図4-19　汚れたシーツの寄せ方 　3）マットレスパッド，マットレスのほこりを粘着クリーナーを用いて取り除く（➡❽） 　4）患者の背部のマットレスの上に，新しい（清潔な）下シーツを中心線が見えるまで広げる（図4-20）  図4-20　新しいシーツの広げ方 　5）反対側に広げる分の下シーツは扇子折りにし，平坦にして患者の背部に寄せる（➡❾）（図4-21）	●ベッド柵を用いる（➡❻） ●患者の健康レベルによって体位変換の援助も行う ❻安全確保のため ❼汚れを飛散させない ●ベッドブラシはほこりを舞い上げるので好ましくない（➡❽） ❽患者が舞い上がったほこりを吸いやすいため ●汚染シーツと触れ合わないようにする（➡❿） ❾平坦にしておくことで患者が仰臥位になったときの背部への不快感を最小限にするため ❿清潔なシーツを汚染させないため

方　法	留意点と根拠
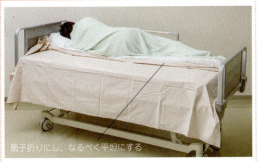 扇子折りにし，なるべく平坦にする **図4-21** 扇子折り 　6）手前に広げたシーツはベッドメーキングの要領でつくる 　7）防水シーツ・横シーツを用いている場合で，引き続き使用する場合は，粘着クリーナーでほこりを除去し清潔を図る。または，同時に交換する	
4 反対側の下シーツをつくる 　1）背部にシーツの山があることを説明しながら，患者を仰臥位にする 　2）手前に側臥位にし，汚染シーツと新しいシーツを引き出した後，患者を新しいシーツの上に仰臥位にする 　3）反対側に移動し，汚染シーツを取り除き，ランドリーバッグに入れる 　4）マットレスとマットレスパッドのほこりを除去する 　5）反対側の新しいシーツをしっかりと伸ばしながら，ベッドメーキングする	●汚染シーツと清潔なシーツの接触を最小限にする ●ベッド柵を用いる（➡⓫） 　⓫安全の確保のため ●ランドリーバッグがない場合はワゴンなどを用いる ●ベッドを振動させないようにする（➡⓬） ●手掌を下にしてシーツを握り，手首を屈曲させるとよい（➡⓭） 　⓬患者の不快や不安を最小限にする 　⓭振動を最小限にするため
5 掛け物を整える 　1）新しい上シーツを掛けてタオルケットを取り除く 　2）毛布，スプレッドの順でベッドメーキングを行う	●足元と襟元を間違えないようにする ●患者のからだに沿ってシーツを広げるので，タックは不要である
6 枕カバーを換える 　1）枕に空気を含ませて（➡⓮），今まで使用していたほうと反対側を当てる（➡⓯） 　2）新しい枕カバーを掛ける	●足元で静かに行う 　⓮湿気を取り除き，湿度・温度を調整するため 　⓯頭部の重みによる枕の凹みをなくし，不快を最小限にするため
7 患者に終了したことを伝える	
8 ベッド周辺の環境を元に戻す	
9 後片づけをする	

C 病室の環境整備

- ●目　　的：病室の環境を清潔に美しく整え，患者が一日の生活を安全に快適に過ごせるようにする
- ●適　　応：全患者
- ●必要物品：粘着クリーナー，雑巾，消毒薬入りバケツ（もしくはディスポーザブルの雑巾）

	方　法	留意点と根拠
1	患者に環境整備を行うことを説明し，了解を得る	
2	換気をする	●保温に留意する
3	ベッドの整理・整とんをする 　1）ベッドのストッパーをかける 　2）ベッド上のごみを取り除く 　3）ベッド上の落屑やほこりを粘着クリーナーで取り除く 　4）リネン類に汚染のある場合は，必要に応じて交換する 　5）下シーツや横シーツなどはいったんマットレスからはずし，しわを伸ばし整える（➡❶） 　6）上シーツ，毛布，スプレッドを整える（➡❷） 　7）枕をはずし，空気を含ませ換気し，カバーを整える（➡❸） 　8）ナースコールを患者の手の届くところに置く	●患者の私物を処分する場合は，必ず患者に確認する ❶リネン類の湿気を除去する ❷リネン類の湿気を除去する ❸24時間臥床している患者は，発汗や皮脂の分泌で枕が汚れやすく，枕内部の湿度が高い。換気により湿気を取り除くことができる
4	ベッドの周辺の整理・整とんをする 　1）床頭台，ベッド周囲にある患者の持ち物を整理し，使いやすい位置に置く 　2）はし，湯呑みなどの食器類を清潔にし，ほこりなどがかからない位置に置く（➡❺） 　3）床頭台，棚，椅子，ベッドのフレームなどのほこりや汚れを雑巾で拭く 　4）ごみ箱のごみを廃棄する 　5）床に転倒の原因となるものはないか確認し，あれば速やかに取り去る 　6）洗面台などがあれば掃除する	●患者の了解を得ながら，患者が使いやすいように配置する（➡❹） ❹プライバシーの保護のため ❺清潔を保ち，感染を防止するため ●床頭台やオーバーベッドテーブルとそのほかのものとは雑巾を区別する（➡❻） ❻特に食事に関する物品を載せる台は，雑巾を区別しておくと衛生的である
5	設備を点検し，故障があれば修繕を依頼する	●ベッド柵，ギャッチ，ナースコール，ドア，電灯などの破損の有無の確認をする
6	環境要因を整える（➡❼） 　1）至適温度，湿度，気流を保つ 　2）臭気の原因になるものを除去する 　3）採光・照明の調節をする 　4）騒音の発生源を減らす	❼快適性を左右するため ●臭気には様々な原因がある。患者のもつ疾患，体臭，口臭，排泄物，吐物，汗，花，香水，食物などである。患者は自ら発するにおいについては気兼ねしたり，罪悪感をもつ場合もある。一定時間ごとに換気する ●カーテン，スクリーン，ブラインド，照明器具により調整する ●病院では様々な音が騒音になり得る
7	患者に気になることがないか確認し，なければ終了を伝える	
8	後片づけをする 　1）使用物品を清潔にし，所定の場所に戻す	

※近年，清掃業者や看護助手と共同で行うことが多くなっている。この場合，看護師は適切に整備されているかを確認し，必要時，他職種への指導を行う

文献

1) 阿曽洋子・井上智子・井部亜紀：基礎看護技術，第8版，医学書院，2019．p.180-182.
2) 川口孝泰：生活の場を整える〈深井喜代子・前田ひとみ編：基礎看護学テキスト〉，南江堂，2015.
3) 川口孝泰・勝田仁美：病床環境の調整〈坪井良子・松田たみ子編：考える看護技術Ⅱ〉，ヌーヴェルヒロカワ，第3版，2007.
4) 川口孝泰・根本清次：入院生活における意識と行動─課題11 入院環境とニオイ環境（後編），看護教育，37（13）：1168-1171，1996.
5) 川口孝泰：ベッドまわりの環境学，医学書院，1998.
6) 池田理恵：快適な環境のための看護技術〈深井喜代子編：新体系看護学18基礎看護学③基礎看護技術〉，メヂカルフレンド社，2012.
7) 村中陽子・玉木ミヨ子・川西千恵美編著：看護ケアの根拠と技術─学ぶ・試す・調べる，第3版，医歯薬出版，2019，p.7-8.
8) 西尾和子：環境調整の看護技術〈竹尾惠子監：看護技術プラクティス〉，第4版，学研メディカル秀潤社，2019.
9) 佐伯由香：空気と臭い環境〈深井喜代子・前田ひとみ編：基礎看護学テキスト〉，南江堂，2006.
10) 齋藤久美子：環境の調整〈石井範子・阿部テル子編：イラストでわかる基礎看護技術─ひとりで学べる方法とポイント〉，日本看護協会出版会，2002.
11) 佐藤政枝・川口孝泰：ベッドメーキング，リネン交換〈川島みどり監：看護技術スタンダードマニュアル〉，メヂカルフレンド社，2006.

第Ⅱ章

ヘルスアセスメントの技術

1 フィジカルアセスメントにおける観察

学習目標
- フィジカルアセスメントの定義と位置づけを理解する。
- フィジカルアセスメントの基本技術を理解する。
- フィジカルアセスメントの結果の活用方法を理解する。

1 フィジカルアセスメントとは

　フィジカルアセスメント（physical assessment）は，日本語では，身体のアセスメント，身体診察，身体の査定と訳されている。ほぼ同じ意味でフィジカルイグザミネーション（physical examination）が使われることもあり，この言葉は医学の分野で多く用いられている。

　フィジカルアセスメントは，医師が診断するために必要な観察技術を整理することで発展したものである。疾病の発見と適切で速やかな診断のために，head to toe（頭の先からつま先まで）で体系的に面接技術と観察技術が整理された．特にこの方法は系統的フィジカルアセスメントとよばれている。

　フィジカルアセスメントは，米国では1960年代に看護師に必須の知識・技術として位置づけられ，現在看護基礎教育課程で教授されている。日本では，臨床での実施頻度の高いフィジカルアセスメントの技術から，バイタルサイン測定，心音聴取，肺音聴取などを選択して「観察の技術」と称して教育する時代が長く続いた。系統的フィジカルアセスメントを網羅する教育は，1990年代から導入され，徐々に普及し，2009年から施行された指定規則においてフィジカルアセスメント教育の強化の必要性が言及され，看護基礎教育課程で何らかの教育が行われるようになっている。

　看護師の行うフィジカルアセスメントには，患者の異常を発見して適切な治療や予防，対処に結びつける目的がある。さらに，看護過程を展開するうえで，人間を全人的に理解するためのヘルスアセスメントの基盤となる。また，詳細で親身な面接を行い，身体の観察を行うことで，患者と看護師の信頼関係が深くなり，アセスメント自体が「患者を癒す」可能性もあるとされている。

2 フィジカルアセスメントの活用方法

　フィジカルアセスメントの活用方法には，「系統的アセスメント」と「フォーカスアセスメント」がある。

1）系統的アセスメント（系統的レビュー）

系統的アセスメントは，主に入院時や初診時に，患者の状態を全身的・全人的にもれなく把握するために行われる情報収集である。

必須となる基本情報は，①年齢，②性別，③職業，④住まい，⑤配偶者の有無，⑥情報源（患者，または家族や他の医療職など），⑦主訴，⑧薬剤や食物アレルギー，⑨喫煙歴・飲酒歴，⑩既往歴，⑪家族歴（病気や死亡年齢，死亡原因），⑫家族構成・社会関係が挙げられる。これに加え，医師が活用する系統的レビューでは，身体をもれなくアセスメントするために各系統の情報を集める。系統の代表的な分類としては，①頭頸部，②胸郭と肺，③心血管系，④乳房と腋窩，⑤腹部，⑥男性・女性生殖器，⑦肛門・直腸・前立腺，⑧末梢血管系とリンパ系，⑨筋骨格系，⑩神経系が挙げられる。

看護における全人的なレビューは，看護問題を導く目的で様々な枠組みを用いて行われる。代表的なものとしては，看護理論家（ロイ，ヘンダーソン，オレムら）の枠組みや，NANDA-I（NANDA International）などが挙げられる。医師が行う系統的レビューと看護師の行うレビューには，重複も多くみられる。身体の異常にかかわる部分では医師のレビューに詳しく，看護師のレビューでは気持ちや認識も含めた患者の反応，日常生活の実態や社会関係の情報が強化されている。

2）フォーカスアセスメント

フォーカスアセスメントとは，患者の問題や症状が明白になっている際に行う，焦点を絞ったアセスメントである。系統的アセスメントのように全身を網羅的にアセスメントするのではなく，必要なアセスメントを選択して行うものである。日々の患者の症状や訴えに合わせて行われる。適切なフォーカスアセスメントは異常の早期発見と早期対処，ケア提供につながる。看護師の知識と技術，経験，観察力が高ければ，効率的で中身の濃い情報収集が可能になる。

3 フィジカルアセスメントの基盤となる観察技術

フィジカルアセスメントは，聴診器と簡単な用具（図1-1），看護師の五感を用いて観察する方法であり，基盤となる技術は，「問診」「視診」「触診」「打診」「聴診」である。観察したい系統や部位によって，この5つの技術を組み合わせて行う。以下に各技術について解説する。

1）問診（面接，インタビュー）

問診とは，患者や患者の状況を知る人に状態を尋ね，主観的情報を得ることである。面接の際は，コミュニケーションの原則を守り，ていねいで共感的な態度で，相手が話しやすいように接する。事前情報に目を通して準備をし，プライバシーを保つことのできる場所で，落ち着いて話ができる十分な時間をとる。相手が一番気にしていること，心配なことから聞き始め，徐々に質問を加えるとよい。

情報のなかには，患者が他者に知られたくない情報が含まれることも多い。専門家とし

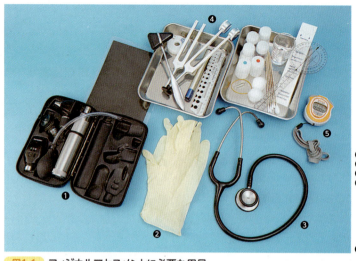

図1-1 フィジカルアセスメントに必要な用具

❶検眼・耳・鼻鏡
❷ディスポーザブル手袋
❸聴診器
❹診察セット
　打腱器，音叉（125Hz，512Hz），メジャー，ペンライト，瞳孔計，砂糖・塩・湯・水・コーヒー・茶，綿球，綿棒，輪ゴム，安全ピン，舌圧子
❺ストップウォッチ

ての情報収集であって，単なる詮索ではないことを理解してもらえるよう，情報使用の目的とその保全を十分に説明する。

　主訴や症状に関する問診では，症状に関する7項目を網羅して情報を得る（表1-1）。このことで，緊急性の判断やケアプランの立案につなげることができる。また，看護師同士や医師，他職種に情報提供する際も，これらの情報が網羅されていると有用な報告ができる。

表1-1 症状出現時の問診内容

	問診内容	聞き方	留意点
Location	位置・部位	どこが？	患者に指し示してもらうなど正確に把握する
Quality	質的内容	どのように？	患者の言葉で聞き取り，そのまま表記するとよい 例 ジンジンした痛み，刺されるような鋭い痛み
Quantity	量的内容	どれくらい？	0（まったくない）から10（想像できる最大の症状）段階でどの程度かを聞くと正確である
Timing	時間的経過	いつから？ これまでどんな経過？	症状に気づいたときから今までの症状の強さや性質の経過を聞く 例 昨日の夜から少し気になっていたが，朝目覚めたらひどくなっていた
Setting	状況	どんな状況で？	生活行動との関連を聞く 例 食事を摂った直後や運動後に痛む
Factor	改善・増悪因子	どうすればよくなる？ どうすれば悪くなる？	症状を軽減させるための看護ケアプランに直接結びつくため，これを意識して聞くとよい 例 温めると痛みが和らぐ，排便時に動悸が強い
Associated manifestation	随伴症状	この症状とともに起こったことは？	患者が意識していない場合もあるので，○○のような症状はどうですか？　などと起こり得る症状について追加して尋ねるとよい 例 腹痛とともに下痢や嘔吐がある，頭痛とともに目がかすむ

2）視　　診

　視診とは，患者の状態を目で見て観察する技術である。自然光での観察が基本であるが，観察の精度を高めるためにライトやペンライトを用いる。また，耳や鼻，網膜のアセスメントでは，十分な光量の確保と観察部位の拡大のために特別な機器（検眼鏡など）を用いて視診を行う。陰部や胸腹部の観察では，保温と差恥心に配慮しながらも確実な視診ができるよう，覆う部分は覆い，露出すべき部分はしっかり露出するといった配慮が必要となる。

3）触　　診

　触診とは，患者の身体に触れて大きさ，温度，柔らかさ，固さ，湿潤感，動きを確認する技術である。触れる手は，患者に安心感をもたらすため温かく乾いていることが望ましい。お湯やカイロなどで手を温め，手拭きを用意しておくなどの工夫をする。標準予防策に則り，爪を短く切り，体液に触れる可能性がある場合には手袋を装着する。ただし，手袋を装着すると触診の精度が著しく低下するため，注意深く実施する。触診には主に以下の方法がある。

（1）手指腹・手掌での浅い触診

　手指と手掌を皮膚表面に軽く当て，わずかに（1〜3cm程度）押し下げる方法であり（図1-2），最も一般的に行う触診方法である。圧痛や湿度，弾力性，固さを知る目的で行われる。

（2）手指腹・手掌での深い触診

　浅い触診と同様に手指と手掌を皮膚表面に当て，3〜5cmほどの深さまで力を入れ，深部を触れる（図1-3）。腹部のアセスメントに用いられることが多く，目的は浅い触診と同様である。圧迫が加わるため，強い痛みを訴えている場合や，がんや炎症などで組織が弱っていると考えらえる場合にはこの方法は避ける。

（3）手背での触診

　手背を当て触診する方法である（図1-4）。手背は手掌よりも冷たく，温度感覚に優れているため，冷感や熱感，その左右差を確認するときに活用される。

（4）中手指節関節部・手掌の尺側での触診

　図1-5, 6 のように手を当てて触診する。どちらの部位も振動を触知することに優れているため，心雑音の触診，肺の振盪の触診などに用いられる。

（5）両手触診

　利き手を下にし，その遠位指節間関節上に非利き手の指腹を当て，圧迫し，利き手側の

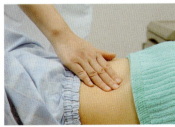
図1-2 手指腹・手掌での浅い触診

図1-3 手指腹・手掌での深い触診

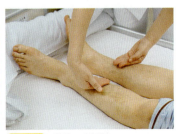
図1-4 手背での触診

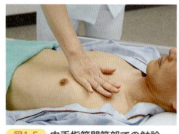
図1-5 中手指節関節部での触診

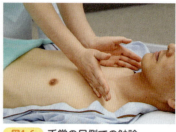
図1-6 手掌の尺側での触診

図1-7 両手触診

指腹で触知する（図1-7）。深い触診よりもさらに深く探索することができるため，肝臓や脾臓，腎臓，子宮などの腹腔内臓器の触診時に用いられる。圧迫が強く加わるため，腹痛を訴えている場合や，がんや炎症などで組織が弱っていると考えらえる場合にはこの方法は避ける。

4）打　診

打診とは，指や器具で患者の身体を軽く叩き，その音を聴くことで，身体内部の情報を収集する方法である。間接打診法では，表面から約6cm深部の臓器の状態がわかるといわれている。音の特性と対応する部位を表1-2に示す。また，聴診器で音の響きの違いを聴き取るスクラッチ法を用いることで打診と同じような判断ができる。

（1）間接打診法
①非利き手の中指を過伸展し，中節骨部を打診したい部位に当てる。浮き上がらないように，やや押しつける（図1-8）。この部位以外は患者の身体に触れないようにする。
②利き手の中指と薬指（または示指と中指）の指先をそろえるように屈曲し，指尖部で上記①の部位を叩く（図1-9）。肘は固定し，手首のスナップをきかせて軽く素早く叩き，叩いた後は素早く離す（図1-10）。

（2）スクラッチ法
①聴診器をアセスメントする部位に置き，皮膚を指腹でやさしくこすり（スクラッチ；ひっかくの意），徐々に移動させながら音の変化を聴き取る（図1-11）。
②密な組織（心臓や肝臓など）では，音が吸収されずに響くため，こする音が急激に大きくなる。肝臓や心臓の大きさや位置の特定に用いることが多い。たとえば肝臓では，上

表1-2 打診音の特徴

種類	打診音の特徴	部位や状況
共鳴音	低く響き，強い	正常：肺
濁音	低く響かない，弱い	正常：肝臓，脾臓，心臓，横隔膜，便の貯留した腸管，妊娠子宮，充満した膀胱 異常：胸水，血液・膿が充満した肺，腹水，腫瘍
無共鳴音	高く響かない，弱い	正常：筋肉，骨
鼓音	高く響く，強い	正常：胃，腸

図1-8 打診(非利き手の固定)

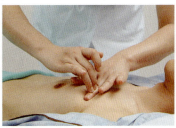
図1-9 打診(打つ場所と利き手の指)

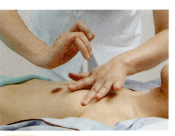
図1-10 打診(引き戻し)

縁で接する肺と，下縁で接する腹腔では音が吸収される。肝臓部では音が吸収されないため，大きく響く。心臓も同様である。

5）聴　診

聴診とは，聴診器を用いて体内の音を聴く技術であり，肺音，心音，腸音，血管音などを聴き取る。

（1）聴診器の条件（図1-12）

①イヤーピースが耳道をふさぐようにぴったりとしたソフトなものであること。

②膜型とベル型（または，その機能）がついていること。膜型は高音（肺音，心音のⅠ音・Ⅱ音，腸音など）を聴くのに適しており，ベル型は低音（血管音，心雑音，心音のⅢ音・Ⅳ音など）が聴き取りやすい。

③チェストピースはステンレス製などの重さがあるものが聴き取りやすい。

④導管が太く，短いほうが音の伝わりがよい。

（2）聴診の方法

①なるべく静かで暖かい環境に整える。

②チェストピースを膜型（またはベル型）が聴取できるようにする。

③イヤーピースを外耳道の走行に沿って当てる（図1-13）。

④チェストピースは冷たくないように手掌などで温めておく。

⑤膜型で聴取する場合は，チェストピースを利き手の母指，示指，中指で持ち，隙間のないように密着させる（図1-14）。隙間があって聴こえない場合は，ベル型を密着させて用

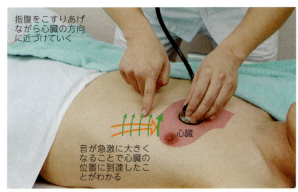
図1-11 スクラッチ法(心臓)

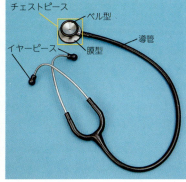
図1-12 聴診器

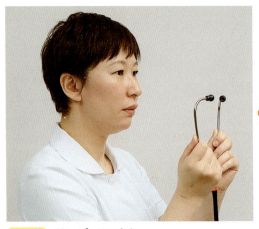

図1-13 イヤーピースの向き

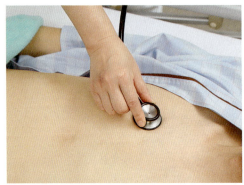

図1-14 膜型聴診器での聴取

図1-15 ベル型聴診器での聴取

いるか,チェストピースの小さい小児用を用いるとよい。
⑥ベル型で聴取する場合は,皮膚に軽く当てる。強く密着すると膜型と同様の機能となり,ベル型の特徴が生かされない(図1-15)。

4 フィジカルアセスメントで得られた結果の活用

1) 看護過程展開のプロセスとフィジカルアセスメント

看護過程の構成要素としては,アセスメント,看護問題の明確化または看護診断(以下看護診断とする),計画立案,実施,評価と5段階で示されることが多く,そのプロセスとフィジカルアセスメントは密接に関係している。

フィジカルアセスメントの技術は,「アセスメント」を行う際の情報収集とその判断において活用される。たとえば「便秘」を例にすると,腹痛や排便に関する「問診」,腹部膨満などの「視診」,腹部圧痛や腫瘤の「触診」,腹部濁音の「打診」,腸音の亢進や減弱などの「聴診」による観察が必要となる。適切なフィジカルアセスメントが,的確な看護診断を行うために必要不可欠となる。

計画立案の際には,観察プランを立案する。観察プランは,看護診断の経過を観察し,

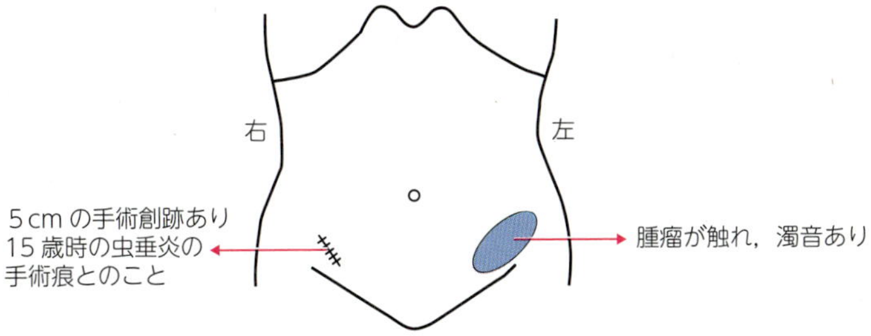

図1-16 図や絵を用いた記録（腹部の例）

右：5cmの手術創跡あり 15歳時の虫垂炎の手術痕とのこと
左：腫瘤が触れ，濁音あり

「評価」を行うために必要であり，この観察項目がフィジカルアセスメントの項目となる。便秘を例にすると，便秘状態が改善したかどうかを評価するためには，先に述べた項目の観察が必要になる。何らかの看護ケアにより，腸音が適切に整い，腹部膨満が軽減し，便の貯留を示す下腹部の濁音がなくなり，患者が「排便に満足している」と答える，これらの情報が，立案した看護計画の適切性を評価するものになる。

また，副作用や合併症のリスクが問題となる場合は，その徴候がみられないかを継続的に観察し，速やかに報告，対処することが必要となる。このため，ケアプランのほとんどが観察プランとなることもある。

2）フィジカルアセスメントと記録

看護記録は，基礎情報，看護計画，経過記録に分けられる。系統的アセスメントの結果は基礎情報に，フォーカスアセスメントの結果は経過記録に記載されることが多い。看護計画については，前項1）の内容が記載される。

看護記録は医療法施行規則第20条，第21条，第22条において，過去2年間の保存が義務づけられている。医療事故の検証や訴訟時の重要な資料となるため，記載者を明記し，正確かつ客観的な記述が必要である。さらに，他医療職への情報提供，患者や家族への開示を意識し，理解しやすく，誤解を与えない正しい表現方法とする。

以下に，フィジカルアセスメントで得られた観察結果の記録についての留意点を挙げる。
①客観的情報（objective data）と，主観的情報（subjective data）を区別して記載する。
②主観的情報は，なるべく患者や家族の言葉そのものを記載する。
③観察内容は具体的に，あいまいな表現を避けて記載する。正しい医療用語を用い，大きさはcmで表すなど，他職種と共有できる情報とする。
④異常な所見がみられない場合も「腹部膨満なし」などと，観察した内容を記載する。
⑤特定の測定尺度（スケール）を使用した場合は，その名称を記載する。略語や記号は辞書などに記載されている正しい用語を使用する。
⑥大きさや位置の情報が重要な場合は，図や絵を用いるとよい（図1-16）。

3）報　告

患者の状態の報告は，他看護師，医師，医療職者への情報伝達のために行われるもので

ある。適切な報告は，看護や医療の質を向上させるものとなり，報告が不適切であること，または実施されないことは，医療事故や患者の安全・安楽の阻害につながる。

　報告は，いつ，何を，だれに，どのような手段で行うかを適切に判断することが必要である。情報の緊急性が高いときには速やかに簡潔に報告する。情報を整えたうえでまとめて報告することが適切な場合もある。いずれにせよ，重要な情報から伝え，互いが通じ合える正しい医療用語を用いる。フィジカルアセスメントは，医師や看護師のみならず，理学療法士や作業療法士，管理栄養士などの他医療職の教育においても導入されており，スムーズな情報伝達のための共通言語となっている。

文　献

1) 小野田千枝子監，高橋照子・他編：実践！フィジカル・アセスメント—看護者としての基礎技術，改訂第3版，金原出版，2008.
2) T ヘザー・ハードマン編，日本看護診断学会監訳：NANDA-I看護診断　定義と分類　2012-2014，医学書院，2012.
3) Bickley LS原著，福井次矢・井部俊子監：ベイツ診察法，第2版，メディカル・サイエンス・インターナショナル，2015.
4) 古谷伸之編：診察と手技がみえる1，第2版，メディックメディア，2010, p. 2-18.

2 バイタルサイン，痛みの見方

学習目標
- バイタルサインの重要性と測定の意義を理解する。
- バイタルサインの測定値や一般状態の観察によって得た情報は，看護ケアや治療方針を決定するうえで，重要な資料となることを理解する。
- バイタルサインを正しく測定し，その値を総合的にアセスメントすることができる。
- バイタルサインの測定値を看護ケアに生かすことができる。
- 痛みに関する基礎知識と観察の意義を理解する。
- 痛みに関する観察方法を知る。

　バイタルサイン（vital signs）は，生命維持に必要な徴候であり，生きていることを示す証しである。一般的に体温，脈拍，心拍，呼吸，血圧，意識をバイタルサインとよぶ。これらが示す意味と正常な値を知ることは，患者の疾患の程度や状態の的確な理解，そして異常の早期発見につながる。バイタルサインは，比較的容易に測定できるため，必要なときはいつでも身体の生理的な変化を把握することができる。

　私たちは通常，呼吸や体温や脈拍を意識せずに日常生活を送っている。これは体温，脈拍，呼吸，血圧が生理的に常に一定の範囲内に調整されていることによる。このように身体内の各機能が相互に依存し，かつ協調して働く結果，身体の内部環境が恒常的に維持されている状態を恒常性維持（ホメオスタシス，homeostasis）という。

1 体温

　体温とは生体内部の温度である。身体の各部によって温度差があり，肝臓や脳などが最も高い。
　一般的に体温とは大動脈出口の血液の温度を示す。大動脈の出口付近の血液温度は容易に測定できないため，体表面に近い，測定に便利な場所で得られる皮膚温（腋窩温），体腔温（口腔温，直腸温），外耳道の鼓膜温などを体温とよんでいる。

（1）体温の生理的変動
　日常生活上の動作（食事，運動，睡眠，入浴，体位など）におけるもの，年齢差，個人差，日差，行動差，性差などによる変動がある。

（2）測定部位
　体温を測定する部位は，腋窩，口腔，直腸，鼓膜などである。膀胱留置カテーテルの先端に温度センサーがついているものでは，膀胱内温度を測定することができる。腋窩温を

基準にすると直腸温は0.5℃高く，口腔温や鼓膜温は0.1〜0.3℃高い。一般成人では腋窩温を体温として扱うことが多い。

（3）正常な体温

平均的な腋窩温は36.5℃前後で，日差をも含めると36.0〜37.0℃が正常範囲内といわれている。体温を一定に保っているのは，視床下部にある体温調節中枢である。ここでは熱の産生と放散の調節をつかさどっている。

（4）体温の異常

体温の異常には，高体温と低体温がある。高体温とは体温が異常に高くなった状態をいう。なかでも，普段の体温よりも1℃以上高くなった場合を発熱，異常な暑さによって体温の放熱が障害されたり，運動によって体温が放熱の限界以上に産生されたときに起こるものをうつ熱という。低体温とは平熱より低く，35℃前後の状態をいう。

熱型とは時間を決めて体温を測定し，グラフ化し，熱の昇降を示したものをいい，図2-1に示すように特定の疾病にみられる熱型がある。また，上昇した体温が平常に戻ることを解熱といい（図2-2），熱の下がり方で2つの型に分類されている。

（5）測定器具（電子体温計；図2-3）

電子体温計は，短時間に測定可能であることから，一般成人病棟のほかに，新生児・乳幼児・外来患者・救急患者の体温測定に適している。

予測式（体温上昇のカーブから平衡した体温を予測する。短時間で測定できるが，実測値と異なることもある）と実測式（予測値が得られた後，そのまま測定し続けると実測値となる）がある。鼓膜は，血管が走行しているので身体中枢の温度を反映しやすい。外耳道に赤外線センサーを挿入し，鼓膜に赤外線を当てて体温を測定する。

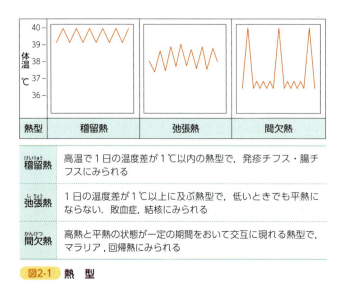

図2-1　熱　型

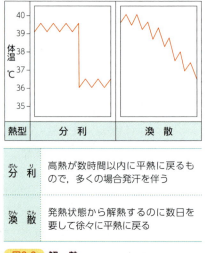

図2-2　解　熱

図2-3 体温計の種類(①鼓膜体温計, ②腋窩体温計, ③赤外線放射温度計)

2 脈拍・心拍

　心臓の収縮により, 動脈血が全身に送り出される際に, 末梢動脈で拍動として触知できる脈波を脈拍という。脈拍はその拍数だけでなく, リズムや強弱からも, 身体的・精神的変化を知る資料となる。

(1) 脈拍の変動因子
　年齢, 性別, 寒暖などの環境要因, 運動, 食事, 入浴などの日常生活活動, 精神状態, 病状などにより変動がある。

(2) 測定部位
　通常は橈骨動脈で測定する。そのほか, 浅側頭動脈, 総頸動脈, 上腕動脈, 大腿動脈, 後脛骨動脈, 足背動脈で測定することも可能である。

(3) 正常な脈拍数
　表2-1のように示されるが, 個体差や変動が大きいため, 測定値判断の目安として活用する。

(4) 脈拍の異常
　脈拍のリズムは, 左心室が収縮する間隔を表している。リズムが規則的であることは, 規則的な心臓収縮に伴って動脈血が大動脈に送り出されていることがわかる。しかし, リズムが速くなったり, 遅くなったり, 途中で脈が抜けたりする場合には, 心臓の刺激伝導系に異常があることや動脈血が十分に全身に送り出されていないことが予測できる。脈の左右差は, 触れにくい側の動脈自体が細い, あるいは動脈硬化などによる血流障害があることなどが考えられる。
　脈拍の性状には, 一般的に脈拍数, 脈拍の大きさ, リズム, 緊張度などの観察の視点が

表2-1 正常な脈拍数(目安)

新生児	乳幼児	学童	成人	高齢者
120〜140回/分	100〜120回/分	70〜90回/分	60〜80回/分	50〜70回/分

表2-2 脈拍の異常

触診で判断 しやすい項目	脈拍数	頻脈：脈拍数が100回/分以上 徐脈：脈拍数が50回/分以下
	脈拍のリズム	不整脈：脈拍のリズムが不規則だったり，途中で1拍抜けたりするような脈
	脈の左右差	（頸動脈を除いて）左右の動脈を同時に触診すると，どちらかが弱く触れる
触診で判断が 難しい項目	脈拍の大きさ	大脈：振幅の大きな脈 小脈：振幅の小さな脈
	脈拍の遅速	速脈：脈拍の立ち上がり，また消失が急速である 遅脈：脈拍の立ち上がり，また消失が緩徐である
	脈拍の緊張 （比較的判断しやすい）	硬脈：脈拍の緊張が強い脈 軟脈：脈拍の緊張が弱い脈

ある。しかし，触診で明らかに判断できるのは，脈拍数，リズム，脈の左右差であり，脈拍の大きさや遅速など正確に判断するためには脈波曲線をとって調べる必要がある。

脈拍数やリズムに異常があれば，聴診器を用いて心拍を聴取し，さらには心電図で詳細に心電図の波形を診察する（表2-2）。

脈拍の異常は，脈拍数，リズムなどがそれぞれ単独でみられるものではなく，重なって起こるものである。

（5）心拍の聴取

心臓の拍動を聴診器で聴取することを心拍の聴取といい，脈が触れにくかったり，リズム不整があったり，脈が速い場合などに活用できる。第3肋間胸骨左縁（エルプ領域）に聴診器を当て，心音のⅠ音・Ⅱ音を合わせて1拍動と数える（本章「7　心血管系」p.166参照）。

3 呼　吸

生命維持のために，生体が酸素を取り入れ，物質代謝をし，その結果生じた二酸化炭素を排出することを呼吸という。

肺胞内の空気と血液間でガス交換を行う外呼吸（肺呼吸）と，血液と末梢組織との間でガス交換を行う内呼吸（組織呼吸）とがあるが，一般には外呼吸を指して呼吸という。

呼吸は，リズム・深浅・数などの性状や酸素飽和度を観察および測定することで，状態を把握することができる。

呼吸数は，体内に必要量の酸素を取り入れ，不必要な二酸化炭素を排出するに見合った数かどうかを意味している。

（1）呼吸の形態

①胸式呼吸

主に胸郭（肋間筋）の運動によって行われる呼吸（女性に多い）。

②腹式呼吸

主に横隔膜の運動によって行われる呼吸（男性，小児に多い）。

表2-3 正常な呼吸数（目安）

新生児	乳児	幼児	学童	成人
40〜60回/分	30〜40回/分	20〜35回/分	20〜35回/分	16〜20回/分

表2-4 呼吸の異常

分類	名称	説明
呼吸数・深さでの分類	頻呼吸	呼吸数が25回/分以上，呼吸の深さは変わらない
	徐呼吸	呼吸数が9回/分以下，呼吸の深さは変わらない
	過呼吸	1回の換気量が増加，呼吸数は変わらない
	減呼吸	1回の換気量が減少，呼吸数は変わらない
	多呼吸	呼吸数と換気量が増加
	少呼吸	呼吸数と換気量がともに減少
	無呼吸	休息期が長く，呼吸が停止した状態
周期性呼吸	チェーン-ストークス呼吸	呼吸の変化が周期的に起こるもの 無呼吸の状態が5〜30秒続き，次いで深い呼吸，過呼吸となり，再び呼吸が浅くなり無呼吸となる。周期は45秒〜3分
	ビオー呼吸	無呼吸の状態から急に4〜5回の呼吸を行い，再び無呼吸になる。周期は不規則
	クスマウル呼吸	異常に深い大きな呼吸が持続し，高い雑音を伴う

③胸腹式呼吸

深い呼吸を行うときに胸式と腹式を併せて行う呼吸。

（2）正常な呼吸数

正常な呼吸数の目安は表2-3のとおりであり，リズムは規則正しい。規則正しい呼吸のリズムは，延髄にある呼吸中枢からの指令で酸素と二酸化炭素のガス交換が適切に行われていることを示している。

（3）呼吸の異常

表2-4のように分類される。無呼吸は，呼吸という一連の動きに何らかの障害が起きていることを指す。呼吸の深浅は，主に胸郭の動きで見分けられる。浅い呼吸は肺活量が少ないことも表すが，必要な酸素が肺胞にまで十分に達していない可能性もある。呼吸困難では，過呼吸で努力している呼吸運動を行っている「努力様呼吸」がみられる。肺うっ血のある患者では，上体を起こして呼吸する起座呼吸がみられる場合もある。呼吸の数や深さだけでなく，体位や呼吸形態も併せて観察する必要がある。

（4）経皮的動脈血酸素飽和度の測定

酸素飽和度（percutaneous oxygen saturation：SpO_2）は，全血における酸化ヘモグロビンの占める割合を指し，その基準値は95〜99％が目安である。これを経皮的に簡易に計測することができる測定器をパルスオキシメーター（pulse oximeter）という。パルスオキシメーターは発光部分から赤色光と赤外光を発し，血液や組織を経た光を受光器で受け，動脈血の赤色になる度合いを測定している。身体の酸素化を示す指標であり，バイタルサ

インの一部として測定される。

4 血　圧

　血圧とは，心臓が全身に血液を送り出すとき，左心室の収縮によって生じる圧力が大動脈を経て全身の動脈壁に及ぼす圧力を指す。収縮時に動脈壁が受ける血液の圧力を最高血圧（収縮期血圧）といい，拡張期に受けるものを最低血圧（拡張期血圧）という。また，「収縮期血圧」－「拡張期血圧」で計算される脈圧は血管の弾力性を反映するといわれており，動脈硬化では増加する。

　血圧測定の際に聴診器から聴こえてくる音をコロトコフ音という。マンシェットに空気を入れて加圧し，血流を遮断した後，少しずつ圧を緩めると血流がマンシェットの心臓側から末梢に向かって流れる。コロトコフ音は，そのときに血管壁に伝わる拍動の音である。血圧は「心拍出量」×「末梢血管抵抗」で表される。

（1）血圧の維持に影響を及ぼす因子
・心臓の拍出力
・末梢血管抵抗
・動脈血管系の血流量
・血液の粘稠度
・血管壁の弾力性

（2）血圧の変動因子
・室温
・体位
・食事
・精神的興奮
・飲酒
・喫煙
・排便
・個人特性（性別，年齢，肥満度など）

（3）測定部位
・上腕部（上腕動脈の肘窩部）
・大腿部（膝窩動脈の膝窩部）
・下腿部（後脛骨動脈または足背動脈）

（4）血圧計の種類
　血圧計の種類には，アネロイド血圧計（バネの力で測定するもの），電子血圧計がある（図2-4）。

（5）血圧値の分類
　表2-5[1)]のとおりである。2019年に出された高血圧治療ガイドラインによる高血圧基準は，診察室血圧≧140かつ/または≧90，家庭血圧≧135かつ/または≧85である。

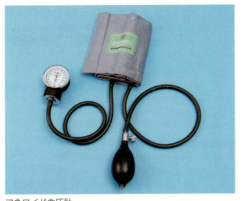
アネロイド血圧計

電子血圧計

図2-4 血圧計の種類

表2-5 血圧値の分類（成人）

分類	診察室血圧（mmHg）			家庭血圧（mmHg）		
	収縮期血圧		拡張期血圧	収縮期血圧		拡張期血圧
正常血圧	<120	かつ	<80	<115	かつ	<75
正常高値血圧	120〜129	かつ	<80	115〜124	かつ	<75
高値血圧	130〜139	かつ/または	80〜89	125〜134	かつ/または	75〜84
Ⅰ度高血圧	140〜159	かつ/または	90〜99	135〜144	かつ/または	85〜89
Ⅱ度高血圧	160〜179	かつ/または	100〜109	145〜159	かつ/または	90〜99
Ⅲ度高血圧	≧180	かつ/または	≧110	≧160	かつ/または	≧100
（孤立性）収縮期高血圧	≧140	かつ	<90	≧135	かつ	<85

日本高血圧学会高血圧治療ガイドライン作成委員会編：高血圧治療ガイドライン2019，日本高血圧学会，2019，p.18．より引用

5 意識

　意識とは，「覚醒」と「意識内容」の2要素からなっている．覚醒とは目覚めていることであり，最も典型的な覚醒状態は，開眼時，まばたきがみられることである．一方，意識内容とは，覚醒して初めて問題になる意識の中身である．自分はだれ（氏名，生年月日など）であるか，自分の周囲の状況（時，場所，人など）はどうであるかを見当識といい，意識状態の清明さのチェック項目となる．

　意識レベルの判定は，呼びかけ刺激と痛み刺激を行い，その反応をみて行われる．呼びかけ刺激とは，たとえば，呼名に返答するか，場所（ここはどこか）や氏名を言えるか，生年月日を言えるかなどと呼びかけ，それに対する反応が正しいかどうかを判断する．また，患者からの反応は正しいが，呼びかけていないとすぐに眠ってしまう場合は，傾眠傾向と考える．痛み刺激は，胸骨前面を押したり上下肢などをつねるなどして反応をみる．

表2-6 ジャパンコーマスケール（JCS）

Ⅲ．刺激しても覚醒しない（deep coma, coma, semicoma）
　　300　まったく動かない
　　200　手足を少し動かしたり顔をしかめたりする
　　　　　（除脳硬直を含む）
　　100　はらいのける動作をする

Ⅱ．刺激すると覚醒する（stupor, lethargy, hypersomnia, somnolence, drowsiness）
　　30　痛み刺激でかろうじて開眼する
　　20　大きな声，または体をゆさぶることにより開眼する
　　10　呼びかけで容易に開眼する

Ⅰ．覚醒している（confusion, senselessness, delirium）
　　3　氏名，生年月日が言えない
　　2　見当識障害あり
　　1　だいたい意識清明だが，今ひとつはっきりしない

付　"R" restlessness（不穏状態），"I" incontinence（失禁）
　　"A" akinetic mutism（無動性無言），apallic state（失外套症候群）
例）30-R，100-I，20-R I　などと記載する

表2-7 グラスゴーコーマスケール（GCS）

項目	反応	評点
Ⅰ．開眼（E）eye opening	自発的に開眼する	4
	呼びかけにより開眼する	3
	痛み刺激により開眼する	2
	まったく開眼しない	1
Ⅱ．言語反応（V）best verbal response	見当識あり	5
	混乱した会話	4
	混乱した言葉	3
	理解不明の音声	2
	まったくなし	1
Ⅲ．運動反応（M）best motor response	命令に従う	6
	部分的な動き（疼痛部へ手をもっていく）	5
	逃げるような動き	4
	異常な屈曲運動	3
	伸展する	2
	まったくなし	1

　意識状態の判定基準としては，一般にジャパンコーマスケール（Japan Coma Scale：JCS，3-3-9度方式，表2-6）とグラスゴーコーマスケール（Glasgow Coma Scale：GCS，表2-7）が使われている。

　JCSは，日本で主に使われているが，覚醒の程度によって分類したものである。数値が大きいほど意識障害が重いことを示す。

　GCSは，開眼，言語反応，運動反応の3つについて点数化したものである。点数が低いほど意識障害が重いことを示す。一般に8点以下を重症とする。

6 痛みの見方

1）痛みとは

（1）痛みの定義

　国際疼痛学会は，痛みの定義を「組織の実質的または潜在的な障害に伴う不快な感覚・情動体験，あるいはこのような障害を言い表す言葉を使って述べられる同様の体験」[2]としている。痛みは個人の主観的経験であるが，その程度や起きる状況は常に変化する。また，痛みやしびれなどの感覚によるものは目に見えず，心の不安や苦しみも痛みとして表現される場合もある。他者がその程度を理解することは容易ではないが，看護師は痛みに関する観察を適切に行い，痛みの軽減に努めることが求められる。

（2）痛みがあることの意味

　痛みは身体を害されたことを示す不快な感覚である。神経から伝達された刺激は単なる痛み刺激なのではなく，その痛みが示す部位（身体組織）において何らかの障害が起きているという身体からのサイン（危険信号）と考えられ，強い痛みは命の危険につながるこ

とを示す症状である。私たちは幼少の頃から転んでけがをすると痛みを感じ，治療などでも少なからず痛みを伴ったり，安静による不自由さをも経験し，繰り返したくないものとして注意するように学んできた。その注意する行動は，身体を痛みを伴うような危険から身を守ることの防衛機能の意味がある。

（3）全人的苦痛（total pain）

　患者の痛みの特徴としてまず説明されるものの一つに全人的苦痛（total pain）がある（図2-5）。これはシシリー・ソンダース（Cicely Saunders）医師が末期がん患者とのかかわりから提唱した概念であり，「身体的苦痛」「精神的苦痛」「社会的苦痛」「スピリチュアルペイン」の4つで構成されている。痛みはそれらが互いに影響し合って表出されることから，がんに起因する身体面の痛みだけではなく，精神面や社会面など全体的にとらえていくことが必要となる。全人的苦痛（total pain）は，がんのみならず，看護の対象となるすべての人が有するものとして緩和されるよう，ケアの実践が望まれる。

2）痛みの分類

　痛みは，①侵害受容性疼痛，②神経因性疼痛，③心因性疼痛に大別される（表2-8）。

3）痛みの観察

　痛みは，身体に何らかの異常が起こったことを知らせるサインであり，これが起こると交感神経が興奮し，アドレナリンの分泌を促し，心拍数増加，血圧上昇，発汗などの症状

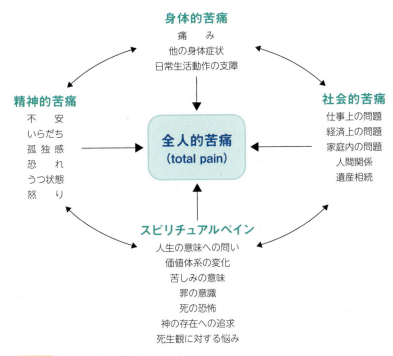

図2-5　全人的苦痛（トータルペイン）
淀川キリスト教病院ホスピス編：緩和ケアマニュアル，第5版，新医学社，2007, p.39. より引用

表2-8 痛みの分類

侵害受容性疼痛	転んで怪我をしたり針を刺すなど，身体組織に何らかの力が起こす侵害刺激がもたらす痛みである 1) 体性痛 　疼痛の部位が限局しており，うずく痛み・ずきずきする・刺しこむなどで表現される持続性の痛みである 　(1) 表面痛 　　手足の皮膚や口腔内の粘膜などの切り傷に生じる表面性の痛み 　(2) 深部痛 　　骨転移の際の限局した鋭い痛みや筋肉痛などの深部の痛み 2) 内臓痛 　内臓に起こる痛みで関連痛とも言われる。関連痛(放散痛)とは原因となる臓器とは離れた部位に起こる痛みをいう。内臓への圧迫や浸潤，損傷などで生じた痛みで，痛みの性質も鈍痛・押される・締め付けられる感じなどで表現される。肝がんは右肩に，心臓は左腕に，歯は肩こりや頭痛として痛みを感じる場合があり，嘔気・嘔吐や冷汗を伴うことがある。また，関連痛の起こる部位は毎回同一部位とは限らないのが特徴である 　原因部位と痛みの部位が異なるのは，内臓と皮膚や筋骨格の疼痛線維は1次求心性ニューロンであり，同じく脊髄を通るため，刺激が伝わった大脳が皮膚や筋骨格からの痛み刺激として認識することから起こる
神経因性疼痛	神経系の損傷・病変による痛みで，中枢性・末梢性・混合型がある。中枢性は腫瘍による脊髄圧迫や脳出血・脳梗塞などで起こる。末梢性は神経へのがん浸潤や手術や放射線による損傷，三叉神経痛，幻肢痛などがある。幻肢痛は切断された四肢の末梢神経断端から刺激(インパルス)が起こり，痛みを感じるものをいう。ヘルペスによる神経痛は中枢性と末梢性の混合型とされる 　突き刺すような・電激痛・灼熱痛といった強い痛みで表現され，痛覚過敏や触れるだけのようなわずかな刺激でも強い痛く認識される感覚異常(アロデニア)，感覚低下がある
心因性疼痛	心理的な要因が基となって発生・増強する痛みをいう。抑うつと関係があり，日常のストレスや過度に体調を気にしたり，痛みが長く続いたことによる抑うつなどが助長されて起こるとされる 　体がよじれるような感じ，体の中からいじめられるような感じ，体の中に棒が入ったような感じなどと表現される

横田敏勝・坂井靖子・黒政一江・他：ナースのための痛みの知識　改訂第2版，南江堂，2000，p.2-3．を参考に表を作成

が出る。身体の異常の程度や痛みの強さ・種類などによって交感神経・副交感神経の優位性も変化する。脈拍や血圧などのバイタルサインは痛みの程度を直に反映することから，観察項目として重要である。

(1) 痛みの部位

　痛みが限局している場合はその部分を指してもらう。幻肢痛やはっきりとした痛みの部位を特定できない場合，痛みが広がっていく場合もある。痛みの部位・範囲・広がりなどを詳しく聞く。

(2) 痛みの強さと程度

　痛みの強さは個人的で不可視であることから，客観的に評価できるペインスケールが用いられる(図2-6)。痛みの程度は，痛いが，「なんとか身体の向きは変えることができる」「テレビを見ていると忘れるくらい」「眠ることができないほど痛い」などというように，痛みからくる動作や睡眠への影響として表現される場合もある。

①視覚アナログ尺度(Visual Analogue Scale：VAS)：左端を0(痛みなし)，右端を10(最大の痛み)として，現在の痛みがこの線のどのあたりかを指してもらう(印をつけてもらう)
②Numeric Pain Intensity Scale：NRS(痛みの程度を4もしくは10段階尺度で表す方法)：4段階では，痛みなし(0)・軽度(1)・中等度(2)・強度(3)・最悪の痛み(4)のように表され，現在の痛みを表す数字を言ってもらう。
③Wong-Baker FACES® Pain Rating Scale：痛みを数字で表せない小児などの場合，6種

①視覚アナログ尺度（Visual Analogue Scale：VAS）

②Numeric Pain Intensity Scale

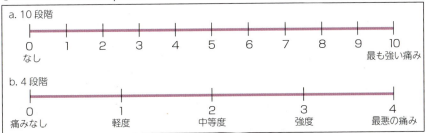

③Wong-Baker FACES® Pain Rating Scale

図2-6　一般的なペインスケール

類の顔の絵から自分と同じ程度の痛みを表しているものを選んでもらう。

（3）痛みの性質（どのような痛みか）

ズキズキ・刺されるような・ひりひりするような・ちくちく・じんじんなど痛みを表す言葉，その訴えを聞く。

（4）痛みの時間的経過

いつから始まったか，痛みが続いている時間，痛みの強さの変化，一時的なものかなど。

（5）痛みに対する考えや対処方法

痛みに関する患者の気持ちや痛みの増強（何が痛みを強めるか）や軽減（どうすると和らぐか）する要因，痛み止めを使うタイミングなどを聞く。

（6）痛みが日常生活に及ぼす影響

身体の動作・睡眠・食欲・心理面などに影響が出ていないかを聞く。

看護技術の実際

A 体温測定（腋窩）

- 目　　的：身体の生理的変化を示す指標としての体温を測定する
- 適　　応：体温測定を必要とする対象（るいそうの著しい患者，乳児を除く）
- 必要物品：トレイ（必要時），腋窩用電子体温計，アルコール綿，（必要時：乾いたタオル）

方　法	留意点と根拠
1　必要物品の準備と点検をする 　　電子体温計の電源を入れ，作動状況を確認する	
2　腋窩温を測定する 　1）物品を患者のところに運び，体温測定の説明をする 　2）患者が運動・食事・入浴などの直後でないか，寒冷にさらされていなかったか，精神的興奮などはないかを確認する（→❶） 　3）腋窩の発汗状態を確認し，湿っている場合は乾いたタオルで拭く（→❷） 　4）センサー部分を腋窩の最深部（→❸）に，前下方から45度の角度で斜め上方に向かって挿入し，腋窩を閉じる	●側臥位時は上側で，麻痺のある患者は健側で測る ●左記の影響があった場合は，5～10分安静にする ❶体温に影響を与える因子を除去することで，正しい値が得られる ❷汗によって体温計が皮膚に密着しないことや，気化熱により正確な値が得られない ❸腋窩最深部は腋窩動脈が走行しているため，中枢体温を反映しやすい ●測定中は皮膚に密着させるように腋窩を閉じておく（図2-7）

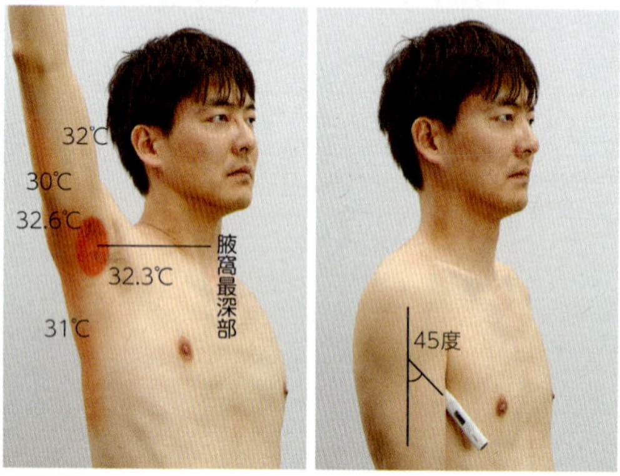

図2-7　腋窩周辺の皮膚温と腋窩温の測り方

5）予測式の場合は，電子音が鳴ったら取り出し，患者を楽な体位にする。実測式の場合は，そのまま10分間保持した後に体温計を取り出し，患者を楽な体位にする 　6）体温計の数値を読み取る 　7）体温計の電源を切り，アルコール綿で体温計を消毒する 　8）体温を記録（メモ）する 　9）測定終了を告げ，患者の寝衣・掛け物を整える	●必要時体温計をケースに入れる ●正常値の目安：36.0～37.0℃ ●37℃以上の場合は高体温の随伴症状（頭痛，顔面紅潮，目の充血，熱感の有無，全身倦怠感の有無など）を観察する
3　後片づけ，記録をする 　1）使用した物品の後片づけをする 　2）測定値および観察事項を記録する	●汗は血液やほかの体液とは違い，スタンダードプリコーションの対象外である。よって，汗を拭いた場合のアルコール綿は一般ごみに捨ててもよい。しかし，病院・施設によってはごみの分別方法が異なるので，その規則に従うこと ●月日，時刻，測定値（℃），観察内容（自覚症状，随伴症状など）

B 体温測定（口腔）

- 目　　的：腋窩体温測定と同じ
- 適　　応：小児を除く成人・老年期の患者，意識障害・精神障害・呼吸困難・鼻閉・口腔炎症などのない患者
- 必要物品：トレイ（必要時），口腔用電子体温計，アルコール綿（必要時），ナイロン袋（使用後の体温計とアルコール綿を入れるため）

方　法	留意点と根拠
1　必要物品の準備と点検をする 　　電子体温計の電源を入れ，作動状況を確認する	
2　口腔温を測定する 　1）物品を患者のところに運び，体温測定の説明をする 　2）患者が運動・食事・入浴などの直後でないか，寒冷にさらされていなかったか，精神的興奮などはないか，また，特に直前に冷たい・熱い物を飲食していなかったか確認する（→❶） 　3）体温計のセンサー部分を舌小帯を避けて舌下中央部から左右どちらか斜めに挿入し（図2-8），口を閉じてもらい，口を開けないように伝える 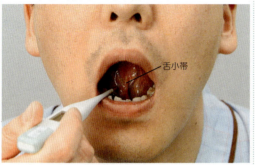 図2-8　口腔への体温計の入れ方 　4）予測式の場合は，電子音が鳴ったら取り出す。実測式の場合は，そのまま10分間保持した後に体温計を取り出す 　5）体温計の数値を読み取る 　6）体温計の電源を切り，ナイロン袋に入れる 　7）体温を記録（メモ）する 　8）測定終了を告げ，患者の寝衣・掛け物を整える	●左記の影響があった場合は，5〜10分安静にする ❶体温に影響を与える因子を除去することで，正しい値が得られる ●正常値の目安：36.0〜37.0℃ ●37℃以上の場合は随伴症状（頭痛，顔面紅潮，目の充血，熱感の有無，全身倦怠感の有無など）を観察する
3　後片づけ，記録をする 　1）使用した物品の後片づけをする 　2）測定値および観察事項を記録する	●唾液は体液の一つなので，スタンダードプリコーションの対象である。また，唾液は有機物を含むので，消毒の前に除去する必要がある。流水で洗浄し，0.02％次亜塩素酸ナトリウム液（5分以上）浸漬し，その後水洗いする。防水でない電子体温計の場合は，ティッシュペーパーで唾液を拭き取り，アルコール綿で清拭消毒する。 ●月日，時刻，測定値（℃），観察内容（自覚症状，随伴症状など）

C　体温測定（直腸）

- 目　　的：腋窩体温測定と同じ
- 適　　応：主に乳幼児，重症患者で正確な体温が必要な場合，新生児。手術中は肛門用の電子体温計も使われる。直腸内炎症・便秘・下痢・直腸手術後の患者には用いない
- 必要物品：トレイ（必要時），直腸用電子体温計，ティッシュペーパー，ナイロン袋（使用後の体温計とアルコール綿を入れるため），ワセリンやグリセリンなどの潤滑剤，ディスポーザブル手袋

	方　法	留意点と根拠
1	**必要物品の準備と点検をする** 肛門用の電子体温計の電源を入れ，作動状況を確認する	
2	**直腸温を測定する** 1）物品を患者のところに運び，体温測定の説明をする 2）患者の体位を側臥位にし，膝を深く曲げる（側臥位になれない場合は，仰臥位で膝を立てる） 3）寝衣・下着を下げる 4）体温計の先端に潤滑剤をつける 5）手袋をはめ，肛門が見えるように殿部を押さえ，もう一方の手で体温計を持ち，5～6 cmゆっくり挿入する（→❷） 6）挿入した手で体温計を電子音が鳴るまで保持する（→❸） 7）抜去し，体温計の数値を読み取る 8）体温計の電源を切り，体温計の先端の付着物を拭き取り，体温計をナイロン袋に入れる 9）拭き取って使ったティッシュペーパーと手袋を別のナイロン袋に捨て，口を閉じる 10）手指消毒をする 11）体温を記録（メモ）する 12）測定終了を告げ，患者の寝衣，体位，掛け物を整える	●直腸内に便やガスがたまっている場合は，検温の30分前にあらかじめ，摘便か浣腸を行ってから測定する（→❶） ❶便やガスにより直腸壁の正確な体温が得られない ●不必要な部位の露出をできるだけ避ける ●挿入する長さは成人で6 cm，乳幼児で2.5～3 cmを目安とする ❷成人の肛門管は約3 cmなので，それ以上挿入しないと体腔温度にならない ❸手を離すと体動や下肢の動きなどによって，直腸内に入り，取れなくなるリスクがあるため ●正常値の目安：36.5～37.5℃ ●正常値以上の場合は随伴症状（頭痛，顔面紅潮，目の充血，熱感の有無，全身倦怠感の有無など）を観察する
3	**後片づけ，記録をする** 1）使用した物品の後片づけをする 2）記録する	●ティッシュペーパーが入ったナイロン袋は，汚物として捨てる ●防水の電子体温計は，流水で洗った後（→❹）消毒し（0.02％次亜塩素酸ナトリウムに5分以上浸す），水洗いする ●直腸体温計に専用カバーがある場合は，専用カバーを先端部分に装着し，肛門に挿入する。測定後は専用カバーを取りはずして捨てる ❹便などの有機物は薬液効果を遮るため，流水で洗い流す ●月日，時刻，測定値（℃），観察内容（自覚症状，随伴症状など）

D 体温測定（鼓膜）

- 目　　的：腋窩体温測定と同じ
- 適　　応：小児から一般成人，外耳道～鼓膜に疾患などのない患者
- 必要物品：耳用電子体温計，専用プローブカバー

	方　法	留意点と根拠
1	**必要物品の準備と点検をする** 耳用の電子体温計の電源を入れ，作動状況を確認する	
2	**鼓膜温を測定する** 1）物品を患者のところに運び，体温測定の説明をする	●外耳道に耳垢がある場合は正しい測定ができないため除去する

方　法	留意点と根拠
2）患者が運動・食事・入浴などの直後でないか，寒冷にさらされていなかったか，精神的な興奮などはないか確認する（→❶） 3）プローブ部分に専用プローブカバーをつけ，耳介を後上方に引き（→❷），プローブを外耳道に挿入する。体温計が動かないように固定し，スタートボタンを押し続け，電子音が鳴ったら，取り出す 4）体温計の数値を読み取る 5）体温計の専用プローブカバーをはずし，捨てる 6）体温を記録（メモ）する 7）測定終了を告げる	●左記の症状があった場合は，5〜10分安静にする ❶体温に影響を与える因子を除去することで，正しい値が得られる ●外耳道は屈曲しているので，後上方に引き上げることで，鼓膜までまっすぐになる ❷プローブの先端から出る赤外線が鼓膜に当たるように挿入しないと外耳道壁に赤外線が当たってしまい，正確な鼓膜温が測定できない ●正常値の目安：36.0〜37.0℃ ●37℃以上の場合は随伴症状（頭痛，顔面紅潮，目の充血，熱感の有無，全身倦怠感の有無など）を観察する
3　後片づけ，記録をする 1）使用した物品の後片づけをする 2）測定値および観察事項を記録する	●月日，時刻，測定値（℃），観察内容（自覚症状，随伴症状など）

E 脈　拍

- 目　　的：脈拍を測定し，異常の有無の確認をする
- 適　　応：すべての患者
- 必要物品：時計またはストップウォッチ

方　法	留意点と根拠
1　患者の準備をする 1）患者に脈拍測定することを説明し，楽な体位になってもらう 2）患者が運動，食事，入浴などの直後でないか，精神的興奮などはないかを確認する（→❶）	●左記の影響があった場合，5〜10分安静にする ❶脈拍は運動，食事，入浴，精神的興奮によって増え，睡眠時は減少する
2　脈拍を測定する 1）測定者の示指・中指・環指の指腹を患者の橈骨動脈の走行に沿って当てる（→❷）（図2-9）  図2-9　脈拍の測定部位（橈骨動脈） 2）1分間脈拍数を数え，脈の性状（リズム，緊張など）を観察する 3）測定終了を告げ，寝衣を整えて患者の上肢を掛け物の下に入れる	●患者が疲れないように腕を支える ●強く押さえない（→❸） ❷1本の指よりも3本のほうが脈の走行・脈の性状を感じ取りやすい。母指で測定すると測定者自身の脈拍と誤認しやすい ❸圧迫が強すぎると，脈拍は消失する ●測定時間は，30秒測定した場合は正確で効率のよい方法であるが，15秒は正確でない[❶]との報告があることから，整脈の場合は30秒測定する方法もある ●保温，安楽に配慮する

方　法	留意点と根拠
3　記録をする	●脈拍数（回/分），リズム，緊張，観察内容（自覚症状，随伴症状など）

❶The Joanna Briggs Insutitute：Vital signs. Evidence based practice information sheets for health professionals. Best practice，3（3）：1-6, 1999.

F　心　　拍

本章「7　心血管系」p.161参照

G　呼　　吸

- ●目　　的：呼吸を測定し，異常の有無の確認をする
- ●適　　応：すべての患者
- ●必要物品：時計またはストップウォッチ

方　法	留意点と根拠
1　患者の準備をする 　1）患者に楽な体位になってもらう 　2）患者が運動，食事，入浴などの直後ではないか，精神的興奮などはないかを確認する（➡❶）	●呼吸運動が見えにくい場合は，掛け物を取る ●会話をすると測定しにくくなるため，必要時以外会話をしないよう話す ●座位で観察しにくい場合は，仰臥位になると呼吸運動が見えやすい ❶呼吸は活動や精神的興奮によって増加する
2　呼吸を測定する 胸郭や腹壁の動きを見て，1分間の呼吸数を数え，呼吸形態，深さ，リズム，型，異常呼吸の有無，呼吸困難の有無，患者の表情を観察する	●患者に呼吸測定に気づかれないように脈拍測定などと合わせて測定する場合もある（➡❷） ❷呼吸は随意的に変動させることができ，しかも"見られている"という意識は呼吸のリズムや速さに影響を及ぼす ●努力様呼吸のある場合は，それに伴う症状（咳，痰，喘鳴，胸痛，冷汗，チアノーゼの有無など）についても観察する
3　経皮的酸素飽和度を測定する 　1）示指もしくは中指の爪にパルスオキシメーターのプローブ（発光部分）を当て，指腹に受光器がまっすぐ当たるように装着する（➡❸）（図2-10）。手指のほか，足趾でも測定できる 表示窓 SpO$_2$の値 **図2-10**　パルスオキシメーターによる測定 　2）測定は値が表示された後，安定した値をとる（➡❺）	●プローブからの光をさえぎるようなマニキュアや付け爪，爪の汚れなどは取り除く ❸プローブからの発光を受光器が適切にとらえることができるようにする ●酸素飽和度は動脈血の血流から算出するため，動脈疾患がある部位やむくみが強い部位，血液循環不全や冷感が強い部分などでは正しく測定できない ●連続測定が必要な場合は，1日3回は装着部分を変える（➡❹） ❹プローブの圧迫からの循環障害予防，プローブからの熱（2〜3℃程度上昇）による熱傷予防のためである ●基準値は95〜99％である ❺プローブからの光が血液や組織を経て受光器に当たる。そのため，血流を正確にとらえるには少し時間がかかる

方法	留意点と根拠
4　記録をする	● 月日，時刻，呼吸数（回/分），深さ，リズム，SpO$_2$値（%），観察内容（自覚症状など）

〈呼吸が微弱で測定しにくい場合の工夫〉
1) 薄い紙片，ガーゼの抜き糸などを外鼻腔から少し離れたところに置き，その動きを測定する
2) 手鏡を鼻腔近くに置き，呼吸による鏡面が曇る回数を測定する。繰り返すと曇りが見えにくくなる場合がある
3) 鼻翼の動きで測定する
4) 測定者の指を水で濡らして患者の鼻孔近くにもっていき，温度感覚で測定する

H　血　圧

- ●目　　的：血圧を測定し，循環状態を把握する
- ●適　　応：すべての患者で，血液循環に関する症状や疾患がない部位
- ●必要物品：アネロイド血圧計，聴診器，アルコール綿

方法	留意点と根拠
1　必要物品を準備し，点検する（図2-11，12） 　1) 測定メーターの針を垂直に置き，0点にあるかを確認する 　2) マンシェットをたたんで持ち，送気球のねじ（排気弁）を締め，空気を100mmHg以上（目安）送って空気の漏れがないことを確認する（図2-13）	● たたんだマンシェットを握り込んで空気を送り，空気漏れを確認する ● マンシェットの幅は患者の上腕の円周に適したものか（➡❶） ❶マンシェットの幅は上腕円周の約40％がよい（図2-14）

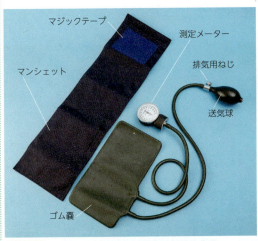

図2-11　アネロイド血圧計の構造と各部の名称

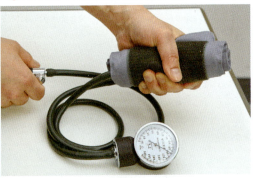

図2-13　マンシェットの空気漏れの確認

図2-12　送気球の点検

図2-14　様々な幅のマンシェット

方　法	留意点と根拠
2 患者に説明し，準備をする 　1) 患者に説明し，血圧測定前の確認をする 　2) 患者が排尿を我慢していないか，精神的興奮などはないか，運動・入浴・食事後ではないかを確認する（➡❷❸） 　3) 患者の測定する側の上腕を心臓の高さにする（➡❹） 　4) 測定側の寝衣の袖を肩のあたりまでたくし上げ，手掌を上に向ける（図2-15） 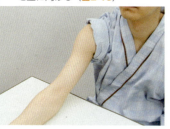 図2-15 血圧測定時の上腕 　5) 血圧計を倒れない位置に置く	❷食事・入浴・激しい運動では30分，そのほかでは5分間くらいの安静を図る ❸患者の不安や緊張が血圧を変動させる因子となり，血圧上昇をきたす ❹人の血管内にも重力の働きにより静脈圧がかかっている。そのため，腕の高さが心臓より高ければ低く，逆に低ければ高くなる ●長袖シャツや袖口が細い場合は，片袖を脱がせる（➡❺） ❺上腕を圧迫すると末梢にうっ血が起こり，血圧値が低くなる
3 マンシェットを巻く 　1) 上腕動脈の拍動を確認し，マンシェットのゴム嚢の中央が上腕動脈の真上に，マンシェットの下縁が肘窩の2〜3cm上になるように片方の手でマンシェットを固定し，もう片方の手でマンシェットを上腕に這わせるようにしながら巻く（図2-16）	●上腕やや内側にゴム嚢の中央がくるように巻く（➡❻） ❻上腕動脈は肘窩内側（尺骨側）に走行している ●巻き終わったときの圧迫状態は指が1〜2本入る程度とする（➡❼❽）（図2-17）

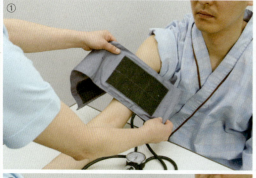

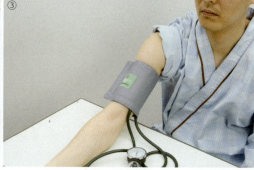

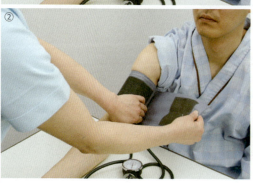

図2-16 マンシェットの巻き方

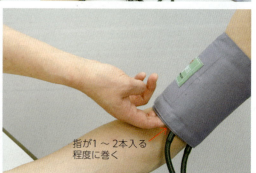

指が1〜2本入る程度に巻く

図2-17 マンシェットの圧迫状態

方　法	留意点と根拠
2）測定メーターの後ろにクリップがついている場合は，マンシェットの縁に取り付ける。もしくは測定メーターが見える位置に置く（図2-18）	❼緩すぎると加圧によってゴム囊が丸く膨らみ，上腕動脈を均等に圧迫する面積が狭くなる。そのため，加圧しないと血流を阻止できなくなることから血圧は高くなる ❽きつすぎると静脈系が圧迫されてうっ血し，前腕の血液量が増加した状態となる。そのため血管音が聴き取りにくくなり，血圧は収縮期が低め，拡張期が高めに出ることがあり，不正確になりやすい

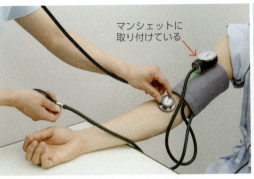
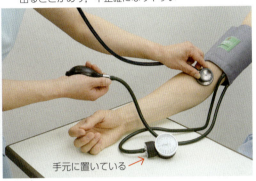

図2-18　血圧計の測定メーターの位置

方　法	留意点と根拠
4　触診法（➡❾）もしくは聴診法により血圧を測定する 〈触診法〉 1）左手で橈骨動脈を触知しながら右手（利き手）で送気球を小刻みで押し，脈拍が触れなくなるまでゴム囊内に空気を入れる（図2-19）	❾触診法は，入院時などに，血圧がどれくらいかの目安とするため，また聴診間隙（第2相において一時的にコロトコフ音が聴こえなくなる区間。高血圧や大動脈弁狭窄で起こりやすい）があった場合に，収縮期血圧を誤って低く読むことを防ぐために行う。さらに血圧が著しく低いときは，聴診器では聴き取りにくくなるので触診を行う

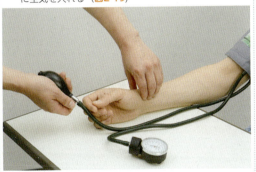

図2-19　血圧の触診法

方　法	留意点と根拠
2）脈拍が触れなくなったら，さらにその点から約20〜30mmHg程度送気する（➡❿） 3）排気弁をゆっくり開放しながら1拍動につき2〜4mmHg（1〜2目盛）ずつ針を下げる 4）脈拍が触れたときの目盛を読み，収縮期血圧（最高血圧）とする 5）送気球の排気弁を全開にして，手早く空気を完全に抜く	❿必要以上の圧迫によって起こる血圧の変動と患者の苦痛を最小限にする。アネロイドは水銀を使用していないが，水銀血圧計を基にした方法が基準となっているため，単位はmmHgで示される ●送気球のねじは母指と示指で挟んで徐々に緩める（図2-12参照）

方　法	留意点と根拠
〈聴診法（図2-20）〉 1）肘窩部の動脈に右手の示指，中指，環指を当て，上腕動脈の拍動を確認した後，その拍動部分に左手で聴診器の膜型（図2-21）を当てて，イヤーピースを耳に当てる 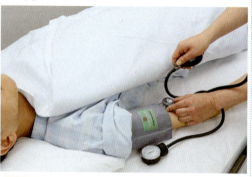 図2-20　血圧の聴診法	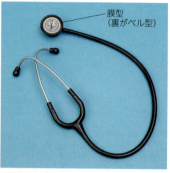 膜型（裏がベル型） 図2-21　聴診器
2）送気球を小刻みに押して送気し，触診法の値より，約20〜30mmHg程度高いところまで針を上げる 3）針の目盛を読みながら，脈拍ごとに2〜4mmHg（1〜2目盛）の速さで下がるように，ゆっくり排気弁を開放する 4）血管音の聴こえた目盛を読み，収縮期血圧（最高血圧）とする 5）さらに排気を続け，血管音が聴こえなくなったときの目盛を読み，拡張期血圧（最低血圧）とする	●早すぎず遅すぎない適切なスピードで排気する（→⑪） ⑪早すぎると目盛を読み落とすおそれがあり，遅いと末梢静脈がうっ血し拡張期血圧（最低血圧）が高くなり，加えて圧迫が長くなり患者の苦痛が増す ●コロトコフ音とスワン点をイメージしながら聴く（図2-22） 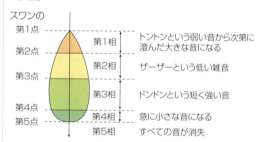 初めて血管音が現れたときをスワンの第1点とする。音が変わるにつれて，第2点・第3点・第4点・第5点とよばれる各相を経て，血管音が消失する。 図2-22　コロトコフ音とスワン点
6）送気球の排気弁を全開にし，マンシェットをはずしてゴム嚢内の空気を抜く	
5　患者の寝衣・寝具を整える	●寝衣を整えながら，患者の訴えや症状の有無を確認する ●測定値が異常でない限り，患者の関心に応じてその値を伝えることもあるが，診断に関係するような患者への説明は避ける
6　使用した物品を片づける 　聴診器は膜型部分→イヤーピース部分→導管部の順にアルコール綿で消毒する	●耳には耳垢があり，それはスタンダードプリコーションでいうと体液に該当する。よって，膜型部分を先に消毒後，イヤーピースを消毒する

方 法	留意点と根拠
7 記録をする	●測定方法，測定部位，体位（➡⓬），測定値（収縮期/拡張期血圧mmHg），観察内容（自覚症状など），0まで聴こえた場合は，収縮期血圧/スワン第4点（0）と記載する ⓬定期的な血圧測定は同一部位・同一体位とし，血圧変動が比較できるようにする

文 献

1) 日本高血圧学会高血圧治療ガイドライン作成委員会編：高血圧ガイドライン2019，日本高血圧学会，2019，p.18.
2) 横田敏勝・坂井靖子・黒政一江・他：ナースのための痛みの知識，改訂第2版，南江堂，2000，p.3.
3) 日野原重明：刷新してほしいナースのバイタルサイン技法―古い看護から新しい臨床看護へ，日本看護協会出版会，2002，p.32.

3 皮膚・爪・頭頸部

学習目標
- 皮膚・爪の構造と働き，頭頸部の構造や臓器の位置と役割を理解する。
- 皮膚・爪・頭頸部に特有の問診・視診・触診・打診の方法がわかり，正常な状態と，注意すべき状態の判定ができる。

1 皮膚・爪・頭頸部の構造

1）皮　膚

皮膚は，外側から，表皮，真皮，皮下組織の3層から成り立っている（図3-1）。一般体部のいわゆる皮膚と，皮膚に属する角質部（毛，爪）および皮膚腺（脂腺，汗腺，乳腺）を総称して外皮とよぶ。また，頭蓋を覆っている皮膚（顔面を除く）を頭皮とよび，一般的には毛髪に覆われている。

2）爪

爪（図3-2）は，爪甲とそれを囲む組織の総称である。成人では1日に0.1〜1.0mm伸びるが，その成長は栄養状態や年齢，活動的かどうかに関連する。

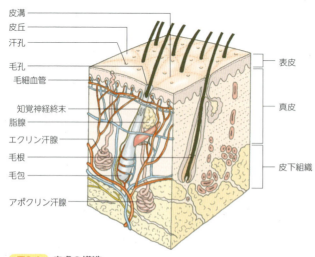

図3-1　皮膚の構造

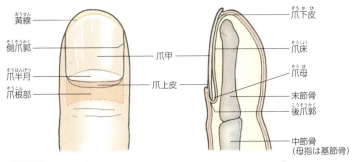

図3-2 爪の構造

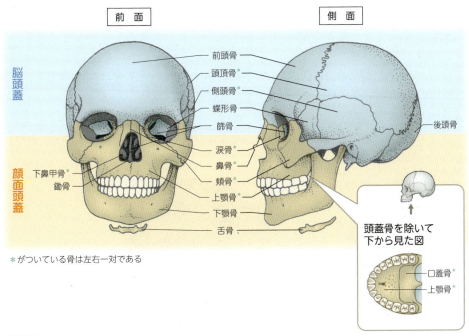

図3-3 頭部の骨

3）頭　　髪
皮膚の角質が分化してできた角質性の付属物である。

4）頭　　部
頭蓋は頭部の骨格をなし，脳頭蓋と顔面頭蓋に分かれ，複数の骨から構成され，それらの合わせ目は，波形の線で結合されている（図3-3）。

5）顔　　部
（1）顔　　面
顔面は15個の顔面頭蓋骨で構成される。すなわち左・右鼻骨，鋤骨，左・右涙骨，左・右下鼻甲介，左・右上顎骨，下顎骨，左・右口蓋骨，左・右頬骨，舌骨である。

（2）副鼻腔

頭蓋骨のうち，骨が厚くなっている部分は内部が空洞になっており，鼻腔と交通する。ここを副鼻腔といい，上顎洞，前頭洞，篩骨洞，蝶形骨洞の4つがある。このうち顔の表面近くにあるものが上顎洞と前頭洞である（図3-4）。

（3）口腔

口腔底には顎下腺と舌下線が開口しており，耳下腺は上顎第2大臼歯付近の両頬粘膜に開口している（図3-5）。歯の数は成人の場合，第3大臼歯（親知らず，智歯）を含めると32本である（図3-6）。

6）頸部（図3-7）

頸部は胸鎖乳突筋や僧帽筋などの筋肉に支えられ，喉頭，気管，食道，血管系，神経系，甲状腺，リンパ系から構成される。

（1）気管

気管は，頸部中央に位置し，長さは約10〜11cm，左右系は約1.5cmである。気管の前および側面にはC字型の軟骨が，一定の間隔で多数並んでいる。

（2）甲状腺

甲状腺は蝶の形をしていて左葉，右葉に分けられる。長さ約4〜5cm，径3cm，厚さ2

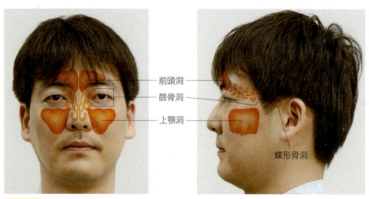

図3-4 副鼻腔の種類と位置

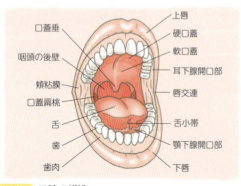

図3-5 口腔の構造

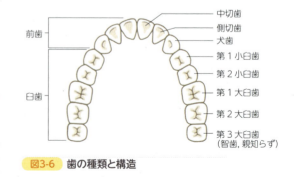

図3-6 歯の種類と構造

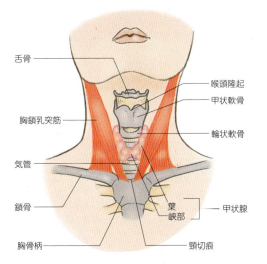

図3-7 頸部の構造

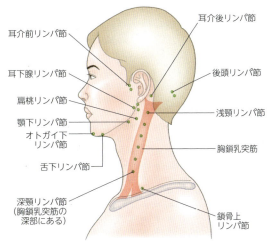

図3-8 頸部のリンパ節

cmの大きさである。気管の両側に各葉があり、視診では一般には見えない。

頸部の最も隆起しているところが甲状軟骨の喉頭隆起であり、甲状腺はその真下の輪状軟骨にくっつくように存在している。

（3）リンパ節

リンパ節は小楕円形のリンパ組織の塊であり、リンパ管に沿って身体全体に広く分布している。頭頸部は腋窩領域同様リンパ節がたくさんある（図3-8）。大きさはほとんど1cm以下であり、正常な状態ではリンパ節は目に見えるほど大きくない。

2 皮膚・爪・頭頸部の機能

1）皮膚・爪

皮膚は、皮下組織を保護し、刺激から身体内部を守る保護作用や、外界の情報を感知する知覚作用、発汗と不感蒸泄による体温調節作用、分泌吸収作用などがある。爪は、手足の指先を保護し、圧が加わっても指の変形を防ぐ役割がある。また、頭髪は頭皮の保護、保温のほか、美容上の意義が大きい。

2）頭頸部

頭蓋は、脳などの中枢神経系や、目・耳・鼻などの主要感覚器を外部から保護している。そして、頭部・顔面・頸部の運動や感覚は、脳から直接出ている神経である脳神経が担っている。脳神経は12対あり、それぞれに特色のある役割がある。脊髄神経は感覚機能と運動機能の両方を含んでいるが、脳神経は感覚機能のみのもの、運動機能のみのもの、どちらも含んでいるものがある。表3-1に各脳神経の機能を示す。

甲状腺は、甲状腺ホルモンであるトリヨードサイロニン（T3）やサイロキシン（T4）を分泌し、それらは成長・発育、エネルギー産生や代謝、循環器系の調節などに関与している。

表3-1　脳神経の機能

番号	名称	機能
I	嗅神経	【感覚】嗅覚
II	視神経	【感覚】視覚
III	動眼神経	【運動】眼球運動，上眼瞼の挙上　瞳孔の大きさと水晶体の厚さを調節
IV	滑車神経	【運動】眼球運動（内下方）
V	三叉神経	【感覚】舌の前2/3の温痛覚，触覚　顔面の皮膚・鼻腔・口腔粘膜の感覚
V	三叉神経	【運動】咀嚼運動
VI	外転神経	【運動】眼球運動（外側）
VII	顔面神経	【感覚】舌の前2/3の味覚
VII	顔面神経	【運動】表情，涙腺，唾液腺
VIII	聴（内耳）神経	【感覚】聴覚・平衡覚
IX	舌咽神経	【感覚】舌の後ろ1/3の味覚　咽頭の感覚
IX	舌咽神経	【運動】嚥下運動　唾液分泌
X	迷走神経	【感覚】咽頭・喉頭・胸腹部の感覚
X	迷走神経	【運動】口蓋・咽頭・喉頭
XI	副神経	【運動】頸部の左右回転　肩の挙上
XII	舌下神経	【運動】舌の運動

　リンパ節は，自己に不利益な病原体などの異物を排除する役割を果たす。リンパ球を産生するリンパ小節があり，リンパ節は産生されたリンパ球と異物が闘う場でもある。

皮膚・爪・頭頸部の主な障害

1）皮膚・爪

　病変の大きさ，形，隆起，陥凹の程度によって分類される。平坦な病変で色調の変化があるものを「斑」，限局して盛り上がっている発疹を「丘疹，結節，腫瘤」，内容物をもつ発疹を「水疱，膿疱」，皮膚の欠損を「びらん，潰瘍，亀裂」，二次病変である続発疹を「鱗屑・痂皮・瘢痕」という。主な病変を図3-9に示す。

　褥瘡は，持続的な圧迫が原因で局所の循環障害が起こり壊死や潰瘍をきたした状態である。瘡の深さによって分類される（第IV章図4-11，p.450参照）。

2）甲状腺

　甲状腺疾患は女性に多く，男性の約4倍である。バセドウ病などの甲状腺機能亢進症では，20～40歳代が多く，甲状腺ホルモンの分泌が過剰になり，代謝や臓器の働きが亢進する。そのため，汗が多く，皮膚は湿潤し滑らかさがある。一方，橋本病などの甲状腺機能低下症では，甲状腺ホルモンの分泌が不足するため，皮膚は乾燥し，脱毛がみられる。甲状腺は柔らかい臓器で，正常では触れにくいが，甲状腺機能亢進時や低下時には肥大し，硬く触れるようになる。

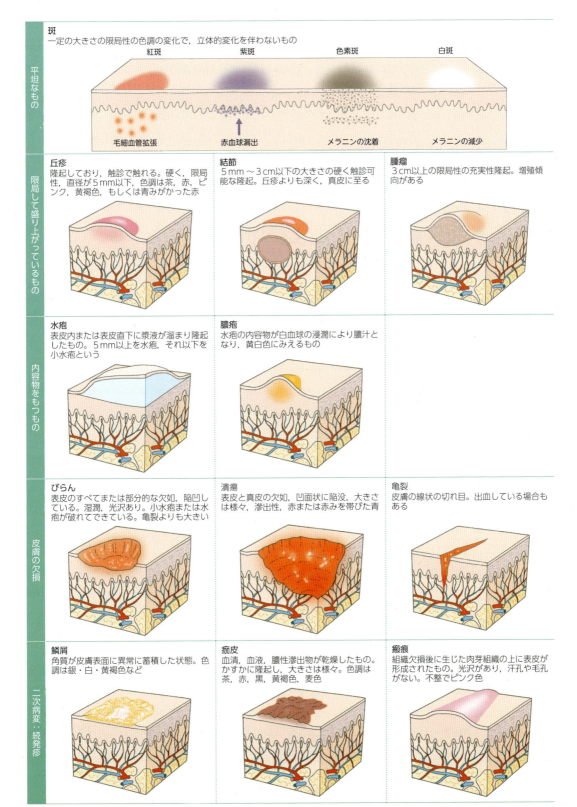

図3-9 皮膚の主な病変

3）リンパ節

　リンパ節の腫大は，リンパ節の大きさや数が増した状態を指し，感染や炎症，悪性疾患などでみられる。特に，頭頸部のリンパ節は体表面に近いため，腫大したリンパ節が触知できる。リンパ節自体が感染した場合，リンパ節で炎症が起き，腫大して圧痛が生じ，発熱がみられる。リンパ管の上流にあたる部位に感染や炎症が起きた場合は，リンパ節に流れ込む異物が多くなり，リンパ球が増大するため，所属リンパ節は腫大し，圧痛を伴う。また，がんのリンパ節転移では，リンパ節は硬く触れ，可動性がなくなる。一方，リンパ球自体ががん化し増殖・増大するリンパ腫では，硬く可動性がある。がんのリンパ節転移やリンパ腫では，圧痛がない場合が多い。

4　皮膚・爪・頭頸部のアセスメントのポイント

1）皮膚・爪

　皮膚は，自然な明るさのもと，しっかりと露出して視るのがポイントである。皮膚の異常がみられた場合は，部位，範囲，色，異常の種類，滲出液・出血の有無を確認する。皮膚の観察により，血液循環，炎症の有無，外部からの圧迫の有無・程度，薬剤の副作用などの情報を得ることができる。

2）頭頸部

　頭頸部にある脳神経のアセスメントを行うときは，支配野と働きを頭に入れたうえで，必ず両側で行い，左右差を比較することが必要である。本章では，第Ⅰ・Ⅷ脳神経のアセスメントは「4　耳・鼻」のアセスメントで，第Ⅱ・Ⅲ・Ⅳ・Ⅵ脳神経のアセスメントは「5　眼」のアセスメントで，第Ⅺ脳神経の頸の可動域のアセスメントは「9　筋骨格系」のアセスメントを参照。

看護技術の実際

A　皮膚・爪

- ●目　的：皮膚・爪の観察を行う。何らかの症状や問題が存在する場合は，その原因や誘因，問題によってもたらされている状態を観察し，観察結果を看護ケアや医療チームへの報告に活用する
- ●必要物品：（必要時：ディスポーザブル手袋）

方法と留意点	判　断
1　問診 　1）以下の症状の有無について患者に尋ねる	〈正常〉 ●症状がない

方法と留意点	判　断
（1）皮膚の変化（発疹，腫脹，こぶ，瘙痒感，色素沈着，乾燥，きめの変化，傷の治りにくさなど）がないか （2）爪の変化（割れる，厚くなる，変色，皮膚からの分離，炎症など）がないか 　●症状がみられた場合は，いつから，どのように，部位，程度，改善・増悪因子，条件，随伴症状を尋ねる（本章「1　フィジカルアセスメントにおける観察」問診，p.64参照）	〈注意すべき状態〉 ●症状がある場合は局所の炎症や異常を疑う ●乾燥や傷の治りにくさ，瘙痒感などは全身疾患を示唆するため関連づけたアセスメントを行う

2　皮膚の視診

1) 患者の体位を座位にする。自然な明るさの照明のもとで視診する（図3-10）
2) 顔，四肢，頭髪など人目に触れるところから視診を始める。上肢や下肢など，対称的な部位については，左右差を比較する。
3) 皮膚の色，性状（乾燥肌，脂性肌，保湿肌），清潔さ，発疹・発赤・腫脹などの病変，発汗の有無について観察する
　●皮膚の色は，手掌，爪床，口唇，強膜で観察する
4) 衣服に覆われている部分は，それぞれの部位のアセスメントの際，または清拭や入浴などのケアの折に視診する

〈正常〉
●皮膚の色は黄白色である（黄色人種の場合）
●皮膚の性状は保湿性があり，多量の発汗がなく，左右差がない
●発疹・発赤・腫脹なし

〈注意すべき状態〉
（1）広範な皮膚の変化がある
（2）局所的な変化がある
●斑（図3-11a〜d）・発疹（e, f）・水疱（g〜i）・膿疱（j）・鱗屑（k）・痂皮（l）・亀裂（m）・毛細血管拡張（n）
●外傷：多数の皮下出血や不潔な皮膚，不自然な傷は虐待のおそれがある
●褥瘡（図3-12）：自力で身体を動かすことができない場合は，好発部位（後頭部，仙骨部，外果部など）を観察し，発赤がないかを確認する。褥瘡の分類は第Ⅳ章図4-11を参照

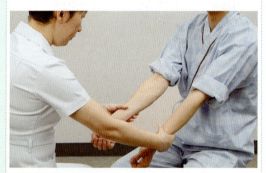

図3-10　前腕部の皮膚の視診

●皮膚の病変がある場合は，色，大きさ，隆起の範囲，陥凹，出血や滲出液を観察する

●局所が赤い場合は，発赤があるといい，皮膚や皮下組織，筋，骨の炎症が示唆される。全身的な紅潮は発熱などの疑いがある
●黒紫色はチアノーゼといい，血中の還元ヘモグロビンの増加を示す。局所の循環障害や，呼吸・循環不全による全身的な低酸素状態が示唆される
●蒼白な皮膚や皮膚の色が薄く見える場合は，貧血の可能性がある
●黄色は，黄疸の可能性があり，眼球結膜でもみられることが特徴的である

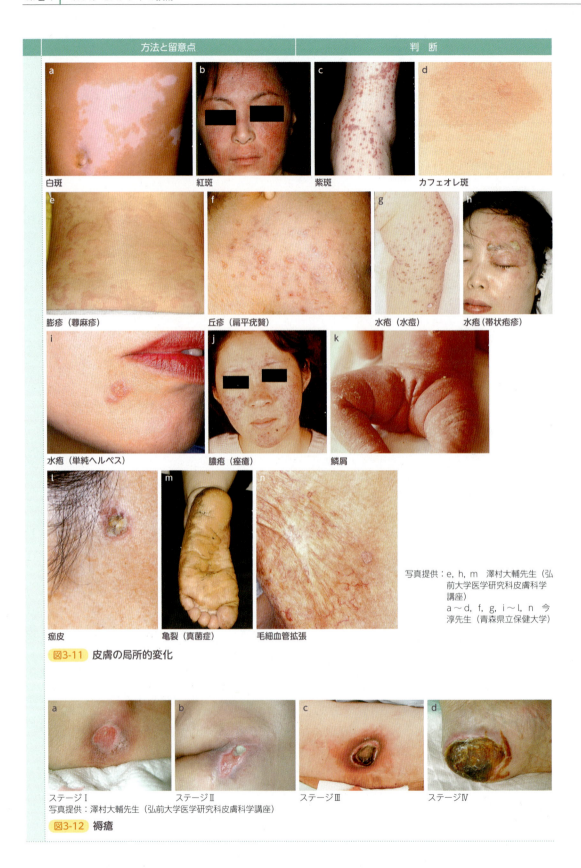

図3-11 皮膚の局所的変化

写真提供：e, h, m 澤村大輔先生（弘前大学医学研究科皮膚科学講座）
a〜d, f, g, i〜l, n 今 淳先生（青森県立保健大学）

図3-12 褥瘡

写真提供：澤村大輔先生（弘前大学医学研究科皮膚科学講座）

方法と留意点	判　断
3　皮膚の触診 　1) 前腕部に，手指・手掌で触れる（図3-13） 　　● 弾力性，湿潤感などの感触を観察する	〈正常〉 ● 弾力性があり，発汗がなく，わずかに湿潤している

図3-13　手掌での触診

2) 手背で触れる（図3-14）	〈正常〉 ● 温かく，左右差がない 〈注意すべき状態〉 ● 皮膚の冷感がある場合，特に左右差がある場合は，循環障害の可能性がある。熱感がある場合は，炎症が示唆される

図3-14　手背での触診
● 皮膚温を観察する
● 末梢側の皮膚に冷感を感じる場合は，中枢側に向けて冷感の範囲を確認する（図3-15）

図3-15　冷感の観察

3) 手背部の皮膚をつまみあげ，速やかに離し，皮膚の緊張度を確認する（図3-16） 　　● つまんでできたしわが，何秒で元に戻るかを測定する	〈正常〉 ● つまみ上げた皮膚は，緊張感があり，速やかに，または数秒で元に戻る

方法と留意点	判　断
	〈注意すべき状態〉 ●皮膚つまみテストで皮膚のしわができたままの場合は，皮膚の緊張が低下している状態であり，脱水が疑われる

図3-16　皮膚つまみテスト（ツルゴールテスト）

4）腫脹がみられた場合，浮腫の自覚がある場合は，浮腫の程度を触診で確認する
- 皮膚を5～20秒押し（図3-17），陥凹（圧痕）の深さを見積り判定する。浮腫の評価方法は，図3-18参照。末梢循環障害のアセスメント参照（p.167）

〈正常〉
● 浮腫がない

〈注意すべき状態〉
● 浮腫がみられる場合は，局所または全身の循環不全の可能性がある（図3-19）。全身性浮腫では通常左右対称にみられ，局所性では片側性である

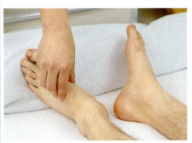

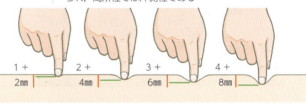

図3-18　浮腫の重症度評価

図3-17　浮腫の触診
- 顔面の浮腫は，起床したときの腫れぼったさや，上眼瞼を縦につまんでその跡が消えにくいかを視診する
- 浮腫は下側になった部位に集中して現れるため，長期臥床患者では腹部や胸部の側面，背部，大腿後面部，男性では陰嚢などにないかを確かめることも必要である

写真提供：山辺英彰先生（前弘前大学大学院保健学研究科）

図3-19　浮腫の圧痕

5）病変（発疹，発赤，腫脹）がある場合は，触診する
- 疼痛が強い場合は行わない。または注意して行う
- 部位や広がりの大きさを観察する。滲出液がみられる場合は，スタンダードプリコーションに則り，手袋を着用する
- 圧痛の有無を確認する

方法と留意点	判　断
4　爪の視診 1) 両手の爪を一緒に視診し，左右の対称性を視診する 2) 爪を1本ずつ上面から視診する（図3-20） 　●形，色，清潔さ，厚さを，爪周囲の皮膚とともに観察する	〈正常〉 ●形は平べったく，色はピンクである ●遠位指節間関節と爪の角度は160度程度 ●縦溝はあるが，比較的滑らかで，損傷はない

図3-20　爪の視診(1)

3) 指を看護師の眼の高さに合わせて，1本ずつ側面から爪を視診する（図3-21） 　●遠位指節間関節と爪の角度を推定する 　●爪床の角度を推定し，ばち状指の有無を確認する	〈注意すべき状態〉 ●爪の肥厚は，真菌感染，血流不足，外傷による場合がある（図3-22a） ●爪が上向きに反り返り，中央がくぼんで見える状態を匙状爪（spoon nail）とよび，低栄養や鉄欠乏性貧血，末梢循環障害が示唆される（図3-22b） ●爪の色が紫・黒紫色の場合はチアノーゼ，蒼白な場合は貧血の可能性がある

図3-21　爪の視診(2)

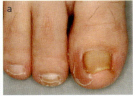

a 爪の肥厚　　b 匙状爪　　c 陥入爪

写真提供：澤村大輔先生（弘前大学医学研究科皮膚科学講座）

図3-22　爪の異常

4) ばち状指の疑いがあった場合，左右の指の遠位指節間関節と爪を合わせ，爪床部に菱形の隙間ができるかを視診する（図3-24a）	〈正常〉 ●爪のつけ根に菱形の隙間ができる 〈注意すべき状態〉 ●菱形の隙間をつくることができない場合は，ばち状指が疑われる

方法と留意点	判　断

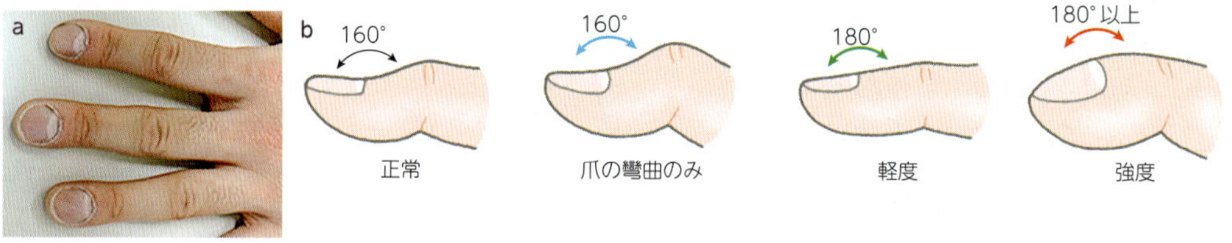

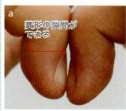

写真提供（a）：大沢弘先生（弘前大学医学部附属病院総合診療部）
図3-23　ばち状指

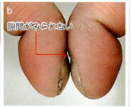

写真提供（b）：大沢弘先生（弘前大学医学部附属病院総合診療部）
図3-24　ばち状指のアセスメント

- 指先がばち状に膨れ，爪が手掌側へ丸くなっている場合はばち状指という（図3-23a）。ばち状指では，爪の付け根の角度が180度を超える（図3-23b）。進行した心不全，慢性呼吸器疾患の患者にみられる。肺がんでは，呼吸器症状（息苦しさなど）がみられる前に，ばち状指だけが出現することがあり，注意が必要である。爪の付け根が浮腫を呈し，盛り上がることによりこのように見える（図3-24b）

5　爪の触診
1）示指の腹と母指の間で圧迫するようにして触診する
2）爪の爪床への付着具合を観察するために，爪床を圧迫しながら触診する（図3-25）
- 爪の厚さ，硬さ，爪床への付着具合をみる

〈正常〉
- 爪の表面は滑らかで凹凸がない
- 爪の基底は，硬く感じる

〈注意すべき状態〉
- 爪のもろさは，低栄養，末梢循環不良，水やアルカリ性物質に長くさらされていたことを示唆する

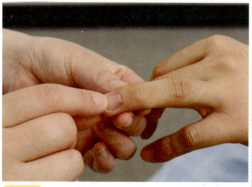

図3-25　爪の触診

B 頭頸部

- 目　　的：頭部・頸部の観察と脳神経のアセスメントを行う。何らかの症状や問題が存在する場合は，その原因や誘因，問題によってもたらされる状態を観察し，観察結果を看護ケアや医療チームへの報告に活用する
- 必要物品：ペンライト，舌圧子，ディスポーザブル手袋，膿盆（ビニール袋），綿球，綿棒，塩，砂糖，水

1）頭　部

	方法と留意点	判　断
1	**問診** 1）以下の症状の有無について患者に尋ねる 　(1) 頭髪の変化（薄くなる，抜ける，多すぎる，生え方の偏り）がないか 　(2) 頭痛，視覚の変化，意識レベルの変化，知覚障害や運動障害がないか 　(3) 頸部痛，痛みが肩や上腕に広がらないか，頸部の腫脹，可動制限がないか 　(4) 嚥下障害はないか ● 症状がみられた場合は，いつから，どのように，部位，程度，改善・増悪因子，条件，随伴症状を尋ねる（本章「1 フィジカルアセスメントにおける観察」問診，p.64参照）	〈正常〉 ● 症状がない ● 特に男性では正常加齢で頭髪が薄くなることがある
2	**頭部の視診** 1）頭髪の視診をする ● 患者の体位を座位にし，前後から頭髪全体を観察する。脱毛がある場合は，部分的か全体的かを観察する ● 頭髪の分布，量，質について観察する	〈正常〉 ● 頭髪は光沢があり，滑らかで弾力性がある ● 色は日本人の場合は一般に黒，褐色，灰白色，白である ● 脱毛はない 〈注意すべき状態〉 ● 若年者の髪の灰白色，白色は，貧血や栄養不良の可能性がある ● 髪の成長が悪い場合や，脱毛が多い場合は，ホルモンの異常や精神的なストレスが考えられる ● 脱毛が円形である場合は，円形脱毛症の可能性がある ● 脱毛が局所に集中している場合は，患者自身が抜いている（抜毛）可能性がある
	2）頭皮の視診をする ● 患者の体位を座位にし，少なくとも3か所の髪を分けて頭皮の観察をする（図3-26）  **図3-26** 頭皮の視診	〈正常〉 ● 頭皮は透明に近い白色である ● 瘙痒感や発疹はない 〈注意すべき状態〉 ● 頭皮が赤く，発疹がある場合は，皮膚の異常が考えられる。痛みや瘙痒感，脱毛の有無を確認する ● 毛根に白い付着物がある場合は，頭皮の落屑（ふけ）としらみの区別をする。はじき飛ばした際に，飛べばふけ，飛ばない場合はしらみの卵の疑いがある
	3）前後から頭蓋全体を観察する ● 大きさ（身体とのバランス），形，左右対称性や変形の有無を観察する（図3-27）	〈正常〉 ● 大きさは，身体とのバランスがよい ● 形は丸く，ゆがみがない ● 左右対称である 〈注意すべき状態〉 ● 頭蓋が極端に大きかったり，小さかったりした場合は先天性異常などを疑う ● 変形した頭蓋は，頭蓋骨骨折の可能性がある

方法と留意点	判　断
 **図3-27** 頭部の観察	
3　**頭皮・頭蓋の触診** 　1）母指と示指で数本の髪をこすり合わせる（**図3-28**） 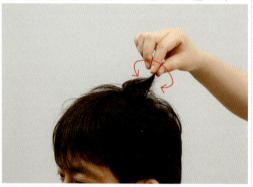 **図3-28** 頭髪の触診 　2）背部に立ち，頭を後ろから両手で抱え込むようにする 　3）頭蓋を圧迫しながら触れる（**図3-29**） 　　●突起，左右対称性，変形，圧痛などの有無を観察する 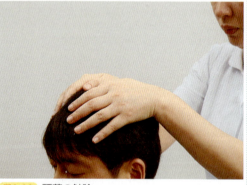 **図3-29** 頭蓋の触診	〈正常〉 ●頭髪は適度な湿性を保っており，弾力がある 〈注意すべき状態〉 ●毛髪に弾力がなく，細く，触れると切れる場合は，低栄養や甲状腺機能低下が考えられる 〈正常〉 ●頭蓋は丸く，左右対称で突起や変形，圧痛はない 〈注意すべき状態〉 ●頭蓋に圧痛のある場合は，頭皮の炎症や，頭蓋骨の骨折，支配神経の異常が考えられる
4　**顔面の視診** 　患者の体位を座位とし，看護師と目の高さを同じにする 　●顔の表情と容貌を観察する 　●顔色，眼，鼻，耳などの位置，不随意運動や腫脹の有無，眼瞼の浮腫などを観察する	〈正常〉 ●顔の色はピンクがかった黄白色で，左右対称，表情豊かである ●不随意運動や腫脹なし

方法と留意点	判　断
	〈注意すべき状態〉 ● 無表情，表情の変化の乏しさは，パーキンソン病にみられる ● 頬骨周囲に腫脹がある場合は，副鼻腔炎，唾液腺の腫脹，アレルギーなどの可能性がある
5　側頭下顎関節の視診・触診 1）口の開閉運動をするように説明し，正面から観察する ● できる限り大きく開口してもらう（図3-30） ● 開口の程度，動きのスムーズさを視診し，音や開口に伴う疼痛を確認する	〈正常〉 開口が十分でき（3横指程度が目安），動きはスムーズで痛みや音がない，関節の動揺がない 〈注意すべき状態〉 ● 十分に開口できない場合は，開口障害が考えられる ● 開口が不十分で，摩擦音が聴かれたり，疼痛がある場合は，顎関節症の可能性がある

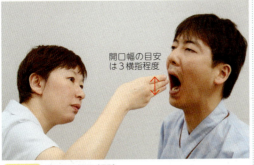

図3-30　開口の幅の視診

2）患者の両側の側頭下顎関節を，看護師の左右の示指，中指，環指で触れ，口の開閉運動をしてもらう（図3-31）
● 関節の動きを触診する

図3-31　側頭下顎関節の触診

6　副鼻腔の視診・打診・触診 〈視診〉 両眉毛の上，頬骨上を視診する ● 腫脹がないか確認する 〈打診〉 両眉毛の上，および左右の頬骨を，示指，中指，環指で軽く叩き，響くような痛みがないかを尋ねる（図3-32） ● 痛みがないかを聞く ● 視診後に，打診，触診をする。視診で腫脹が明らかな場合や打診で激しい疼痛がある場合は，触診を行わない	〈正常〉 ● 腫脹なし ● 打診，触診で，副鼻腔の痛みなし ● 前頭洞の圧痛なし ● 上顎洞の圧痛なし 〈注意すべき状態〉 ● 視診で腫脹がみられる場合，打診や触診で痛みがある場合は，副鼻腔炎の可能性がある。随伴症状である鼻汁，鼻閉感，嗅覚障害，頭重感や頭痛を確認する

方法と留意点	判断

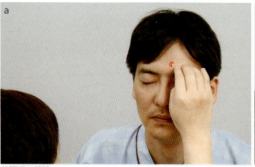

前頭洞の打診　　　　　　　　　上顎洞の打診

図3-32　副鼻腔の打診

〈触診〉
1) 両眉毛の下に同時に両母指を当てて，押し上げる（図3-33a）
2) 頰骨の下縁に両母指を当てて，押し上げる（図3-33b）
- 眼球を圧迫しないように注意する
- 眼窩・頰骨に引っ掛けるようなイメージで圧迫する

前頭洞の触診　　　　　　　　　上顎洞の触診

図3-33　副鼻腔の触診

7　口腔の視診
〈口唇〉
口を閉じた状態で口唇の外観を観察する（図3-34）

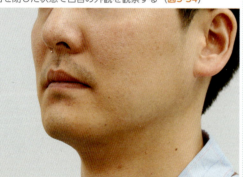

図3-34　口唇の観察

〈正常〉
- 口唇はピンク色で潤っている。口唇粘膜や口角に亀裂・潰瘍なし

〈注意すべき状態〉
- 口唇の色が紫・黒紫色の場合はチアノーゼ，蒼白の場合は貧血の可能性がある
- 口唇が乾燥している場合は脱水の疑いがある
- 口唇・口角の亀裂や発疹は，カンジダ感染やヘルペス感染から起こる炎症の場合が多い

方法と留意点	判断
● 口唇の色，口唇粘膜の異常（亀裂〔図3-35〕，潰瘍）などの有無について観察する ● 後で触診を行うため看護師は手袋をする	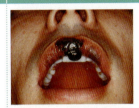 写真提供：今淳先生（青森県立保健大学） **図3-35** 口唇粘膜に生じたメラノーマ
〈上顎の歯肉・頬粘膜（図3-36a）〉 舌圧子を頬粘膜と歯肉の間に差し入れるようにし，視野を広げてペンライトを用いて見る ● 口を軽く開いた状態が視診しやすい ● 歯肉の色，腫脹・出血・膿・退縮の有無について観察する	〈正常〉 ● 口臭なし ● 頬粘膜はピンク色で，潰瘍・腫瘤はなし ● 歯肉はピンク色で，腫脹や出血・膿，退縮はない 〈注意すべき状態〉 ● 口臭がある場合は，口腔内の不潔，炎症，または気道や消化器の障害の可能性がある ● 発赤・腫脹がある場合は歯肉炎が疑われる。歯みがき時などの出血の有無を確認する ● 白色で発疹のように見える場合は口内炎の可能性がある。そのほか，黄色，褐色，黒色の場合は異常が疑われる
〈耳下腺開口部（図3-36b）〉 左右の第2大臼歯付近の両頬粘膜にある耳下腺開口部を，舌圧子で頬粘膜を押すようにして視診する ● 口を軽く開いた状態が視診しやすい	〈正常〉 ● 耳下腺開口部は白色である。喫煙者では，赤く腫脹しているが正常である 〈注意すべき状態〉 ● 発赤がある場合は耳下腺の炎症が疑われる。流行性耳下腺炎では，発熱を伴い腫脹する
〈下顎の歯肉（内側，外側）（図3-36c）〉 上顎と同様に舌圧子を差し入れて見る **〈歯（図3-36d）〉** 1本ずつ歯に舌圧子を当てて動揺がないかを確認する。歯の数を数える ● 口を軽く開いた状態が視診しやすい ● 歯の数，第3大臼歯（親知らず，智歯）の有無，色，配列，う歯の数，欠損の有無を確認する	〈正常〉 ● 第三大臼歯を含め，成人の歯の数は32本で規則的に配列している ● 歯は明るい白から象牙色である 〈注意すべき状態〉 ● 歯の不足がある場合は第3大臼歯が生えていない，または抜歯した可能性がある ● 歯のぐらつきがある場合は，歯周病の可能性がある ● エナメル質が白濁している，着色や穴があいている場合は，う歯が考えられる

方法と留意点	判　断

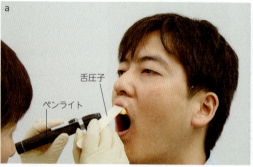
a　上顎の歯肉・頬粘膜　（ペンライト／舌圧子）

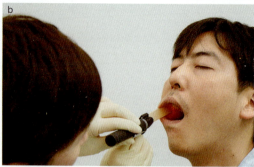
b　耳下腺開口部

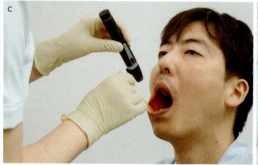
c　下顎の歯肉（内側・外側）

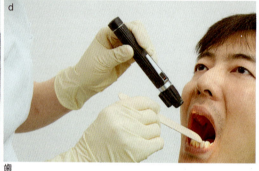
d　歯

図3-36　口腔内部の観察(1)

〈舌・舌小帯〉
1) 舌を前に突き出すようにしてもらい，観察する（図3-37a）。その後左右に動かし，舌の側面を視診する（図3-37b）
2) 舌を上口蓋につけてもらい，舌小帯を観察する（図3-37c）
- 舌の色・形，腫瘤・潰瘍・舌苔の有無，左右対称性をみる
- 舌の両脇は腫瘍の好発部位であるため、観察もれのないようにする

〈軟口蓋・硬口蓋，口蓋垂〉
- 発赤，潰瘍の有無，口蓋垂が中央にあるかを確認する

〈咽頭・口蓋扁桃〉
患者に，口を大きく開け舌を突き出したまま「アー」と言ってもらい，咽頭部の観察をする（図3-37d）
- 患者に口をやや大きく開けてもらうと視診しやすい
- 舌を下げ，喉を十分広く開けると，咽頭の観察が可能になる。舌圧子を奥に入れると嘔吐反射が起こり不快であるため，舌圧子は必要なときのみ使用する
- 扁桃は，大きさ・色・滑らかさ・膿貯留の有無を観察し，分泌物や炎症徴候を観察する

〈正常〉
- 舌はピンク色，V字形で左右対称である
- 腫瘤・潰瘍・舌苔なし

〈注意すべき状態〉
- 白または白茶色の付着物は舌苔である
- 舌がんの多くは潰瘍や腫瘤の状態を呈する。周囲に硬結を伴うことが多い。白斑で塊状の場合は前がん状態として注意が必要である

〈正常〉
なめらかでピンク色，痰などの付着がなく，口蓋垂は中央である

〈注意すべき状態〉
- 口蓋垂がどちらか側に偏っている場合は，舌咽・迷走神経麻痺の疑いがある（舌咽・迷走神経，p.115参照）

〈正常〉
- 口蓋扁桃は，ピンク色で，滑らか，腫脹・腫瘤はなく，わずかに見える程度である
- 咽頭はやや赤の強いピンク色，滑らかで腫脹，腫瘤，痰の付着はない

〈注意すべき状態〉
- 口蓋扁桃が赤く腫脹している場合は扁桃腺の炎症が，黄色の場合は炎症で膿がたまっている可能性がある
- 扁桃が腫大している場合は，いびきや呼吸のしにくさなどの気道の狭窄の徴候がないかを確認する

方法と留意点	判 断
 a 舌（上面）	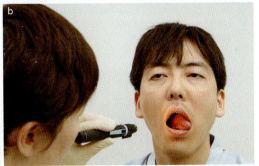 b 舌（側面）
 c 舌小帯	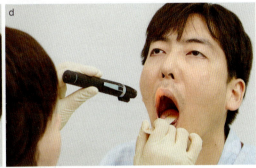 d 咽頭・口蓋扁桃

図3-37 口腔内部の観察(2)

8 **口腔内の触診**
手袋を着け，患者に口を開いてもらい，口腔底（図3-38a）・舌の側面（図3-38b）をまんべんなく，示指で軽く触れる
- ざらつきや腫瘤がないかを確認する
- 舌の側面はがんの好発部位であり，注意深く行う

〈正常〉
- 腫瘤・潰瘍はない

〈注意すべき状態〉
- 潰瘍，凹凸があり，周辺が盛り上がって触れる場合は，舌がん・口腔底がんの可能性がある

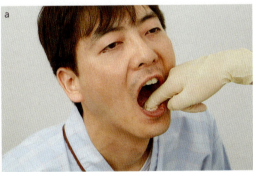
a 口腔底

b 舌の側面（舌を左右に動かしてもらう）

図3-38 口腔内の触診

2）脳神経

方法と留意点	判　断

1　三叉神経（第Ⅴ脳神経）
〈下顎運動〉
1) 患者に下顎を左右に動かしてもらう（図3-39）

〈正常〉
- 左右同程度に動かすことができる

〈注意すべき状態〉
- 動かない場合，左右差がある場合は下顎骨・関節・筋肉の障害，三叉神経や上位中枢の障害が考えられる

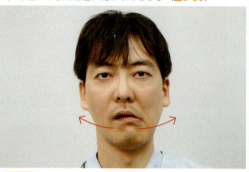

図3-39　下顎運動

〈噛む力〉
1) 患者に舌圧子を噛んでもらう（図3-40）
2) 看護師が舌圧子を引っ張るので，これに抵抗して噛み続けているように説明する
3) 噛み続ける力の強さを観察する

〈正常〉
- 抵抗して噛み続けていることができる

〈注意すべき状態〉
- 噛む力がない，または弱まっている場合は下顎骨・関節・筋肉の障害，三叉神経や上位中枢の障害が考えられる

図3-40　噛む力

〈顔面知覚〉
1) 綿球や綿片，筆など，軟らかい感触のものと，綿棒の柄の部分やクリップの先など，硬い感触のものとを準備する
2) 患者に目を閉じてもらい，額，頬，顎の左右について，綿棒の柄の部分と，綿球で触れ，硬く感じるか，軟らかく感じるかを答えてもらう（図3-41）

〈正常〉
- 触れたことがわかり，硬さと軟らかさの違いがわかる

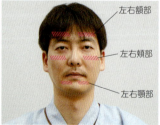
顔面知覚の確認部位

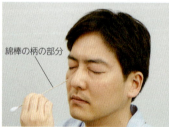
硬いものでの刺激

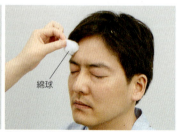
軟らかいものでの刺激

図3-41　顔面知覚

方法と留意点	判　断
●硬い，軟らかい刺激の順序を時折変え，感覚が正確にわかるかを確認する ●硬さの感覚と軟らかさの感覚をアセスメントの前に体験させて，確認してから行うとよい ●三叉神経は文字どおり3つの枝に分かれている。額，頬，顎はそれぞれの枝の支配領域であるため，すべての部位で左右を確認する	

〈角膜反射〉
1) 綿球をこより状にして準備する（左右で行うので，こよりは綿球の2か所につくる）（図3-42）
　●感染を防止するために，左右を同じこよりで刺激することは避ける

〈正常〉
●反射がみられ，瞼が閉じる

〈注意すべき状態〉
●角膜反射がない場合は，三叉神経や上位中枢の障害が考えられる

図3-42 こより状にした綿球

2) 痛みなどは生じないことを説明して安心させ，目を大きく開けてもらう
3) こよりで虹彩部の角膜に軽く触れる（図3-43a）
4) 両眼の閉眼反射が速やかに起こることを確認する（図3-43b）
　●睫毛に触れないように注意する
　●コンタクトを装着していると反射は消失する。正確なアセスメントを行いたい場合はコンタクトレンズをはずして行う

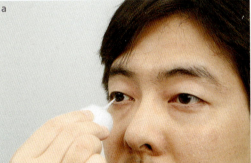 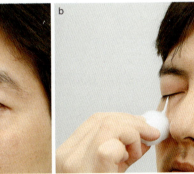

a　こよりで虹彩部に触れる　　　　　　　　b　閉眼する

図3-43 角膜反射

5) こよりの先を変えて，もう一方の角膜に触れる

2　顔面神経（第Ⅶ脳神経）
〈表情〉
1) 様々な表情をしてもらうことを説明する
2) 「頬を膨らませて怒った顔をしてください（図3-44a）」，「眉間にしわを寄せてください（図3-44b）」と説明し，その動きをしてもらい，表情を観察する
　●表情筋の動きとともに，左右差の観察が重要である

〈正常〉
●左右差なく，表情を動かすことができる

〈注意すべき状態〉
●表情筋が動かない場合は，顔面神経や上位中枢の障害が考えられる

方法と留意点	判断

頬を膨らませ

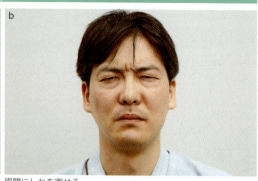
眉間にしわを寄せる

図3-44 表情の観察

〈閉眼力〉
1）患者に目を閉じてもらう
2）両眼同時に看護師が指で瞼を開けるような力を加える。これに抵抗して目を閉じ続けられるかを観察する（図3-45）
 ●両目を同時に行うことで左右差を比較する

〈正常〉
●目を閉じ続けられ，左右差がない

〈注意すべき状態〉
●閉眼力がない，または弱い場合は，筋肉の障害，顔面神経や上位中枢の障害が考えられる

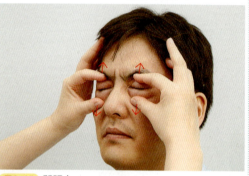

図3-45 閉眼力

〈味覚〉
1）塩，砂糖と，これらを舌につけるための綿棒を用意する（図3-46）

〈正常〉
●正しい味覚が答えられる

〈注意すべき状態〉
●味覚がわからない場合，顔面神経や上位中枢の障害が考えられる。また，加齢や亜鉛不足，薬剤性の障害などで，味蕾の機能が低下していることも考えられる

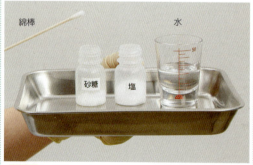

図3-46 味覚のアセスメントに必要な物品

●砂糖や塩をつけやすくするために綿棒をぬらす水を用意しておくとよい
2）味覚の検査を行うことを説明し，舌を口の中に入れずにどんな味を感じたのか答えてもらいたい旨を説明する

方法と留意点	判　断

3) 患者に目を閉じてもらい，舌を出してもらう
4) 砂糖または塩を，患者の舌の2/3の位置より前（舌先）につけ，どんな味がするか答えてもらう（図3-47）
- 顔面神経は舌の前2/3が支配領域であるため，舌の奥で味わうことをしないように，舌を口から出したまま答えてもらう
- 舌を出したまま話すのは困難なので，手で合図してもらうなどの工夫をする

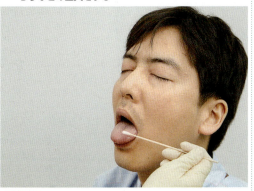

図3-47　味覚（顔面神経）

5) 舌の左右で行う

3　舌咽神経，迷走神経（第Ⅸ脳神経，第Ⅹ脳神経）
〈嚥下〉
1) 患者に水または唾液を飲み込んでもらう
2) 嚥下できるかをみる。頸部を視診し，喉頭隆起部分の動きのスムーズさ，左右差を観察する（図3-48）
- むせや，嚥下反射の障害が疑われる場合には，誤嚥の危険性があるため，あらかじめ医師に相談してから行う

〈正常〉
- 飲み込むことができる（嚥下反射が起こる）。喉頭隆起部分の動きがスムーズで左右差がない

〈注意すべき状態〉
- 嚥下反射がない場合，むせ込みがある場合，動きに左右差がある場合は，舌咽神経，迷走神経や，上位中枢の障害が考えられる

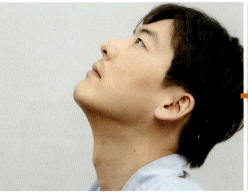

嚥下前

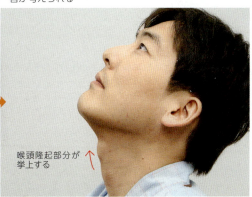

嚥下時

喉頭隆起部分が挙上する

図3-48　嚥下

〈口蓋垂の動き〉
1) 患者に口を開いてもらう
2) ペンライトで光を当て，「アー」と発声させながら，軟口蓋と口蓋垂の動きを観察する
- 口腔のアセスメントと同時に行うと効率的である

〈正常〉
- 軟口蓋と口蓋垂が左右差なく持ち上がる

方法と留意点	判　断
●舌が邪魔になって軟口蓋や口蓋垂が見えにくいときには，舌圧子で舌を押しながら観察する	〈注意すべき状態〉 迷走神経の麻痺がある場合，健側の軟口蓋が挙上することにより，口蓋垂が健側に偏位する。つまり，偏位していない側の麻痺の疑いがある
〈嗄声〉 患者に声を出してもらい，声のかすれがないかを観察する ●問診時の発声の状態からアセスメントしてもよい	〈正常〉 ●声のかすれ（嗄声）はみられない 〈注意すべき状態〉 ●嗄声がある場合は，咽頭や喉頭，声帯の障害，舌咽・迷走神経や，上位中枢の障害が考えられる

4　副神経（第XI脳神経）
〈僧帽筋の筋力〉
1) 患者の両肩に手を置き，肩を押し下げるように力を加える
2) 加わった力に抵抗して，肩をすくめるように促す（図3-49）

〈正常〉
●抵抗して肩をすくめることができる

〈注意すべき状態〉
●筋力がない，または弱い場合は，副神経や，上位中枢の障害が考えられる

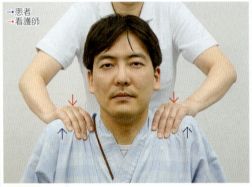

図3-49　僧帽筋の筋力

3) 筋力の有無と左右差を観察する
4) 頸部の可動域について観察する（本章「9　筋骨格系」p.215参照）

5　舌下神経（第XII脳神経）
〈舌の動き〉
1) 患者に舌をできるだけ前に突き出して動きを止めて維持してもらう（図3-50a）
2) 舌を左右・上下に動かしてもらう（図3-50b,c）

〈正常〉
●舌が上下・左右にスムーズに差がなく動く。安定して停止できる

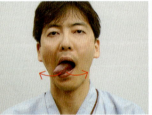

a　前方　　b　左右　　c　上下

図3-50　舌の動き

3) 舌の動きを観察する
●看護師が実際に行ってみせて，真似させるとスムーズである

〈注意すべき状態〉
●舌下神経麻痺があると，オトガイ舌筋（舌を前に出す働き）が麻痺し，患側の舌が前に出ないため，患側に偏位する。つまり，偏位した側の麻痺の疑いがある

方法と留意点	判 断
〈舌の力〉 1) 看護師の手で頬を押す 2) 患者に，その部位を舌で押してもらう（図3-51） 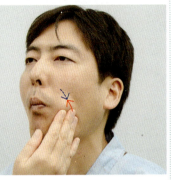 →患者 →看護師 図3-51 舌の力 3) 両側で行う	〈正常〉 ●舌の力が十分にある 〈注意すべき状態〉 ●舌の力がない場合や左右差がある場合は，舌下神経や，上位中枢の障害が考えられる

3) 頸 部

方法と留意点	判 断
1　頸部全体の視診 患者は座位で，頭を後方に軽く倒してもらう 正面から，頸部全体を観察する（図3-52） ●左右の対称性，頸部の直立性，発疹・塊・発赤・傷の有無を観察する 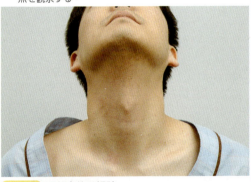 図3-52 頸部全体の視診	〈正常〉 ●左右対称，直立である ●発疹・塊，発赤や傷がない
2　気管の触診 示指，中指を左右鎖骨の中央に軽く当て，気管の位置を観察する（図3-53） ●気管の位置を確認する ●息苦しさを感じるため，強く圧迫しない	〈正常〉 ●正中にあり，左右対称である 〈注意すべき状態〉 ●一方に偏位している場合は，偏位側の肺に病変や手術による切除の可能性がある

方法と留意点	判　断
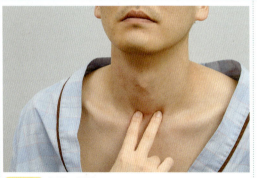

図3-53　気管の触診

3　甲状腺の視診・触診

〈視診〉
頭を後方にし，下顎の先端から真っすぐ下の喉頭隆起の直下，輪状軟骨の下の部分を観察する（図3-54）

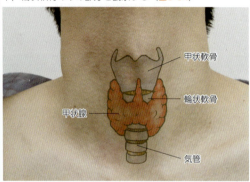

図3-54　甲状腺の視診

〈触診〉
1）患者の後方に立ち，喉頭隆起の直下の高さで，左右の胸鎖乳突筋に指をおく
　●患者に左右を向いてもらい，胸鎖乳突筋を確認して触れる位置を確実にする（図3-55a,b）
2）側方から胸鎖乳突筋を押し，反対側で甲状腺に触れる。たとえば左側を触知したい場合は，右側から押し，押し出されてきた左側の甲状腺を触診する（図3-55c）

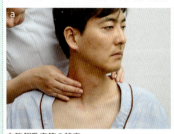
右胸鎖乳突筋の特定

左胸鎖乳突筋の特定

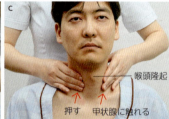
甲状腺の触知

図3-55　甲状腺の触診 | 〈正常〉
● 甲状腺は見えず，触れることができない
● 圧痛や腫脹がない

〈注意すべき状態〉
● 肥大している状態を甲状腺腫とよぶ。肥大したり，硬結がある場合は，甲状腺の腫瘍やバセドウ病，橋本病など甲状腺の機能低下や亢進を招く疾患のおそれがある（甲状腺の障害，p.96参照） |

方法と留意点	判断
頸部リンパ節の触診 1) 患者の後方に立ち，両手の3本の指（示指，中指，環指）の腹を使い，そっと円を描くように動かしながら，触れる ● 皮膚を皮下組織の上で軽く動かすように，転がすように触れるとよい ● リンパ節が触れた場合は，位置と対称性，大きさ，形，リンパ節の数，表面の特徴，硬度，圧痛，可動性，1個1個触れるか，つながって触れるか，について観察し，記録する	**〈正常〉** ● リンパ節は触れない ● 可動性のある1cm以下の，球形または卵型のリンパ節が触れる **〈注意すべき状態〉** ● 1cm以上の腫大がある場合は，リンパの流域（図3-56）に炎症がある場合，リンパ節自体の感染，リンパ腫，がんのリンパ節転移が疑われる（リンパ節の障害，p.98参照）

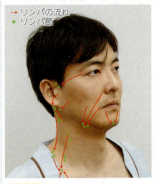

図3-56 リンパの流域

2) オトガイ下リンパ節，顎下リンパ節，扁桃リンパ節，耳介前リンパ節を下顎の下から顎の骨に沿わせるように，耳の前まで触れ（図3-57），耳介の後ろにある耳介後リンパ節に触れる	● 腫大して圧痛があり，癒合している場合は，リンパ節自体の感染の疑いが高い ● 炎症がある場合は，その部分の所属リンパ節が腫大している可能性がある ● 硬く，孤立性，非対称性で圧痛を伴わない場合は，リンパ腫，がんのリンパ節転移などの悪性疾患の場合がある

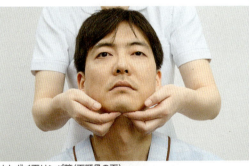

オトガイ下リンパ節（下顎骨の下）

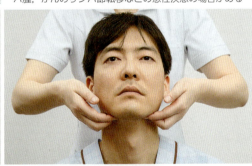

顎下リンパ節（下顎骨と下顎骨先端の間）

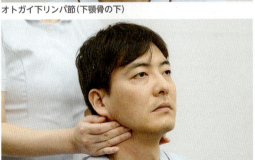

扁桃リンパ節（下顎骨の角）

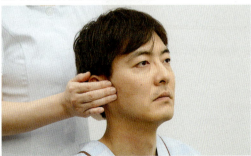

耳介前リンパ節（耳道口の前）

図3-57 頸部リンパ節の触診（1）

方法と留意点	判　断

3) 後頭隆起の下にある後頭リンパ節，胸鎖乳突筋に沿わせるように，浅頸リンパ節，深頸リンパ節を触れる（図3-58）

後頭リンパ節（外後頭隆起から横，下に2cm）

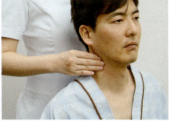
浅頸リンパ節（胸鎖乳突筋に沿って）

深頸リンパ節（胸鎖乳突筋の深いところ）

図3-58 頸部リンパ節の触診(2)

- 後頭リンパ節は，外後頭隆起から横，下方に約2cm離れたところにある
- 深頸リンパ節は，胸鎖乳突筋の深いところにある

4) 鎖骨上リンパ節は，左右の鎖骨の上をまんべんなく触れる（図3-59）

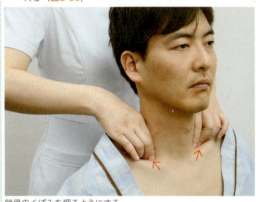
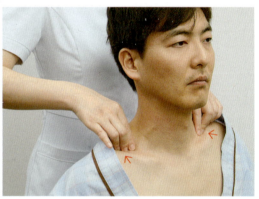
鎖骨のくぼみを探るようにする

図3-59 鎖骨上リンパ節

文　献

1) アネット・G・ルーキンオッティ著，前川厚子・川野雅資監訳：高齢者の看護アセスメント，医学書院，1999．
2) Seidel HM，他著：Mosby's Guide to Physical Examination，5th ed, Mosby，2003，p.177，p.232，p.484．
3) Bickley LS著，福井次矢・井部俊子日本語版監修：ベイツ診療法，メディカル・サイエンス・インターナショナル，2008，p.170．
4) 日野原重明編：フィジカルアセスメント　ナースに必要な診断の知識と技術，第4版，医学書院，2006．
5) NPUAPホームページ．http://www.npuap.org/pr2.htm
6) 褥瘡の予防&治療クイックリファレンスガイド，NPUAP/EPUAP合同制作のガイドライン．http://www.cape.co.jp/medical/
7) 小野田千枝子監，高橋照子・他編：実践！フィジカル・アセスメント，金原出版，2001．
8) Barkauskas VH，他著，花田妙子・他監訳：ヘルス・フィジカルアセスメント上巻，日総研出版，1998．
9) 澤村大輔：やさしい皮膚科学，診断と治療社，2009．
10) 角濱春美：新人ナースひな子と学ぶフィジカルアセスメント，メディカ出版，2011．

4 耳・鼻

学習目標
- 耳の内部構造と機能を理解する。
- 耳を観察するために必要な問診・視診・触診の方法がわかり，正常な状態と注意すべき状態の判定ができる。
- 鼻の内部構造と機能を理解する。
- 鼻を観察するために必要な問診・視診・触診の方法がわかり，正常な状態と注意すべき状態の判定ができる。

1 耳・鼻の構造

1）耳（図4-1）

耳は外耳，中耳，内耳の3領域からなり，耳介と外耳道の一部を外側から観察することができる。

（1）外　耳

耳介，外耳道からなる。耳介の凹面は空気中の音波を外耳道方向に反射させ，これにより私たちは音のする方向を知ることができる。外耳道の表面は外皮で覆われ，耳毛が生えている。また，長さは約3cmで前方向に彎曲している。下組織には耳道腺と皮脂腺があり，黄褐色の耳垢を分泌する。

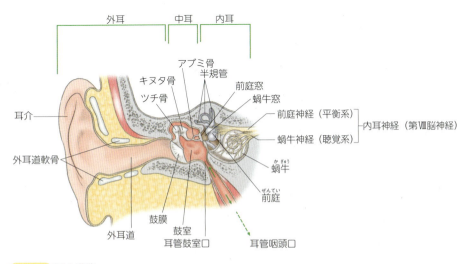

図4-1　耳の構造

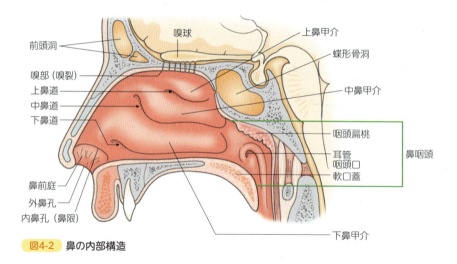

図4-2 鼻の内部構造

（2）中　耳

鼓膜，鼓室，耳小骨（ツチ骨，キヌタ骨，アブミ骨），耳管からなる。鼓膜は凹面を外耳道の出口のほうに向けて円錐形に張られた薄い膜で，中耳との側方境界となり，外耳として扱っていることもある。ツチ骨は鼓膜の内側に貼りついており，空気の振動をキヌタ骨，アブミ骨の順に伝え，増幅している。耳管は，鼓室と咽頭を連絡する管で，普段は閉鎖しているが，嚥下運動で開き，鼓室内外の圧を調節している。

（3）内　耳

中耳と前庭窓，蝸牛窓で通じており，前庭窓にはアブミ骨がはまり込み，空気の振動を蝸牛神経に伝えている。

2）鼻（図4-2）

鼻は，外鼻と内鼻（鼻腔）の2つの部分からなる。外鼻の上方1/3は骨で，残りの部分は軟骨である。

鼻の内部である鼻腔は，中央に鼻中隔，両側に側壁があり，側壁の周りの4つの副鼻腔（前頭洞，上顎洞，篩骨洞，蝶形骨洞）に連絡している。鼻腔の入り口の鼻毛の生えているところが鼻前庭で，後方の鼻咽頭につながる。

鼻腔の側壁には棚板のような出っ張りである鼻甲介がある。上方へと順に下・中・上鼻甲介に分けられる。甲介は血管の流れる粘膜に覆われている。各鼻甲介の下方には，それぞれ鼻道がある。

鼻腔を上に進むと徐々に狭くなり，最上部は嗅神経（第Ⅰ脳神経）のある嗅部になる。

2 耳・鼻の機能

1）耳

（1）聴覚器として音を伝える機能

音が認識される過程は以下のとおりである。

①気伝導
　空気をとおして音が伝わることで，外耳道，鼓膜，耳小骨をとおして蝸牛，内耳神経への伝導である。
②骨伝導
　頭蓋骨の振動をとおして直接内耳の蝸牛，内耳神経への伝導である。
　気伝導，骨伝導共に，最終的には大脳の聴覚中枢（側頭葉の聴覚野）により音として認識される。
（2）平衡感覚をつかさどる機能
　頭の傾斜角度の変化や回転力などを平衡感覚として感じ取るのが，内耳の前庭と半規管である。

2）鼻
（1）呼吸のための空気の出入り口
　吸い込んだ空気のちりを除いて清浄化し，加温・加湿，除菌を行う。
（2）生体防御・加温・加湿作用
　鼻前庭にある鼻毛がフィルターとなり，ほこりなどの侵入を防いでいる。さらに，鼻甲介の粘膜が異物をとらえる。さらに鼻甲介は空気の加温・加湿に役立っている。
（3）においを感じる嗅覚器
　においを感じる嗅粘膜は鼻腔の天蓋に近い鼻中隔上部とそれに対応する中鼻甲介に分布し，ここに嗅覚受容細胞がある。嗅覚受容細胞は，粘膜面に分泌された粘液中に多数の嗅毛を出していて，においのもとになる粒子がこの粘液に溶け，嗅毛を刺激することにより電気信号が発生し，嗅球神経を経て嗅覚中枢に伝えられ，においを感じる。
（4）声の性質にかかわる機能
　声の音色は，咽頭，口腔，鼻腔の共鳴により個性的になる。また，鼻閉を生じると特徴的な鼻づまりの声となる。

3　耳・鼻の主な障害

1）難　聴
　難聴は，気伝導または骨伝導のいずれか，もしくは両方の障害で分類されている。障害されている部位によって難聴の種類が分けられている。
①伝音性難聴
　外耳・中耳の障害。音が蝸牛まで伝わらない場合。たとえば，耳垢による外耳道の閉塞や中耳炎などのある場合は，伝音性難聴となる。
②感音性難聴
　内耳およびそれより中枢の経路の障害。騒音性難聴や老人性難聴は，感音性難聴に分類される。
③混合性難聴
　伝音性，感音性の両方に障害がある場合をいう。

4 耳・鼻のアセスメントのポイント

　聴力テストは静穏な環境で実施する。
　検耳鏡・検鼻鏡使用時は，損傷を避けるために過挿入を避け，患者に頭部を動かさないように説明するとともに必要時固定する。鼻汁や耳垢に触れる可能性がある場合は，ディスポーザブル手袋を用いる。

看護技術の実際

A 耳

- ● 目　　的：耳の観察を行う。何らかの症状や看護問題が存在する場合は，その原因や誘因，問題によってもたらされている状態を観察し，観察結果を，看護ケアや医療チームへの報告に活用する
- ● 必要物品：512Hzの音叉，検耳鏡，送気球，外耳道の大きさに適したサイズのディスポーザブルスペキュラム2個，アルコール綿，（必要時：ディスポーザブル手袋）

	方法と留意点	判　断
1	**問診** 1) 以下の症状の有無について患者に尋ねる 　(1) 聴力低下 　(2) 耳の痛みや不快感 　(3) 外耳道からの分泌物 　(4) 耳垢の塞栓 　(5) 耳鳴りやめまい 　● 症状がみられた場合は，いつから，どのように，部位，程度，改善・増悪因子，条件，随伴症状を尋ねる（本章「1　フィジカルアセスメントにおける観察」問診, p.64参照）	〈正常〉 ● 症状がない
2	**視診** 1) 看護師は患者と椅子に向かい合って座り，頭の高さが同じになるようにする 2) 正面から耳の外観を視診する（図4-3a） 　● 正面から，左右の耳介の水平方向と垂直方向の位置，形，大きさ，対称性，色，腫瘤の有無を視診する 3) 側面から外耳や外耳道を視診する（図4-3b）。耳道口の分泌物，耳垢，外耳道の狭小化，異物や発赤・腫脹の有無を観察する 　● 耳道口に分泌物が付着している場合，看護師は手袋を装着する	〈正常〉 ● 両側同じ高さ・位置にあり，形もおおむね左右対称である ● 耳輪は，眼と後頭部を結ぶ線上か，やや上方にある ● 外耳道には分泌物がなく，外耳をふさぐほどの耳垢がない。皮膚障害がみられない 〈注意すべき状態〉 ● 耳の形の異常は，先天性や外傷性の変形が考えられる ● 耳道口に分泌物がある場合は，外耳道や中耳の炎症による滲出液の増加が考えられる ● 耳垢の閉塞は，外耳道の炎症による分泌物の増加や，耳の保清の低下が考えられる

方法と留意点	判　断
 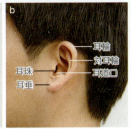 耳の外観（正面）　　　耳の外観（側面） 耳介の高さや形の対称性を診る **図4-3** 耳の視診 4）もう片方も同様に視診する	
3　触診 耳介を母指，示指，中指で挟むように触診する（図4-4），もう片方の側の耳も同様に行う 　●疼痛，腫瘤の有無を観察する 　●耳道口に分泌物が付着している場合，看護師は手袋を装着する。 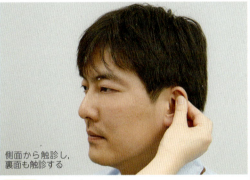 側面から触診し，裏面も触診する **図4-4** 耳の触診	〈正常〉 ●疼痛や腫瘤はない
4　検耳鏡を用いた外耳道と鼓膜の視診 1）検耳鏡の準備をする （1）検耳鏡の光量が十分でることを確認後，検耳鏡の先に，外耳道の大きさに合ったスペキュラムをつける （2）検耳鏡のヘッド側面部の穴に，送気球を装着する （3）検耳鏡を持ち，もう一方の手で送気球を押して送気されることを確認する（図4-5） 　●スペキュラムは，太いものを選ぶと視野が広くなり見えやすいうえ，奥までの過挿入の予防にもなる 　●ディスポーザブルのスペキュラムを用いることが望ましいが，そうでない場合は片方ずつアルコール綿で消毒する 2）検耳鏡を用いた左耳道と鼓膜の視診 （1）耳の前方，耳珠の高さの部位を指で軽く叩打し，響くような痛みの有無を確認する（図4-6a）。もう片方の耳も同様に行う	 **図4-5** 検耳鏡の準備（送気を確認する） 〈正常〉 ●叩打による痛みがない （1）外耳道 ●外耳には分泌物や耳垢がない ●発赤・腫瘤がない

方法と留意点	判断
●叩打して疼痛がある場合は，外耳の強い炎症が疑われ，検耳鏡を挿入すると苦痛を伴う．挿入の深さに配慮する，視診を行わないなどの判断を行う （2）左手に検耳鏡を持ち，右手で外耳道が真っすぐになるように耳輪の上部を上向きに引っ張る ●患者に痛みはないことを説明して安心させ，動かないように伝える ●成人では外耳道は外側1/3で上方かつ頭の後方に向かい曲がる．内側の2/3では前下方に曲がっている．その方向をイメージして検耳鏡を挿入する （3）検耳鏡を持った左手の小指を患者の頬に当て，支えにしながら，外耳道に沿って挿入する（図4-6b） ●小指を頬に当てるのは，患者が顔を動かしたときに，検耳鏡の先で外耳道を傷つけないためである （4）検耳鏡に看護師の顔を近づけ，外耳道，鼓膜を視診する （5）視診しながら，外耳道の角度に沿って検耳鏡の角度を変え，外耳道の奥にある鼓膜を視診する．鼓膜の色と穿孔の有無，反射光線円錐の形と位置，ツチ骨，キヌタ骨を視診する （6）左の鼓膜を視診後，検耳鏡を挿入したまま送気球を2回ほど軽く押し，鼓膜の揺れを観察する （7）左手の小指を固定したまま検耳鏡から顔を離し，外耳道に沿ってゆっくりと検耳鏡をはずす （8）スペキュラムを交換する 3）検耳鏡を用いた右耳道と鼓膜の視診 （1）右手に検耳鏡を持ち，左手で外耳道が真っすぐになるように耳輪の上部を上向きに引っ張る （2）検耳鏡を持った右手の小指を患者の頬に当て，支えにしながら，外耳道に沿って鼻の方向へ挿入する（図4-6c） （3）右手の小指を固定し，外耳道，鼓膜を視診し，送気球を2回ほど軽く押し，鼓膜の揺れを観察する （4）検耳鏡をはずし，スペキュラムを廃棄する	（2）鼓膜の状態 ●鼓膜は輝きのある半透明膜で，真珠のような灰白色である（図4-7a） ●光反射による反射光線円錐が見え，形は円錐型（涙型）である（左耳：7時の位置，右耳：5時の位置，図4-7b，c） ●ツチ骨が見える ●空気を入れると鼓膜が揺れる 〈注意すべき状態〉 ●叩打による痛みがある場合は，外耳道の炎症の可能性がある ●耳垢や異物で外耳道，鼓膜が見えない ●鼓膜が赤いまたは黄色っぽく見える場合は，中耳炎の可能性がある（図4-7d） ●鼓膜に分泌物が付着している，鼓膜が穿孔を起こしている（図4-7e）などの場合は，中耳炎の可能性がある（外科的に穿孔した場合もあるため，確認する） ●反射光線円錐が見えない，または円錐型をしてない場合は，中耳の内圧が高まっていると考えられ，中耳炎などの疑いがある． ●鼓膜の白い斑点は炎症の痕跡である ●空気を入れても鼓膜が揺れない場合は，中耳の滲出液や膿の貯留，または鼓膜の硬化（図4-7f）の可能性がある

検耳鏡挿入前に叩打する〈左耳〉

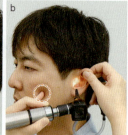

左手で検耳鏡を持ち，小指を患者の頬にあてる〈左耳〉

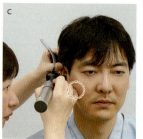

右手で検耳鏡を持ち，小指を患者の頬にあてる

図4-6 検耳鏡を用いた外耳道と鼓膜の視診

方法と留意点	判　断

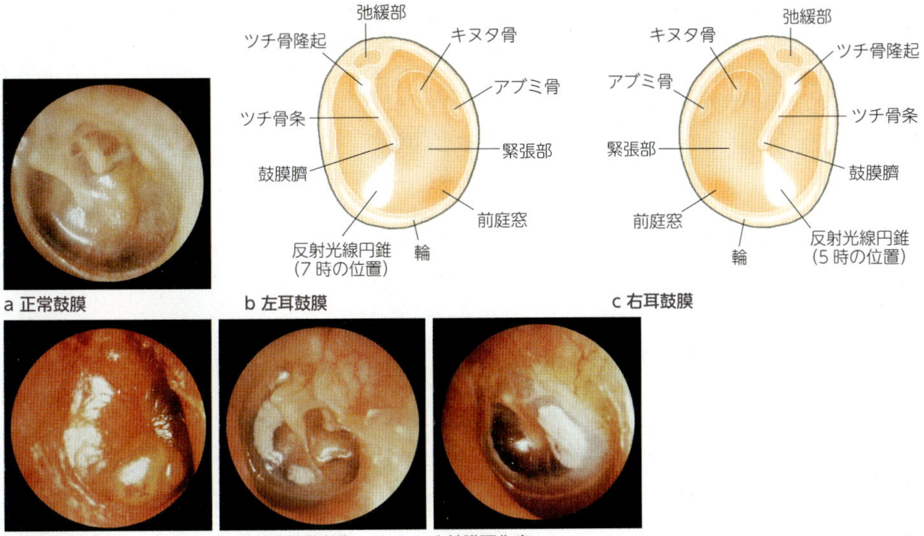

a 正常鼓膜　　b 左耳鼓膜　　c 右耳鼓膜

d 急性中耳炎　　e 中心性鼓膜穿孔　　f 鼓膜硬化症

写真提供：ウェルチ・アレン・ジャパン株式会社

図4-7 鼓膜の状態

5　聴力テスト（聴（内耳）神経のアセスメント）
〈ささやき声による聴力テスト〉
1）患者に左側の耳を自分の手で覆い，椅子に座ってもらう
2）看護師は患者の右後方30〜60cmの位置に立ち，右耳に向けて短い言葉をささやき，患者に反復してもらう（図4-8）
　●後方に立つのは，唇の動きで言葉がわかることを避けるためである
　●左右の順番はどちらからでもよいが，あらかじめわかっている場合は健側から行う

〈正常〉
●ささやき声が聴き取れる

〈注意すべき状態〉
●聴き取れない場合，難聴とみなされる

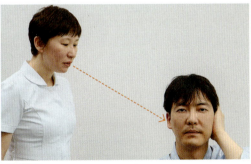

図4-8 ささやき声による聴力テスト

3）左側も同様にする
〈ウェーバーテスト〉
1）看護師は512Hzの音叉の，持ち手の部分を持つ
　●音叉による振動音がどのように聴こえるかを確認するテストであり，骨伝導音の聴覚がわかる
2）看護師は音叉を自分の手根部に打ちつけて振動を起こし（図4-9），柄の部分を患者の頭頂部につけ，両側同じ大きさで聴こえるか，どちら側が強く聴こえるかを確認する（図4-10）

〈正常〉
●両側同じように聴こえる

〈注意すべき状態〉
●両側とも聴き取れない場合は，両側難聴の可能性がある
●音の聴こえ方に左右差がある場合は，強く聴こえた側の伝音性難聴，弱く聴こえた側の感音性難聴が疑われる

方法と留意点	判断
 図4-9 音叉を震動させる	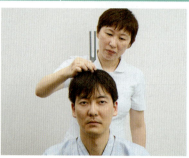 図4-10 ウェーバーテスト

- ささやき声のテストで難聴があった場合に、難聴の種類判定のために行う。また、リンネテストの結果とも併せて判断する

〈リンネテスト〉
1) テストの流れと概要を患者に説明する
2) 看護師は512Hzの音叉の、柄の部分を持つ
- 骨伝導時間と気伝導時間を測定することで、難聴の種類を確認するテストである
3) 看護師は自分の手根部に音叉を軽く打ちつけて振動を起こし、それを患者の乳様突起に当て（図4-11a）、聴き取れるか確認し、聴こえなくなったら伝えるよう説明する
- 乳様突起に当てるときは、耳介を押さえたり触れたりしないように留意する
4) 聴こえなくなるまでそこに当て、その時間を測定する（骨伝導時間）（図4-11b）
5) 聴こえなくなったら、そのまま音叉の振動部を耳元にもっていき、同様に聴こえなくなるまでの時間を測定する（気伝導時間）（図4-11c）
- 聴こえなくなったら、挙手してもらうなど、サインを決めてから実施する

〈正常〉
- 気伝導時間が骨伝導時間の約2倍である。音叉を用いた簡易スクリーニングであるため、およそ2倍程度で、厳密な判定ではない（数秒単位の差であれば問題ない）

〈注意すべき状態〉
- 骨伝導時間が長い（気伝導時間が2倍より短い）場合は、伝音性難聴が疑われる
- 気伝導時間が長い場合（骨伝導の2倍より長い）場合は、感音性難聴が疑われる

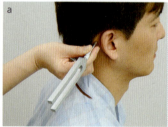
乳様突起に当てる

骨伝導時間の測定

気伝導時間の測定

図4-11 リンネテスト

6) もう一方も同様に行う

B 鼻

- 目　的：鼻の観察を行う。何らかの症状や看護問題が存在する場合は、その原因や誘因、問題によってもたらされている状態を観察し、観察結果を、看護ケアや医療チームへの報告に活用する

- 必要物品：検鼻鏡，鼻腔の大きさに適したサイズのスペキュラム，アルコール綿 1 個，特定の香り（コーヒー，茶，レモンなど）を判定できるものが入った容器

方法と留意点	判断
1　問診 1）以下の症状の有無について患者に尋ねる （1）鼻の痛みや不快感 （2）頰部・前頭部の痛みや圧迫感 （3）鼻汁や鼻出血，鼻閉 （4）アレルギー ・症状がみられた場合は，いつから，どのように，部位，程度，改善・増悪因子，条件，随伴症状を尋ねる（本章「1　フィジカルアセスメントにおける観察」問診，p.64参照）	〈正常〉 ●症状がない
2　視診 1）看護師は患者と椅子に向かい合って座り，頭の高さが同じになるようにする 2）正面から外観を視診し，外鼻の形，大きさ，左右対称性，変形や腫脹の有無を観察する 3）顔を少し上に向けてもらい，鼻中隔の位置，鼻腔の対称性，鼻汁や鼻出血の有無を観察する（図4-12） ・鼻汁がある場合は，色や濃さ，においについても観察する 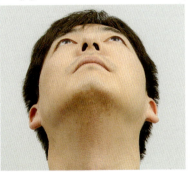 図4-12　鼻の視診	〈正常〉 ●鼻中隔の位置は，正中であり，腫脹や変形がない ●鼻汁はないか，あっても無色透明で，多少水っぽい ●鼻出血なし 〈注意すべき状態〉 ●鼻中隔の偏位は，骨折などの異常が疑われる ●粘膜が極端に赤い色をしている場合は，粘膜の炎症が疑われる ●鼻汁が濃い白，黄色，緑色で，粘性のある場合は，鼻腔や副鼻腔の感染の可能性がある ●極端に水っぽい鼻汁は，アレルギーの可能性がある
3　触診 母指とほかの指で挟むようにして，鼻梁から鼻尖に向かって触診する（図4-13） ・鼻汁がある場合は手袋をする  図4-13　鼻の触診	〈正常〉 ●圧痛や腫瘤はない 〈注意すべき状態〉 ●圧痛がある場合は炎症が疑われる

方法と留意点	判断
4 検鼻鏡を用いた鼻腔の視診 1）十分な光源が得られることを確認後，検鼻鏡の先に，鼻腔に合ったスペキュラムをつける ● 成人の場合，一番大きいサイズのスペキュラムを用いることが多い ● サイズが大きいと，視野が広く観察しやすい 2）検鼻鏡を挿入する （1）検鼻鏡は利き手で鉛筆を持つようにして持つ （2）患者の顔をもう片方の手で押さえ，正面のまま，もしくは顔をやや上に向けた状態で，検鼻鏡を持った手の小指を患者の頬に当て，支えにしながら左鼻に挿入する（図4-14） ● 鼻腔の構造をイメージして，地面と平行またはやや上の角度で挿入する  鼻中隔に穿孔があると，反対側鼻孔から光が漏れてくる **図4-14 検鼻鏡の使い方** （3）小指を固定し，検鼻鏡に看護師の顔を近づけ，鼻腔を視診する。粘膜，鼻甲介の色や腫脹の有無，異物や鼻汁の量と性状，鼻出血，反対側への光の漏れがないかを確認する （4）小指を固定したまま検鼻鏡から顔を離し，ゆっくりと検鼻鏡をはずす （5）検鼻鏡は利き手に持ったまま，右鼻も同様にして視診する ● 鼻汁の色，濃さ，においや出血を観察する （6）右鼻の視診が終わったら，検鼻鏡をはずし，スペキュラムを廃棄する	〈正常〉 ● 鼻腔は左右対称で変形なし，腫脹なし，粘膜はピンク色である ● 鼻甲介はピンク色で，腫脹はない ● 鼻中隔は鼻甲介よりやや濃いピンク色で，腫脹はない ● 下鼻甲介と中耳甲介が視診できる 〈注意すべき状態〉 ● 鼻粘膜が極端に赤い色の場合は，炎症を疑う ● 一方の鼻腔が狭い場合は，鼻中隔の偏位を疑う ● 鼻腔粘膜に腫瘤がみられる場合は，鼻ポリープを疑う。慢性副鼻腔炎が生じることが多い ● 検鼻鏡を挿入すると反対側の鼻孔から光が漏れてくる場合は，鼻中隔が穿孔している ● 下鼻甲介が腫脹している場合は，鼻炎の可能性がある
5 通気性のテスト 1）患者に右の鼻腔を自分の手でふさいでもらい，反対側の鼻腔から息を吐くように説明する。看護師は，手のひらでその息を感じ取る（図4-15）	〈正常〉 ● 両鼻腔とも通気性がある 〈注意すべき状態〉 ● 通気性のない場合，または極端に少ない場合を鼻閉といい，粘膜の炎症や浮腫，異物や鼻ポリープの疑いがある

方法と留意点	判断

図4-15 通気性のテスト

　2）左鼻腔も同様にする

6　嗅覚のテスト（嗅神経のアセスメント）
　1）誰もが理解できる香りのよいもの2種類（コーヒーや茶など）を，容器に入れて準備する（図4-16a）
　2）患者に眼を閉じてもらう
　3）患者に右側の鼻腔を手でふさいでもらい，鼻先に1つのにおいを近づけ，「何のにおいですか」と質問する（図4-16b）
　　●片方ずつ別々に検査する

〈正常〉
●正しく判定できる

〈注意すべき状態〉
●正しく判定できない場合は，鼻粘膜から嗅覚中枢，嗅覚を判定する大脳までの経路のうちどこかが障害されている可能性がある
●加齢による嗅覚の低下は多くないが，喫煙などの生活習慣で機能が低下していることもある

コーヒーや茶などを容器に入れて準備する

「何のにおいですか」と質問する

図4-16　嗅覚のテスト

　4）患者に左側の鼻腔を手でふさいでもらい，鼻先に別のにおいを近づけ，同様に質問する
　　●感じ取れなかった場合は，別の香りでも確認する

文献

1) アネット・G・ルーキンオッティ著，前川厚子・川野雅資監訳：高齢者の看護アセスメント，医学書院，1999．
2) 日野原重明編：フィジカルアセスメント　ナースに必要な診断の知識と技術，第4版，医学書院，2006．
3) 小野田千枝子監，高橋照子・他編：実践！フィジカル・アセスメント．金原出版，2001．
4) 高橋長雄監：からだの地図帳，講談社，2006，p.22．
5) Barkauskas VH, 他著，花田妙子・他監訳：ヘルス・フィジカルアセスメント　上巻，日総研出版，1998．
6) 山口和克監：新版　病気の地図帳，講談社，2000，p.30．
7) 清木勘治：解剖学，第8版，金芳堂，2001．
8) 洲崎春海・鈴木衛，吉原俊雄監：Success耳鼻咽喉科，第2版，金原出版，2017．
9) 角濱春美：手技と実例で学ぶ　実践！高齢者のフィジカルアセスメント―老化を理解して，異常を見逃さない，メディカ出版，2017．

5 眼

学習目標
● 眼の構造と機能について理解する。
● 視力，視野，外眼筋，外眼構造の視診・触診，および眼底の視診の方法がわかり，正常な状態と注意すべき状態の判定ができる。

1 眼の構造

眼の構造は図5-1のとおりである。

眼瞼の裏面はピンク色の眼瞼結膜に覆われ，強膜は透明な眼球結膜に覆われている。瞳孔と虹彩は無色透明な角膜に覆われている。前眼房は，角膜，強膜と毛様体，虹彩と水晶体で囲まれた部分で，毛様体で産生される房水で満たされている。房水の産生と前房隅角からの排出抵抗とのバランスにより眼圧が決定される。

涙腺は結膜や角膜を潤す涙を分泌している。涙腺で分泌された涙は眼球を潤し，涙点，涙小管，涙嚢，鼻涙管，鼻腔の順に流れる。

虹彩はカメラの絞りのような働きで，眼球に入る光の量を調節している。瞳孔は虹彩に

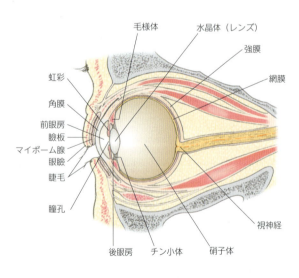
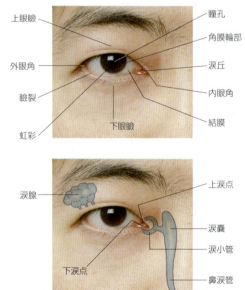

図5-1 眼の構造

囲まれており，虹彩筋の収縮と拡張により大きさが調整されている。

水晶体は血管や神経，結合組織がない無色透明なもので，虹彩筋と毛様体筋の共同作用により，網膜に到達する光量や網膜上の像の焦点を制御している。

網膜にある視神経乳頭（視神経円板）は，視神経の先端にあり，鼻側に位置している。正円で直径約1.5mmの大きさであり，視細胞がないため光を感じない。黄斑は視神経乳頭の耳側に位置し，中心窩とよばれる網膜のくぼみが中心にある。視細胞が多いため物が最もよく見える（図5-2）。

眼の機能

1）見る機能

物から反射された光は，角膜，前眼房，水晶体，硝子体を通過する。レンズの役目をする水晶体から硝子体に集光され，その後，網膜上に像が結ばれ，その情報が視細胞から視神経乳頭に集結し，視神経や視索を経て脳の視覚中枢に至って，明瞭な像を見ることができる。網膜上の像は倒立像で，上下左右が逆さまである（図5-3）。

2）視路と視野

網膜内の神経線維は視神経内に続き，耳（外）側線維は視神経の外側を走っている。鼻（内）側線維は視神経の内側に沿って走り，視神経交叉で交叉する。眼を動かさず，一点を見つめた状態で見える範囲を視野というが，鼻側の視野は同じ側の後頭葉で認識され，耳側の視野は反対側の後頭葉で認識される。

3）外眼筋とその神経支配

眼球運動は，左右それぞれ6本の外眼筋（①上直筋，②下直筋，③外直筋，④内直筋，⑤上斜筋，⑥下斜筋）が調節しており，両眼が同方向に連動して向く。非常に近くの物を凝視するときに両眼が内に寄せられることを輻輳という。輻輳以外では両眼は一致して並行に動く。この6つの眼筋は3つの脳神経に支配されている。動眼神経（第Ⅲ脳神経）は4本の眼筋（上直筋，下直筋，内直筋，下斜筋）を支配し，滑車神経（第Ⅳ脳神経）は上

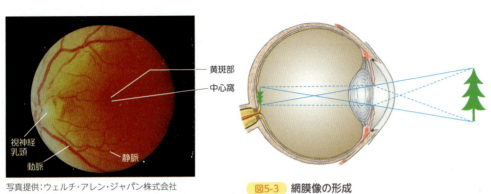

図5-2 網膜（左眼）

図5-3 網膜像の形成

斜筋を，外転神経（第Ⅵ脳神経）は外直筋を支配している。

3 眼の主な障害

1）視力障害

網膜に焦点を合わせることができない状態で，近視と遠視，乱視がある。近視は近くのものは見えるが遠くのものは見えない状態で，眼球が長すぎたり水晶体が厚すぎることで網膜の前に焦点が合うために生じる。遠視は遠くのものは見えるが近くのものは見えない状態で，一般に年齢とともに水晶体が硬くなり，弾性が失われることで網膜の後ろに焦点が合うために生じる。乱視はぼんやり見える状態で，角膜曲率の不均衡によって生じる。

2）視野障害

視路がどこかで障害されると，その部位を通る視覚刺激が視覚中枢に届かなくなり，視野欠損が起こる（図5-4）。

4 眼のアセスメントのポイント

1）視力検査の実施と感染予防

- 眼球結膜に触れる視診や触診の他にも，眼と眼の周囲に発赤や発疹，腫脹，または分泌物がみられる場合は，感染予防のためにディスポーザブル手袋を着用する。また，使用した物品は正しく消毒し，感染拡大を防止する。
- 視診や触診により涙を誘発することがあるため，視診と触診の前に視力検査を実施する。

2）検眼鏡の使い方

検眼鏡（図5-5）は眼の水晶体，硝子体や眼底を評価できるように作られている。検眼鏡は光源と，眼の各部位に焦点を合わせられる変倍率レンズからなる。像を明瞭にするため

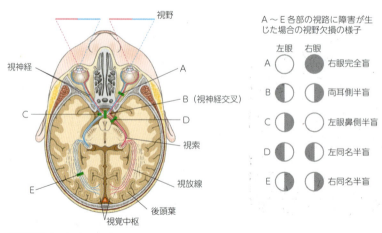

図5-4　視路と視野と視野欠損

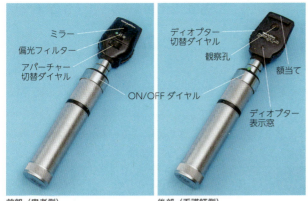

図5-5 検眼鏡の各部の名称

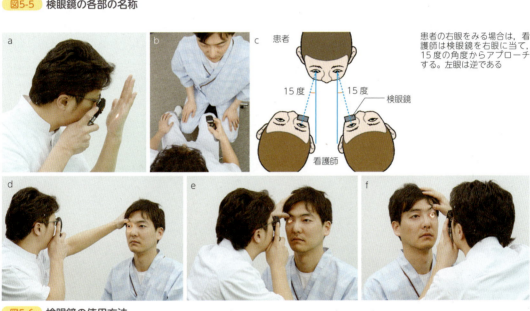

図5-6 検眼鏡の使用方法

にはディオプターを切り替え倍率を変えて，見たい部位に焦点を合わせる。

〈検眼鏡の使用方法〉

①検眼鏡のスイッチを入れ，偏光フィルター切り替えスイッチを無色に合わせる。無色の光の大きな光線になるように示指で検眼鏡前部にあるアパーチャー切り替えダイヤルを調節する。

②利き手に持った検眼鏡の看護師側（平板のほう）上部の突起（額当て）に看護師の眉を当てて，観察孔から検眼鏡を持っていない手掌を見る（図5-6a）。手掌は約8cm離した状態で見る。手掌のしわに焦点を合わせ，検眼鏡側部のディオプター切り替えダイヤルを回し，明瞭に見えたところのレンズの番号をディオプター表示窓で確認する。もう一方の眼も同様に行い，レンズの番号を確認する。

③看護師の位置は，患者から見て，正面から右側に少し寄り，患者と同じ眼の高さとする（図5-6b，c）。

④看護師は右手に検眼鏡を持ち，左手を患者の右眉に当て，上眼瞼を軽度挙上する（図5-6d）。
⑤患者には真っすぐ正面を見るように指示する。
⑥看護師の右眼に検眼鏡をぴたりと当て，患者の視軸から約15度外側から瞳孔に光を入れ赤い反射（red reflex，レッドリフレックス）を確認する。レッドリフレックスをめがけて患者になるべく近づく。よく見えるまでディオプターを切り替え，眼底をよく観察する（図5-6e）。
⑦患者の左眼を見る場合は，左側に位置し，看護師の左眼で視診する（図5-6f）。

看護技術の実際

- 目　　的：眼の観察を行う。何らかの症状や看護問題が存在する場合は，その原因や誘因，問題によってもたらされている状態を観察し，看護ケアや医療チームへの報告に活用する
- 必要物品：視力表，遮蔽子，眼をふさぐカード，鉛筆など，検眼鏡，アルコール綿，ディスポーザブル手袋

	方法と留意点	判　断
1	**問診** 1）眼鏡やコンタクトレンズをつけているか，また，以下の症状の有無について患者に尋ねる 〈現病歴〉 眼の症状があるか（疼痛，分泌物，流涙，見えづらい，羞明感，瘙痒感，乾燥感） ●症状がある場合は，いつから，どのように，部位，程度，改善・増悪因子，条件，随伴症状を尋ねる（本章「1 フィジカルアセスメントにおける観察」問診，p.64参照） 〈既往歴〉 2）眼の外傷，手術（術式，手術の時期）の既往の有無 3）眼に関連する疾患（高血圧，糖尿病，甲状腺疾患，緑内障，白内障，眼の感染症）の有無 4）眼や周囲の痛み，瘙痒感，流涙，充血の有無	〈正常〉 ●症状がない
2	**視力測定** 〈遠距離視力〉 1）明るい部屋で，視力表（ランドルト環（図5-7）やひらがな，カタカナ，絵など）を用いて規定の距離をおいて，片眼を遮蔽子で遮蔽し，ランドル環の切れ目の方向を口頭，または指で答えてもらう ●視力が0.1以下の場合，0.1の指標が見えるまで前に進んでもらい，見えるようになった場所と視力表の距離を測定する。この場合，0.1×距離/5が視力である。たとえば3mで見えれば0.1×3/5=0.06である ●患者が遮蔽するときは遮蔽子で眼を圧迫しすぎないように注意する 2）視力矯正しているときは，矯正レンズがある場合と，ない場合の両方で測定することが望ましい 〈近距離視力〉 明るい部屋で，片方の眼を覆い，身近にある本や雑誌などを読み上げてもらう。両眼行う	〈正常〉 ●1.0以上 〈注意すべき状態〉 ●1.0以下は屈折異常か，ほかの眼疾患の可能性がある 〈正常〉 ●文字が見え，正確に読み上げることができる

方法と留意点	判　断
●正確に計測する場合は，近距離用チャート（図5-8）を用いて判定する ●患者に合わせて，見てもらうものを工夫する	〈注意すべき状態〉 ●目からの距離が遠くなれば見える場合は，加齢による視力低下（老眼）の可能性がある ●見えない場合，角膜，前眼房，水晶体や硝子体の混濁や，黄斑部から後頭葉までの視神経障害の可能性がある

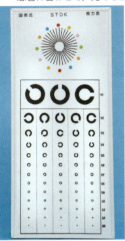 図5-7 視力表（ランドルト環）　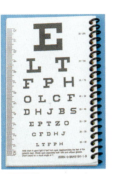 図5-8 近距離用チャート

3 視野（両眼視野）検査

1) 患者には椅子に腰かけてもらい，視線は正面とし，頭や眼を動かさないように説明する
2) 看護師は，患者の後ろに立ち，患者の頭部の上方（図5-9a, b），両耳側（図5-9c），顎付近（図5-9d）から，前方へ両手を小刻みに動かしながら伸ばしていき，看護師の手が見えたところで合図をしてもらい，手を止めた状態で角度を測定する（図5-9b, c, d）
●上下の角度は，正面の視線を水平にした基準点0度で測定する．側頭は正面の視線を垂直にした基準点で測定する
●大まかな視野の評価ができる方法である

〈正常〉
●正常な視野は図5-10, 11のとおりである
・上50～70度程度，下70度程度
・両眼で左右180度程度
・片眼で，耳側90度程度，鼻側60度程度

〈注意すべき状態〉
●視野狭窄，視野欠損がある場合は，視覚路のいずれかに障害がある可能性がある

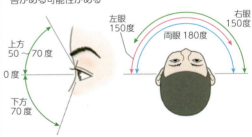
図5-10 正常な視野

 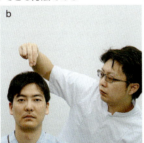
 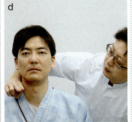
図5-9 視野検査

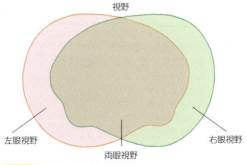
図5-11 視野の重なり

方法と留意点	判　断
3）異常がみられた場合には，片眼ずつ行う（図5-12）  図5-12　片眼の視野検査	
4　外観の視診 〈眼球，眼瞼と睫毛〉 1）患者と向かい合い，眼球の位置を観察する 2）患者に眼を閉じてもらい，眼瞼の腫脹・浮腫・腫瘤，瞼の閉じ具合を観察する（図5-13a）。開眼してもらい，眼瞼下垂，睫毛の方向を観察する（図5-13b） 3）横から眼球を観察し，前眼房の膨らみ，眼球突出を観察する（図5-13c）	〈正常〉 ● 眼球が中央に位置している ● 前眼房は十分な膨らみがある ● 眼球の突出がない ● 眼瞼は腫脹・浮腫・腫瘤がなく完全に閉じる ● 眼瞼下垂なし ● 睫毛内反（逆さまつげ）なし
   図5-13　外観の視診	
	〈注意すべき状態〉 ● 眼球の偏位がある場合は斜視の可能性がある。カバー・アンカバーテストなどで，眼球の安定性について確認する ● 眼球が両眼とも突出している場合は，甲状腺機能亢進症が考えられる。片眼の突出は眼の後方に腫瘍があることが考えられる。眼球陥没は外傷や飢餓状態などが考えられる ● 前眼房の厚みが薄い場合は緑内障の疑いがある ● 眼瞼下垂は，動眼神経麻痺，神経筋異常や先天性の下垂が考えられる ● 眼瞼に腫瘤があり，疼痛，発赤，腫脹を伴うものは，麦粒腫という感染症の場合がある
〈虹彩，角膜・前眼房，強膜・レンズ〉 1）ペンライトの光を斜め上方から当て，虹彩の色・形・左右対称性，角膜や前眼房の色・混濁の有無，強膜やレンズの色・混濁の有無を観察する（図5-14） 2）患者に右側を見てもらい，左側の強膜を観察する。同様に右側も観察する 　● 眼球のみを動かしてもらう 3）患者に上を向いてもらい，下側の強膜を観察する。同様に上側も観察する 　● 眼球のみを動かしてもらう	〈正常〉 ● 虹彩は円形で平坦，左右対称で，黄色人種は茶褐色を呈する。角膜は無色透明で左右対称だが，高齢者の場合，角膜周囲に白色の輪（老人環）がみられる ● 強膜は白色である ● レンズと前眼房は無色透明 〈注意すべき状態〉 ● 角膜周囲の充血や虹彩の膨隆，瞳孔不同（左右非対称），拍動性の疼痛，羞明（まぶしく感じる）などがみられた場合は虹彩炎が疑われる ● 角膜上皮剝離は非常に痛く，まぶしく感じ，発赤や流涙を伴う。コンタクトレンズの長期装用などで起こる

方法と留意点	判断
 図5-14 虹彩，角膜・前眼房，強膜・レンズの視診	●翼状片は通常鼻側から生じ，角膜の中央に向かう。瞳孔領域にかかれば視力は低下する ●強膜が黄染している場合は，黄疸，すなわち高ビリルビン血症が考えられる
〈眼瞼結膜〉 1）下眼瞼を押し下げ観察する（図5-15a） 2）上眼瞼は，軽く眼瞼をつまみ，下から覗き込む（図5-15b）	〈正常〉 ●ピンク色または赤色で腫脹や腫瘤なし ●分泌物なし 〈注意すべき状態〉 ●白色の場合，貧血の可能性がある
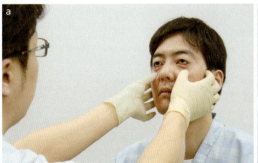 下眼瞼	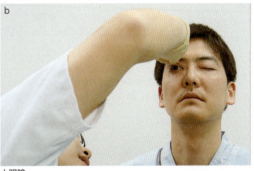 上眼瞼
図5-15 眼瞼結膜の視診	
5　涙液器官の視診・触診 1）涙腺部の発赤・腫脹，涙の量について視診する 2）涙腺（図5-16a），涙嚢，涙小管，涙嚢，鼻涙管（図5-16b）に沿って軽く押して圧痛がないか確認する ●眼球を強く圧迫しないように注意する	〈正常〉 ●眼球が十分に潤っていて，触診で圧痛がない 〈注意すべき状態〉 ●眼球が乾いている場合は，ドライアイの可能性がある ●涙の量が多い場合は，涙点の狭窄などが考えられる ●涙腺・涙点の腫脹・圧痛，涙点が赤色で鼻涙管に圧痛がある場合は炎症が疑われる
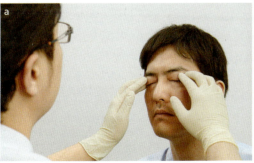	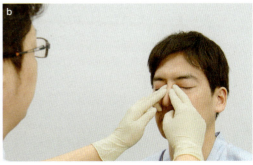
図5-16 涙液器官の触診	

方法と留意点	判　断

6 **外眼筋機能**
〈外眼筋運動〉
1) 看護師は，患者と45cm程度の距離をおいて向かい合って座り，鉛筆など何か指標となるものを持つ
2) 鉛筆を①左右，②上下，③右上→左下，④左下→右上，⑤左上→右下，⑥右下→左上，⑦中央→極端右，⑧中央→極端左（図5-17）に動かし，患者に目で追ってもらい，両眼が協調して動くか，鉛筆を止めたときに眼振がないかを観察する
- 患者には，頭は固定し，眼だけを動かすように説明する

〈正常〉
- 両眼があらゆる方向で協調して一緒に動く．眼振はない

〈注意すべき状態〉
- 指示された方向に協調した動きがみられない場合，その側の眼の眼筋，または支配している神経の障害が考えられる
- 小さな眼振は正常であるが，眼振が大きく，またいずれの方向でも出現する眼振は外眼筋機能が不安定であることを示す

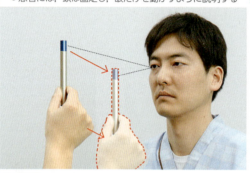

図5-17　外眼筋運動

〈角膜光反射〉
患者に真っすぐ前を向いて座ってもらい，ペンライトの光の点が，左右の眼球の同じ位置に同じ形であるかを観察する（図5-18）
- 反射光が対称的でない場合には，カバー・アンカバーテストを行う

〈正常〉
- 角膜光反射が左右同じ位置に同じ形である

〈注意すべき状態〉
- 角膜光反射が左右同じでない場合，眼位が中央でないことを示し，外眼筋機能の異常が考えられる

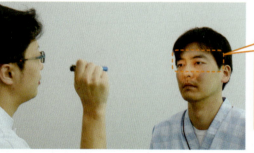

左右の光の位置が同じであることを確認する

図5-18　角膜光反射

〈カバー・アンカバーテスト〉
1) 患者に遠くを注視してもらい，瞳孔が大きくなったところで片眼をカードなどでカバーし，カバーされていないほうの眼球の位置・動きを観察する（図5-19a）
2) 次にカバーを取り除いた直後のその側の眼球の動きを観察する（図5-19b）
3) 両眼とも実施する

〈正常〉
- カバー（遮蔽）しているとき，カバーを取り除いたとき，両眼球は動かない

〈注意すべき状態〉
- 眼球が外側に変位していることを外斜視，内側に変位していることを内斜視という．眼球の動きを支配している動眼・滑車・外転神経の麻痺が原因（麻痺性斜視）のものと，外眼筋の筋力のバランスがとれないことが原因（非麻痺性斜視）のものがある．非麻痺性斜視の場合，カバー・アンカバーテストでは，斜視でない側にカバーをすると，斜視側の眼球は正常位に変化し，カバーをはずすと正常位になっていた斜視の眼球は内側に変位する（図5-20）

方法と留意点	判　断

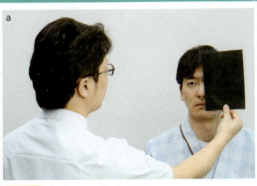
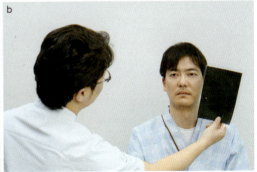

図5-19　カバー・アンカバーテスト

前を向いた状態

カバーをした状態
左は右に引かれ内斜位となる

カバーを取った状態

右内斜位となっている　　右の偏位が修正される　　両眼とも元に戻る

図5-20　カバー・アンカバーテスト（右側内斜視の場合）

7　瞳孔
〈瞳孔の視診〉
光を当てない状態で左右の瞳孔のサイズを計測し（図5-21），形の観察をする

図5-21　瞳孔の大きさの視診

〈瞳孔の反射〉
1）直接対光反射と共感性対光反射
（1）患者の眼の側方から片眼にペンライトの光を当て，瞳孔の収縮を観察する（直接対光反射）（図5-22a）
（2）同じ側に，もう一度ペンライトの光を当て，ペンライトを当てていない側の片眼の瞳孔の収縮をみる（共感性対光反射）（図5-22b）
（3）両眼とも実施する
● 明るすぎる部屋では瞳孔反射は見にくいので，瞳孔が散大するように室内の照度はやや暗めにする

〈正常〉
● 瞳孔は直径3〜5mmの円形で，左右対称

〈注意すべき状態〉
● 左右の瞳孔の大きさが異なる（瞳孔不同：アニソコリア）場合は，脳ヘルニアが考えられる
● 瞳孔の大きさが3mmより小さい場合を縮瞳といい，モルヒネの与薬や神経梅毒，頸部交感神経麻痺，虹彩炎，脳ヘルニアの初期などが考えられる
● 瞳孔が5mmより大きい場合を散瞳といい，失明，高度の視力障害，動眼神経麻痺，アドレナリン・アトロピン与薬，脳ヘルニアの初期，昏睡が強く死期が迫っている状態などが考えられる
● 瞳孔の大きさの異常は重篤な状態を示す．意識レベルと合わせて判断し，速やかに報告することが必要となる

〈正常〉
● 瞳孔は，光に対し収縮する．光に直接照らされた瞳孔は縮瞳し，同時に対側の眼も縮瞳する

〈注意すべき状態〉
● 対光反射がなく，縮瞳している場合は，急性アルコール中毒，髄膜炎，脳腫瘍，脳ヘルニア，ショックなどの重篤な状態を示す．速やかに報告し，対処することが必要である

方法と留意点	判　断

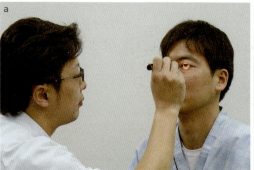

a　直接対光反射（左眼）　　　　b　共感性対光反射（右眼）

図5-22　瞳孔の反射

　2）輻輳近見反射
患者に遠く（1mくらい先）を15秒間ほど注視してもらい，瞳孔が散大したら患者の鼻の前約15cmに差し出した鉛筆などを見るように説明し，眼の位置と瞳孔の動きを観察する（図5-23）

右瞳孔も同様に収縮する

〈正常〉
● 眼前に鉛筆を置いたときには両眼は内側に寄せられ（輻輳），瞳孔は収縮する

〈注意すべき状態〉
● 変化がみられない場合は，動眼神経の異常が考えられる

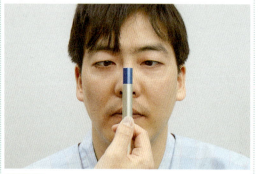

図5-23　輻輳近見反射

8　網膜
本節「2　検眼鏡の用い方」p.135を参照
　1）検眼鏡は無色に合わせる
　2）観察する側の患者の眼と同じ側の眼に検眼鏡を当てる
　　● 瞳孔が散大すると検者の視野が広がり，眼底が見やすいことから，室内を暗くするとよい
　3）検眼鏡を当てたまま患者の耳側（15度の角度）から，鼻側に向かって近づいていく
　4）赤い反射（レッドリフレックス）を確認する
　　● レッドリフレックスは，フラッシュをたいて写真撮影した際に，瞳孔部分が赤くなるのと同じ反応であり，網膜の血管が投影されて赤く見える
　5）患者に近づき，レッドリフレックスが見えるように網膜内に光を入れた状態のまま，再度検眼鏡の焦点を合わせ，血管を確認する
　6）血管が確認できたら，血管を太いほうへたどり，視神経乳頭を確認し，境界の鮮明さ・色・混濁・出血・浮腫の有無を観察する（図5-2, 24）
　　● 視神経乳頭と網膜の色には個人差があり，白い皮膚で明るい色の毛髪の人は明るく，濃い色の皮膚で黒い毛髪の人は暗い

〈正常〉
● レッドリフレックスがある
● 視神経乳頭は淡黄色で，混濁なし。出血なし。浮腫なし（図5-2, 24）

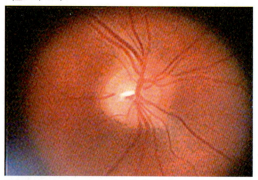

写真提供：ウェルチ・アレン・ジャパン株式会社

図5-24　視神経乳頭

方法と留意点	判　断
7) 視神経乳頭から出ている血管を観察する 8) そのまま耳のほうに検眼鏡を向けるか，患者に光の方向を向いてもらい，黄斑部の観察をする ● レッドリフレックスの確認を第1の目標とし，これ以降のアセスメントには経験などの個人差が認められるため，練習を積み重ねるとよい ● 耳側にある黄斑部は羞明を感じる部位で，長時間の光刺激には耐えられないので，2秒以内とし，最後に観察する ● 検査後は，見え方が一時的に変化する．また，まぶしさなどの苦痛を感じさせる可能性があるため，患者に十分に説明するとともに，無理をしないように伝える	● 網膜血管は，動脈は薄赤く，真ん中に筋が入っているように見え，静脈は黒っぽく見える．静脈は動脈に比べて太く見える．血管の中心は太い（図5-2参照） 〈注意すべき状態〉 ● レッドリフレックスがない場合は，水晶体が混濁しているために網膜の血管色が投影されないと考えられ，白内障や視力障害の可能性がある ● 視神経乳頭が蒼白である場合は，視神経萎縮の可能性がある．緑内障では眼圧の上昇が徐々に視神経乳頭を後方に圧迫し，視神経萎縮が生じる ● 乳頭縁が明瞭ではなく，ぼんやりとした視神経乳頭の腫脹は乳頭浮腫（図5-25）の特徴で，頭蓋内圧亢進時にみられる 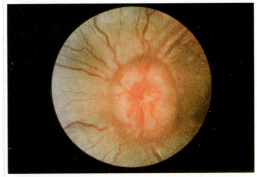 写真提供：ウェルチ・アレン・ジャパン株式会社 図5-25　乳頭浮腫 ● 網膜の白斑は糖尿病や高血圧症などの全身疾患や，炎症，網膜の変性症などにみられる ● 動脈の血管が白っぽかったり，中心が細い場合は動脈硬化などの異常が疑われる

文　献

1) 小野田千枝子監，高橋照子・他編：実践！フィジカル・アセスメント―看護師としての基礎技術，改訂第3版，金原出版，2008.
2) Barkauskas VH・他著，花田妙子・他監訳：ヘルス・フィジカルアセスメント　上巻，日総研出版，1998.

6 呼吸器

学習目標
- 呼吸器の構造と機能について理解する。
- 呼吸器に特有の問診・視診・触診・打診・聴診の方法がわかり，正常な状態と注意すべき状態の判定ができる。

1 呼吸器の構造

1) 胸腔・気管・肺の構造

　胸郭は12個の胸椎と12対の肋骨，胸骨，肋間筋と横隔膜からなる鳥かごのような骨格をいう（図6-1）。

　気管は成人では約10〜11cmの長さで，頸部の輪状軟骨の下部境界から始まり，胸部では胸骨角の位置で，背部では第4胸椎棘突起の位置で分岐している。右の主気管支は，左に比べ短く太く垂直位である。胸腔は縦隔によって左右に分けられる。肺胸膜（臓側胸膜）と壁側胸膜の間の空間である胸膜腔にはわずかな漿液性の胸膜液が満ちていて，呼吸時に肺が容易に動くことができるようになっている。胸腔内は陰圧で，肺は胸腔に張り付くようにして膨らんでいる（図6-2）が，外傷などにより胸膜に穴が開くと，陰圧が保てずに肺がしぼみ，この状態を気胸という。

　肺は左右1対の半円錐形の臓器で胸腔の中に収まっていて，葉間裂という深い切れ込みによって分かれている。右肺は上葉・中葉・下葉の3葉に，左肺は上葉・下葉の2葉に分

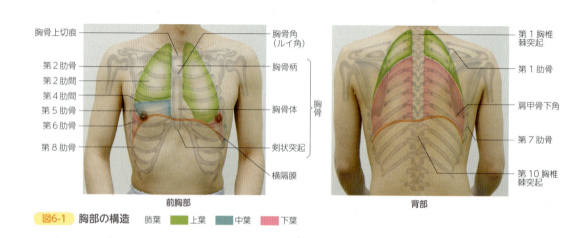

図6-1　胸部の構造　　肺葉　■上葉　■中葉　■下葉

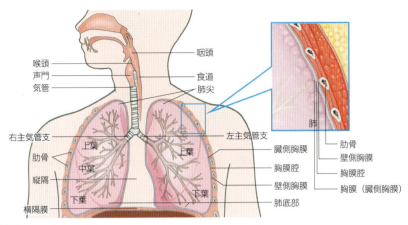

図6-2　肺・気管支の構造

かれており，左肺では前胸部が上葉，背部の大半が下葉となっている。肺の上部を肺尖といい，前胸部では鎖骨の内側1/3の位置で，鎖骨の2〜4cm上まで広がっている。主気管支・肺動脈・肺静脈などの肺の入口を肺門という。肺の下面を肺底といい，ドーム型をした横隔膜と接しているため，くぼんだ釣鐘型となっている。肺底部は，前胸部の鎖骨中線上で第6肋骨，中腋窩線上で第8肋骨と交差し，背部では第10胸椎棘突起と水平に位置しており，側面から見ると斜めになっている。

部位を特定する場合，肋骨や肋間，指標線が活用される。

2）肋骨・肋間の位置

胸骨角（ルイ角）とは，胸骨を胸骨上切痕より5cmほど下に指を滑らせると触れる水平な骨ばった隆線をいい，胸骨と肋間を数えるときの目印となる。胸骨角から真横に指を滑らせると，第2肋骨に触れる。その下のくぼみが第2肋間である。

肩甲骨下角はほぼ第7肋骨または第7肋間に位置する。また，首を前方に曲げたとき，最も隆起するのが第7頸椎であるが，等しい2つの隆起がある場合は，上が第7頸椎，下が第1胸椎である。

3）指標線（図6-3）

鎖骨中線とは，左右の各鎖骨中点から垂直下方に下ろした線を指し，胸骨中線とは，胸骨を垂直に2分する線を指す。肩甲線とは，肩甲骨下角から垂直下方に下ろした線を指し，脊椎線とは，椎骨の棘突起を下方にたどった線をいう。前腋窩線とは前腋窩ヒダから，後腋窩線とは後腋窩ヒダから垂直下方に下ろした線をいう。中腋窩線とは，腋窩の中央を垂直下方に下ろした線を指す。

2　呼吸器の機能

呼吸のリズムや深さなどの調節に必要な情報が，末梢や中枢の受容体などから延髄の呼

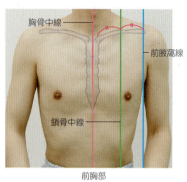
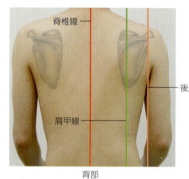
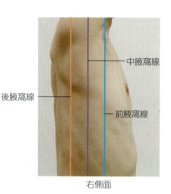

図6-3 胸部の指標線

吸中枢に伝達されて、身体の状況に応じて適切な呼吸が指令される。呼吸中枢からの指令は、横隔神経・肋間神経を介して末梢へ伝達され、横隔膜・肋間筋など呼吸筋群の運動を制御し呼吸調節をしている。吸息時、外肋間筋が肋骨を引き上げるとともに横隔膜が収縮して腹腔側へ下がると、胸郭は拡張する。胸腔内圧はいっそう低下し、陰圧が大きくなり、肺は拡張して外気が肺内に吸い込まれる。反対に呼息時には、横隔膜が緩むと同時に内肋間筋が収縮して、胸腔内圧は上昇し、陰圧は小さくなり肺は収縮し空気が吐き出される。このような吸息と呼息運動を繰り返し、呼吸運動が行われる。

3 呼吸器の主な障害

1）胸郭の形と胸郭の動きの異常

胸郭は前後径よりも横径が長い形をしているのが正常である。しかし、肺胞の弾力性が失われると過膨張状態となり、呼吸面積を広げるために、徐々に肺の前後径が広がり、ビール樽状胸（樽状胸）化する。肋骨は押し広げられ水平になり、肋骨角の角度が広がる。また、胸郭は深呼吸によって左右対称に十分な拡張がみられるのが正常であるが、肺胞の弾力性が失われたり、肺の炎症や虚脱などがあると胸郭の動きが小さくなり、病変が片側にある場合は胸郭の拡張は左右非対称となる。

2）肺実質の異常

正常な肺は、軟らかい組織で空気を含み、膨らんでいる。肺炎や肺腫瘍、肺線維症、肺うっ血、肺水腫などでは、肺の実質が硬化する現象がみられる。軟らかい物質よりも、硬い物質のほうが音を伝えやすいため、このような肺では、音声や振動を伝えやすくなる。また、空気の含気量が少ないため、打診音も濁音となる。

3）肺音の異常

健康な人であっても、呼吸をすることで生じる気流から、聴診器をあてると音が聴かれる。肺野で生じる呼吸にかかわる音を、肺音（広義の呼吸音、lung sounds）という。肺音は、正常な人でも聴かれる気道・肺胞を換気する気流の音としての呼吸音（狭義の呼吸音、

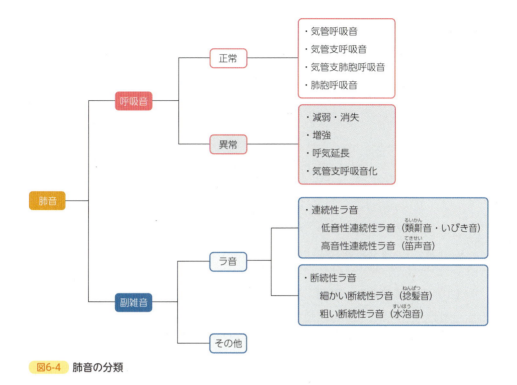

図6-4 肺音の分類

breath sounds）と，異常音である副雑音（adventitious sounds）とに分類される。肺音とその分類を図6-4に示す。

呼吸音は，気管に近ければ近いほど，気流が強いため強くなり，肺胞では気流が小さくなるため音も弱くなる。このことから，気道・肺の各部位によって聞かれる呼吸音が分類されている（図6-5）。

気管呼吸音は，頸部気管で聴かれる呼吸音で，とても強く高い音で，吸気と呼気の間にはっきりと音の切れ目があることが特徴である。気管支呼吸音は，気管呼吸音よりも小さいが，強く高い音で，吸気と呼気の間に切れ目があり，呼気のほうがわずかに持続時間が

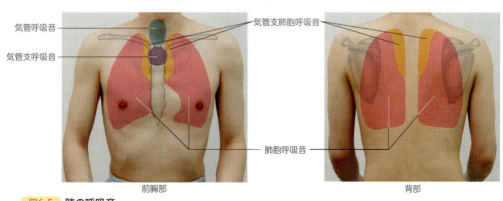

図6-5 肺の呼吸音

表6-1 呼吸音の種類

種類	持続時間	強さ	高さ	正常で聴取できる部位例
気管呼吸音	吸気＝呼気	とても強い	高い	頸部気管
気管支呼吸音	吸気＜呼気	強い	高い	胸骨柄
気管支肺胞呼吸音	吸気＝呼気	中程度	中程度	前胸部第1・第2肋間，背部肩甲骨間
肺胞呼吸音	吸気＞呼気	弱い	低い	両肺の大部分

長い。気管支肺胞呼吸音は，気管支と肺胞の間で聴かれる音で，吸気と呼気との持続時間が等しく，切れ目はないが，どちらもはっきりと聴こえる。肺胞呼吸音は肺の大部分で聴かれる音で，非常に弱く低い音である。吸気は聴き取れるが，呼気はほとんど聴き取れないほどである（表6-1）。

（1）呼吸音の消失・減弱
呼吸音の消失・減弱は，何らかの原因で換気量が減っている，またはなくなっている，遮るものがあって弱く聴こえる場合に起こり，無気肺や気胸，胸水貯留などが考えられる。

（2）呼吸音の増強
呼吸音の増強は，正常でも運動時などに起こりうるが，呼吸困難のために換気量が増大している場合や，気道が部分的に狭窄していることで気流が強くなった場合に増強する。

（3）呼気延長
呼気延長は，気管支の狭窄や閉塞、肺胞壁の破壊を伴う肺の膨化により速やかに空気を排出できず呼気が長くなった状態で，気管支炎や気管支喘息発作時，肺気腫にみられ，連続性副雑音を伴うことが多い。

（4）気管支呼吸音化
肺胞呼吸音が気管支呼吸音のように聴こえる場合は，気管支呼吸音化といわれ，肺の硬化（肺炎，肺水腫，肺うっ血，肺出血など）があって伝達が亢進していることが考えられる。

表6-2 副雑音

連続性副雑音（連続性ラ音）	断続性副雑音（断続性ラ音）
●類鼾音（低音性連続性副雑音） いびきのように低音の，ガーガーというような音で，太い気管支，あるいは，気管の狭窄で聴かれる。粘稠度の高い痰の貯留や，異物，腫瘍などが疑われる	●捻髪音（細かい断続性副雑音） 髪の毛を耳元で捻ったときに聴かれる，チリチリ，パリパリというような音で，吸気の後半に聴かれる。液体が詰まった肺胞に，末梢気管支から空気が入るときに発する音である。肺炎や心不全の初期，間質性肺炎や肺線維症などで聴かれる
●笛声音（高音性連続性副雑音） 持続性のある高音で，笛の音のように，ピーピー，ヒューヒュー，キューキューなどと聴こえる。気管支炎や気管支喘息患者によく聴かれるが，気管支に分泌物があると聴かれることがある	●水泡音（粗い断続性副雑音） 水の中にストローを入れて泡を立てるときのような大きなブクブクというような音で，吸気・呼気ともに聴こえる。気管支炎，痰の貯留時や，肺炎，心不全の増悪期に聴かれる

(5) 副雑音

　副雑音は，肺内から生じるものと肺外から生じるもので大きく分類される。肺内から生じるものを副雑音またはラ音という（表6-2）。

　ラ音は，ある一定時間以上続く連続性ラ音と，これより短い断続性ラ音に大別される。

　連続性ラ音は一つの音を長く伸ばしたような音の繰り返しで，何らかの原因で気管支が狭窄したときに聴かれる。比較的太い気管支の狭窄時に聴かれる低音性連続性ラ音（類鼾音，いびき音）と，細い気管支の狭窄で聴かれる高音性連続性ラ音（笛声音）とに分類される。断続性ラ音は，はじけるような短い音の繰り返しで，気管支や末梢気管支に液体が貯留している場合に聴かれる。主に末梢気管支に液体が貯留している場合は，小さくはじけるような細かい断続性ラ音（捻髪音）となり，主気管支や葉気管支など比較的太い気管支に水分貯留がある場合は音が大きく低く粗い断続性ラ音（水泡音）になる。

4 呼吸器のアセスメントのポイント

- アセスメントの順序は，問診後，背部の視診→触診→打診→聴診と進み，その後，前胸部も同様に実施すると患者の体位変換が少なくスムーズである。
- 患者に上半身裸になること，身体に触れることの説明をし，了解を得て実施する。室温はあらかじめ適温としておく。
- プライバシーと保温への配慮として，背部を露出する場合は，患者の前胸部をバスタオルなどで覆い，前胸部を露出する場合は，背部をバスタオルで覆うなどの工夫をする。
- 座位になれない患者の場合は，仰臥位や側臥位で，安静度と患者の安楽を確認して実施する。
- 女性の場合，乳房により打診しにくい場合は，患者に乳房を持ち上げてもらったり，または仰臥位で実施する。聴診の場合も同様である。
- 打診や呼吸音の聴取では，気管や肺の位置を確実にイメージ化して十分な範囲のアセスメントを行う。
- 肺音聴取の際は，副雑音を聴き取るために衣服の上から聴診はしない。

 看護技術の実際

- 目　　的：呼吸器の観察を行う。何らかの症状や看護問題が存在する場合は，その原因や誘因，問題によってもたらされている状態を観察し，看護ケアや医療チームへの報告に活用する
- 適　　応：呼吸器に何らかの症状がみられる患者
- 必要物品：聴診器，定規，水性ペン（シール），バスタオル

	方法と留意点	判　断
1	問診 1）以下の症状の有無について患者に尋ねる （1）息苦しさはないか （2）咳や痰は出るか （3）胸部痛はあるか 　●症状がみられた場合は，いつから，どのように，部位，程度，改善・増悪因子，条件，随伴症状を尋ねる（本章「1　フィジカルアセスメントにおける観察」問診，p.64参照） 2）胸部の外傷・手術の既往（術式，時期） 3）呼吸器疾患の既往の有無（気管支喘息や気管支炎，肺気腫，肺結核，誤嚥性肺炎など） 4）本人・家族の喫煙歴，大気汚染物質への曝露の有無	〈正常〉 ●症状がない
2	胸郭の視診 1）患者に背もたれのない椅子に腰かけてもらう 2）呼吸の速度・リズム・深さ，呼吸の形態，呼吸困難の有無をみる（本章「2　バイタルサイン，痛みの見方」p.74参照） 3）胸郭が胸骨中線や脊椎線に対して左右対称か，変形はないか，皮膚に腫瘤や傷・発赤がないかを観察する 　●呼吸時の胸郭の動きが左右対称かみる 4）肋骨の走行をみて，肋骨縁に両手尺側を当て肋骨角を確認する（図6-6） 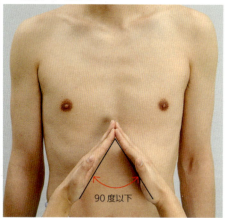 図6-6　肋骨角	〈正常〉 ●呼吸数は，成人で16〜20回/分で，規則的 ●吸息時間：呼息時間＝1：3程度 ●男性や高齢者は腹式呼吸，女性や小児は胸式呼吸が多くみられる ●脊椎線や胸骨中線に対して左右対称で，胸郭の隆起・挙上・陥没がなく，皮膚の腫瘤・傷・発赤はない 〈注意すべき状態〉 ●長い呼息は，呼出する際の抵抗を表す ●呼吸困難時は，肋間腔や鎖骨上窩の陥没，補助呼吸筋の使用，鼻翼呼吸や口すぼめ呼吸がみられる ●胸郭の動きの左右差が著しい場合は，片側の完全無気肺や胸膜の高度な癒着，手術後などが考えられる ●側彎症などの胸椎の変形がある場合，呼吸運動が制限されることもある 〈正常〉 ●肋骨は側面に向かって斜めに走行し，肋骨角は90度以下 ●前後径と左右径の比は，1：1.4〜2 〈注意すべき状態〉 ●樽状胸はCOPD（慢性閉塞性肺疾患）にみられ，肋骨角は広がり，前後径と左右径の比は1：1に近づく。その他，胸郭の異常には，鳩胸や漏斗胸，亀背，円背がある。円背は高齢者に多くみられる（図6-7）

方法と留意点	判断

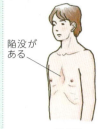 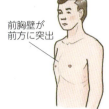  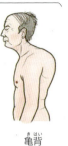 

陥没がある　　前胸壁が前方に突出　　背柱が後方に彎曲

漏斗胸（ろうときょう）　鳩胸（はとむね）　円背（えんぱい）　亀背（きはい）　樽状胸（たるじょうきょう）

図6-7　胸郭の異常

- 肋骨縁がわかりにくい場合は触診して確かめる

5）患者の側面を両手で測定し，その手の幅を維持しながら患者の正面に移動し，左右径との比率を観察する（図6-8）
- バスタオルの上から目測するのではなく，胸郭を露出して計測する。前後径を測定した両手の幅をそのまま，患者の正面に移動させる。患者に動いてもらうのではなく，看護師が患者の横から正面に移動する
- 女性の場合は乳房を含めずに計測する

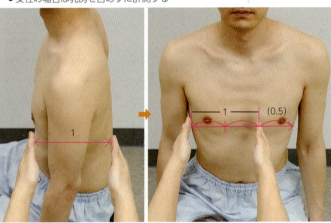

図6-8　前後径・左右径の比率（例 1：1.5の場合）

3　胸郭の触診	〈正常〉
1）指腹全体や手掌全体を回転させながら触れ，胸郭皮膚の腫瘤や傷，発赤，皮下気腫，圧痛がないかを調べる ● 鎖骨上から側胸部も含めて，漏れがないようにまんべんなく触診する（図6-9）	● 腫瘤・傷・発赤・皮下気腫なし。圧痛なし

方法と留意点	判　断

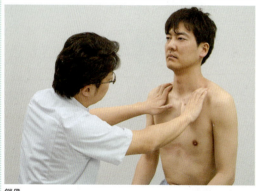
鎖骨

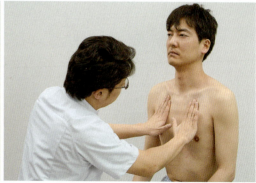
前胸部

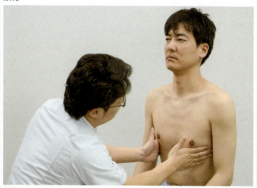
側胸部

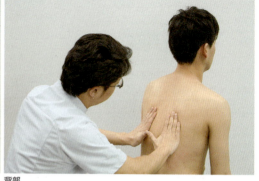
背部

図6-9　胸郭の触診

〈注意すべき状態〉
- 指先で圧したとき泡をつぶすような感触がある場合，胸膜からの空気が漏れて皮下に貯留する皮下気腫（図6-10）が考えられる。空気は軽いため，上部に貯留することから，気胸の場合，座位時に頸部鎖骨上窩や鎖骨下部などで触知される

図6-10　皮下気腫

2）胸郭の拡張
- 看護師は両手に力を入れずに皮膚に密着させ，患者の深呼吸によって変化する自分の手の動きを診る
- 母指の開きや手の動きが小さい場合は，胸郭の拡張が小さいことを示す
(1) 前胸部（上部）：胸骨角を中心に左右に両手を置き，呼吸時の上下運動を確認する（図6-11）

〈正常〉
- 吸気時に胸郭の拡張が十分にみられ，左右対称である

〈注意すべき状態〉
- 肺気腫などのCOPDや呼吸筋の筋力低下，肺炎などの炎症性疾患，気胸，肋骨骨折では，胸郭の動きが小さくなる。片側に病変がある場合は，胸郭の拡張は左右非対称となる

方法と留意点	判　断
	● 左右差が著しい場合は，動きが小さい側の無気肺，胸膜の高度な癒着などが考えられる

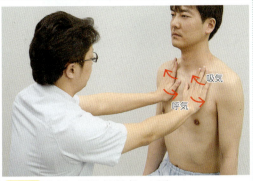

図6-11　胸郭の拡張（前胸部：上部）

(2) 前胸部（下部）：剣状突起を中心に，左右の肋骨縁に母指を当て，患者に息を吐いてもらいながら，皮膚に軽くたるみをつくるように内側に寄せる。その状態で，患者に深呼吸をしてもらい，母指が左右・上下へ開く程度や手の位置を観察する（図6-12）

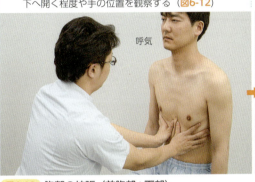 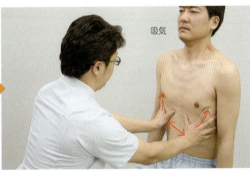

図6-12　胸郭の拡張（前胸部：下部）

(3) 背部（上部）：両手を肩から肩甲骨に左右に置き，呼吸とともに，左右に開き挙上することを確認する（図6-13）

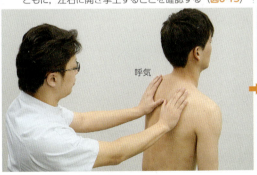 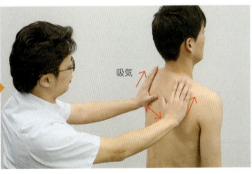

図6-13　胸郭の拡張（背部：上部）

(4) 背部（下部）：両手の母指を患者の脊柱を中心に左右の第10肋間に当てたまま，患者に息を吐いてもらいながら，皮膚に軽くたるみをつくるように内側に寄せる。その状態で，患者に深呼吸をしてもらい，母指が左右・上下に開く程度や手の位置を観察する（図6-14）

方法と留意点	判　断

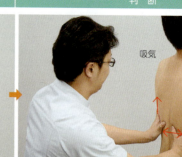

図6-14　胸郭の拡張（背部：下部）

3）振盪音
(1) 看護師の両手の尺骨部または関節部を図6-15の位置に順次当てる
(2) 患者に"ナインナイン"と鼻にかかる低い大きな声を出してもらい，各部位を触知する（図6-16）
- 患者には，できるだけ低音で大きく発声してもらう
- 振動が低下している場合は，声が小さいか高い場合が考えられるため，発声の仕方を説明し，再度行う
- 肺野以外の部分（横隔膜など）では振動が感じ取れないため，肺の大きさや位置を推定することもできる
- 振動の低下や増強がみられた場合，その周辺部位をていねいに触知し，その範囲を特定する

〈正常〉
- 全肺野で振動が左右差なく触知できる

〈注意すべき状態〉
- 気管支の閉塞（無気肺），気胸では，肺に空気がないため振動が伝わらず振動が低下，またはない
- 胸水，胸膜線維化，胸壁が厚い場合は振動が低下する
- 振動が増強している場合は，肺炎や肺水腫，肺出血などを疑う

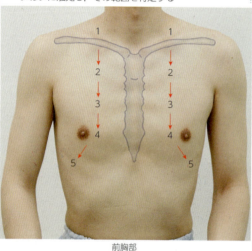
前胸部

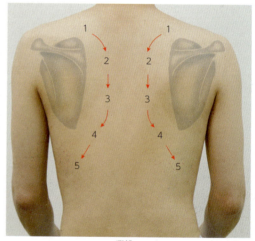
背部

図6-15　振盪音の観察部位と順序

方法と留意点	判断

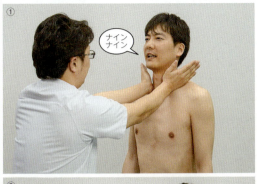
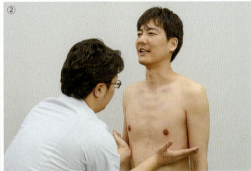
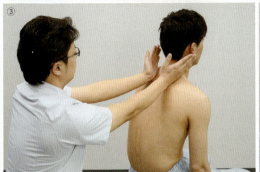
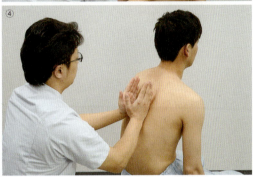
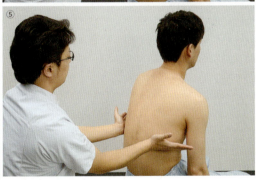

図6-16 振盪音

4 肺の打診
1) 皮膚の表面を打診して，そこから発せられる音を聴く（本章「1　フィジカルアセスメントにおける観察」打診，p.66参照）
2) 左右対称に，図6-17の位置と順序で前胸部，背部とも行う。肋間を4〜5cm間隔で打診する（図6-18）
● 肋骨や肩甲骨は打診しない
● 左右差を比較することが重要なので，右→左，左→右という順序とする

〈正常〉
● 肺は軟らかい組織に空気が含まれているため共鳴音が聴取できる。心臓，肝臓，横隔膜，肩甲骨の位置は空気を含まず，固い実質のある臓器のため濁音・無共鳴音が聴かれる。胃の部位は鼓音であることが多い（図6-19）

〈注意すべき状態〉
● 共鳴音以外の音が聴かれた場合は，その下の肺組織が通常の割合と異なる気体・液体・固体で占められていることになる
● 残気量が増加しているCOPDなどの場合は，共鳴音が強くて高く，鼓音に近い音で聴こえる
● 胸水貯留，腫瘍，無気肺，肺炎などでは濁音となる

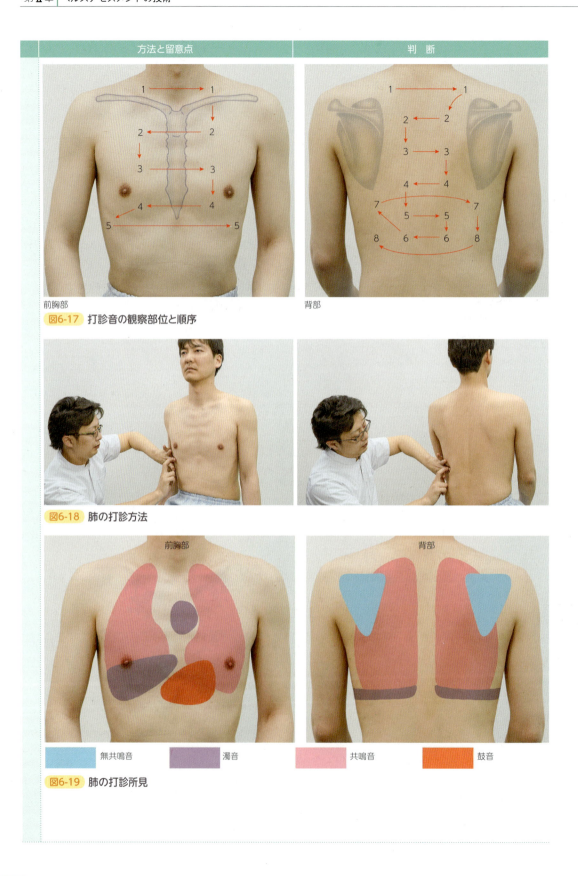

図6-17 打診音の観察部位と順序

図6-18 肺の打診方法

図6-19 肺の打診所見

方法と留意点	判 断

5 肺野の位置および横隔膜の可動域の打診

1) 自然呼吸で肩甲線上を肩甲骨の下から打診（図6-20a）しながら1横指程度ずつ下げていき（肋骨は避けなくてよい），共鳴音が濁音に変わった位置に印をつける（図6-20b）
   - シールや水性のサインペンで印をつけ，終了後は拭き取り，跡が残らないようにする
   - 患者にやや前屈位で背を丸めるような体位をとってもらうと，打診音が響きやすく聴き取りやすくなる

〈正常〉
- 横隔膜はおおよそ第10胸椎棘突起の高さにある。ただし，右側は，肝臓があるため，左側より0.5～1cmほど高く位置している。横隔膜の可動域はほぼ左右対象で，男性で5～6cm，女性で3～4cmくらいである

〈注意すべき状態〉
- 横隔膜の位置が上昇しているのは，肺の下葉に空気が満ちていないことや，横隔膜の挙上が疑われ，下降はCOPDが疑われる。COPDの場合，可動域も減少する。横隔膜の左右非対称や可動域の欠乏は横隔膜の麻痺が疑われる

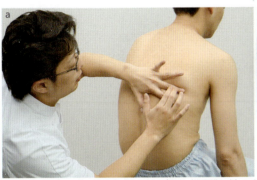 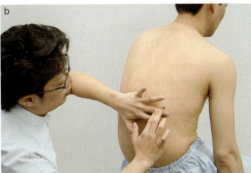

1横指ずつ下げていき，共鳴音（肺の音）が濁音（横隔膜の音）になるところを確認する

図6-20 横隔膜の位置

2) 次に，患者に深く息を吸った後，その状態で息を止めてもらう。1) の印をつけた位置から下に向かって打診していき，共鳴音が濁音に変わる位置に印をつけ（図6-21），呼吸を楽にしてもらう

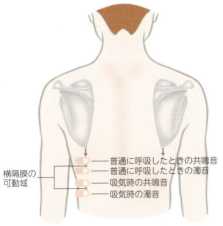

横隔膜の可動域
── 普通に呼吸したときの共鳴音
── 普通に呼吸したときの濁音
── 吸気時の共鳴音
── 吸気時の濁音

図6-21 横隔膜の可動域

- 横隔膜の位置が特定できず，患者の息を止める時間が長くなるようなら，呼吸を楽にしてもらい，もう一度実施する

方法と留意点	判断

3) 両点の距離を定規で測定し，横隔膜の可動域とする（図6-22）
- 横隔膜の可動範囲を厳密に確保したいときは，完全に息を吐ききった状態で位置を特定し，その後できるだけ息を吸った状態では特定してその差をみる。可動性に異常がみられた場合は，この方法で行う

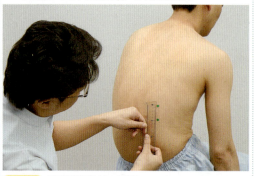

図6-22 横隔膜可動域の計測

4) 反対側でも同様に行う

6 肺の聴診
〈呼吸音〉
1) 前胸部・背部とも，肺の打診と同じ部位を聴取する（図6-17, 23）
2) 患者には口呼吸で，通常より少し深く，速い呼吸をしてもらう
3) 聴診器の膜型で前胸部全体を聴取後，ベル型でも聴取する（図6-23）。背部も同様に聴取する
4) 聴取部位1か所につき，1呼吸以上聴取し，左右対称かをみる
- 骨上での聴取は音の伝導が妨害されるため，肋間上に当てる
- 正常でも患者が肥満していたり筋肉質であったり，呼吸が十分深くできない場合は呼吸音は減少する
- 前胸部では鎖骨上の聴診を忘れがちになるため，注意する
- 副雑音は，1種類だけではなく，複数が混在して聴取されることもある
- 患者が座位をとることができない場合の背部の聴診は，側臥位，または，聴診器を持った手を背部の下側に入れて行う（図6-24）。背部の肺野の面積は，前胸部に比べて広いため，背部の聴診の重要性は高い

〈正常〉
- 肺胞音が左右差なく聴取される。頸部気管では気管呼吸音が，気管支周囲では気管支肺胞呼吸音が左右差なく聴かれる（図6-5，表6-1参照）。副雑音（呼吸に伴って生じる異常な音）（図6-4，表6-2参照）は聴取されない

〈注意すべき状態〉
- 呼吸音が減弱している場合は，無気肺や気胸，胸水貯留などが疑われ，肺胞換気の低下が考えられる。呼吸音の増強は運動などによる換気量の増大や呼吸困難が疑われる。気管支炎や肺炎などの炎症，肺うっ血や肺出血では肺胞音が気管支肺胞呼吸音（または気管支音）化し，強く粗い音になる

- 副雑音が聴かれる場合は，気道の狭窄や分泌物の存在を示す（表6-2参照）

方法と留意点	判　断

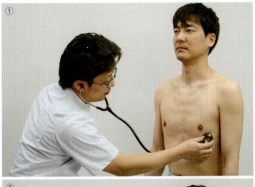 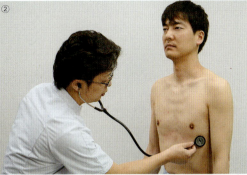

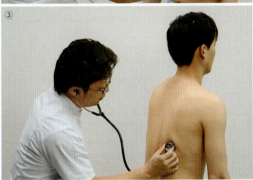 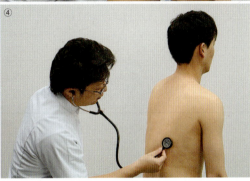

図6-23 呼吸音の聴取

図6-24 仰臥位で行う背部の呼吸音の聴取

〈声音伝導〉
背部の左右の肺野1か所に膜型のチェストピースを当てて，患者が発声した次の声を聴取する（図6-25）。前胸部，背部どちらでもよい

(1)　"ワン・ツー・スリー"
(2)　"イー・イー・イー"
(3)　ささやき声で"ワン・ツー・スリー"
  ● 聴取前に，患者が正しく発声できるかどうか確認する（特に，ささやき声になっているかどうか確認する）
  ● 肺の組織が硬化していないかを見きわめるためのアセスメントである
  ● 背部で聴診するのは心音の混入が少なく，聴き取りやすいためである

〈正常〉
(1)　"ワン・ツー・スリー"は，ぼんやりと不明瞭に聴こえる。左右差はない。
(2)　"イー・イー・イー"と聴こえる（過度に響かない）。左右差はない。
(3)　ささやき声の"ワン・ツー・スリー"は喉頭を振動させていないため肺野には伝わらない。このため言葉としては認識できない。左右差はない

〈注意すべき状態〉
(1)　"ワン・ツー・スリー"が明瞭に聴こえた場合は，気管支声という
(2)　"エイ・エイ・エイ"と響くように聴こえた場合は，ヤギ声という

方法と留意点	判　断
	（3）明確に，"ワン・ツー・スリー"と聴こえたら，囁音胸声という 　　以上の異常がみられたら，肺胞が液体成分で満たされている状態，すなわち肺炎や肺水腫，出血などを疑う

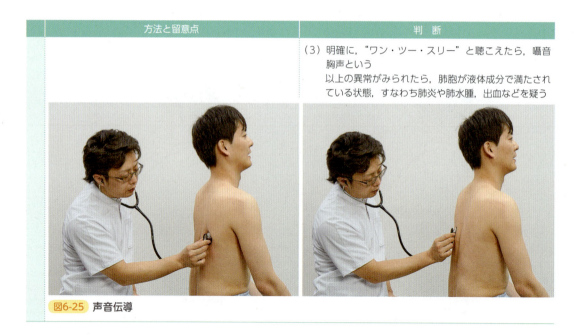

図6-25　声音伝導

文　献

1) 日野原重明編：フィジカル・アセスメント―ナースに必要な診断の知識と技術，第4版，医学書院，2006.
2) 藤崎郁：フィジカルアセスメント完全ガイド，学習研究社，2001.
3) 小野田千枝子監，高橋照子・他編：実践！フィジカル・アセスメント―看護師としての基礎技術，改訂第3版，金原出版，2008.
4) Barkauskas, VH, 他著，花田妙子・他監訳：ヘルス・フィジカルアセスメント　上巻，日総研出版，1998.

7 心血管系

学習目標
- 心臓の位置と機能を理解する。
- 全身の動脈および静脈の走行を理解する。
- 心臓・血管系の視診・触診・打診・聴診の方法がわかり，正常な状態と注意すべき状態の判定ができる。

1 心血管系の構造

1）心臓の構造

　心臓は，両側の肺に挟まれ，前方は胸骨・肋軟骨の内側やや左寄りに，後方は食道・大動脈，下部は横隔膜に接している。心臓の上端は第2肋間の高さにあり，ここを心基部という。右端は胸骨右縁よりやや右側にある。心臓の下縁で左端部は左第5肋間の鎖骨中線よりやや右寄りにあり，ここを心尖部という。心臓の大きさは，長径約14cm，短径約10cm，前後径約8cmで，大人の握り拳大といわれている。重さは成人で約250〜300gである（図7-1）。

　心臓の内部は，右心房・右心室・左心房・左心室の4つに分かれている。心房と心室の間の弁を房室弁とよび，右が三尖弁，左が僧帽弁という。また，左心室から大動脈に出ていくところには大動脈弁，右心室から静脈血が肺に向かう入り口には，肺動脈弁があり，

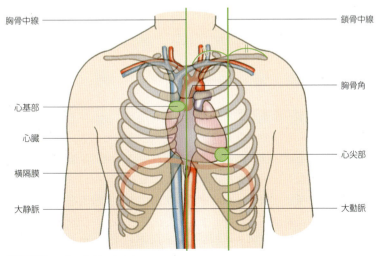

図7-1　心臓の位置と大きさ

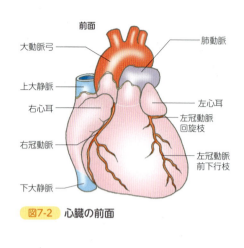

図7-2 心臓の前面

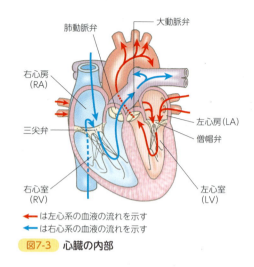

← は左心系の血液の流れを示す
← は右心系の血液の流れを示す

図7-3 心臓の内部

これらを合わせて半月弁とよぶ（図7-2, 3）。

2）全身の動脈および静脈の走行

頸部には，頭部に向かう左右の総頸動脈が走行している。

右上肢は，大動脈から腕頭動脈が分岐し，右鎖骨下動脈と右総頸動脈へとさらに分枝する。右鎖骨下動脈は，右腋窩動脈→右上腕動脈→右橈骨動脈と右尺骨動脈に分かれる。

左上肢は，大動脈から直接左鎖骨下動脈と左総頸動脈に分岐している。左鎖骨下動脈は，左腋窩動脈→左上腕動脈→左橈骨動脈と左尺骨動脈に分かれる。

大動脈は，大きな弓を描いて腹部へ下降し，腹大動脈（腹腔動脈ともいう）になる。ここから，胃，小腸，大腸，脾臓，膵臓，肝臓，腎臓などの腹部の臓器を養う血管が分岐している。腹大動脈は，第4-5腰椎付近で左右の総腸骨動脈に分岐し，さらに内外の腸骨動脈に分かれる。下肢を養う血管は，外腸骨動脈で，つま先に向かって，大腿動脈→膝窩動脈→脛骨動脈→足背動脈と後脛骨動脈に分かれる。

主な静脈は，動脈とほぼ平行するように走行している。

2 心血管系の機能

1）ポンプ機能

心臓は，酸素やエネルギー源を豊富に含んだ血液を全身に押し出し，配送するポンプの働きをしており，動脈・静脈は血液を流通させるための道筋である。心臓から押し出された血液は，動脈を通り，毛細血管により全身に行き渡る過程で，各細胞の間質液と物質交換をする。静脈側の毛細血管は，集合を繰り返して，最終的に上・下静脈に至り，血液を右心房に戻す。右心房に戻った血液は右心室を経て肺に至り，酸素を補給した後，左心房に至り，左心室から動脈に駆出される。つまり，心血管系は栄養や酸素の供給，老廃物や二酸化炭素の排出および熱を運ぶ機能を有する。心臓が1回の収縮で送り出す血液量（1回拍出量）は，約70mL（身長160cm，体重50kgの人の場合）で，1分間に約5Lの血液を

拍出する。

2）心周期

　心臓の収縮と弛緩からなる，心臓の1回の拍動のことを心周期という（図7-4）。心臓の収縮からみていくと，心臓が収縮を始めると，心室の内圧が心房を上回り，①房室弁（僧帽弁と三尖弁）が閉鎖する。これに引き続き，②半月弁（大動脈弁と肺動脈弁）が圧によって開き，血液は肺と全身に送り出される。これを収縮期という。血液が送り出され，心室の圧が半月弁の圧より低下すると，③半月弁が閉鎖する。静脈から戻ってきた血液が心房に溜まり，心室内圧より心房内圧が高まると，④房室弁が開き，心室に血液が貯留する。⑤電気信号により心房が収縮する。ここまでを拡張期という。

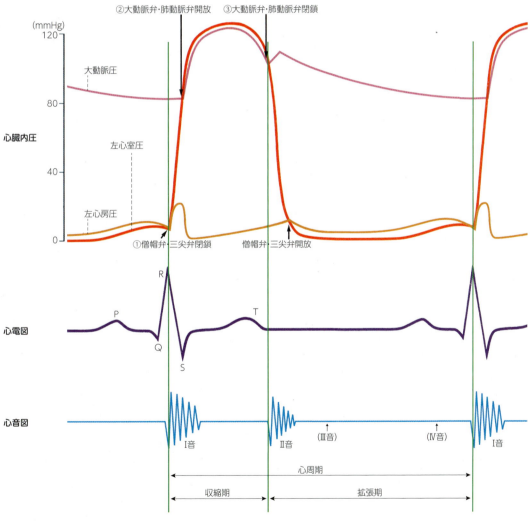

図7-4　心周期

収縮と拡張とが，周期的に，適切な速度で繰り返されることによって，心臓のポンプ能力は保たれている。

心血管系の主な障害

1）心不全

　心不全とは，何らかの心機能障害，すなわち，心臓に器質的およびあるいは機能的障害が生じて心ポンプ機能の代償機転が破たんした結果，呼吸困難・倦怠感や浮腫が出現し，それに伴い運動耐容能が低下する臨床症候群（急性・慢性心不全ガイドライン・エッセンス2017）と定義されている。すなわち，心臓の機能が低下した結果，心臓が血液を押し出すポンプ能力が低下し，このために，酸素を十分に組織に届けられないことや肺に水が貯留する（肺水腫）などによって酸素化が阻害される。また，心臓に帰ってくる血液が効率的に押し出されないために静脈圧が上昇することで，身体全体に水分が貯留傾向となり，浮腫や，肺水腫，胸水，腹水などの貯留につながる。これらのことで，活動に必要な酸素が保たれず，労作時の息切れや日常生活活動の困難が生じる。高血圧や糖尿病，動脈硬化などのリスク因子が基礎となり，心筋梗塞などの心疾患，心臓の弁の障害により，心拡大から心不全状態となる。心不全は現在のところ，完全に治癒することが難しく，心臓の機能低下をゆるやかに抑えながら症状をコントロールし，心臓に負担をかけない日常生活を送るためのケアが行われる。心不全の徴候の早期発見と，症状の進展を見逃さないフィジカルアセスメントが必要となる。

2）末梢血管障害

　末梢の動脈，静脈に狭窄や閉塞が生じた場合に起こる。

　動脈系の障害は，動脈に閉塞や狭窄が生じた場合に起こる。脈拍は触れにくくなり，組織に酸素を運ぶ機能が障害されるため，運動を行うことで酸素不足となり強い痛みが生じ，運動をやめると酸素が供給され痛みは急速に和らぐ。組織への酸素と栄養素の供給ができないために放置することによって組織が破壊され壊死に至る。体温を運ぶことができないことから冷感がある。

　静脈系の障害は，深部静脈血栓症や慢性静脈機能不全などで起こる。深部静脈血栓症では，血栓が浮遊して移動することで，肺梗塞や脳梗塞などの生命を脅かす状態に陥ることがあり，注意が必要である。静脈の循環障害により静脈圧が高くなることから，組織間液が増加して浮腫がみられる。運動により，圧迫されるような痛みやだるさを訴えることが多い。慢性静脈機能不全では，静脈瘤や，皮膚に黒茶色の色素沈着や潰瘍がみられる。

　糖尿病や動脈硬化などの血管が障害されるリスク因子をもつ患者が増えており，入院や医療行為に伴う安静で深部静脈血栓症のリスクが高まることから，早期発見や経過観察のためのアセスメントの重要性が増している。

4 心血管系のアセスメントのポイント

1）心臓のポンプ能力のアセスメント

心臓のポンプ能力を直接的に示すのは血圧である。血圧は血管内の血液の示す圧力であると定義され，ポンプ能力の低下によって低くなる（本章「2　バイタルサイン，痛みの見方」p.76参照）。

静脈圧により心臓の機能を判断する方法がある。中心静脈の圧は中心静脈圧（central venous pressure：CVP）といい，正確にはカテーテルを中心静脈内に挿入して測定する。CVPの正常値は5～12cmH_2O（3～15mmHg）である。循環血流量の低下や，脱水，ショック時には，CVPは低くなり，心室収縮不全や右心不全などのポンプ能力の低下，循環血液量の過剰でCVPは高くなる。頸静脈の怒張や拍動の高さはCVPを反映し，CVPが高いと静脈拍動や怒張の最高点が上昇する。

2）心拡大のアセスメント

心臓の大きさが大きくなっている状態であり，心不全の徴候でもある。

心臓の大きさは，①心尖部の位置を示す最大拍動点の視診と触診，②心濁音界の打診やスクラッチ法によるアセスメントで推定できる。さらに，胸部X線写真から心胸郭比(cardio thoracic ratio：CTR）を算出することで，より正確に把握することができる。CTRは50％以下が正常とされる（図7-5）。

3）心音聴取

(1) 心音と心雑音

心音の聴取では，心音と心雑音について聴取する。

心音とは，心室・心房・大血管の振動に伴って発生する短い音であり，第Ⅰ心音（Ⅰ音，S1），第Ⅱ心音（Ⅱ音，S2），第Ⅲ心音（Ⅲ音，S3），第Ⅳ心音（Ⅳ音，S4）がある（図7-6）。

Ⅰ音とⅡ音は正常な心周期で必ず生じている音で，Ⅰ音は房室弁が閉じるタイミング（図7-4①），Ⅱ音は半月弁が閉じるタイミング（図7-4③）で生じている。Ⅰ音とⅡ音は，聴取

$$\text{CTR}\chi\ (\%) = \frac{\text{胸部X線撮影による心臓陰影の横径（MR+ML）}}{\text{胸部X線撮影による輪郭の横径（TDC）}} \times 100$$

※χが50を超えると，肥大または拡大

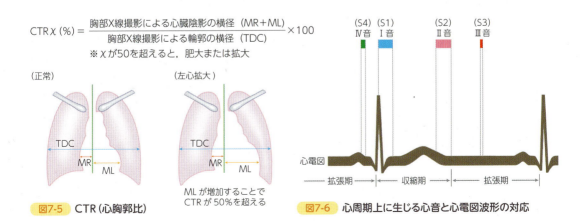

図7-5　CTR（心胸郭比）

図7-6　心周期上に生じる心音と心電図波形の対応

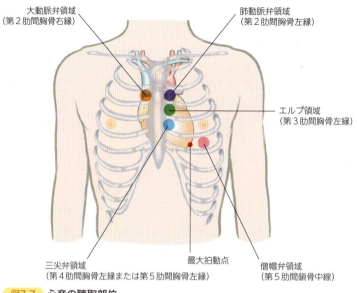

図7-7 心音の聴取部位

部位によって大きさが異なり，短く，分裂なく，聴かれることが正常である。
　Ⅲ音は心室に急激に血液が流れ込むことによって生じる音（図7-4）で，Ⅱ音の直後に聴取される。小児や若者では正常でも聴かれることがあるが，これ以外は何らかの異常を示す。Ⅳ音は，心室の拡張期の最後，心房が収縮して心室内に血液を送る際に生じる音（図7-4）で，Ⅰ音の直前に聴取される。胸壁の薄い成人では健常者でごくまれに聴取されることがあるが，ほとんどは異常を示す。Ⅲ音，Ⅳ音ともに低い音であるためベル型の聴診器を用いて聴き取る。
　心雑音とは，Ⅰ音からⅣ音以外の，一定の長さで聴取される音である。心臓の血液の流れに異常があることを示す。心周期のどのタイミングで聴取されるかによって，収縮期雑音（Ⅰ音とⅡ音の間）と拡張期雑音（Ⅱ音とⅠ音の間）とに分類されている。タイミングとともに，大きさ，音の増減，Ⅰ音やⅡ音との関係が聴き取れると心臓の血流異常の原因の特定につながる。

(2) 心音の聴取部位

　心音の聴取部位は，大動脈弁領域（第2肋間胸骨右縁），肺動脈弁領域（第2肋間胸骨左縁），三尖弁領域（第4肋間胸骨左縁，第5肋間胸骨左縁としている文献もある），僧帽弁領域（左第5肋間鎖骨中線）がある（図7-7）。領域の意味は，それぞれの弁から生じる音が一番よく聴こえるということである。Ⅰ音は僧帽弁と三尖弁の閉鎖と同時に鳴る音であるため，僧帽弁領域や三尖弁領域では，Ⅱ音よりⅠ音が大きく聴こえる。同様に大動脈弁や肺動脈弁領域ではⅡ音のほうが大きく聴こえる。
　エルプ領域（Erb's area）は，Ⅰ・Ⅱ音が均一に聴こえるため，心拍数を確認する際に適しており，さらに逆流性の心雑音が聴取されやすいとされている。

表7-1 末梢循環障害のアセスメントのポイント

	動脈性循環障害	静脈性循環障害
疼痛	運動とともに急激に起こり、跛行がみられる。休息によって軽減する	運動中または運動後数時間で現れる。重苦しさや、だるさとして知覚されることもある。休息によって軽快するが変則的
冷感	あり	なし
脈拍触知	欠損または減弱	正常
浮腫	軽度かみられない	みられる
皮膚の色	挙上すると蒼白になり、下垂すると暗赤色になる	赤みのある茶、下垂するとチアノーゼになる。静脈瘤がみられる

4）末梢循環障害のアセスメント

表7-1に末梢循環障害のアセスメントのポイントを挙げた。

 看護技術の実際

- ● 目　的：心臓と全身の血管の観察を行う。何らかの症状や看護問題が存在する場合は、その原因や誘因、問題によってもたらされている状態を観察し、観察結果を看護ケアや医療チームへの報告に活用する
- ● 必要物品：聴診器、厚紙（10×15cmくらい）、定規、ペンライト、バスタオル

	方法と留意点	判　断
1	問診 1）以下の症状について患者に尋ねる （1）動悸 （2）息苦しさ （3）胸苦しさ （4）胸痛 （5）四肢の冷感やむくみ、痛み （6）歩行時の下肢の痛み ● 症状がみられた場合は、いつから、どのように、部位、程度、改善・増悪因子、条件、随伴症状を尋ねる（本章「1　フィジカルアセスメントにおける観察」問診、p.64参照）	〈正常〉 症状がない
2	胸部の視診 〈胸部全体の視診〉 1）患者に座位または仰臥位になってもらい、胸部全体を露出する ● 保温に努める、不用意な露出がないように留意する ● 呼吸のアセスメントの際に同時に行ってもよい 2）本章「7　呼吸器」の胸郭の視診に準ずる（p.150参照） ● 正面から胸郭の形状を観察する 〈頸静脈の視診〉 1）看護師は患者の右側に立つ	〈正常〉 ● 胸部は脊椎線や胸骨中線に対して左右対称 ● 胸郭の隆起・挙上・陥没などはない ● 左前胸部に心尖拍動がみえる場合がある 〈正常〉 ● 座位では頸静脈の怒張はみられない

方法と留意点	判　断
2）座位で頸静脈に怒張がないか視診する 3）胸骨角から頸部全体が見えるように寝衣を開く 4）ベッドを水平にし，怒張や拍動で右内頸静脈の位置を確認する（図7-8a） ●視診しやすいように顔をやや左に向ける ●見えにくい場合はペンライトなどで光を当て，怒張した静脈に影をつくるとわかりやすい ●右房圧を反映する内頸静脈を確認することが望ましいが，体格によっては検索できない場合もある．この場合は，外頸静脈の怒張で代替する ●静脈拍動か，動脈拍動かを迷った場合は，拍動の性質をみる．動脈性の拍動は1峰性で，静脈は2〜3峰性である（図7-8b） 5）患者の頭部を45度にヘッドアップする 6）静脈の怒張，または拍動があるか確認する．あれば最高点の胸骨角からの高さを計測する（図7-8c）	●45度で怒張や拍動が見えない．45度で胸骨角からの高さが3cm以下 〈注意すべき状態〉 ●正常より高い場合は，中心静脈圧（CVP）が高いと判断でき，循環血液量の増加や心不全などの心臓のポンプ能力の低下が考えられる ●緊張性気胸や心タンポナーデの際にも胸腔内圧が高まるため，正常より高くなる ●正常より低い場合は，CVPが低く，脱水やショックなどを示す．しかし，拍動が見えないことが正常であるため，判断が不正確となる

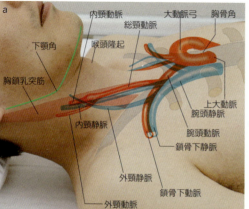

頸部の位置の確認

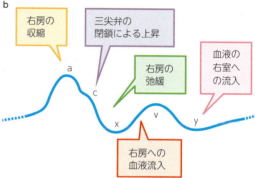

aとvが視診できると，心周期1拍にあたり，2つの波が視診でき，2峰性の脈波となる

静脈拍動の特徴

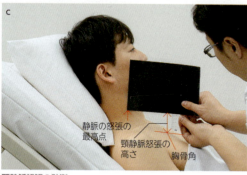

頸静脈怒張の計測

図7-8　頸静脈の視診

〈頸部動脈の触診〉 1）左右の総頸動脈を片方ずつ触知する（図7-9a） ●頸動脈には血圧を感知する頸動脈洞が存在する．両手で強く触診すると徐脈や低血圧を招くことがあるため，片側ずつ触知する 2）左右の鎖骨下動脈を触知する（図7-9b）	〈正常〉 ●脈拍に左右差がなく，すべて触れる ●脈拍のリズムは規則的で結滞なし 〈注意すべき状態〉 ●総頸動脈が触知できない場合は，収縮期血圧が60mmHg以下になっている可能性がある ●左右差がある場合は，血管の狭窄や閉塞が疑われる

| 方法と留意点 | 判　断 |

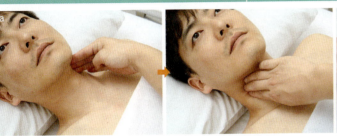

総頸動脈　　　　　　　　　　　　　　　　　鎖骨下動脈

図7-9　頸部動脈の触診

3　振動（スリル）の触診
1）患者に仰臥位になってもらう
2）看護師の手指の付け根（中手指節関節部分）で触診する（図7-10a）
3）肋間を一つひとつ確認しながら，下記の位置で振動（スリル）の有無を確認する（図7-10b）
- スリルとは，手の下で水がザーザーと流れるような細かい振動をいい，強い心雑音が振動となって伝わっている状態を示す
- 肋間特定の方法は，まず胸骨角から第2肋骨を特定する。第2肋間に看護師の示指を置いたまま，中指で第3肋骨を触れながら下方に動かし，第3肋間を特定する。次に第3肋間に示指を置き，同様に第4または第5肋骨を中指で触れながら第4または第5肋間を特定する（図7-10c），というように順次行う

〈正常〉
すべての部位で触知されない

〈注意すべき状態〉
- 触知される
- 弁の狭窄・閉鎖不全などの血流異常時には血流に抵抗が加わるために振動となって触知される（心雑音としても聴取される）

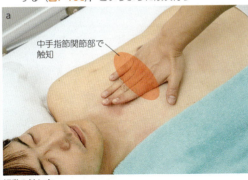

振動の触れ方

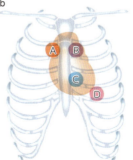

触診の位置

A：第2肋間胸骨右縁＝大動脈弁領域
B：第2肋間胸骨左縁＝肺動脈弁領域
C：第4または第5肋間胸骨左縁＝三尖弁領域
D：左第5肋間と鎖骨中線を結んだ点＝僧帽弁領域

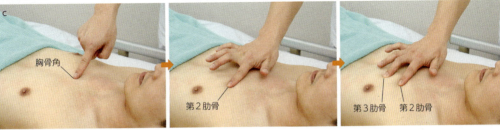

肋間特定の方法

図7-10　振動（スリル）の触診

方法と留意点	判　断
4 最大拍動点（心尖拍動）の視診・触診 〈心尖拍動の視診〉 ●最大拍動点は，心臓の拍動が一番強く胸壁に伝播している部分であり，通常は心尖部と同じ位置となる（図7-11）	〈正常〉 ●視診では，左第5肋間鎖骨中線のやや内側でみられる。範囲，拍動の振幅（高さ）ともに2cmを超えない ●触診では，左第5肋間鎖骨中線のやや内側で弱く，"ひょいひょい"と触れる。範囲・振幅は直径2cmを超えない。若年者の場合，視診も触診もできないことがある

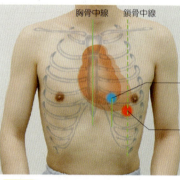

正常心臓の心尖拍動　位置：左第5肋間鎖骨中線よりやや右
　　　　　　　　　　振幅：2cm以内
　　　　　　　　　　範囲：2cm以内
　　　　　　　　　　強さ：弱く触れる

心拡大がある場合の心尖拍動　位置：正常より左方，下方移動
　　　　　　　　　　　　　　振幅：2cm以上
　　　　　　　　　　　　　　範囲：2cm以上（2肋間にまたがる）
　　　　　　　　　　　　　　強さ：強く触れる

図7-11 心尖拍動の部位と性状

1) 患者に仰臥位になってもらう
2) 左前胸部に心拍と同期した拍動がみられるかどうかを視診し，位置，範囲，振幅の高さを観察する（図7-12）

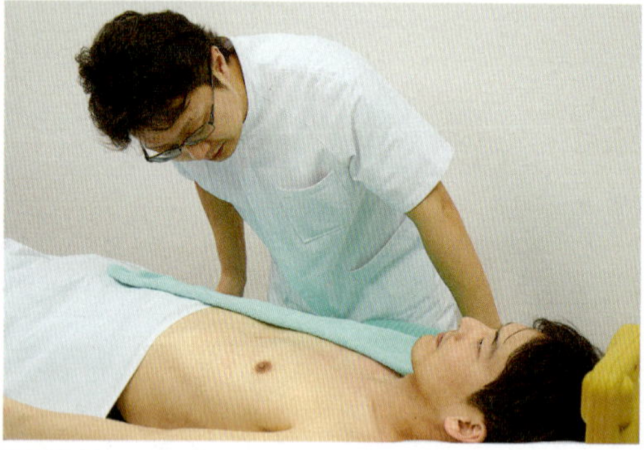

〈注意すべき状態〉
●以下の状態がみられる場合は，拡大した心臓が胸壁を広く強く振動させていることを示しており，心拡大が疑われる
・位置が左第5肋間よりも下で，鎖骨中線より外側である
・強く触れる
・範囲と振幅が2cm以上である

図7-12 心尖拍動の視診

〈心尖拍動の触診〉
1) 拍動がみられた位置を看護師の手指で触診し，最大拍動点の位置と振幅の高さを確認する（図7-13a）
2) 1)で触れた部分の肋間から下の肋間部分に指を広げて，拍動点の範囲を触知する（図7-13b）
●仰臥位で拍動がみられなかった場合，左第5肋間鎖骨中線周辺付近を触診し，拍動点を探す
●仰臥位で視診も触診もできなかった場合は，患者を左側臥位にしてもう一度視診し（図7-14a），次に触診する（図7-14b）。拍動点に指を置いたまま仰臥位にして位置を確認する
●肥満や乳房が大きい場合は，左側臥位がわかりやすい
●記録は，位置，範囲，振幅，強さ，視診・触知時の体位とする

方法と留意点	判 断
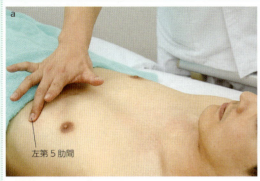 左第5肋間	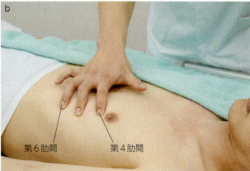 第6肋間　　第4肋間

図7-13　心尖拍動の触診

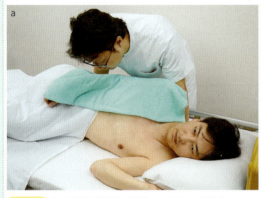
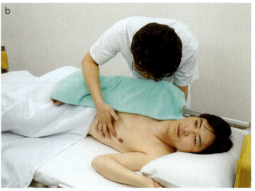

図7-14　心尖拍動が視診・触診できなかった場合

5　心濁音界の特定
　〈打診〉
　1）左第5肋間を左側胸部から胸骨方向に向けて打診する（図7-15a）。共鳴音から濁音に変化したところが心濁音界で，心臓の左縁を示す
　　●肺の打診音は共鳴音，心臓は濁音が聴かれるため，音が変化する

〈正常〉
●心濁音界は左第5肋間で鎖骨中線よりやや右である
●スクラッチ法では，わずかに広く見積られることが多い

〈注意すべき状態〉
●心尖部が側胸部方向，かつ下方になっている場合は心拡大を疑う

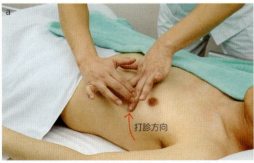
打診方向

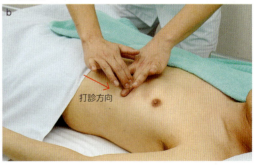
打診方向

第5肋間を肋間に沿って側胸部から胸骨に向かって打診する

図7-15　心濁音界の打診

　2）次に1）で変化した位置で，腹部側から胸部側に向けて打診する（図7-15b）。共鳴音から濁音に変化したところが心濁音界で心尖部を示す

方法と留意点	判　断

- 肺は共鳴音，心臓は濁音であるため，打診で心臓のサイズがわかる（図7-16）

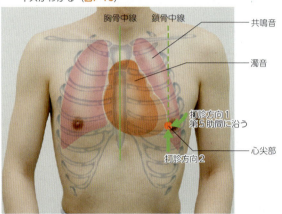

図7-16 心濁音界の特定

〈スクラッチ法〉
1) 聴診器（膜型）を胸骨下部の心臓部上（左第3肋間胸骨左縁が目安）に当てて聴診しながら，第5肋間付近を側胸部から胸骨に向かって，指腹でこする（図7-17a）。"サーサー"というかすかな音が"ザーザー"と急激に大きくなった部位が心濁音界で，左心縁を示す
2) 音が変化した位置で，腹部側から胸部側に向けて，指腹でこする（図7-17b）。同様急激に音が大きくなった部位が心濁音界で心尖部を示す
- 肺よりも心臓のほうが硬い臓器なので，こすった小さな音が共鳴する。このため聴診器で聴いたときに，音の変化が起こる

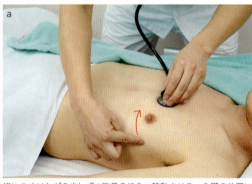 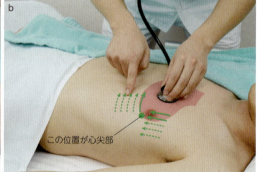

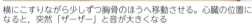

横にこすりながら少しずつ胸骨のほうへ移動させる。心臓の位置になると，突然「ザーザー」と音が大きくなる

図7-17 スクラッチ法による心臓サイズの調べ方

6 **心音の聴診**

〈心音の聴診（膜型）〉
1) 患者に仰臥位になってもらう
2) 聴診器の膜型を聴診部位に当て（図7-18；図7-7参照），A→Eの順に聴く
3) Ⅰ音とⅡ音を聴き取り，音の大きさの違いや分裂を聴き取る。Ⅲ音・Ⅳ音，心雑音を聴取する（図7-19a）

〈正常〉
- Ⅰ音とⅡ音の音の大きさは以下のようになる
  A 大動脈弁領域：Ⅰ音＜Ⅱ音
  B 肺動脈弁領域：Ⅰ音＜Ⅱ音
  C エルプ領域：Ⅰ音＝Ⅱ音
  D 三尖弁領域：Ⅰ音＞Ⅱ音
  E 僧帽弁領域：Ⅰ音＞Ⅱ音

方法と留意点	判断
●心雑音は拡張期雑音か収縮期雑音かを聴き分ける ●聴診器を肋間に密着させないと聴診できない。この場合は，ベル型を密着させるか，チェストピースの小さい小児用の聴診器を用いる	●Ⅲ音，Ⅳ音は聴取されない ●心雑音は聴取されない

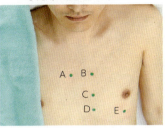

A：第2肋間胸骨右縁＝大動脈弁領域
B：第2肋間胸骨左縁＝肺動脈弁領域
C：第3肋間胸骨左縁＝エルプ領域
D：第4または第5肋間胸骨左縁＝三尖弁領域
E：第5肋間と左鎖骨中線を結んだ点（心尖部）＝僧帽弁領域

図7-18 心音の聴診部位

〈心音の聴診（ベル型）〉
膜型と同じ部位で聴診する（図7-19b）
●ベル型は皮膚に軽く当てる。強く当てると低音成分が減衰し，特に心雑音やⅢ・Ⅳ音が聴き取りにくい

〈注意すべき状態〉
●Ⅰ音の増強・減弱は，僧帽弁や三尖弁狭窄が考えられる
●Ⅱ音が分裂する場合，大動脈弁や肺動脈弁狭窄が考えられる
●Ⅲ音は，心室の緊張過剰を示す
●Ⅳ音は，高血圧症や肺動脈弁狭窄などが考えられる
●心雑音がある場合は弁の狭窄や閉鎖不全，心不全など心疾患の存在が疑われる

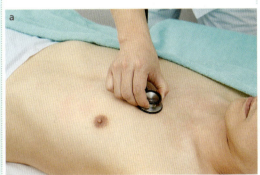

a 膜型　　　b ベル型
図7-19 心音の聴診

7 末梢循環のアセスメント

〈下肢の視診〉
1）下肢を左右同時に露出し，比較しながら視診する（図7-20）

〈正常〉
●肌色またはピンク色で左右差がない
●ばち状指でなく，チアノーゼもない

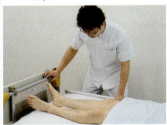

図7-20 下肢の視診
●上肢に循環障害が疑われる場合は，下肢同様に行う
●個人により通常の皮膚色が異なるため，左右を比較することで障害の有無がわかりやすくなる

〈注意すべき状態〉
●末梢循環障害は主に下肢に起こりやすい
●挙上すると蒼白になり，下垂すると暗赤色になる場合は，動脈系末梢循環障害の疑いがある
●赤みのある茶で下垂するとチアノーゼがみられる場合は，静脈系循環障害の疑いがある
●ばち状指がみられる（本章図3-24，p.104参照）
●静脈瘤がみられる場合は静脈系循環障害の疑いがある（図7-22）

方法と留意点	判　断

2）爪を視診する
3）循環障害が疑われる場合には，足を挙上，下垂して皮膚色を確認する（図7-21）

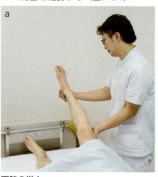

a 下肢の挙上　　b 下肢の下垂

図7-21　下肢の皮膚色の確認

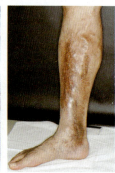

写真提供：澤村大輔先生（弘前大学医学研究科皮膚科学講座）

図7-22　静脈瘤

〈皮膚の温度の触診〉
1）手部，足部の皮膚に左右同時に手背で触れ，温かさと左右差を確認する（図7-23a）
- 温度は手背で触れると認知しやすい
- 皮膚温は個人差が大きいため，左右差を確認することで冷感，熱感の有無を確認する

2）冷感を感じた場合は，少しずつ中枢側に手を動かし，温度の変化を確かめる（図7-23b）

〈正常〉
- 温かく，左右差がない

〈注意すべき状態〉
- 冷感があり左右差がある場合は，冷たい側の動脈系循環障害が疑われる。両側の場合は，両側性の動脈系循環障害，冷え性，中枢性の循環障害が疑われる

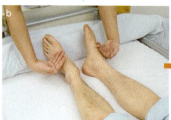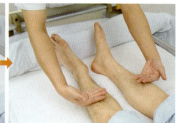

図7-23　皮膚の温度の触診

〈浮腫の触診〉
1）足背を示指・中指・環指の3指で5〜20秒ほど圧迫する（図7-24）

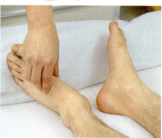

図7-24　浮腫の触診
- 上肢では手背で行う

〈正常〉
- 圧痕はみられない

〈注意すべき状態〉
- 圧痕があった場合は浮腫と判定できる（本章図3-19，p.102参照）。左右差がある場合はみられた側の静脈系循環障害，またはリンパの循環障害が疑われる

方法と留意点	判　断

2）圧痕がみられた場合は，その深さを判定する
- 浮腫は重力に従って移動するため，身体の下面になっている側で確認することが必要な場合もある（たとえば仰臥位の場合には腓腹部や背部に，座位・立位では足背部に生じる

〈四肢動脈の触診〉
1）橈骨動脈
母指側の手関節上を目安に両側同時に触知する（図7-25a）
2）上腕動脈
小指側の肘関節を目安に両側同時に触知する（図7-25b）
3）大腿動脈
両下肢を伸ばす
鼠径靭帯の中央を目安に触診する。両側同時に触知する（図7-25c）
4）膝窩動脈
両膝を立てて，片方ずつ，両手で膝を包み込むように膝窩最深部を触知する（図7-25d）
5）後脛骨動脈
両下肢を伸ばし，内果とアキレス腱の間を探索する。両側同時に触知する（図7-25e）
6）足背動脈
両下肢を伸ばし，両側同時に触知する
- はじめに手で包み込むように触れ，脈拍を感じる位置を触診する（図7-25f①）

〈正常〉
- 脈拍に左右差がなく，すべて触れる
- 脈拍のリズムは規則的で結滞なし

〈注意すべき状態〉
- 橈骨動脈が両側で触れない場合，収縮期血圧が80mmHg以下である可能性がある
- 大腿動脈が両側で触れない場合，収縮期血圧が70mmHg以下である可能性がある
- 左右差がある場合は，脈拍が弱い側の血管の狭窄や閉塞が疑われ，動脈系循環障害のおそれがある
- 膝窩動脈は，深部にあるため触れないことも多い。この場合は，末梢の動脈触知部位（足背動脈，後脛骨動脈）が触知できれば膝窩動脈の閉塞や狭窄の可能性が低くなる

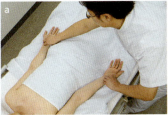
a　橈骨動脈

b　上腕動脈

c　大腿動脈

d　膝窩動脈

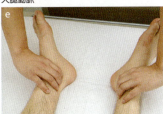
e　後脛骨動脈

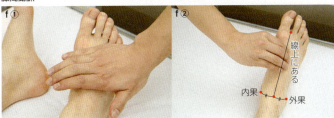
f①　　f②
足背動脈

図7-25　四肢動脈の触診

方法と留意点	判　断
●母趾と示趾の間と，内果と外果の中央に結んだ線上で触れることが多い。指を少しずつ移動させ，触知できる部位を探す(図7-25f②)	

文　献

1) 小野田千枝子監：実践フィジカルアセスメント―看護者としての基礎技術，改訂第3版，金原出版，2008，p.98.
2) 日野原重明：刷新してほしいナースのバイタルサイン技法；古い看護から新しい臨床看護へ，日本看護協会出版会，2002.
3) 菱沼典子：看護形態機能学－生活行動からみるからだ－日本看護協会出版会，2011，p.25-37.
4) 日野原重明監：フィジカルアセスメント－ナースに必要な診断の知識と技術，医学書院，2006，p.89-105.
5) 沢山俊民：CDによる聴診トレーニング心音編，南江堂，1994.
6) 古谷伸之編：診察と手技がみえる1，メディックメディア，2007，p.90-103.

8 腹部

学習目標
- 腹部内臓器の位置と役割を理解する。
- 腹部に特有の問診・視診・聴診・打診・触診の方法がわかり，正常な状態と注意すべき状態の判定ができる。

1 腹部の構造

1）腹部の区分

　腹部は，臍を中心に4つに分ける4区分（図8-1a）または，左右の鎖骨中線と肋骨弓下縁及び上前腸骨棘で分ける9区分（図8-1b）で位置を示す。通常は4区分で表現するが，腹部中央を示す際には9区分を用いると表現しやすい。

2）腹腔内臓器の構造

　腹腔内臓器の位置を推定するためのランドマークとしては，前面では肋骨下縁，剣状突起，上前腸骨棘がある（図8-2a）。背面では，第12肋骨と脊柱との角である脊柱角，左右の上後腸骨棘を結んだ線であるヤコビー線がある。肋骨下縁は肝臓や脾臓の位置推定に，脊柱角は腎臓の位置の推定に特に役立つ（図8-2b）。

　腹部は，横隔膜で胸部と隔てられ，腹腔内に存在する臓器は図8-3のとおりである。

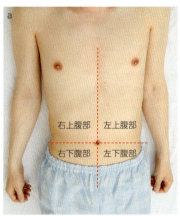

腹部4区分

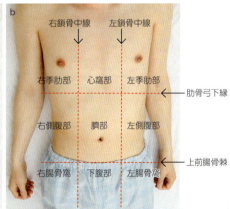

腹部9区分

図8-1 腹部の区分

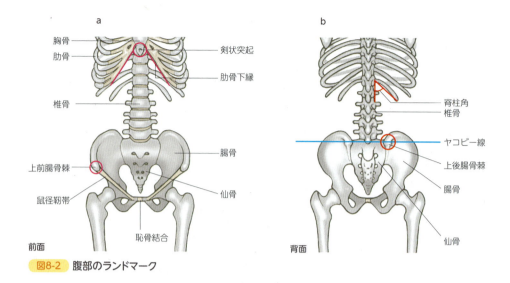

図8-2 腹部のランドマーク

　胃は左上腹部（心窩部から左）にある。肝臓は右上腹部に位置し，鎖骨中線上で第5肋骨の高さから，右肋骨下縁直下まで広がっている。

　脾臓は左上腹部に位置し，左季肋部で第9〜11肋骨までに，腋窩中線より背部側にある（図8-4）。大きさは，長径約10.5cm，短径約6.5cm，厚さ約2.5cmである。

　腎臓は左右あり，第12胸椎から第3腰椎の高さに位置する。右腎は肝臓の直下に，左腎は右腎よりもやや高い位置にある。後腹膜臓器であり，腋窩中線より背部側に存在する（図8-5）。

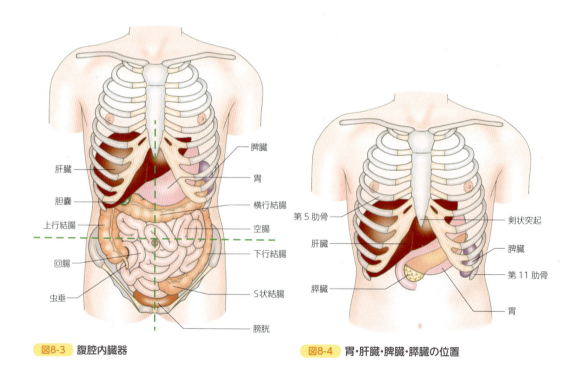

図8-3 腹腔内臓器

図8-4 胃・肝臓・脾臓・膵臓の位置

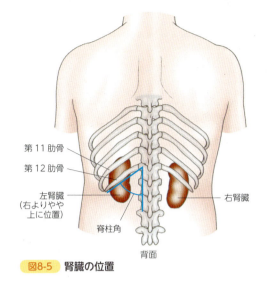

図8-5 腎臓の位置

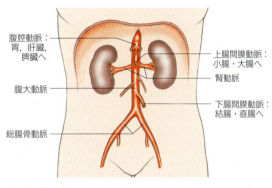

図8-6 大動脈の分岐

　空腸，回腸は，腹部全体に位置する。上行結腸は身体の右側を上行し，肝臓下で左に曲がり，横行結腸へと移行する。横行結腸は脾臓下で下方へと屈曲して下行結腸へと移行し，左腸骨部で右に彎曲してS状結腸へと移行し，仙骨部付近で直腸に移行する。膀胱は，下腹部中央で，充満していなければ，恥骨結合より下部に存在する。

　腹大動脈は臍部よりやや右寄りに走行し，腎臓に向けて腎動脈が，腸骨に向けて総腸骨動脈が枝分かれしている（図8-6）。

2 腹部の機能

　腹部には，食物の消化と排泄を担う臓器（消化器系），水分の出し入れを担う臓器（泌尿器系），生殖をつかさどる臓器（生殖器系）が入っている。

　胃は食塊を貯留し，強酸性の胃液を分泌して混ぜ合わせて消化を行う。胃で粥状になった食物は，小腸（十二指腸，空腸，回腸）でさらに消化され，栄養素として吸収される。消化された食物は大腸（盲腸，上行結腸，横行結腸，下行結腸）を通る間に水分や電解質が吸収され，この残りが直腸に貯留された後，肛門から排泄される。

　肝臓からは消化液である胆汁が分泌される。胆汁はいったん胆嚢に蓄えられ，濃縮されて十二指腸から排出される。また，肝臓は腸管から吸収した血液を門脈から取り込み，糖質・脂質・たんぱく質・ホルモンなどの代謝・解毒を行う。膵臓では消化液が分泌され十二指腸から排出される。また，インスリンやグルカゴンを分泌して血中のグルコース濃度をコントロールしている。脾臓は，血液内の抗原や古くなった血球を貪食している。

　腎臓は血液中の老廃物を濾過して，必要な水分や糖質，電解質などを再吸収して尿を生成する。尿は尿管を通って膀胱にためられ，一定量が貯留すると尿道から排出される。

　女性生殖器と男性生殖器の機能については，本章「11　乳房・腋窩・生殖器・肛門」p.235で述べる。

腹部のアセスメントのポイント

1）腹部のアセスメントの順番

　腹部のアセスメントは，問診，視診，聴診，打診，触診（浅い触診，深い触診），叩打診の順番で進める。聴診を触診より先に行う理由は，触診の刺激で腸蠕動音が変化する可能性があるためである。脆弱な臓器がある場合，深い触診の刺激で臓器破裂や障害の悪化をもたらす危険がある。このため，侵襲の少ない打診から，浅い触診，深い触診へと進めていく。激しい疼痛がある場合や，脆弱な組織の存在，出血が疑われる場合の触診は慎重に行うか，実施を避ける。

2）腹痛のアセスメント

　腹部の疼痛で特徴的なのは，関連痛とよばれる障害のある部位から離れた部位に疼痛を感じることである（図8-7）。十二指腸や膵臓，腎臓などの障害では背部に痛みを感じるなどの特徴がみられる。このため，痛みの部位と範囲は詳細に情報収集する必要がある。腹部を触診した際にみられる腹筋の緊張亢進を筋性防御といい，腹膜炎を示唆するサインであり，速やかな報告が必要となる。

3）尿・便のアセスメント

　消化と水分吸収の結果として排泄される尿や便について観察することは，その機能をアセスメントする重要な情報源である。表8-1, 2に尿・便の性状と疑われる主な状態を示した。排尿・排便の生理機能と異常，ケアについては第Ⅲ章「2　排泄すること」p.256で述べる。

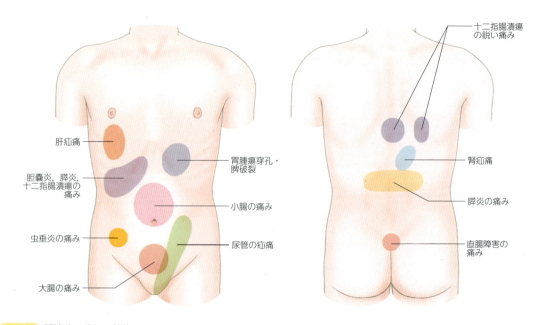

図8-7　関連痛の生じる部位

表8-1 尿の性状と疑われる主な状態

尿の性状・色	疑われる主な状態
濁っている（尿混濁）	尿路感染
何かが浮いている（尿浮遊物）	尿路感染
臭気が強い	尿路感染・においの強い食物や薬物の摂取
フルーツのようなにおいがする	尿糖が出ている
赤・赤褐色（血尿）	尿路からの出血
茶褐色（ビリルビン尿）	肝・胆疾患によるビリルビンの尿への排泄

表8-2 便の性状と疑われる主な状態

便の性状	疑われる主な状態
乾燥して硬く，ころころとした小さな便（兎糞状便）	緊張性の便秘
泥のような便（泥状便）	下痢，正常な場合もある
液状の便（水様便）	下痢
黒く，粘性の高いどろりとした便（タール便）	上部消化管からの出血が便に混入している
血液が混じり，赤い色をした便（血便）	下部消化管からの出血，痔
色の薄い灰白色の便（灰白色便）	閉塞性黄疸（ビリルビンが便に排泄されないことにより白くなる）

看護技術の実際

- **目　的**：腹部の観察を行う。何らかの症状や看護問題が存在する場合は，その原因や誘因，問題によってもたらされている状態を観察し，観察結果を看護ケアや医療チームへの報告に活用する
- **必要物品**：聴診器，定規，シールまたは水性ペン

	方法と留意点	判　断
1	問診 1）以下の症状について患者に尋ねる （1）腹部の痛み （2）腹部の張る感じ（腹部膨満感） （3）食欲の低下・亢進 （4）胸焼け （5）悪心，嘔吐 （6）尿の回数，1回量，色，におい，排尿に違和感はないか （7）便の回数，量，軟らかさ，色，排便感はどうか ●症状がみられた場合は，いつから，どのように，部位，程度，改善・増悪因子，条件，随伴症状を尋ねる（本章「1　フィジカルアセスメントにおける観察」問診，p.64参照）	〈正常〉 ●症状がない 〈注意すべき状態〉 ●患者の健康時の状態と合わせて判断を行う

方法と留意点	判断
2 視診 1) 患者に仰臥位になってもらう 2) 剣状突起から恥骨結合直上まで，十分に腹部を露出する 　● 胸部や足部はバスタオルやタオルケットで覆い，保温に留意し，不必要な露出は避ける 　● 患者の膝は立てない 3) 上から視診した後（図8-8a），横から視診する（図8-8b） 4) 皮膚の状態を観察する（観察方法は本章「4　皮膚・爪・頭頸部」p.99参照） 5) 臍の位置が中央であるか，腹部膨満はないか，不自然な隆起や動きがみられないかを観察する	**〈正常〉** ● 皮膚の異常がなく，臍の偏位がなく引っ込んでおり，腹部は左右対称で平らである ● 腹部の大動脈の拍動が腹部に伝播して見えることがある **〈注意すべき状態〉** ● 臍の隆起は臍ヘルニア，腹水の貯留による隆起の可能性がある。偏位や不自然な隆起がみられる場合は，腹腔内腫瘤によることがある ● 臍から広がるように静脈が浮き出て見える状態をメドゥサの頭といい，肝臓疾患による腹部静脈怒張が疑われる（図8-9a） ● 経産婦や急激な肥満があった場合は，皮膚が割れたように亀裂が入っていることがあり，これを妊娠線（ストレッチマーク）という（図8-9b） ● 腸蠕動が過剰な場合は，腹部がうねっているように見える場合がある（図8-9c）

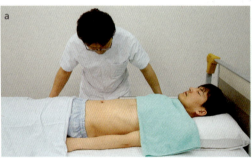
上から見る

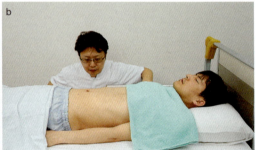
横から見る

図8-8 腹部の視診

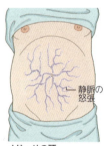
メドゥサの頭

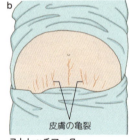
ストレッチマーク

腹部蠕動

図8-9 腹部の注意すべき状態

方法と留意点	判断
3 聴診 **〈腸蠕動音の聴診〉** 1) 右下腹部に聴診器の膜型の面をぴったりと当て，腸蠕動音を1分間聴診し，音の大きさ，高さを聴きながら，数を数える（図8-10a）（本章「1　フィジカルアセスメントにおける観察」聴診，p.67参照） 　● 蠕動音とは，ひとかたまりの，ある程度長い音であり，単発の小さなポコ，ポコという音は含めない 　● 腸蠕動音は個人差や聴診のタイミングによる差が大きい。特に音の高さと継続性に注目して判定するとよい 　● 腸蠕動音は腹腔全体に広く伝播するため，1か所の聴診でよいとされている	**〈正常〉** ● 腸蠕動音は低音で4〜12回/分程度である。食後など消化管の運動が活発なときは，12回/分以上で高音になることもある。時間帯や食事のタイミングなどを考えて判断する **〈注意すべき状態〉** ● 1〜3回で低音の場合は，腸蠕動音微弱と判定される。腸蠕動が低下している可能性が高いため，便秘や腹部膨満を確認する ● 12回/分以上で高音の場合は，腸蠕動亢進状態と判定される。蠕動亢進による下痢や腹部膨満を確認する

方法と留意点	判　断
2）腸蠕動音が右下腹部でまったく聴こえない場合は，そのほかの3部位（右上腹部，左上腹部，左下腹部）を1分ずつ聴診する．それでも無音の場合は，右下腹部で再度1分間，合計5分間聴診する（図8-10b）	●キンキンとするような短い高音（金属音）や，波が押し寄せるような高く強い音の場合は，機械的腸閉塞が疑われ，速やかな対処が必要である ●5分以上無音の場合は，腸蠕動音消失と判断され，腸管が麻痺している可能性がある．機能的腸閉塞が疑われる場合は速やかな対処が必要である

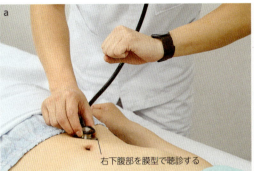

聴診の方法

図8-10 腸蠕動音の聴診

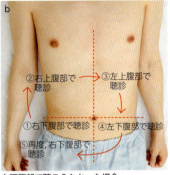

右下腹部で聴こえなかった場合
①～⑤すべてで腸蠕動音が聴かれなかった場合，腸蠕動消失と判断する

〈腹部血管音の聴診〉 ベル型の聴診器を軽く当て，腹大動脈・左右腎動脈・左右総腸骨動脈・左右大腿動脈（図8-11a）の血管雑音を聴診する（図8-11b）（本章「1　フィジカルアセスメントにおける観察」聴診，p.67参照） ●動脈が深部にあるため，膜型の聴診器を用いて深く押し付けて聴診したほうがよいとしている文献もある❶ため，異常が疑われる場合はどちらの方法も行う	〈正常〉 ●腹大動脈では心音に似た拍動音が聴かれるが，これ以外の音は聴かれない（腸蠕動音は混じって聴かれることがある） 〈注意すべき状態〉 ●心拍に合わせて，「ザッザッ」「サッサッ」「フュイフュイ」「ビュイビュイ」というような音が聴かれた場合は，血管雑音とよび，動脈の閉塞や狭窄，腹部大動脈瘤の可能性がある

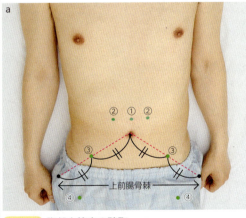

●聴診部位
①腹大動脈：臍から2横指程度上
②左右腎動脈：腹大動脈聴取部位より2横指程度横
③左右総腸骨動脈：上前腸骨棘と臍を結んだ線の1/2の部位
④左右大腿動脈：鼠径部の中央あたり

図8-11 腹部血管音の聴取

4　打診 鼓音・濁音を聴き分けながら，腹部全体をもれなく打診する（図8-12）（本章「1　フィジカルアセスメントにおける観察」打診，p.66参照） ●時計回りに行う方法，上下に進める方法などがあるが，もれなく行うことが重要である（図8-12①，②）	〈正常〉 ●ほとんどの部位で鼓音が聴かれる．肝臓・便の貯留・充満した膀胱などでは，濁音になることがある（図8-13a） 〈注意すべき状態〉 ●ガスの貯留が著明な場合は，鼓音が高くなる

❶城丸瑞恵，他編：腹部のフィジカルアセスメント，学研メディカル秀潤社，2006．

方法と留意点	判断
●打診したい部位にやや強めに押しつける感じで指を当てると，聴き取りやすい打診音になる	●臓器部位以外で濁音が聴かれた場合は，摂取した食物や水，腫瘍，便・尿の貯留，腹水などが疑われる ●妊娠して子宮が大きくなっているときには，子宮のある部位は濁音となり，その周辺が鼓音となる（図8-13b） ●腹水がある場合は，水分は重く，ガス成分は軽いため，腹部の中央部が鼓音となり，側腹部などが濁音となる。側臥位になるとその位置が移動する（図8-13c）

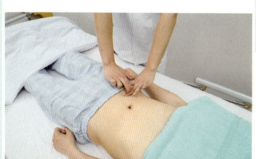

図8-12 腹部打診の方法

① 時計回り　② 上下

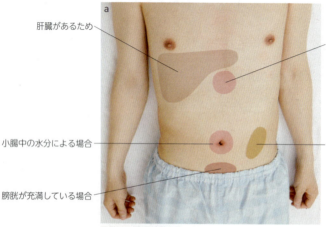

正常でも濁音が聴かれる部位
- 肝臓があるため
- 胃の内容物が固形または水分の場合
- 小腸中の水分による場合
- 便が貯留している場合
- 膀胱が充満している場合

妊娠時の打診音
- 周辺部：鼓音
- 中央部：濁音（子宮が増大しているため）

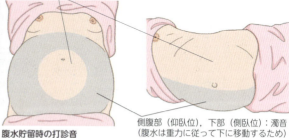

腹水貯留時の打診音
- 上部：鼓音（ガスがあるため）
- 側腹部（仰臥位），下部（側臥位）：濁音（腹水は重力に従って下に移動するため）

図8-13 腹部の打診音

〈肝臓の大きさ特定のための打診〉（本章「1　フィジカルアセスメントにおける観察」打診，p.66参照）

1）右鎖骨中線上を，臍と同じ程度の高さから，鎖骨方面に上向して一横指ずつ打診する。腸の存在部位では鼓音が，肝臓では濁音が聴かれるため，鼓音から濁音に変化した部位が肝臓の下境界である。そこに水性ペンまたはシールで印をつける

〈正常〉
●下境界は肋骨下縁を超えず，上境界との間は6〜12cm程度である

〈注意すべき状態〉
●下境界が肋骨より下部にある，または上境界との間が12cm以上である場合には，肝臓の肥大が疑われる

方法と留意点	判断

2）同じく鎖骨中線上を，乳頭直下程度の高さから1横指ずつ下向して打診する。肺の部位では共鳴音が，肝臓では濁音が聴かれるため，共鳴音から濁音に変化した点が肝臓の上境界である。そこに印をつけ，上下境界の間の長さを計測する（図8-14）

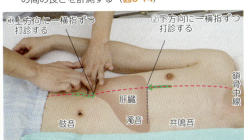
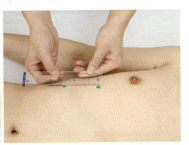

図8-14 肝臓の大きさ特定のための打診

- 女性では，乳房があるために打診がしにくく，上境界がわかりにくいことがある。この場合，腹部から上向きに連続して打診をすると，肺と肝臓との境界を間違えにくい
- 終了後，水性ペンは拭き綿で拭き取り，シールははがす

〈肝臓の大きさ特定のためのスクラッチ法〉（本章「1　フィジカルアセスメントにおける観察」スクラッチ法, p.67参照）

1）右鎖骨中線上で肝臓が確実に存在するであろう部位（肋骨下縁よりやや上）に聴診器の膜型を当てる
2）右鎖骨中線上を，胸部側から，看護師の指の腹で軟らかく患者の皮膚をこする。1横指程度ずつこすりながら下降する。急激に音が大きくなった部分が肝臓の上境界であり，印をつける（図8-15①）
3）鎖骨中線上で，臍と同じ程度の高さから同様に1横指程度ずつこすりながら上向する（図8-15②）。急激に音が大きくなった部分が肝臓の下境界であり，印をつける
4）上下境界の間を測定する
- 肝臓の大きさは，打診法よりもやや大きめに見積もられる場合がある
- 肋骨が隆起している場合には聴き取れない場合がある
- 異常が疑われる場合は打診と併用して確認するとよい

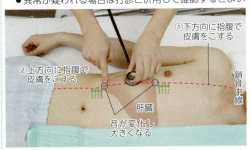

図8-15 肝臓のスクラッチ法

5　浅い触診
〈腹部全体の浅い触診〉
1）患者の膝を立て，腹部筋肉の緊張をとる

〈正常〉
- 下境界は肋骨を超えず，上境界との間は6～12cm程度である

〈注意すべき状態〉
- 下境界が肋骨より下部にあり，上境界との間が12cm以上である場合には，肝臓の肥大が疑われる

〈正常〉
- 腹部は柔らかく，圧痛がなく，腫瘤が触れない
- 左下腹部で便塊が触れることがある（通常では鉛筆程度の太さで触れる）

方法と留意点	判　断
2) 温めた手指で，患者の腹部をまんべんなく1〜3cm程度軽く押しながら触れる（図8-16） 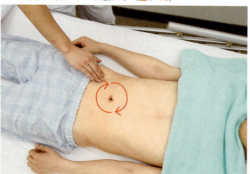 図8-16　腹部全体の浅い触診 3) 柔らかさ，筋肉の緊張感，腫瘤が触れないか，押したことでの痛み（圧痛）がないか確認する 4) 便の貯留を確認したいときは，左下腹部の上前腸骨棘の横周辺をていねいに触診する。ここで便が触れる場合は，Ｓ状結腸付近に便が存在することを示す（図8-18） ● 症状がある場合や，視診で腹部膨満がみられている場合は特に注意して触診する ● 患者は触れられることの緊張感で筋肉に力が入ってしまう場合があるため，十分にリラックスさせるとともに，ある程度力を入れて触れるなど，触れ方を工夫する 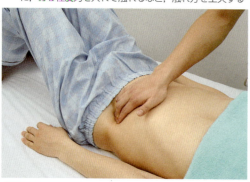 図8-18　便の貯留の確認	〈注意すべき状態〉 ● 圧痛がある場合は，炎症や腫瘍が疑われる ● 虫垂炎の場合，腹痛とともに圧痛がみられる特異部位（マックバーネー点，ランツ点）がある（図8-17） ● 炎症部位を圧迫したときに，反射的に腹筋が緊張して硬く触れることを筋性防御といい，腹膜炎の際に特徴的に現れる ● 便の貯留が大量の場合は，左下腹部で太く長く触れ，隆起が視診できる場合がある。兎糞便状の場合は小さく固い便がコロコロと触れる 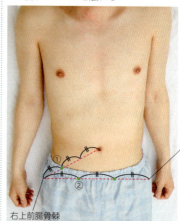 ①マックバーネー点：右上前腸骨棘と臍を結んだ下1/3の点 ②ランツ点：左右の上前腸骨棘を結んだ右1/3の点 図8-17　虫垂炎の圧痛点
6　深い触診 1) 温めた手指で，浅い触診と同様に手指を皮膚表面に当て，3〜5cmほどの深さまで力を入れて触れる ● 浅い触診を行った際に筋性防御や激しい圧痛があった場合，腫瘍や動脈瘤の存在が明らかな場合などは，無理に行わない。理由は，患者の苦痛を避けるため，圧迫によって炎症が広がる可能性があるため，さらに，病変部が破裂する可能性もあるためである。必要性を見きわめて行う	〈正常〉 ● 浅い触診を参照 〈注意すべき状態〉 ● 浅い触診を参照

方法と留意点	判　断
〈腹部全体の両手触診〉 1）患者の膝を立てる 2）利き手の上に，もう一方の手を重ね，両手の力を加えて深い触診よりもさらに深く押し入れ，触診する 3）腹部全体をまんべんなく触診する（図8-19） 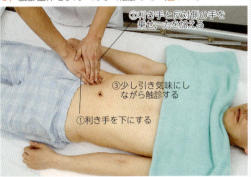 図8-19　腹部全体の深い触診	〈正常〉 ●浅い触診を参照 〈注意すべき状態〉 ●浅い触診を参照
〈肝臓の触診〉 1）患者の膝を立てる 2）右肋骨の下縁に利き手を置く 3）患者に大きく息を吸ってもらう。このことで横隔膜に押されて肝臓がやや腹部側に下降する 4）吸気のピークに合わせて肋骨の下に手を差し入れるようにし，患者に息を吐いてもらい肝臓の下縁に触れる（図8-20） ●肝臓の部位をイメージして正しい位置に手を置く。打診やスクラッチ法で肝臓の下縁の位置が確認できている場合は，それを参考にしながら触診する 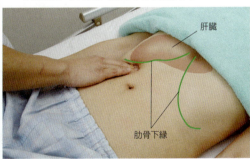 図8-20　肝臓の触診	〈正常〉 ●肝臓は触れない。肝臓の下縁が柔らかくするりと感じる場合もあるが，まれである 〈注意すべき状態〉 ●肝臓が触れる場合は，肝肥大が疑われる。この場合は，なめらかさ，凹凸，硬さ，圧痛を確認する

方法と留意点	判　断
〈脾臓の触診〉 1）患者の膝を立てる 2）左背部の肋骨下縁よりやや上に，利き手と反対側の手を差し入れ，下から支える 3）患者に大きく息を吸って止めてもらう。このことで横隔膜に押されて脾臓がやや腹部側に下降する 4）患者に息を吐いてもらいながら，利き手を左肋骨下縁から差し入れるようにして触診する（図8-21） ●打診時に左上腹部で濁音があった場合には，脾腫の可能性があるため，この位置を注意深く触診する ●脾臓の部位をイメージして正しい位置に手を置く	〈正常〉 ●脾臓は触れない 〈注意すべき状態〉 ●触れる場合は，脾腫が疑われる。触れる部位，大きさ，なめらかさ，凹凸，硬さ，圧痛を確認する

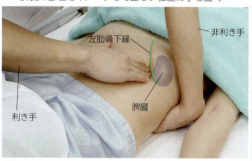

図8-21　脾臓の触診

〈腎臓の触診〉 1）患者の膝を立てる 2）右背部の肋骨下縁に利き手と反対側の手を差し入れ，下から支える 3）利き手を右肋骨下縁の下に置いて両手で挟み込むようにして右腎臓を触診する（図8-22 a） 4）左背部の肋骨下縁に利き手と反対側の手を差し入れる 5）利き手を左肋骨下縁の下に置き，両手で挟み込むように左腎臓を触診する（図8-22 b）	〈正常〉 ●腎臓は触れない 〈注意すべき状態〉 ●触れる場合は，腎臓の腫大が疑われ，腎症や膿胞，腫瘍の疑いがある。触れる部位，大きさ，なめらかさ，硬さ，凹凸，圧痛の有無を確認する

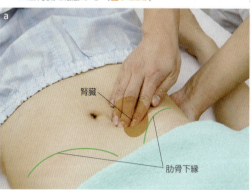 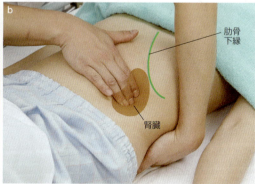

右腎臓の触診　　　　　　　　　　　左腎臓の触診

図8-22　腎臓の触診

●腎臓の部位をイメージして正しい位置に手を置く。左腎は右腎よりも約1cmほど高く位置する

方法と留意点	判 断
7 腎臓の叩打診 　1）患者に座位になってもらう 　2）看護師の利き手と反対側の手を右の脊柱角の部位に広げて置く 　3）利き手で握りこぶしをつくり，検者の手の上で叩き，響くような痛みの有無を確認する（図8-23） 　4）同様に左の脊柱角の部位で行う	〈正常〉 ●響くような痛みがない 〈注意すべき状態〉 ●響くような痛みがある場合は，尿路感染の上向性への広がり，腎盂腎炎や腎結石などが疑われる

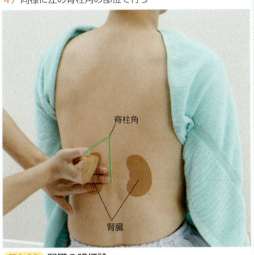

図8-23 腎臓の叩打診

文　献

1）日野原重明編：フィジカル・アセスメント　ナースに必要な診断の知識と技術，医学書院，2006．
2）森皆ねじ子：ねじ子のぐっとくる体のみかた，医学書院，2013．
3）城丸瑞恵・副島和彦編著：腹部のフィジカルアセスメント，学習研究社，2006．
4）福井次矢監訳：写真でみるフィジカル・アセスメント，医学書院，1997．

9 筋骨格系

学習目標
- 主な筋・骨格の位置と役割を理解する。
- 身体計測の意義を理解し，正しく測定できる。
- 運動機能の査定に必要な問診，視診，触診，関節可動域および筋力の測定方法を理解し，正常と注意すべき状態の判定ができる。

1 筋骨格系の構造

　骨，関節，靱帯，腱の総称が骨格系で，身体を支える役割をもつ。また，骨と骨との連結部分が関節で，骨膜で覆われた関節腔内にある滑液の働きで可動性をもつ（図9-1，表9-1，図9-2）。

　筋には，内臓の運動筋である平滑筋と，心筋，骨格筋を含む横紋筋とがあり，このうち骨格筋は関節をまたいで骨に付着し，収縮・伸展することで関節を動かす（図9-3）。

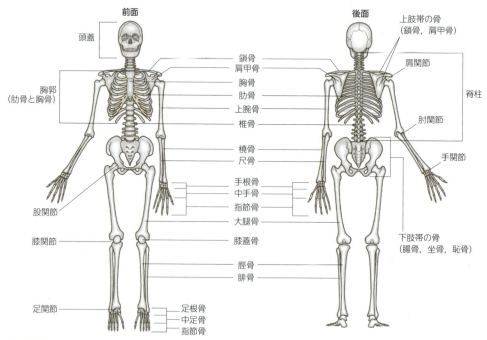

図9-1　骨格と関節

表9-1 主な関節

関節の名称	関節の種類	関節の形状	軸	主な動き
①肩関節	球関節		多軸性	腕を回す
②肘関節				
腕尺関節	蝶番関節		一軸性	肘を曲げる
上橈尺関節	車軸関節		一軸性	手掌を返す
③手関節				
橈骨手根関節	楕円関節		二軸性	手首を曲げる
④指の関節				
手根中手関節	鞍関節（母指）		二軸性	親指を曲げる
中手指節関節 指節間関節	蝶番関節		一軸性	
⑤股関節	球（臼状）関節		多軸性	脚を回す
⑥膝関節	蝶番関節		一軸性	膝を曲げる
⑦足関節 距腿関節 距足根関節	蝶番関節		一軸性	足首を曲げる 足を反らせる

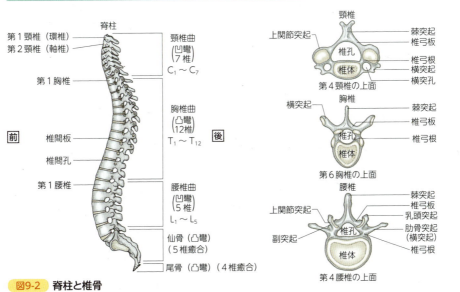

図9-2 脊柱と椎骨

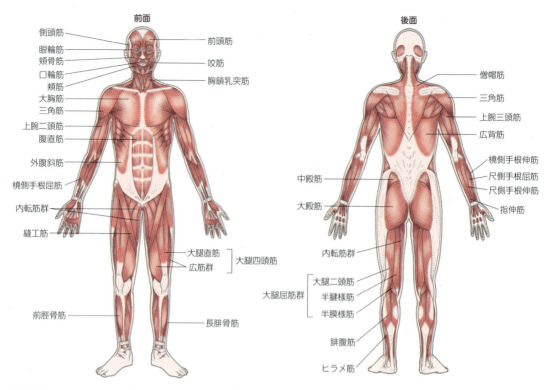

図9-3　全身の主な筋肉

2　筋骨格系の機能

　私たちは，①姿勢の保持ができ，②「動け」という命令刺激が中枢（脳）で生じ，③脊髄から末梢神経にその刺激が伝達され，④筋肉に伝わり，⑤筋肉・関節が動くというメカニズムによって，身体を動かすことができる。このため，神経系（本章「10　神経系」参照）の働きと切り離しては考えることはできない。

　関節運動は，両上肢を体側に垂らし，下肢は踵を密着させて軽く爪先を開いた直立位を基本肢位（図9-4）とし，この肢位に対する動きの方向で以下のように表現される。
①屈曲・伸展：基本肢位で隣り合う2つの部位が近づく運動と遠ざかる運動
②外転・内転：身体に対して横の動きで，体軸より離れる運動と近づく運動
③外旋・内旋：骨を縦軸に回転し，正面が外側へ向かう運動と内側へ向かう運動
④外反・内反：足部の運動で足底が外へ向く運動と内側へ向く運動
⑤回外・回内：前腕を軸にした回旋で，手掌が上を向く運動と下を向く運動

　また，骨格には臓器を収納・保護する機能もあり，身長や周囲径測定によりその機能や発育状態の評価ができる。

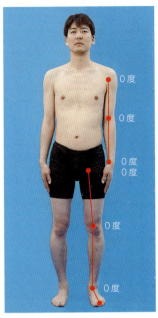

図9-4 基本肢位

3 筋骨格系の主な障害

　筋骨格系の主な症候として，疼痛・しびれ，運動の異常，形態の異常などがあげられる。

1）疼痛・しびれ

　関節痛は，痛風，リウマチなどの炎症を伴う原因疾患による場合や，変形性関節症や骨折，外傷などの非炎症性の疾患により生じる場合がある。炎症性疾患の多くで，疼痛のほか，発赤や熱感，関節腫脹などがみられる。

　しびれは神経の圧迫や絞扼によって起こるものが多く，たとえば頸椎椎間板ヘルニアでは椎間板から髄核が突出し，脊髄を圧迫することで上肢の放散痛やしびれなどが生じる。

2）運動の異常

　運動麻痺は，大脳からの神経経路のどこかに障害があるため起こり，筋力低下や筋萎縮なども生じる。また，歩行の異常は疼痛によるもの，骨・関節の異常，神経・筋の障害などによって生じる。

　関節可動域の異常としては，関節可動域の減少と増大，安定性の減少がある。関節可動域の減少や消失には，関節周囲の軟部組織の変化による関節拘縮や関節包内の病変による関節強直があり，逆に可動域の増大がみられるのは，関節包や靱帯の緊張低下，弛緩がある場合などである。また，関節の動揺性は，関節包や靱帯，腱などの破壊によって生じることが多い。

3）形態異常

主なものとして，低身長や側彎症，O脚・X脚や外反母趾，変形性関節症などがある。

4 筋骨格系のアセスメントのポイント

1）体型のアセスメント

（1）身　長

身長は，直立姿勢で床面から頭頂点までの距離である。1cm前後の日内変動があり，起床直後が最も高く，就寝前が最も低くなる。身長は，骨格の発達状態，成長の指標となり，成長ホルモンの分泌異常などによって低身長，高身長となる場合がある。

（2）体　重

体重は，全身の重量である。食事，運動，衣服などによる変動が大きいため，測定時刻や条件を一定にする必要がある。

体重は肥満ややせを評価する指標となり，身長と体重とで判定するBMI（body mass index）が世界的に用いられている。

計算式は　BMI＝体重（Kg）÷〔身長（m）〕^{2}，判定基準は表9-2のとおりである。

また，体重測定により水分出納（表9-3）や，浮腫，胸水，腹水などの貯留状況を把握することもできる。

（3）腹　囲

腹囲は臍の高さでの腹部の周囲径であり，身体の成長・発達状況，栄養状態の判定や腹水貯留がある場合の変化を知る指標となる。また，妊娠時の胎児の発育状況や羊水の量を推定する資料ともなる。

近年では健康診査時の腹囲測定が，メタボリックシンドロームのスクリーニングに使われている。成人男性で85cm以上，女性で90cm以上の場合には，内臓脂肪の貯留が多い指標となり，糖尿病や高血圧，脂質異常症などが起こりやすいとされ，保健指導に活用され

表9-2　BMIの判定基準（日本肥満学会，2000）

判定	低体重（やせ）	普通体重	肥満（1度）	肥満（2度）	肥満（3度）	肥満（4度）
BMI	18.5未満	18.5～25未満	25～30未満	30～35未満	35～40未満	40以上

表9-3　一日の水分出納

in		out		バランス
代謝水	300mL	不感蒸泄	800mL	±0
食物摂取	1,000mL	排　尿	1,500mL	
飲　水	1,200mL	排　便	200mL	
計	2,500mL	計	2,500mL	

代謝水：体内で栄養物質が酸化される際に生じる水分（基本的に一定）
不感蒸泄：呼気と皮膚呼吸から失われる水分

ている。

（4）胸　　囲
　胸囲は，肩甲骨下角直下と乳頭上を結んだ周囲径である。胸郭や胸腔内の臓器，乳房の成長・発達に関する指標となる。吸気時・呼気時に測定することで，胸郭運動の程度を知ることもできる。

（5）四肢周囲径
　四肢周囲径は，筋肉や脂肪の状態を示し，栄養状態，筋肉の発達や萎縮の判定に用いられる。特に上腕周囲径は，全身の筋肉量や栄養状態の判定に活用されている。

2）関節可動域のアセスメント
　関節の動きが制限されている程度を診て，その要因を見つけるために行う。また，治療や訓練効果の判断基準とする。関節可動域（range of motion：ROM）の測定時は，基本軸を確実に固定し，他の関節を動かすことによるトリックモーション（代償運動）がないように注意する。

＜関節可動域のアセスメントの原則＞
①視診・触診で異常がないことを確認し，実施する。疼痛や炎症のある場合は，注意深く行う。
②基本肢位を保ち，かつ運動範囲を妨げない体位で実施する。たとえば，立位を維持したまま動かすことが難しい患者の場合は，座位，仰臥位などで行うよう工夫する。
③看護師は，角度を正面から確認できる位置で測定する。
④左右差を見るため，可能な部位は左右同時に行ってもらう。
⑤依頼した動きができない場合，健側を実施してから患側を行い，関節の障害か，筋力や神経系の問題かを明らかにするため，看護師が手を添え，他動的に行う。
⑥角度計（図9-5）で2回計測し，大きいほうの値を採用する。ただし，すべての関節で計測を行うことは，時間がかかり，患者の負担も増すため，参考角度を明らかに逸脱する場合に測定するなどの工夫も必要である。
⑦計測値は，測定値／参考角度（例：120度/180度）と記録する。また，他動による測定値の場合は，他動であることも記載する。

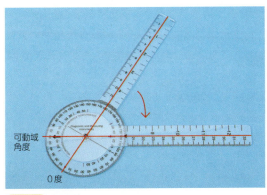

図9-5　角度計

表9-4 筋力判定基準

5 (normal)	最大の抵抗を加えても，それに抗して運動範囲に制限がかからずに動かせる
4 (good)	最大の抵抗を加えた場合は運動範囲に多少の制限はかかるが，動かせる
3 (fair)	重力には対抗して，完全運動範囲を動かせるが，抵抗を加えると動かせない
2 (poor)	重力の影響を最小にした肢位であれば，運動範囲全体に動かせる
1 (trace)	筋収縮活動は見える，あるいは触知できるが，関節運動はない
0 (zero)	筋の収縮がまったく認められない

※ 判定基準3および2では3+，2+，2−と段階を加えて使用することもある

3）筋力のアセスメント

器材を使用せずに，主要な筋肉の筋力を判定できる検査として，徒手筋力テスト（manual muscle testing：MMT）が実施される。

＜徒手筋力テストの原則＞

①関節可動域に異常がないことを確認し，実施する。疼痛や炎症のある場合は注意深く行う。

②姿勢により筋力の出力が大きく変化するため，体位のとり方に注意する。たとえば判定基準2以下の場合，臥床して床を滑らすように動かしてもらい，それでも動かせない場合は，該当する筋肉に触れて収縮状態を確認する。

③どの筋力を診ているのかを明確にし，必要であれば動かしてもらう関節より中枢側を支え，固定しながら実施する。

④左右差を診るため，可能な部位は左右同時に行ってもらう。

⑤看護師の力に抵抗できるか，重力に抵抗できるか，筋の緊張があるかを，表9-4の「筋力判定基準」で判定する。

4）日常生活動作のアセスメント

（1）日常生活動作とは

日常生活動作（activities of daily living：ADL）は，自分の身の回りのことをする動作，起立，歩行，移動に関する動作，手の活動など，関節や筋の運動のみでなく，日常の基本的かつ具体的な活動を示す。なかでも食事や排泄，更衣，入浴などを行う能力を「セルフケア能力」という言葉で示す場合がある。「セルフケア」ができない状態は援助の必要な場合が多く，「自立を促す」という観点を加味して患者の看護計画を立案していくことが必要である。

（2）ADL評価の視点

ADLを把握するために，様々な尺度（スケール）が開発されている。障害の種類や年齢などを考え，患者にあった尺度を選択することが必要となる。また，短時間に大まかにスクリーニングするには，歩行，階段の昇り降り，ひも結び，ボタンかけ，字を書くなど動作のスムーズさをみることで把握できる。

代表的な評価の視点としてバーセル指数（Barthel Index：BI）と機能的自立度評価法（functional independence measure：FIM）などがある（表9-5, 6）。

表9-5 バーセル指数

	自立	部分介助	全介助
1．食事	10	5	0
2．移乗	15	10〜5	0
3．整容	5	0	0
4．トイレ	10	5	0
5．入浴	5	0	0
6．歩行	15	10	0
（車椅子）	5	0	0
7．階段昇降	10	5	0
8．着替え	10	5	0
9．排便	10	5	0
10．排尿	10	5	0
合計点			

Mahoney FL, et al : Functional evaluation : the Barthel index.Maryland St Med J,14 : 61-65,1965.

（判定基準）
1．食事
　10：自立。自助具などの装着可。標準的時間内に食べ終える
　　5：部分介助（例：おかずを切り細かくしてもらう）
　　0：全介助
2．車椅子からベッドへの移乗
　15：自立。ブレーキ・フットレスト操作も含む（歩行自立も含む）
　10：軽度の部分介助または監視を要する
　　5：座ることは可能であるが，ほぼ全介助
　　0：全介助または不可能
3．整容
　　5：自立（洗面，整髪，歯みがき，ひげそり）
　　0：部分介助または全介助
4．トイレ動作
　10：自立。衣服の操作，後始末を含む
　　　ポータブル便器などを使用している場合は，その洗浄も含む
　　5：部分介助。体を支える，衣服・後始末に介助を要する
　　0：全介助または不可能
5．入浴
　　5：自立
　　0：部分介助または全介助
6．歩行
　15：45m以上の歩行。補装具（車椅子，歩行器は除く）の使用の有無は問わない
　10：45m以上の介助歩行。歩行器使用を含む
　　5：歩行不能の場合，車椅子にて45cm以上の操作可能
　　0：上記以外
7．階段昇降
　10：自立。手すりなどの使用の有無は問わない
　　5：介助または監視を要する
　　0：不可能
8．着替え
　10：自立。靴，ファスナー，装具の着脱を含む
　　5：部分介助。標準的な時間内，半分以上は自分で行える
　　0：上記以外
9．排便コントロール
　10：失禁なし。浣腸，坐薬の取り扱いも可能
　　5：時に失禁あり。浣腸，坐薬の取り扱いに介助を要するものも含む
　　0：上記以外
10．排尿コントロール
　10：失禁なし。収尿器の取り扱いも可能
　　5：時に失禁あり。収尿器の取り扱いに介助を要するものも含む
　　0：上記以外

表9-6 機能的自立度評価法（FIM）

（レベル）

介助者なし	自立	7．完全自立（時間，安全性含めて）
		6．修正自立（補助具などを使用）
介助者あり	部分介助	5．監視または準備
		4．最小介助（患者自身で75％以上）
		3．中等度介助（患者自身で50％以上）
	完全介助	2．最大介助（患者自身で25％以上）
		1．全介助（患者自身で25％未満）

（評価項目および内容）

セルフケア
①食事：咀嚼，嚥下を含めた食事動作
②整容：口腔ケア，整髪，手洗い，洗顔など
③入浴：風呂，シャワーなどで首から下（背中以外）を洗う
④更衣（上半身）：腰より上の更衣および義肢装具の装着
⑤更衣（下半身）：腰より下の更衣および義肢装具の装着
⑥トイレ動作：衣服の着脱，排泄後の清潔，生理用具の使用

排泄管理
⑦排尿：排尿コントロール，器具や薬剤の使用を含む
⑧排便：排便コントロール，器具や薬剤の使用を含む

移乗
⑨ベッド，椅子，車椅子：それぞれの間の移乗，起立動作を含む
⑩トイレ：便器へ（から）の移乗
⑪風呂，シャワー：浴槽，シャワー室へ（から）の移乗

移動
⑫歩行，車椅子：屋内での歩行，または車椅子移動
⑬階段：12〜14段の階段昇降

コミュニケーション
⑭理解：聴覚または視覚によるコミュニケーションの理解
⑮表出：言語的または非言語的表現

社会的認知
⑯社会的交流：他患者，スタッフなどとの交流，社会的状況への順応
⑰問題解決：日常生活上での問題解決，適切な決断能力
⑱記憶：日常生活に必要な情報の記憶

看護技術の実際

A 体型の把握

- ●目　　的：身長, 体重, 周囲径を測定することで, 成長・発達, 栄養状態についての情報を得て, 診断・治療・看護に生かす
- ●必要物品：身長計, 体重計, メジャー（金属製でないもの）

1）身長測定

方法と留意点	判　断
1　測定のための準備をする 　1）室内は気流を防ぎ、温かく保つ 　2）カーテン, スクリーンなどでプライバシーを確保する 　3）身長計（図9-6）について、尺柱は垂直か, 横規は直角でスムーズに動くか, 目盛ははっきり読み取れるかを点検する  　図9-6　身長計 　4）患者の測定準備をする 　（1）履物を脱いでもらう 　（2）頭頂部や後頭部に毛髪を結んである場合はほどいてもらう	
2　測定する 　1）尺柱に両踵をつけ, つま先を30〜40度開く（図9-7） 　2）尺柱に, 踵部, 殿部, 背部, 後頭部をつける（図9-8） 　3）耳眼水平位とする（図9-9） 　4）横規を下ろし, 目盛を小数点第1位まで読む 　　●横規は強く押しつけない 　　●正確に目盛が読めるよう, 測定者の身長が低い場合は, 足台などを準備しておく	〈正常〉 ●年齢に見合った身長である（個人差が大きい） 〈注意すべき状態〉 ●年齢に比して明らかに身長が低い場合は, 発育障害が考えられる

方法と留意点	判　断

 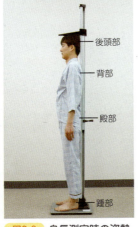 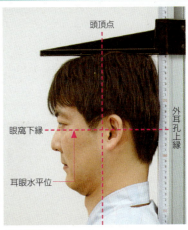

図9-7　身長測定時の踵の位置　　図9-8　身長測定時の姿勢　　図9-9　耳眼水平位

2）体重測定

方法と留意点	判　断
1　測定のための準備をする 　1）室内は気流を防ぎ，温かく保つ 　2）カーテン，スクリーンなどでプライバシーを確保する 　3）体重計は水平に置かれているか，指針は0を示しているかを確認する 　4）患者の測定準備をする 　（1）排便・排尿をすませてもらう 　　●朝食前，排泄後に行うことが望ましい 　（2）履物を脱いでもらう 　（3）脱衣，または薄い衣服1枚になってもらう 　　●着衣の重量を測り，差し引いてもよい	〈正常〉 ●年齢に見合った体重である ●身長に見合った適正体重範囲である（本節「体型のアセスメント」p.194参照） 〈注意すべき状態〉 ●成長期であるのに年齢に比して明らかに体重が軽い場合は，発育障害や栄養状態の低下が考えられる ●やせの場合は栄養状態の低下が，肥満の場合は栄養過多が考えられる。疾病との関連を考えるとともに，食事や運動などの生活習慣とも併せて判断する ●体重の増減が大きい場合は，エネルギーの消費や疾患への罹患，水分出納のアンバランスが考えられる
2　測定する 　1）秤台の中央に静かに立ってもらう 　2）目盛を小数点第1位まで読む	

3）各周囲径の測定

方法と留意点	判　断
1　測定のための準備をする 　1）室内は気流を防ぎ，温かく保つ 　2）カーテン，スクリーンなどでプライバシーを確保する 　3）メジャーの目盛がはっきり読み取れるかどうか確認する 　4）脱衣，または薄い衣服1枚になってもらう 　　●身体をバスタオルなどで覆って保温と羞恥心への配慮を行うことも大切だが，水平が保たれているかなどチェックする	

方法と留意点	判断

2 測定する

1) 胸囲
(1) 測定部位を露出してもらう
(2) 自然な立位にし，上肢は体側に沿って自然に下ろす
(3) 患者の肩甲骨下角を触診して特定し（図9-9），直下にメジャーを巻く
(4) 背部から水平に前面まで回す（図9-10）

〈正常〉
- 各部の周囲径が年齢に見合っている
- 四肢周囲径に明らかな左右差がない

〈注意すべき状態〉
- 胸囲が明らかに小さい場合は，胸郭の発達異常が考えられる。大きい場合で樽のように前後径が広がっている場合は，樽状胸を疑う（本章「6 呼吸器」p.151参照）

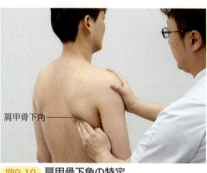

肩甲骨下角

図9-10 肩甲骨下角の特定

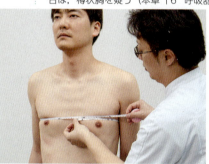

図9-11 胸囲測定

- メジャーは体表面に密着させて締めつけすぎないようにする
- 仰臥位の場合も同様の位置で行う

(5) 軽く息を吐いてもらい，小数点以下第1位まで目盛を読む

2) 腹囲
(1) 測定部位を露出してもらう
(2) 自然な立位にし，上肢は体側に沿って自然に下ろす
(3) 患者の臍部の高さで水平にメジャーを巻く（図9-12）

〈注意すべき状態〉
- 腹囲が大きい場合は，肥満や内臓脂肪の増加を疑うが，過度の栄養不良から腹部が膨大することもある。腹水の貯留や妊娠，ガスの貯留でも腹囲が大きくなる（本章「8 腹部」p.182参照）

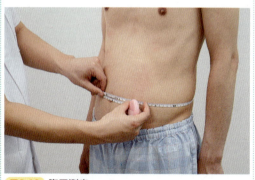

図9-12 腹囲測定

(4) 軽く息を吐いてもらい，小数点以下第1位まで目盛を読む
- メジャーは体表面に密着させて締めつけすぎないようにする
- 妊娠などにより腹部が下垂して臍が下方に偏位している場合は，肋骨下縁と上前腸骨棘の中点の高さで測定する（図9-13）
- 仰臥位の場合も同様の位置で行う。膝は伸ばす

方法と留意点	判　断

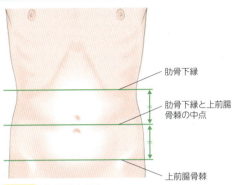

図9-13　腹囲測定部位

3）上腕周囲径
（1）上腕を露出する
（2）自然な立位にし，上肢は体側に沿って自然に下ろす
（3）上腕の最大膨隆部（最大周囲径）（図9-14a）に，長軸に対して直角にメジャーを巻く（図9-14b）

〈注意すべき状態〉
● 四肢周囲径が両側性に小さい場合は，栄養不良が疑われる。また，両側性に現れる神経筋疾患（ALSや重症筋無力症など）の可能性もある。両側性に大きい場合は肥満や両側性の腫脹が考えられる。左右差がある場合は，小さい側に筋量の低下，大きい側に腫脹が生じている可能性がある

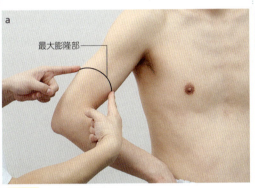
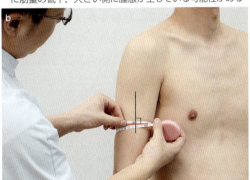

図9-14　上腕周囲径測定

（4）筋肉の緊張を解くように伝え，小数点第1位まで目盛を読む
　●仰臥位で行う場合も同様の位置で行う

4）大腿周囲径
（1）大腿を露出する
（2）仰臥位になり，軽く膝を屈曲させる
（3）大腿の最大膨隆部（最大周囲径）に，長軸に対して直角にメジャーを巻く
（4）筋肉の緊張を解くように伝え，小数点第1位まで目盛を読む

5）下腿周囲径
（1）下腿を露出する
（2）仰臥位になり，軽く膝を屈曲させる
（3）下腿の最大膨隆部（最大周囲径）（図9-15a）に，長軸に対して直角にメジャーを巻く（図9-15b）
（4）筋肉の緊張を解くように伝え，小数点第1位まで目盛を読む

方法と留意点	判　断

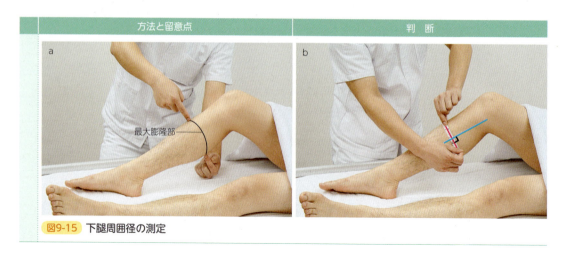

図9-15　下腿周囲径の測定

B 関節可動域および徒手筋力テスト

- ●目　　的：関節の性状と可動域，筋力（徒手筋力テスト）を測定・観察し，総合力としての歩行の状態を観察する。つまり，「動く」ことができない場合，どこに問題があるのかを明らかにする一端（本節1〜3ならびに本章「10　神経系」参照）となる。その結果から，日常生活動作への影響を調べ，自立に向けたケアを考える。何らかの症状や問題が存在する場合は，結果を医療チームで共有する
- ●使用物品：角度計

※関節可動域には年齢差もあるため，本節では日本整形外科学会および日本リハビリテーション医学会の制定する「参考角度」を使用している

方法と留意点	判　断
1　問診 　1）以下の症状について患者に尋ねる 　　①痛み，熱感 　　②こわばり，動かしにくさ 　　③しびれ感 　　④知覚鈍麻 　　⑤不随意運動 　　●症状がみられた場合は，いつから，どのように，部位，程度，改善・増悪因子，条件，随伴症状を尋ねる（本章「1　フィジカルアセスメントにおける観察」p.64参照） 　　●筋骨格系に原因がある場合，動作による影響が大きいため，その状態は一時的なものか，継続するのか，動きの開始時から終了時にかけての変化を把握する 　2）打撲，骨折や，骨関節の変形などを引き起こす可能性のある疾患の既往の有無を確認する	〈正常〉 ●症状がない 〈注意すべき状態〉 ●起床時に動かしにくい場合には，関節リウマチなどが考えられる ●随伴症状として考えられるのは，可動域の制限，熱感，運動時の関節音など ●骨折の既往がある場合は，関節や骨接合部の変型を起こしている場合もあるので，注意深く視診・触診する ●打撲の既往がある場合，最近のものでは周囲組織の変色，腫脹，浮腫などが見られる。過去の打撲による変型などの可能性もある ●関節リウマチ，変形性関節疾患などでは，関節部の腫脹や変形が見られることもある
2　上肢のアセスメント 　1）アセスメントしやすい体位をとってもらう 　（1）上肢のすべての関節が基本肢位となるよう，椅座位または立位をとってもらう 　（2）肩関節から手指までを十分に露出する	

方法と留意点	判断
2）視診 患者の正面，横，背部から，上肢全体，肩関節，肘関節，手関節，手指関節，およびその周囲組織を，以下の視点で観察する。 ①左右対称性，②輪郭，③大きさ，④変形，⑤腫脹・浮腫，⑥発赤，変色，⑦不随意運動 ●手関節，手指関節は，視診しやすいように，測定者が手で支え，視診後すぐに触診を行うとスムーズに進められる 3）触診 肩関節，肘関節，手関節，手指関節，およびその周囲組織を，軽く動かしながら触診し（**図9-16**），次の①～⑨の視点で観察する ①対称性，②輪郭，③大きさ，④変形，⑤腫脹・浮腫，⑥熱感，⑦圧痛，⑧運動時の関節音，⑨不随意運動 ●必要時，上肢の長さ，上腕周囲径の測定を行う	〈正常〉 ●関節部は，左右対称で不随意運動はなく，腫脹，変形，発赤は見られない ●筋量がほぼ左右対称で保たれている ●触診において左右対称で，変形・腫脹，不随意運動，熱感，圧痛，関節音がない ●筋の萎縮がない 〈注意すべき状態〉 ●熱感，圧痛，運動時関節音などがある場合は，関節周囲炎，関節炎などが考えられる ●両側性の筋量の減少は，低栄養や両側性の麻痺が考えられる ●片側性の筋量の減少がみられる場合は，片麻痺が考えられる

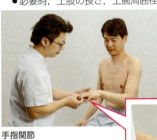

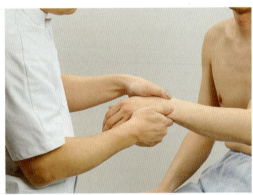

手指関節　　　　　　　　　　　　　　　　　　　　手関節

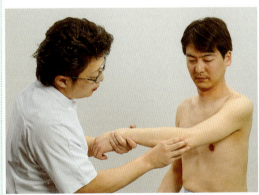

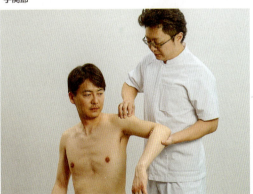

肘関節　　　　　　　　　　　　　　　　　　　　　肩関節

図9-16 上肢の触診

4）関節可動域の視診
(1) 関節の動きをみるため，いろいろな動きをしてもらうこと，最大限の角度をみたいが，痛みを伴う際には無理せず，伝えてほしいことを説明する
　●動きの指示が伝わりにくい場合は，看護師がその動きを見せることも効果的である
(2) 手指関節の可動域を視診する

〈参考角度〉
①近位指節間関節屈曲：100度
②遠位指節間関節屈曲：80度
③母指指節間関節屈曲：80度
④中手指節関節屈曲：90度
⑤母指中手指節関節屈曲：60度
⑥中手指節関節伸展：45度

方法と留意点	判　断
①近位・遠位指節間関節屈曲（図9-17a, b, c）：手指の第一関節，第二関節を同時に曲げる ②中手指節関節屈曲（図9-17d, e）：掌側に曲げる ③中手指節関節伸展（図9-17f）：手背側に反らせる ●できる限り両側同時に行い，左右を比較する	〈注意すべき状態〉 ●関節リウマチでは関節の強直，手指のスワンネック変形，ボタン穴変形などが見られることがある

近位指節間関節の屈曲

指節間関節の屈曲（母指）

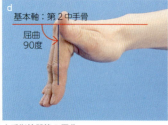
中手指節関節の屈曲

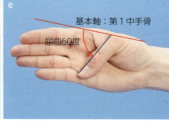
中手指節関節の屈曲（母指）

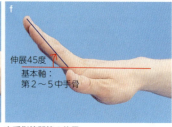
中手指節関節の伸展

図9-17　手指の関節可動域の視診

（3）手関節の可動域を視診する
①掌屈（図9-18a）：手掌側へ曲げる
②背屈（図9-18b）：手背側へ反らせる
③橈屈（図9-18c）：橈骨側へ曲げる
④尺屈（図9-18d）：尺骨側へ曲げる
●できる限り両側同時に行い，左右を比較する
●肘関節の動きで代償しがちになるため，必要時，基本軸となる前腕を支え，固定する

〈参考角度〉
①掌屈：90度
②背屈：70度
③橈屈：25度
④尺屈：55度

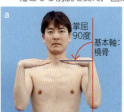
掌屈（屈曲）

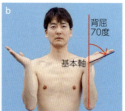
背屈（伸展）

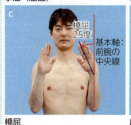
橈屈

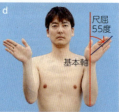
尺屈

図9-18　手関節の関節可動域の視診

方法と留意点	判　断

（4）肘関節の可動域を視診する
①屈曲（図9-19a）：手掌を前面に向けて肘を曲げる
②伸展（図9-19b）：手掌を前面に向けて背部に反らせる
③回外（図9-19c）：肘関節90度屈曲位で手掌を上向きにする
④回内（図9-19d）：同様に手掌を床に平行にする
- できる限り両側同時に行い，左右を比較する
- 回外・回内時は，肩の回旋が入りやすいため，上腕を体側につけ，肘関節屈曲位90度に固定する

〈参考角度〉
①屈曲：145度
②伸展：5度
③回外：90度
④回内：90度

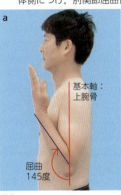
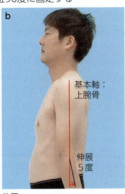
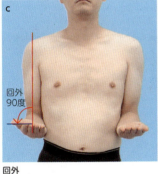
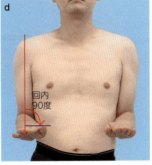

図9-19 肘関節の関節可動域の視診

（5）肩関節の可動域を視診する
①屈曲（図9-20a）：上腕を前面から挙上する
②伸展（図9-20b）：上腕を後面に反らす
③外転（図9-20c）：上腕を側方から挙上する
④内転（図9-20d）：上腕を体幹前面を通り反対側へ交差させる
⑤外旋：上腕を体幹に接し，肘関節前方90度に屈曲した肢位から前腕を外側に開く（図9-20e）
⑥内旋：同様に胸腹部側に倒す（図9-20f）

〈参考角度〉
①屈曲：180度
②伸展：50度
③外転：180度
④内転：75度
⑤外旋：60度
⑥内旋：80度

〈注意すべき状態〉
- 肩関節周囲炎がある場合には，①～⑥それぞれに制限がみられることもある

方法と留意点	判　断

屈曲（前方挙上）　　伸展（後方挙上）　　外転（側方挙上）

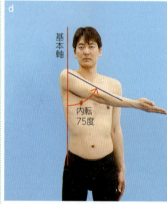

内転

外旋

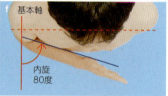

内旋

図9-20 肩関節の関節可動域の視診

5）徒手筋力テスト
(1) 筋力をみるため，看護師が力を加えるのに対し抵抗する動きをとってもらうよう説明する
- できる限り両側同時に行い，左右を比較する
- 看護師の動きに逆らえない場合（判定基準3以下），診察台などの上で滑らせるようにして動きをとってもらい，0～3の判定をする

(2) 手指の筋力テスト
①握力（図9-21a）：看護師の手を握ってもらい，看護師は手指を開くよう力を加える
②外転力（図9-21b）：患者に指を開くようにしてもらい，看護師は外側から閉じるように力を加える
- 筋力が弱い場合，各手指関節の屈曲力，伸展力をそれぞれ確認する

〈正常〉
- 看護師の手を力を入れて握ることができる
- 中手指節関節，遠位・近位指節間関節の屈曲力（指屈筋群）を総合的にみることができる
- 看護師が抵抗を加えても，運動範囲が制限されることなく（判定基準5），あるいはあまり制限されず（判定基準4），指を開くことができる

〈注意すべき状態〉
- 看護師の抵抗に逆らえない場合（判定基準3以下），関節や筋肉，神経支配の障害があることが考えられる

| 方法と留意点 | 判断 |

握力　　　　　　外転力（指伸筋群）
→ 患者　→ 看護師

図9-21 手指の筋力テスト

(3) 手関節の筋力テスト
①屈曲力（**図9-22a**）：上腕を体側に沿わせた肘関節90度屈曲位をとってもらい，看護師は手掌側を合わせるように手を添え，患者に手関節を掌屈してもらうと同時に，背屈させるよう押し上げる
②伸展力（**図9-22b**）：同様の肢位で，背屈してもらうのと同時に，看護師は手背側から掌屈させるよう力を加える
● 両側同時に行い，左右差をみることが望ましいが，肘関節を使った動きになるようであれば，前腕を支持して行う（**図9-22c**）

〈正常〉
● 看護師が抵抗を加えても，運動範囲が制限されることなく（判定基準5），あるいはあまり制限されず（判定基準4），手関節を屈曲・伸展できる

〈注意すべき状態〉
● 判定基準3以下の場合は，手関節や橈側・尺側手根伸・屈筋群の筋肉の障害，神経の障害があることがわかる

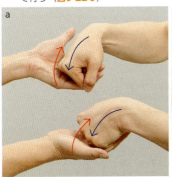 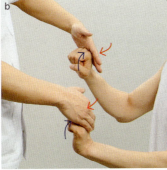 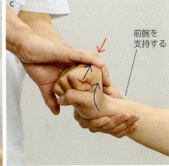

屈曲力（橈側・尺側手根屈筋）　　伸展力（橈側・尺側手根伸筋）　　片手ずつ行う場合
→ 患者　→ 看護師

図9-22 手関節の筋力テスト

(4) 肘関節の筋力テスト
①屈曲力（**図9-23a**）：上腕を体幹に沿わせ手掌を上方にして肘関節を屈曲する動きをとってもらい，看護師は患者の前腕前面に手を当て，伸展させるよう力を加える
②伸展力（**図9-23b**）：肘関節屈曲状態から肘関節を伸展させる動きをとってもらい，看護師は患者の前腕後面に手を当て，屈曲を維持させるよう力を加える
● 患者は上半身の体重をかけて力を加える場合もあるため，肘の力をみていることを説明し，場合によっては上腕を固定して行う

〈正常〉
● 看護師が抵抗を加えても，運動範囲が制限されることなく（判定基準5），あるいはあまり制限されず（判定基準4），肘関節の屈曲・伸展ができる

〈注意すべき状態〉
● 看護師の抵抗に逆らえない場合（判定基準3以下），肘関節や上腕二頭筋・上腕三頭筋の筋肉の障害，支配神経の障害が考えられる

方法と留意点	判断

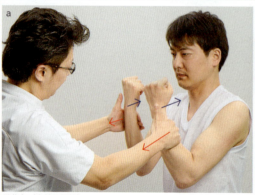
屈曲力（上腕二頭筋）

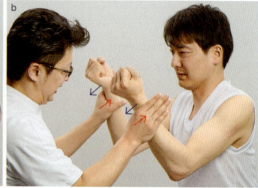
伸展力（上腕三頭筋）

→ 患者　→ 看護師

図9-23 肘関節の筋力テスト

（5）肩関節の筋力テスト
①屈曲力（図9-24a）：手掌を下に向けて，肩関節を90度屈曲した肢位をとってもらい，看護師は上腕前面に手を当て，肩関節を伸展させるように力を加える
②伸展力（図9-24b）：屈曲力と同様の肢位で，看護師は上腕部後面に手を当て，屈曲させるよう力を加える
③外転力（図9-24c）：患者に上肢を90度まで外転させてもらい，看護師は肘関節より上部に外側から手を当て，下ろさせるよう力を加える
④内転力（図9-24d）：外転力と同様の肢位で患者に上腕を肩の高さから下ろすよう内転させてもらい，看護師は上腕内側に手を当て，外転させるように力を加える
●開始時肩関節90度外転位が保持できないようであれば，少し低い角度からでも同様の動きをしてもらうように工夫する

〈正常〉
●看護師が抵抗を加えても，運動範囲が制限されることなく（判定基準5），あるいはあまり制限されず（判定基準4），肩関節を動かすことができる

〈注意すべき状態〉
●判定基準3以下の場合は，肩関節や，三角筋・広背筋・棘上筋・大胸筋の筋肉の障害，神経の障害が考えられる

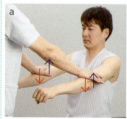
屈曲力（三角筋）

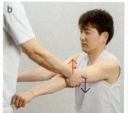
伸展力（広背筋）

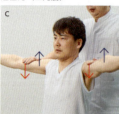
外転力（三角筋，棘上筋）

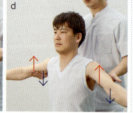
内転力（大胸筋）

→ 患者　→ 看護師

図9-24 肩関節の筋力テスト

方法と留意点	判　断

3　下肢のアセスメント

1）アセスメントしやすい体位をとってもらう

(1) 下肢のすべての関節が基本肢位となるよう，仰臥位または立位をとってもらう．徒手筋力テストは，端坐位あるいは臥位で行う

(2) 股関節から足趾までを十分に露出する
- 動きが妨げられたり，打撲・転倒などを起こさないよう，十分な空間を確保し，必要時つかまるもの（ベッド柵など）を準備する

2）視診

(1) 患者の正面，横，背部から，下肢全体，股関節，膝関節，足関節，足趾関節，およびその周囲組織を，以下の視点で観察する
①左右対称性，②輪郭，③大きさ，④変形，⑤腫脹・浮腫，⑥発赤，変色，⑦不随意運動

〈正常〉
- 関節部は，左右対称で不随意運動はなく，腫脹，発赤，変形はみられない
- 筋量がほぼ左右対称で保たれている
- 膝関節部，足関節部の間隔はどちらも2cm以内で，膝の曲がりもない

(2) 下肢を閉じた立位をとってもらい，左右の膝関節間および足関節間の距離を測定する（図9-25）
- 臥位でアセスメントを行う場合には，体幹のアセスメント時に一緒に行うことで負担を減らすことができる

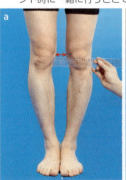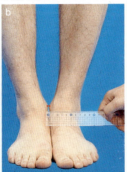

膝関節間：両膝の間を測定する　　足関節間：両内果の間を測定する

図9-25　膝関節間・足関節間の距離測定

〈注意すべき状態〉
- 発赤・腫脹がみられる場合は，関節周囲炎，関節炎などが考えられる
- X（エックス）脚→膝関節間が狭く，足関節間が広い
- O（オー）脚→膝関節間が広く，足関節間が狭い（あるいはともに広い）
- 両側性の筋量の減少は，低栄養や両側性の麻痺が考えられる
- 片側性に筋量の減少がみられる場合は，片麻痺が考えられる

3）触診

股関節，膝関節，足関節，足趾関節，およびその周囲組織を，軽く動かしながら触診し（図9-26），以下の視点で観察する
①対称性，②輪郭，③大きさ，④変形，⑤腫脹・浮腫，⑥熱感，⑦圧痛，⑧運動時の関節音，⑨不随意運動
- 必要時，下肢の長さ，大腿・下腿周囲径の測定を行う

〈正常〉
- 左右対称で，変形・腫脹，不随意運動，熱感，圧痛，関節音がない．周囲組織の筋の萎縮がない

〈注意すべき状態〉
- 熱感，圧痛，運動時捻髪音などがある場合は，関節周囲炎，関節炎などが考えられる
- 下肢長の左右差がある場合は，脊柱の側彎や過去の骨折が原因となっている場合もある

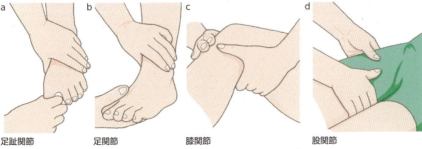

a　足趾関節　　b　足関節　　c　膝関節　　d　股関節

図9-26　下肢の触診

方法と留意点	判　断
4）関節可動域の視診 （1）関節の動きをみるため，いろいろな動きをしてもらうこと，最大限の角度をみたいが，痛みを伴う際には無理せず，伝えてほしいことを説明する （2）股関節の可動域の視診 ①屈曲（膝関節屈曲位，図9-27a）：大腿部を前方に挙上する ②伸展（図9-27b）：下肢を後方に反らす ③外転（図9-27c）：下肢を外側へ開く ④内転（図9-27d）：体幹前面を通り反対側へ交差させる ⑤外旋（図9-27e）：股関節ならびに膝関節屈曲90度で下腿を内側に振る ⑥内旋（図9-27f）：同様に外側に振る ●伸展時は腰椎の伸展，外転・内転時は股関節の外旋・内旋で代償しようとすることがあるため，必要時には，腰部や大腿部を支え，固定する	〈参考角度〉 ①屈曲（膝関節屈曲位）：125度，屈曲（膝関節伸展位）：90度 ②伸展：15度 ③外転：45度 ④内転：20度 ⑤外旋：45度 ⑥内旋：45度 〈注意すべき状態〉 ●内旋や外転の制限がある場合は，変形性股関節症などが考えられる

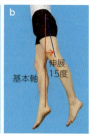

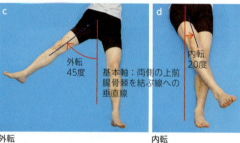
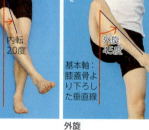
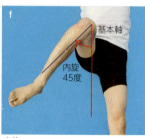

図9-27　股関節の関節可動域の視診

方法と留意点	判　断
（3）膝関節の可動域の視診 ①屈曲（図9-28a）：踵を殿部につけるように膝関節を曲げる ②伸展（図9-28b）：下腿だけを前面に蹴り出すようにする ●伸展時は股関節による代償運動がみられやすいため，大腿部を支え，固定する	〈参考角度〉 ①屈曲：130度 ②伸展：0度 〈注意すべき状態〉 ●靱帯断裂，変形性膝関節症，関節リウマチがあると，膝関節が不安定になったり，動揺がみられることもある

方法と留意点	判　断

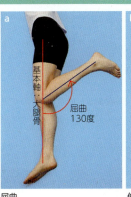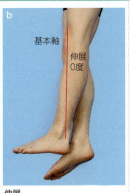

屈曲　　　　　　　　　　伸展

図9-28　膝関節の関節可動域の視診

（4）足関節の可動域の視診
①背屈（図9-29a）：つま先を引き上げるように足関節を曲げる
②底屈（図9-29b）：つま先を伸ばすようにする足関節を伸ばす
③外がえし（図9-29c）：足底を床に着け，小指側を上方に反らす
④内がえし（図9-29d）：同様に親指側を上方に反らす
● 内がえし・外がえし測定時は，立位で不安定になるようであれば，仰臥位で足底に平面のものを当てて観察する

〈参考角度〉
①背屈：20度
②底屈：45度
③外がえし：20度
④内がえし：30度

〈注意すべき状態〉
● 変形性膝関節症の場合は，伸展位での内がえし・外がえしに異常な可動性がみられることがある

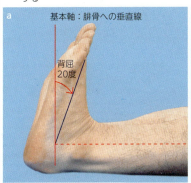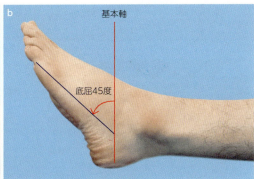

背屈　　　　　　　　　　底屈

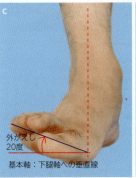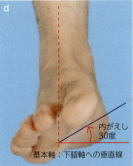

外がえし　　　　　　　　内がえし

図9-29　足関節の関節可動域の視診

方法と留意点	判　断
5）徒手筋力テスト （1）筋力をみるため，看護師が力を加えるのに対し抵抗する動きをとってもらうよう説明する 　●できる限り両側同時に行い，左右を比較する （2）股関節の筋力テスト ①屈曲力（図9-30a）：足底部を床につけない端座位で，大腿部を挙上させる動きをとってもらい，看護師は患者の大腿前面に手を当て，座面に押しつけるよう力を加える ②伸展力（図9-30b）：同様に，大腿部を座面に押しつけるような動きをとってもらい，看護師は大腿後面に手を当て，大腿部を引き上げるよう力を加える ③外転力（図9-30c）：端座位で股関節を外転させる動きをとってもらい，看護師は両側大腿の側面に手を当て，足を閉じようと力を加える ④内転力（図9-30d）：同様に股関節を内転させる動きをとってもらい，看護師は大腿内側に手を入れ，足を開こうと力を加える	〈正常〉 ●看護師が抵抗を加えても，運動範囲が制限されることなく（判定基準5），あるいはあまり制限されず（判定基準4），股関節を動かすことができる 〈注意すべき状態〉 ●判定基準3以下の場合は，股関節や腸腰筋・大殿筋・中殿筋・股関節内転筋群の筋肉の障害，神経の障害が考えられる

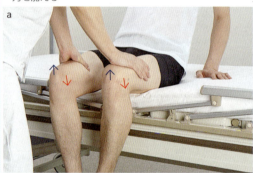
屈曲力（腸腰筋）

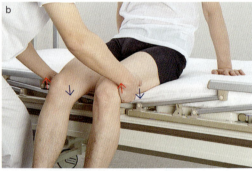
伸展力（大殿筋）

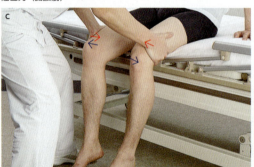
外転力（中殿筋）

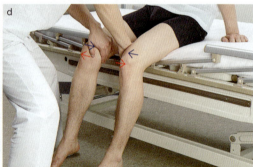
内転力（股関節内転筋群）

　→ 患者　　→ 看護師

図9-30 股関節の筋力テスト

（3）膝関節の筋力テスト ①屈曲力（図9-31a）：端座位で膝を屈曲させる動きをとってもらい，看護師は患者の下腿後面に手を当て，前に引き出そうと力を加える ②伸展力（図9-31b）：同様に，膝を伸展させる動きをとってもらい，看護師は患者の下腿前面に手を当て，後ろに押すように力を加える	〈正常〉 ●看護師が抵抗を加えても，運動範囲が制限されることなく（判定基準5），あるいはあまり制限されず（判定基準4），膝関節を動かすことができる 〈注意すべき状態〉 ●判定基準3以下の場合は，膝関節やハムストリングス（大腿二頭筋・半膜様筋・半腱様筋）・大腿四頭筋の筋肉の障害，神経の障害があることが考えられる

方法と留意点	判 断

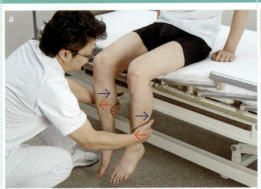

屈曲力（ハムストリングス）　→ 患者
伸展力（大腿四頭筋）　→ 看護師

図9-31　膝関節の筋力テスト

（4）足関節
①背屈力（図9-32a）：端座位で足首を屈曲させてもらい，看護師は患者の足背に手を当て，足首を伸展させるよう力を加える
②底屈力（図9-32b）：同様に足首を伸展してもらい，看護師は患者の足底に手を当て，足首を屈曲させるよう力を加える
- 股関節や膝関節の筋力を使って力を加えてしまう場合，足関節の力をみていることを説明し，足関節上部を支えて行ってもよい（図9-32c）

〈正常〉
- 看護師が抵抗を加えても，運動範囲が制限されることなく（判定基準5），あるいはあまり制限されず（判定基準4），足関節を動かすことができる

〈注意すべき状態〉
- 判定基準3以下の場合は，足関節や前脛骨筋・腓腹筋・ヒラメ筋の筋肉の障害，神経の障害があることが考えられる

 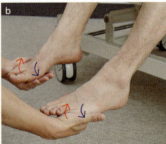 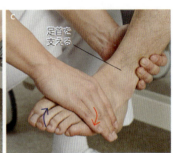

背屈力（前脛骨筋）　　底屈力（腓腹筋，ヒラメ筋）　　片足ずつ測定する場合
→ 患者　→ 看護師

図9-32　足関節の筋力テスト

4　体幹および全身のアセスメント
　1）脊柱の形態の視診（図9-33）
①立位をとってもらい，真後ろに立って脊柱がまっすぐか，肩や肩甲骨，腸骨の高さが左右対称であるか観察する
②前屈位からゆっくり起き上がってもらい，背部の高さの差がないか確認する。差がある場合には，その差を測定する
③患者の側面に立って，脊柱の生理的彎曲が保たれているか観察する

〈正常〉
- 脊柱はまっすぐで，肩，腸骨なども左右同じ高さにある。側面から見ると，頸部と腰部で前面にでる緩やかなカーブを描いた生理的な彎曲が見られる

〈注意すべき状態〉
- 肩や腸骨の高さに差がある場合，脊柱側彎が考えられる。高い方向に側彎しており，著しい場合は運動や呼吸に影響を及ぼすことがある
- 脊柱の後彎を円背，亀背という（本章「6　呼吸器」図6-7，p.151参照）
- 前彎は肥満などによる腹部の突出が考えられ，腰痛に結びつきやすい

| 方法と留意点 | 判　断 |

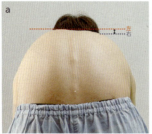
背部の高さの差

正常
脊柱の生理的彎曲

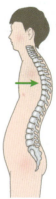
前彎傾向　後彎傾向

図9-33 脊柱の形態

2）脊柱の触診
（1）脊柱の棘突起およびその周囲組織を触診し（図9-34a），以下の視点で観察する
①対称性，②輪郭，③変形，④腫脹・浮腫，⑤熱感，⑥圧痛，⑦運動時の関節音，⑧不随意運動
（2）腰椎の棘突起両側に示指，中指を当て，前屈位から起き上がってもらいながら，脊柱を上になぞり，側彎の有無を観察する（図9-34b）

〈正常〉
● 左右対称で，変形・腫脹，不随意運動，熱感，圧痛，関節音がない。また，周囲組織の萎縮などもない

〈注意すべき状態〉
● 熱感，圧痛，運動時関節音がある場合は，関節周囲炎，関節炎などが考えられる

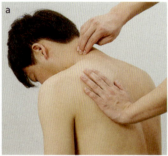
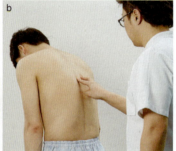

図9-34 脊柱の触診

3）関節可動域を測定する
（1）関節の動きをみるため，いろいろな動きをしてもらうこと，最大限の角度をみたいが，痛みを伴う際には無理せず，伝えてほしいことを説明する
● 動きが妨げられたり，転倒などを起こさないよう，十分な空間を確保し，そばですぐ支えられるようにして実施する
（2）頸部の可動域の視診
①屈曲（前屈）（図9-35a）：顎を胸につけるように曲げる
②伸展（後屈）（図9-35b）：頭部を後ろに反らせる
③側屈（図9-35c）：左右の肩に耳をつけるように曲げる
④回旋（図9-35d）：左右の肩を見るように回す

〈参考角度〉
①屈曲：60度
②伸展：50度
③側屈：左右とも50度
④回旋：左右とも60度

〈注意すべき状態〉
● 可動域が小さい場合，頸椎（内頸部屈曲筋群，副神経）の障害が考えられる

| 方法と留意点 | 判　断 |

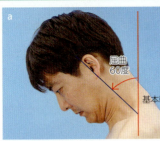
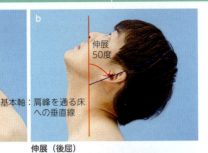

図9-35　頸部の可動域の視診

（3）胸腰部の可動域の視診
① 屈曲（前屈）（図9-36a）：前傾姿勢をとる
② 伸展（後屈）（図9-36b）：後ろに反る
③ 側屈（図9-36c）：上半身を側方左右に倒す
④ 回旋（図9-36d）：上半身を側方左右にひねる
- 屈曲・伸展は基本軸の仙骨後面と第5腰椎と第1胸椎棘突起を結ぶ線の交差で角度を見る
- 屈曲・伸展・回旋・側屈は股関節の代償運動が入りやすいため、座位で行うか、骨盤を支えて固定し実施する

〈参考角度〉
① 屈曲（前屈）：45度
② 伸展（後屈）：30度
③ 側屈：50度
④ 回旋：40度

〈注意すべき状態〉
- 側彎がある場合、前屈時、背部から見て、左右の背面の高さに差がみられることもある

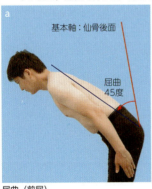
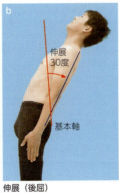
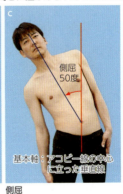
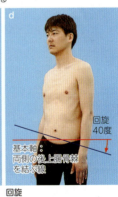

図9-36　胸腰部の可動域の視診

4）抗重力筋の視診
① 両足を肩幅に広げて立ち、手掌を上にして床と平行になるように両腕を前方に挙上し、目を閉じた状態で20～30秒静止してもらう（図9-37a）
② そのままで、両腕をまっすぐ耳の横に挙上し、20～30秒間静止してもらう（図9-37b）

〈正常〉
- 頸部屈曲筋群、脊柱起立筋群、腹筋群、腸腰筋、大殿筋、大腿四頭筋、大腿屈筋群、下腿三頭筋、前頸骨筋と脊柱、骨盤、下肢骨の働きで立位が保持され、重力に逆らって姿勢を保つことができる

方法と留意点	判　断
 手掌を上にして立つ **図9-37** 抗重力筋の視診	〈注意すべき状態〉 ● 姿勢が保てない場合は，上記筋群や関節の障害が考えられる ● 大きくふらつき立っていられない場合は，平衡感覚機能（三半規管，小脳など），位置覚の障害が考えられる ● 手を挙げていられない場合は，上肢の筋力，関節の障害が考えられる ● 上肢の不全麻痺がある場合は，麻痺側が回内し下降する（バレー徴候）
5 歩行のアセスメント 歩行状態を見る（図9-38） 以下の歩行状態で，手足の動きの左右差，バランスの取り方，膝の曲がり，自然さ，容易さをみる ①素足で一直線に一往復以上歩く ②踵だけで同様に歩く ③つま先立ちになって，同様に歩く ④つま先にもう一方の踵をくっつけるように一直線上を一往復以上歩く	〈正常〉 ● どの歩行も，一直線にバランスよく，ターン時のふらつきもなく歩行できる 〈注意すべき状態〉 ● 一歩ごとに骨盤が傾き体幹が揺れる場合は，筋ジストロフィーなどにみられる動揺歩行が考えられる ● 片麻痺型歩行では，麻痺側の足を外側に半円を描くように引きずって歩行する ● パーキンソン病などでは，前屈みで小刻みに床をこすって歩く小刻み歩行がみられる ● 踵歩きができない場合，前脛骨神経麻痺が考えられる ● つま先立ち歩きができない場合，腓腹筋麻痺が考えられる

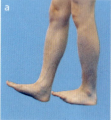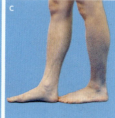

踵歩行　　つま先歩行　　つま先・踵方向

図9-38 歩行のアセスメント

文　献

1) 石井範子・阿部テル子編：イラストでわかる基礎看護技術—ひとりで学べる方法とポイント，日本看護協会出版会，2002.
2) 福井次矢監訳，前川宗隆訳：写真でみるフィジカル・アセスメント，医学書院，1997.
3) Bickley LS著，福井次矢・井部俊子監：ベイツ診察法，メディカル・サイエンス・インターナショナル，2008.
4) 佐藤達夫監：からだの地図帳，新版，講談社，2013.
5) 日野原重明・井村裕夫監：看護のための最新医学講座　1脳・神経系疾患，中山書店，2002.
6) 青木主税・根本悟子・大熊敦子：ROMナビ　動画で学ぶ関節可動領域測定法，ラウンドフラット，2013.
7) 医療情報科学研究所：病気がみえる vol.11　運動器・整形外科，メディックメディア，2017.

10 神経系

学習目標
- 神経の働きと経路を結びつけながら，各アセスメントの意義を理解する。
- 神経系のアセスメントを行うことができ，正常な状態か，注意すべき状態かを判定できる。

1 神経系の構造

　神経は中枢神経と末梢神経とに大別される。中枢神経は脳と脊髄であり，脳から出る末梢神経が脳神経，脊髄から出る末梢神経が脊髄神経である。

　脳神経は12対あり，脊髄神経は，出入りする脊髄の部位により，頸神経（C）8対，胸神経（T）12対，腰神経（L）5対，仙骨神経（S）5対，尾骨神経（Co）1対の計31対がある。感覚性の神経は末梢から中枢へ向かい，上行性といわれる。運動性の神経は中枢から末梢へ刺激を伝え，下行性といわれる。脊髄神経は31対すべてに運動性神経と感覚性神経が存在する。

　脳は，大脳，小脳，脳幹から成り立っている。大脳は前頭葉，頭頂葉，側頭葉，後頭葉からなる。大脳の働きは場所によって異なる（図10-1）。

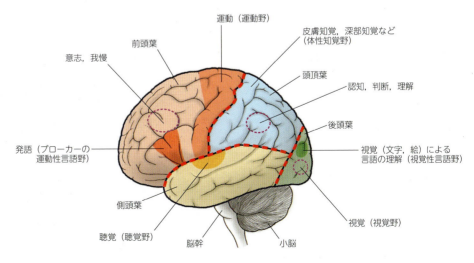

図10-1　大脳の機能

2 神経系の機能

脳や神経の機能は多岐にわたる。五感を感じ，身体の各部すべてを動かし，生命を維持するための呼吸や体温，心拍，血圧，意識を保ち，食欲や性欲なども脳から生まれる。さらに，記憶や情緒，知性や感情などの人間らしさをかたちづくる働きもある。

本書では，運動神経のアセスメントは本章「9　筋骨格系」に記載した。神経系のアセスメントとして本節では，「反射」「感覚」「小脳の機能」のアセスメントについて述べる。脳神経については本章「3　皮膚・爪・頭頸部」「4　耳・鼻」「5　眼」に記載した。意識については本章「2　バイタルサイン，痛みの見方」で扱った。認知や感情，計算，記憶などの高次脳機能については，様々なアセスメント方法が存在するため，精神看護学などの成書を参考にしてほしい。

3 神経系のアセスメントのポイント

1）反射のアセスメント

反射は，大脳からの命令なしに脊髄を介し，感覚が運動に変化する現象である。

深部腱反射の仕組みは図10-2のとおりである。深部腱への感覚刺激が，脊髄神経の後根に入り，後根神経節を通り，脊髄前角に至る。ここでニューロンを変え，前根を通り，運動として出力され，筋肉の収縮が起こり運動として視診できる。このため，反射が低下またはみられない場合は反射経路のどこか，または筋が障害されていると考えられる。

反射で起こる運動は，大脳からの抑制刺激を受け，過剰な運動が起こらないようにコントロールされている。このため，反射が亢進している場合は，大脳の抑制刺激が低下していることを示し，脳出血や脳梗塞などの上位ニューロンの障害を疑う。

表在性反射の反射弓は，末梢神経から脊髄に入り，いったん脳に入ってから錐体路（上位運動ニューロン）を下行し，遠心路・効果器に至る。表在性反射の反射弓には錐体路の一部が含まれているため，錐体路病変が起こると表在性反射は消失する。

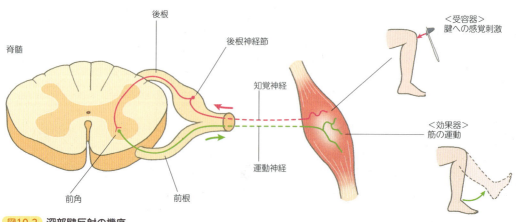

図10-2　深部腱反射の機序

表10-1 反射と中枢

	反射	受容器	中枢脊髄	効果器	反応
深部腱反射	上腕二頭筋反射	筋紡錘	C5・6	上腕二頭筋	肘関節の屈曲
	上腕三頭筋反射	筋紡錘	C6・7	上腕三頭筋	肘関節の伸展
	膝蓋腱反射	膝蓋腱	L2〜4	大腿四頭筋	膝関節の伸展
	アキレス腱反射	アキレス腱	S1	腓腹筋	足部の底屈
表在性反射	腹壁反射（上方）	腹壁皮膚	T8〜10	腹筋	臍がなぞった側に偏位
	腹壁反射（下方）	腹壁皮膚	T10〜12	腹筋	臍がなぞった側に偏位
	足底（バビンスキー）反射	足底皮膚	L5・S1	足底筋	指が足底側に屈曲（陰性）

表10-2 反射の判定表記

日本式表記		米国式表記	
表記	反応	表記	反応
(－)または0	まったく反応がない・消失	0	消失
(±)	軽度の反応があり，減弱と判断されたもの	1+	弱い
(+)	正常の反応	2+	正常
(++)	やや亢進	3+	亢進（必ずしも異常を意味しない）
(+++)	亢進		
(++++)	著明な亢進	4+	著明な亢進

　起こる反射とその部位の脊髄神経の支配領域を表10-1に示す。
　反射の強弱の判断は，何cm動くかという明白な基準がないため，左右差をみながら，正常反応を多く経験して判定できるようにする。日米で表記方法が違うため，記録する際，または読む際には注意が必要である（表10-2）。

2）知覚のアセスメント

　痛みを感じる痛覚，熱さ冷たさを感じる温度覚，物が軽く触れたとわかる触覚は表在感覚といい，脊髄視床路を経路として大脳頭頂葉で認識される。細かな振動を感じる振動覚と，四肢がどのような位置にあるか，どのような方向に動いているかがわかる位置覚は，筋肉，関節，骨などから伝えられる感覚で，深部感覚（固有知覚）といい，後索路を経路として認識される（表10-3，図10-3）。脊髄視床路では感覚が入ってきたレベルの脊髄で反対側に移動するのに対し，後索路では延髄下部で反対側に移動している。このため，いずれの感覚路を探索しているかを意識してアセスメントする必要がある。脊髄が支配している皮膚知覚帯を図10-4に示す。また，主な末梢神経支配域を図10-5に示す。知覚障害がどの範囲に及ぶのか，これを参考にして探索することで障害されている脊髄レベルを知ることができる。

表10-3 一般感覚の機能別種類と経路

知　覚	経　路
温度覚 痛覚 触覚（尖ったもの）	〈脊髄視床路系〉 1次ニューロン：末梢神経からその側の脊髄後角に至る 2次ニューロン：反対側の脊髄に移動し，脊髄視床路を通り上行し，視床に至る 3次ニューロン：視床から大脳皮質知覚中枢に至る
圧覚 触覚（柔らかいもの） 振動覚 位置覚	〈後索路系〉 1次ニューロン：末梢神経からその側の脊髄に入り，後柱を通りそのまま上行し，延髄の後索核に至る 2次ニューロン：反対側に移動し，視床に至る 3次ニューロン：視床から大脳皮質の知覚中枢に至る
判断を含む知覚（複合知覚）	圧覚・触覚と同じ経路をたどるが，これを頭頂葉で統合的に理解する

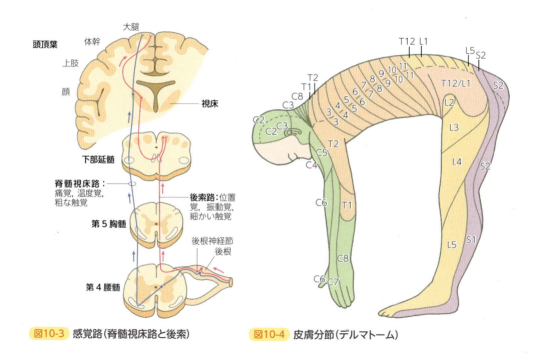

図10-3 感覚路（脊髄視床路と後索）　　図10-4 皮膚分節（デルマトーム）

入ってきた感覚情報は頭頂葉の感覚野で統合され認知される。この統合された知覚を複合知覚といい，二点識別覚や立体認知，書画感覚で確認する。

3）小脳機能のアセスメント

小脳は，橋と延髄の後部に，側頭葉に包まれるようにして存在する。小脳の機能は主に運動をコントロールすることである。運動のコントロールは，筋や腱の伸展や振動を知覚する固有知覚，内耳からの前庭神経による平衡感覚，これに，大きな運動をコントロールする錐体外路系，通常の運動をコントロールする錐体路系などの複雑な関係によって成り立っている。小脳はこれらのバランスをとる役割を果たしているため，運動の方向，速度，範囲や大きさの調節ができなくなったときには小脳の障害を疑う。

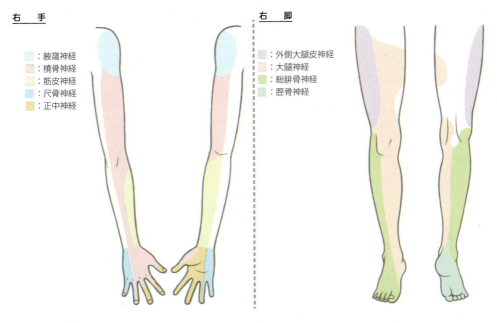

図10-5 主な末梢神経支配域

看護技術の実際

- ●目　　的：神経系の観察を行う。何らかの異常や看護問題が存在する場合は，その原因や誘因，問題によってもたらされている状態を観察し，観察結果を看護ケアの実施や評価，医療チームへの報告に活用する
- ●必要物品：打腱器，128Hzの音叉，容器に入った水と湯，つまようじ，ティッシュペーパー，輪ゴム，定規，タオル，綿球，綿片，筆 など

	方法と留意点	判　断
1	問診 1）以下の症状の有無について患者に尋ねる （1）失神，意識消失 （2）記憶や計算の能力などで気になること （3）話し方の変化 （4）手足の動きの鈍さや，ぎこちなさ，力の入らない感じ（脱力感） （5）手足の震え（振戦） （6）皮膚感覚の異常やしびれ （7）身体が傾く感じやふらつき ●症状がみられた場合は，いつから，どのように，部位，程度，改善・増悪因子，条件，随伴症状を尋ねる（本章「1　フィジカルアセスメントにおける観察」問診，p.64参照）	〈正常〉 ●症状がない 〈注意すべき状態〉 ●意識レベルに異常を感じた場合は，意識レベルの判定を行う（本章「2　バイタルサイン，痛みの見方」，p.78参照） ●記憶力などに異常がある場合は，認知機能のアセスメントを検討する

方法と留意点	判　断
2 反射のアセスメント ●適切な反射が出るように筋肉の緊張を取り，検査について集中しすぎないように，患者をリラックスさせる ●目を閉じてもらい，予測を与えずに刺激を与える ●反射がみられないときは，刺激した位置が正確で適切な強さで刺激できているかを確かめる 〈上腕二頭筋反射（深部腱反射）〉 1）座位にする 2）患者の肘関節を軽度屈曲させて触診し，腱を探す（図10-6a） 3）患者の上腕を看護師の上腕で支えるようにして持ち，患者の腱部に母指を当てる 4）患者に腕の力を十分に抜くよう伝える 5）打腱器の鋭端部で看護師の母指を叩く（図10-6b） 6）両側行う	〈正常〉 ●上腕二頭筋が収縮するため，肘関節が屈曲し，前腕が患者側にひきつけられるように動く ●明らかな左右差がない 〈注意すべき状態〉 ●反射が亢進しているときは，反射弓より高次の脳障害が考えられる ●反射が弱い，またはみられないときは，C5・6レベルの反射弓の神経や筋肉の異常が考えられる。リラックスが十分でない場合もある

刺激部位
肘窩の橈骨側に固く触れる腱を探す

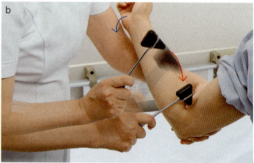

上腕二頭筋反射
肘関節が屈曲するため，前腕が患者側にひきつけられる動きとなる
→ 打腱器の動き　→ 患者の反射

図10-6 上腕二頭筋反射

〈上腕三頭筋反射（深部腱反射）〉 1）座位にする 2）患者の上腕を支え，肘関節を自然に屈曲させ，脱力してもらう 3）肘頭より3横指程度上部を特定する（図10-7a） 4）打腱器の鈍端部で叩く（図10-7b） 5）両側行う	〈正常〉 ●上腕三頭筋が収縮するため肘関節が伸展し，前腕が患者側から離れる動きがみられる ●明らかな左右差がない 〈注意すべき状態〉 ●反射が亢進しているときは，反射弓より高次の脳障害が考えられる ●反射が弱い，またはないときは，C6・7レベルの反射弓の神経の障害や筋肉の異常などが考えられる。リラックスが不十分である場合もある

方法と留意点	判　断

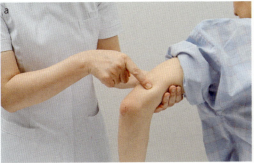
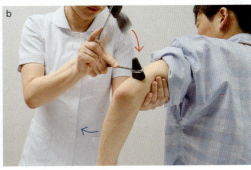

刺激部位
肘頭より3横指程度上腕側

上腕三頭筋反射
肘関節が伸展するため，前腕が患者の身体から離れる動きとなる
→ 打腱器の動き　→ 患者の反射

図10-7　上腕三頭筋反射

〈膝蓋腱反射（深部腱反射）〉
1) 足底が床につかないような座位にする
2) 膝蓋骨のやや下を特定する（図10-8a）
3) 打腱器の鈍端部で叩く（図10-8b）
4) 両側行う
   ● 反射が出にくい場合は，患者に組んだ手を左右に引いてもらう（図10-8c）。大脳からの運動抑制刺激が少なくなり，反射が出やすくなる。これを増強法といい，増強法を用いた場合は，その旨記録する

〈正常〉
● 大腿四頭筋が収縮するため，蹴り上げるような動きがみられる
● 明らかな左右差がない

〈注意すべき状態〉
● 反射が亢進しているときは，反射弓より高次の脳障害が考えられる
● 反射が弱い，またはないときは，L2～4レベルの反射弓の神経の障害や筋肉の異常などが考えられる。リラックスが十分でない場合もある

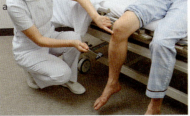
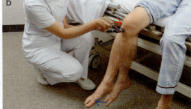

刺激部位
膝蓋骨と脛骨の間の，柔らかい部分を刺激する

膝蓋腱反射
膝関節が伸展するため，蹴り上げるように下腿が動く　← 打腱器の動き　← 患者の反射

増強法

図10-8　膝蓋腱反射

〈アキレス腱反射（深部腱反射）〉
1) 足底が床につかないような座位にする
2) 踵骨の直上にある，アキレス腱を特定する（図10-9a）
3) 足底部をやや背屈させるように看護師の手掌で支え，打腱器の鈍端部で叩く（図10-9b）
4) 両側行う

〈正常〉
● 下腿三頭筋（腓腹筋とヒラメ筋）が収縮するため，足部が底屈し，足を踏むような動きがみられる
● 明らかな左右差がない

〈注意すべき状態〉
● 反射が亢進しているときは，反射弓より高次の脳障害が考えられる
● 反射が弱い，またはないときは，S1レベルの反射弓の神経の障害や筋肉の異常などが考えられる。リラックスが不十分である場合もある

方法と留意点	判　断

刺激部位
踵骨の上の腱の部分を探す

アキレス腱反射
足関節が底屈するため，足が床側に動く
← 打腱器の動き　← 患者の反射

図10-9 アキレス腱反射

〈腹壁反射（表在性反射）〉
1) 臍が見えるように腹部を露出する
2) 打腱器の柄の部分で，側腹部から臍に向けて，ごく軽くなでる（図10-10）
3) 上腹部・下腹部の両側行う
   ● 正常に反射が起こるとくすぐったいような感覚になることを説明するとよい

〈正常〉
● 腹筋が収縮するため，臍がなぞった方向にいったん動き，すぐに戻る
● 緊張が取れていない，肥満や妊娠の経験などで刺激が伝達しにくい場合など，反射がみられないことも多い

〈注意すべき状態〉
● 反射が消失している場合は，上腹部ではT8〜10，下腹部ではT10〜12レベルの反射弓の神経の障害や筋肉の異常が考えられる
● 錐体路を介した表在性反射であるため，反射が一側性に減弱・消失している場合は，上位運動ニューロンの障害が疑われる

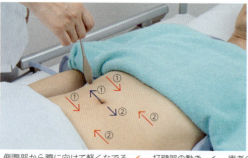

側腹部から臍に向けて軽くなでる　← 打腱器の動き　← 患者の反射

①を刺激すると①の方向に臍が動いたように見える
②も同様

図10-10 腹壁反射

〈足底反射（表在性反射）〉
1) 打腱器の柄の部分で，足底を軽く踵から足趾の基部方向へ，その後曲げて母趾球方向に向けてなぞる（図10-11a）
2) 反射が起こらない場合は徐々に刺激を強くする
   ● 正常に反射が起こるとくすぐったいような感覚になることを説明するとよい

〈正常〉
● 足趾が屈曲する（バビンスキー反射陰性とよぶ）（図10-11b）
● 正常でも無反応の場合もある．この場合は「0」または「なし」と表記する

〈注意すべき状態〉
● 母趾が背屈し，ほかの4趾が開扇する（陽性，または，バビンスキー反射ありとよぶ）（図10-11c）場合は，錐体路の障害が疑われる．1歳以下の乳幼児では陽性が正常反射である

方法と留意点	判断

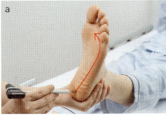 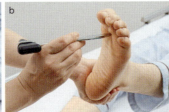 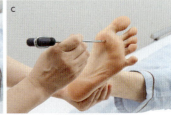

a 刺激部位　　b バビンスキー反射陰性（正常時）　足趾が屈曲する　　c バビンスキー反射陽性（異常時）母趾の背屈他4趾が開く（開扇）

図10-11　バビンスキー反射

〈足クローヌスの判定（深部腱反射）〉
1) 患者の膝を軽く曲げ，看護師の手で支えて，力を抜いてもらう（図10-12a）
2) 看護師の手を足底に当て，アキレス腱部を伸ばすように背屈させる（図10-12b）
3) 両側行う

〈正常〉
● スムーズに背屈でき，腓腹部や足底に振動するような震えや底屈・背屈反射がない

〈注意すべき状態〉
● 足関節の底屈・背屈が繰り返し起こる反応で，腓腹部や足底部に振動するような震えがある。これはアキレス腱の伸展によって反射が繰り返し起こる反応であり，クローヌスまたはクローヌス陽性とよぶ（図10-12b）深部腱反射の亢進を示し，反射弓より高次の脳障害が疑われる

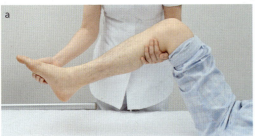

図10-12　足クローヌスの判定

3　表在知覚（図10-13）のアセスメント
● 部位ごとに左から右，右から左，というように左右が比較できる順序で行い，患者にも左右差の有無を確認する
● 知覚刺激を確実に与えられるように，物品や温度を調整する
● 知覚異常があった場合は，遠位から近位へ，さらに末梢の神経支配領域に従って範囲を広げて確認し，障害範囲を見きわめる

図10-13　表在知覚の確認部位

〈表在痛覚〉
1) 綿棒の棒部分，つまようじの先，折った舌圧子の先，診断セットの中のルーレット知覚計など，先の尖ったチクッとした痛みを感じさせるものを用意する
2) 患者に目を閉じてもらい，手指先に尖ったもので触れ（図10-14a），痛み（触れた感覚）を感じた際に教えてもらう。感じ方に左右差がないか確認する

〈正常〉
● 痛みを感じ，左右差がない

〈注意すべき状態〉
● 痛みを感じない，鈍い場合は，痛みの刺激伝達路（脊髄視床路）か，大脳皮質の知覚中枢の障害が考えられる（表10-3参照）

方法と留意点	判　断
3）同様に足趾も左右行う（図10-14b） ●表在性の疼痛と，圧痛や柔らかいもので触れる触覚では伝達神経経路が異なるので，この場合は，鋭敏な疼痛を与えるようにする ●皮膚を傷つけないように，かつ，ちくっとした疼痛が与えられるように，刺激するよう注意する	

a 手指先

b 足趾

図10-14 表在痛覚

〈温度覚〉
1）密閉容器に冷水と湯を入れて準備する
2）患者に目を閉じてもらい，手指，足趾の左右に，水と湯の容器のどちらかを当て，どのように感じたか答えてもらう（図10-15）

〈正常〉
●温かいか冷たいかがわかり，左右差がない

〈注意すべき状態〉
●温度差がわからなかったり，鈍い場合は，温度覚の刺激伝達路（脊髄視床路）のうちのどこか，あるいは大脳皮質の知覚中枢の障害が考えられる（表10-3参照）。正答できなかった場合は，湯・水どちらも確認するとともに，温度覚異常の範囲を，末梢から中枢に向けて詳しく調べる

水

湯

図10-15 温度覚

〈触覚〉
1）ティッシュペーパー，綿球や綿片，筆など，柔らかく触れられるものを準備する
2）患者に目を閉じてもらい，手指，足趾の左右に軽く触れ（図10-16），感じた際に答えてもらう
●痛覚，温度覚とは神経経路が違うため，留意してアセスメントを行う

〈正常〉
●触れたことがわかり，左右差がない

〈注意すべき状態〉
●触れたことがわからない，鈍い場合は，刺激伝達路（後索路）のうちのどこか，あるいは大脳皮質の知覚中枢の障害が考えられる（表10-3参照）

方法と留意点	判　断

手指　　　　　　　　　　　　　　足趾

図10-16　触覚

4　深部知覚のアセスメント
〈振動覚〉
1）128Hzの音叉を，手掌で振動させる（図10-17）
- 振動を減弱させないように，音叉の柄の部分を持つ

〈正常〉
- 左右差がなく，振動の始まりと終わりを正しく感じる

〈注意すべき状態〉
- 振動がわからない場合，後索路系の刺激伝達路，大脳皮質の知覚中枢の障害が考えられる（表10-3参照）
- 末梢神経障害で，振動覚が障害されることが知られているため，糖尿病などの末梢神経障害を生じる疾病の場合は注意深くアセスメントを行う
- 明らかな神経障害がなくても，70歳以上では，下肢で膝から下は感じないことが多い

図10-17　音叉の使い方

2）振動を感じたとき，止まったときにそれを速やかに伝えるように，患者に説明する
3）患者に目を閉じてもらい，両側の手指および足趾の遠位指節間関節に柄の部分を当て（図10-18a），振動を感じたことを速やかに正答できるか確認する
4）看護師の手で振動を止める。振動が止まったことを速やかに正答できるかを確認する（図10-18b）
- 振動覚を感じなかった場合は，末梢から中枢に向けて詳しく調べる。下肢の場合は，足趾→足関節（図10-19a）→下腿（図10-19b）→膝関節（図10-19c）→股関節，上肢の場合は，手指→手首関節→肘関節→肩関節の順番で調べる

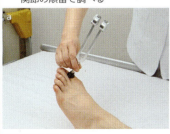
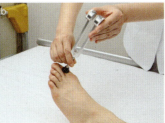

図10-18　振動覚

方法と留意点	判　断

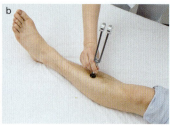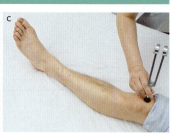

図10-19　振動覚が末梢で感じない場合

〈位置覚〉
1）患者に目を閉じてもらい，両側の手指および足趾の母指を上下に動かす（図10-20）
2）上下どちらに動かしたかを尋ねる
- 他の指に当たらないように母指のみほかの指から離して行う

〈正常〉
- 左右差がなく，動かした方向を正しく感じる

〈注意すべき状態〉
- わからない場合，後索路系の刺激伝達路，大脳皮質の知覚中枢の障害が考えられる（表10-3参照）

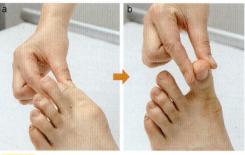

図11-20　位置覚

5　複合知覚（触覚の識別）
〈立体認知〉
1）手で握って認識できる，なじみ深いもの（コイン，クリップ，輪ゴムなど）を準備する
2）患者に目を閉じてもらい，左右の手掌に違うものを握らせる（図10-21a）
3）指で触れさせ何を握っているかを尋ねる（図10-21b）
- 手で握れる大きさのものを用いる
- 何を握らせたかは，握るまで患者にわからないようにする

〈正常〉
- 物品の名を正しく述べることができる

〈注意すべき状態〉
- 痛覚，触覚は認識でき，立体認知のみ障害されている場合は，頭頂葉の障害が考えられる

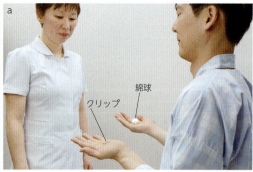

図10-21　立体認知

方法と留意点	判断
〈書画感覚〉 1）患者に，手掌を開き，目を閉じてもらう 2）一筆書きで書く文字がわかるか尋ねることを説明する 3）患者側からわかるように一筆書きで文字を書き，何と書いたかを尋ねる（図10-22）	〈正常〉 ● 文字を正しく判定することができる 〈注意すべき状態〉 ● 痛覚，触覚は認識でき，書画感覚のみ障害されている場合は，頭頂葉の障害が考えられる

図10-22 書画感覚

4）左右の手掌に違う文字で行う
　● あらかじめ，書く文字を「数字」「ひらがな」などと説明しておくとよい

〈二点識別覚〉
1）つまようじや綿棒などの細い棒を2本準備する
2）患者に目を閉じてもらう
3）前腕部，脛骨部で行う
4）2本で同時に触れ，患者に1点で感じたか，2点で感じたか尋ねる（図10-23a）
5）2本の間隔を変えて繰り返す。途中，時々1本で触れ，正しく答えられているかを確認する（図10-23b）
6）2点が識別できる最短距離を計測する（図10-23c）
　● 必ず2点同時に触れる

〈正常〉
● 明らかな左右差がなく，正常内から大きく逸脱しない
● 皮膚の受容器の密度が高い部分は2点の間の距離が短くなり，低い部分は距離が長くなる（表10-4）

表10-4 二点識別覚の基準値（参考）

部位	距離
舌	1mm
指先	3〜6mm
手背	30mm
手掌	8〜10mm
前腕	40mm
胸	40mm
背部	40〜70mm
上腕	75mm
大腿	75mm
脛骨	40mm
足背	30mm

〈注意すべき状態〉
● 痛覚，触覚は認識でき，二点識別覚の距離が長い場合は，頭頂葉の障害が考えられる

a 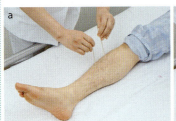 b 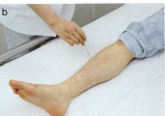 c

図10-23 二点識別覚

方法と留意点	判　断
6　小脳機能のアセスメント 　●患者に動いてもらう試験であるため，正確に行えるように十分説明し，デモンストレーションを行う 〈指鼻試験〉 1）患者に，開眼し左右の示指で自分の鼻に交互に触れてもらう．触れていない側の指は横に広げる．徐々にスピードを上げながら繰り返す（図10-24a） 2）閉眼で，同様に行ってもらう（図10-24b） 　●指先を正確に鼻に触れるように説明する	〈正常〉 ●すばやく正確に鼻に触れることができ，震え（企図振戦）がない ●左右，および開眼時，閉眼時で著明な差がない 〈注意すべき状態〉 ●閉眼時に悪化がみられる場合は，上肢の後索路系伝導路が障害されている可能性がある ●目標に近づいたときに震えが大きくなることを企図振戦といい，これがみられる場合は，小脳機能障害の可能性がある

開眼

閉眼

図10-24　指鼻試験

| 〈指指試験〉
1）患者と看護師は60cmほど離れて向き合う
2）看護師は自分の示指を素早く動かして止める．これに，患者の示指でなるべく素早く触れてもらう（図10-25）
3）左右行う
　●患者が触れることが可能な位置を見極めて指を動かす（動作範囲を極端にはずれない） | 〈正常〉
●素早く正確に触れることができ，震え（企図振戦）がない
●著明な左右差がない（利き手・非利き手のわずかな差はみられる）

〈注意すべき状態〉
●企図振戦がみられる場合は，小脳機能障害の可能性がある |

図10-25　指指試験

方法と留意点	判　断
〈拮抗反復運動〉 1）患者に，片方の手は握り（グーをつくる），片方の手は開いて（パーをつくる）もらう 2）握った手の側の肘を曲げて引き，下に向け（回内），開いた手の側の肘を伸ばし，上に向ける（回外）（図10-26a） 3）左右を交替する 4）できるだけ早く繰り返す（図10-26b） ●看護師がデモンストレーションして，初めは一緒に行うとよい。その際，向かい合うと混乱するので同じ方向を見て立つ	〈正常〉 ●素早く正確にできる 〈注意すべき状態〉 ●スムーズでない場合は，小脳機能障害の可能性がある

図10-26　拮抗反復運動

方法と留意点	判　断
〈指先の細かな動き〉 1）片手ずつ，母指に，示指，中指，環指，小指の順に触れる（図10-27）	〈正常〉 ●素早く正確にできる ●著明な左右差がない（利き手・非利き手のわずかな差はみられる） 〈注意すべき状態〉 動きがスムーズでない場合は，小脳の機能障害の可能性がある

図10-27　指先の細かな動き

2）できるだけ速く，繰り返し行ってもらう
3）左右行う

方法と留意点	判　断
〈手指足指試験〉 1）患者に仰臥位になってもらう 2）看護師は患者の足元に立ち，自分の示指を素早く動かして止める。これに，患者の足指でなるべく素早く触れさせる（図10-28） 3）左右行う ●患者が触れることが可能な位置を見きわめて指を動かす（動作範囲を極端にはずれない）	〈正常〉 ●素早く正確に触れることができる ●著明な左右差がない 〈注意すべき状態〉 ●できない場合は，小脳の機能障害の可能性がある

図10-28　手指足指試験

方法と留意点	判　断
〈踵脛試験〉 1) 患者に仰臥位になってもらう 2) 片方の踵をもう一方の膝に乗せ，脛（脛骨）に沿って足首まで下降させる（図10-29） ●行ってほしいことを十分に説明する。検者が患者の足を動かしてデモンストレーションしてから行うとスムーズである 3) 左右行う	〈正常〉 ●膝に踵をスムーズに乗せることができ，脛からはずれることなく，スムーズに動かすことができる 〈注意すべき状態〉 ●動きがスムーズでない場合，途中で脛から落ちてしまう場合は，小脳の機能障害の可能性がある

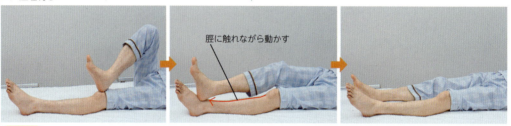

図10-29　踵脛試験

〈8の字試験〉 1) 患者に仰臥位になってもらう 2) 足で空中に数字の8の字を描いてもらう（図10-30） 3) 左右行う	〈正常〉 ●スムーズに8の字が描ける ●著明な左右差がない 〈注意すべき状態〉 ●動きがスムーズでない場合は，小脳機能障害の可能性がある

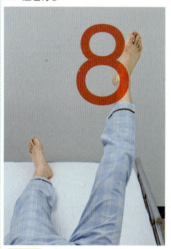

図10-30　8の字試験

文　献

1) 小野田千枝子監，高橋照子・芳賀佐和子・佐藤冨美子編：実践！フィジカルアセスメント―看護者としての基礎技術，金原出版，2001．
2) 古谷伸之編：診断と手技が見えるvol.1，メディックメディア，2007．
3) Bickley LS著，福井次矢・井部俊子監：ベイツ診察法，メディカル・サイエンス・インターナショナル，2008．

11 乳房・腋窩・生殖器・肛門

学習目標
- 乳がんの好発部位と自己視診・触診の方法がわかる。
- 乳房・腋窩の視診・触診の方法がわかり，正常な状態と注意すべき状態の判定ができる。
- 女性生殖器，男性生殖器の部位の名称と機能を理解する。
- 女性生殖器，男性生殖器と肛門の視診・触診の方法がわかり，正常な状態と注意すべき状態の判定ができる。

乳房・腋窩，女性の生殖器・肛門，男性の生殖器・肛門の構造

1）乳房・腋窩

乳房は乳頭と乳輪，乳腺体などからなり，乳頭を中心とした4分割で位置が示される（図11-1）。女性の乳房の内部構造は図11-2のとおりである。腋窩リンパ節の流れと位置は図11-3のとおりである。

2）女性の生殖器・肛門

外陰は，恥丘，大陰唇，小陰唇，陰核，腟前庭，会陰からなる（図11-4）。外尿道口は，陰核と腟の間に開口し，膀胱，尿管，腎臓につながっている。腟口は腟を経て内性器である子宮・卵巣・卵管につながっている。肛門は直腸から消化管へとつながる（図11-5）。

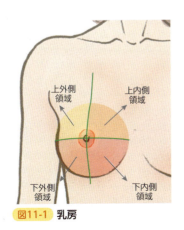

図11-1 乳房

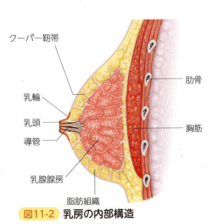

図11-2 乳房の内部構造

3）男性の生殖器・肛門

男性の内性器は，精巣，精巣上体，精管，射精管，尿道，精嚢，前立腺，尿道球腺からなり，外性器は，陰嚢と陰茎からなる（図11-6）。肛門は直腸から消化管へとつながっている。

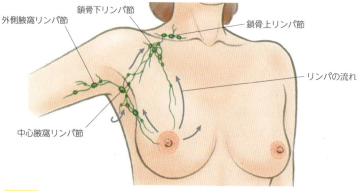

図11-3 外側腋窩リンパ節

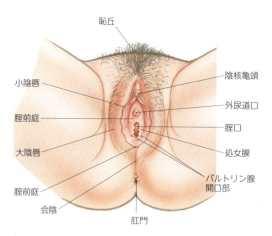

図11-4 女性の外陰・肛門

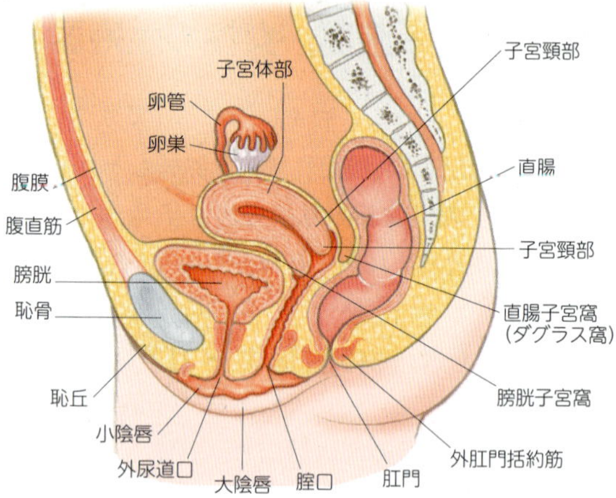

図11-5 女性の生殖器と泌尿器の内部構造

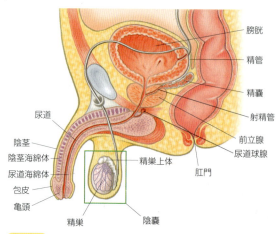

図11-6 男性の生殖器と泌尿器の内部構造

乳房・腋窩，女性の生殖器・肛門，男性の生殖器・肛門の機能

1）乳房・腋窩

乳房は前胸部に位置し，女性では思春期以降に発達して膨隆し，性周期によって形態や硬さが異なる。出産後には乳汁を分泌する。乳汁は乳腺腺房で産生され，導管を通って乳頭に分泌される。

2）女性の生殖器・肛門

卵巣は排卵と性ホルモンの分泌を行い，卵管は受精の場となる。子宮は胎児を育み，出産に関与する。直腸は便をため，肛門から排泄する。

3）男性の生殖器・肛門

精巣は精子を産生するとともに，性ホルモンを分泌する。精巣上体では精液を成熟させる。精液は精管を通って精囊にたまり，前立腺からの分泌物とともに尿管から射精される。尿管からは尿も排出される。直腸は便をため，肛門から排出される。

乳房・腋窩の主な障害

1）乳がん

乳がんは表面に近いところに発生するため，視診や触診で発見ができる可能性が高いがんである。乳がんの好発部位は上外側領域である。乳がんは腋窩リンパ節に転移しやすいため，乳房の視診・触診とともに腋窩リンパ節のアセスメントを行う必要がある。

乳房・腋窩，女性の生殖器・肛門，男性の生殖器・肛門のアセスメントのポイント

1）乳房・腋窩

排卵から月経にかけては，乳房が緊満しており，触診がしにくく，痛みも感じやすい。このため，できれば月経終了時点から4〜5日後までにアセスメントを行うとよい。乳房がなるべく平坦になるように，枕などを活用して胸を広げて保つ。乳がんの好発部位である上外側領域は丁寧に行う。アセスメント方法を患者に指導し，自己検診を促すことも重要である。

女性にとって乳房は生殖器の一部である。アセスメントはなるべく同性が行い，羞恥心や保温に配慮し，目的や必要性を十分に説明する。患者が安心できる態度で接することが重要である。

2）女性の生殖器・肛門

生殖器・肛門のアセスメントは特に羞恥心を伴うものである。アセスメントを行う際には，

なるべく同性が行い，羞恥心や保温に配慮し，目的や必要性を十分に説明する。また，患者が安心できるように信頼に足る態度で接することが重要である。清潔ケアの際などの機会をとらえ，合わせて観察するとよい。

粘膜組織を含むため，必ず手袋を着用し，マスク，ゴーグルなどの着用を検討する。

3）男性の生殖器・肛門

男性の場合の生殖器・肛門のアセスメントにおいても，女性と同様の配慮が必要である。

看護技術の実際

A 乳房・腋窩

● 目　的：乳房・腋窩の観察を行う。何らかの症状や問題が存在する場合は，その原因や誘因，問題によってもたらされている状態を観察し，観察結果を看護ケアや医療チームへの報告に活用する
● 必要物品：バスタオル，小枕

	方法と留意点	判　断
1	問診 1）以下の症状の有無について尋ねる （1）乳房と周囲の腫脹・疼痛 （2）腫瘤の自覚 （3）乳頭からの分泌物 （4）腋窩の腫脹，疼痛，瘙痒感，におい ●症状がみられた場合は，いつから，どのように，部位，程度，改善・増悪因子，条件，随伴症状を尋ねる（本章「1　フィジカルアセスメントにおける観察」問診，p.64参照） ●女性の場合は性周期や妊娠・出産と症状との関連性について尋ねる	〈正常〉 ●症状がない
2	乳房の視診 ●羞恥心を感じやすい場所であるが，露出も必要である。温かく，信頼される対応で，声をかけながらアセスメントを進める ●乳房の大きさ，左右対称性，引きつれ，発赤，潰瘍の有無，乳頭の形状，色，大きさを視診する 1）患者の両手を自然に横に垂らした状態で視診する（図11-7a） 2）手を腰に当て，胸を張るようにした状態で視診する（図11-7b） 3）両手を挙上して頭の上に組んでもらい，視診する（図11-7c） 4）前屈位で視診する（図11-7d） ●前屈位は乳房の大きな患者に有効である	〈正常〉 ●性と発達に見合った大きさであり，左右対称（わずかな左右差はみられる），皮膚色は肌色，乳輪と乳頭は色が濃く茶色である。皮膚は滑らかである ●分泌物はみられない 〈注意すべき状態〉 ●皮膚の引きつれ，えくぼ様陥没（図11-8），潰瘍は，腫瘍の可能性がある ●乳頭から膿性・血性の分泌物がみられる場合は炎症や腫瘍の可能性がある

方法と留意点	判断
a b c d 図11-7 乳房の視診	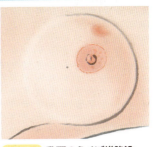 図11-8 乳房のえくぼ様陥没

3 乳房の触診

1） 患者に仰臥位になってもらい，触診する側の肩の下に小枕などを入れ，胸を張った状態とする（図11-9a）
2） 看護師の示指，中指，環指の指腹で小さな円を描くように，探るように触診する
3） 乳頭を中心に渦巻状に触診する方法（図11-9b）と，乳頭に向かって外側から内側に放射状に触診する方法（図11-9c），上下に触診する方法（図11-9d）があるが，いずれの方法でももれなく触知する．
4） 最後に乳頭をつまみ，分泌物を確認する（図11-9e）．

〈正常〉
● 腫瘤・圧痛がない
● 乳頭からの分泌物はみられない
● 月経前のしこりは，乳房の張りに関連し，正常であることもある

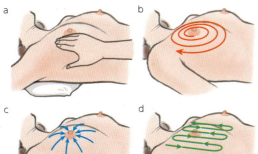

図11-9 乳房の触診

5） 左右行う
6） 腫瘤が認められた場合は，腫瘤の位置，大きさ，硬さ，可動性，凹凸，境界が明瞭か，圧痛について確認する
● 女性の場合，月経直前は乳房が張り，乳腺がしこり様に感じ，圧痛がある．この影響を避けるため，月経後から4〜5日以内に触診することが望ましい
● 乳がんの好発領域は上外側領域である．この部位は特にていねいに触診する

〈注意すべき状態〉
● 乳がんは通常，不規則な形で硬く，可動性が少なく境界が不明瞭で，無痛性である
● 線維腺腫は通常，円く，境界が明瞭で，可動性があり，無痛性である
● 乳頭からの膿性・血性の分泌物がみられる場合は，炎症や腫瘍の可能性がある

方法と留意点	判　断
4　腋窩の視診 上肢を挙上させ腋窩を視診する(図11-10) **図11-10** 腋窩の視診	〈正常〉 ● 発疹や腫瘤，皮膚色の変化は認められない
5　腋窩の触診 1）患者の上肢を支え，リラックスさせる。看護師の示指，中指，環指の指腹で触診し，腫瘤，圧痛について観察する 2）前腋窩線側・後腋窩線側はつまむようにして触診する（図11-11a，b） 3）中腋窩線周辺は押さえるようにして触診する(図11-11c) 前腋窩線側　　　後腋窩線側　　　中腋窩線周辺 **図11-11** 腋窩の触診 4）腫瘤が認められた場合，腫瘤の位置，大きさ，硬さ，可動性，凹凸境界が明瞭か，圧痛について確認する ● 汗はスタンダードプリコーションの対象外である。しかし，腋窩は汗の多い部位であるため，患者の羞恥心に配慮し，手袋を着用する場合もある。この場合は触診の精度は低下する	〈正常〉 ● リンパ節は触れない，または，直径1cm以下の軟らかいリンパ節が触れる ● 圧痛がない 〈注意すべき状態〉 ● 硬く，直径1cm大以上のリンパ節が触知できる場合は，炎症やがんの転移，リンパ腫の可能性がある

B 女性の生殖器・肛門

- ● 目　　的：生殖器の観察を行って得た情報を治療や看護に活用する
- ● 必要物品：ディスポーザブル手袋，バスタオル，必要時ペンライト

方法と留意点	判　断
1　問診 1）以下の症状の有無について尋ねる （1）生殖器の疼痛や腫脹，瘙痒感 （2）排尿困難や排尿時の疼痛，出血 （3）帯下（おりもの）の量やにおい，性状	〈正常〉 ● 症状がない

方法と留意点	判断
（4）排便困難や排便時の疼痛，瘙痒感や出血 ● 症状がみられた場合は，いつから，どのように，部位，程度，改善・増悪因子，条件，随伴症状を尋ねる（本章「1 フィジカルアセスメントにおける観察」問診，p.64参照） 2）月経周期，月経に伴う疼痛や不快感，経血の量や性状 3）妊娠・分娩の既往 ● 性周期や妊娠・出産と症状との関連性について尋ねる	
2　生殖器の視診 1）患者に仰臥位になってもらい，生殖器を露出させる 2）手袋を装着し，陰唇を開き，陰唇，尿道口，腟口および肛門の視診をする ● 羞恥心を感じやすい場所であるが，露出も必要である。採光を十分にとれるように，照明の工夫をする ● 温かく，信頼される対応で，声をかけながらアセスメントを進める ● 肛門部は，側臥位で視診したほうが観察しやすい場合がある	〈正常〉 ● 陰唇は左右対称で腫脹や浮腫，発赤，皮膚障害がみられない ● 尿道口はわずかに切れ目のように見える ● 腟口に皮膚の異常はみられない ● 帯下はないか，白色から透明の帯下がわずかにみられる ● 肛門は開いておらず，痔核がみられず，皮膚障害がない 〈注意すべき状態〉 ● 発赤や裂傷，皮膚障害がみられる場合は外傷や感染症の疑いがある ● 尿道口や腟口が赤い場合は炎症が疑われる ● 血性・膿性・悪臭を伴う帯下は感染症や子宮の腫瘍の可能性がある ● 肛門に痔核がみられる（図11-12） **図11-12 痔核**
3　外陰部の触診 手袋をつけた手で，外陰部を軽く触診する	〈正常〉 ● 腫脹・圧痛はない 〈注意すべき状態〉 ● 腫脹がある場合は，全身性の浮腫や炎症が疑われる。圧痛がある場合は炎症が疑われる
4　肛門部・直腸の触診 C 「男性の生殖器・肛門」のアセスメントに準じる	

C 男性の生殖器・肛門

- 目　　的：生殖器の観察を行って得た情報を治療や看護に活用する
- 必要物品：ディスポーザブル手袋，バスタオル

	方法と留意点	判　断
1	**問診** 1）以下の症状の有無について尋ねる （1）陰茎，陰囊の疼痛や腫脹，瘙痒感 （2）分泌物 （3）排尿困難や排尿時の疼痛，出血 （4）性機能の問題 ● 症状がみられた場合は，いつから，どのように，部位，程度，改善・増悪因子，条件，随伴症状を尋ねる（本章「1　フィジカルアセスメントにおける観察」問診，p.64参照）	〈正常〉 ● 症状がない
2	**生殖器の視診** 1）患者に仰臥位になってもらい，生殖器を露出させる 2）手袋を装着し，陰茎を視診する 3）陰茎を持ち上げ，陰囊を視診する 4）包皮を押し下げて亀頭部の視診をする 5）肛門部の視診をする ● 羞恥心を感じやすい場所であるが，露出も必要である。採光を十分にとれるように，照明の工夫をする ● 温かく，信頼される対応で，声をかけながらアセスメントを進める ● 肛門部は，側臥位で視診したほうが観察しやすいことがある	〈正常〉 ● 陰囊は大きさが左右対称で，わずかに右が高い。腫脹や浮腫，発赤，皮膚障害がみられない ● 亀頭部は切れ目のように見え，皮膚障害がなく，分泌物はない ● 肛門は開いておらず，痔核はみられず，皮膚障害がない 〈注意すべき状態〉 ● 発赤や裂傷，皮膚障害がみられる場合は，外傷や感染症の疑いがある ● 尿道口が赤い場合は炎症が疑われる ● 血性，膿性，悪臭を伴う分泌物・精液は，炎症や腫瘍の可能性がある ● 陰囊の左右差は，片側欠損が疑われる ● 肛門に痔核がみられる（図11-12参照）
3	**外陰部の触診** 1）手袋をつけた手で，陰茎を持ち上げ，陰囊の触診をする 2）陰茎の触診をする 3）亀頭部は軽く圧迫し，分泌物の有無を確認する	〈正常〉 ● 腫脹・圧痛がない ● 尿道口からの分泌物がない 〈注意すべき状態〉 ● 腫脹がある場合は，全身性の浮腫や炎症が疑われる ● 圧痛がある場合は炎症が疑われる ● 尿道口からの分泌物がある場合は感染症が疑われる
4	**肛門部・直腸の触診** 1）排便をすませてもらう 2）看護師の利き手側のディスポーザブル手袋にオリーブオイルなどの潤滑剤を付ける 3）これから肛門部に指を挿入することを患者に伝え，口呼吸をしてもらう 4）まず利き手の示指を肛門部に置き，患者の力が抜けたことを指で確認し（図11-13a），その後ゆっくりと直腸の走行に沿い，方向をイメージして指を挿入する（図11-13b） 5）指を8～10cm程度挿入し，直腸内を触診する（図11-13c） ● 観察を確実に行えるのは砕石位であるが，通常は側臥位で行う。この場合は直腸に沿った角度で指が挿入できるように看護師の指をやや患者の背中側に進める ● 肛門括約筋の強さや，便の貯留の有無のアセスメントに活用できる ● 便塊が触れる場合は無理をせず，直腸壁を傷つけることがないように，やさしく行う	〈正常〉 ● 直腸壁は滑らかで狭窄や腫瘤がない ● 便塊の貯留がない ● 疼痛がない 〈注意すべき状態〉 ● 直腸壁に狭窄や腫瘤がある場合は，腫瘍の存在が疑われる ● 挿入時に疼痛がある場合は内痔核がある可能性がある ● 硬い便の貯留がある場合は，便秘が疑われる

方法と留意点	判　断

●患者に痛みがないか確認しながら行う

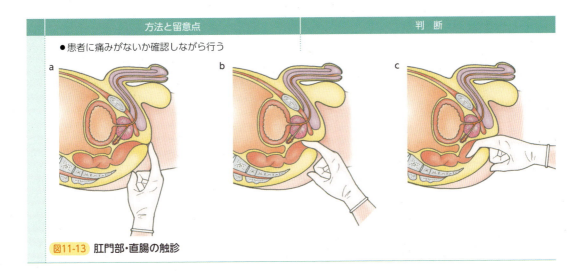

図11-13　肛門部・直腸の触診

文　献

1) 小野田千枝子監，高橋照子・芳賀佐和子・佐藤冨美子編：実践！フィジカルアセスメント―看護者としての基礎技術，金原出版，2001.
2) 福井次矢監訳：写真でみるフィジカル・アセスメント，医学書院，1997.
3) Bickley LS著，福井次矢・井部俊子監：ベイツ診察法，メディカル・サイエンス・インターナショナル，2008.

生理的ニーズの充足と援助技術

1 食べること

学習目標
- 栄養・食事の意義について理解する。
- 食事における安全性・安楽性について理解する。
- 食行動に障害のある対象者への援助方法を理解する。

1 援助の目的と意義

1）身体的意義
　栄養は，外界より必要な物質を食物として取り入れ，それを利用して消化，吸収，代謝，排泄，運動，成長，繁殖などの生命現象を営む働きであり，健康の維持増進・疾病の予防・疾病の回復にも関与しており，栄養を得るために人間は食物を欠かさず摂取しなければならない。

2）心理的意義
　食事は食べることにより栄養を摂取し，生命を維持するという生理的側面だけでなく，生活を営むうえでの楽しみでもあり，満足感が得られるものである。また，風味，彩り，香り，盛りつけなどの美しさ，季節感を楽しむなどの要素も含んでおり，生きていく目的になり，食事を楽しく食べられることは健康観と密接に関連している。

3）社会・文化的意義
　日常生活のなかで会食や儀式など，人々が交わるところには食事があり，社会関係や人間関係を構築するための手段ともなっている。食べることは，人の発達過程において，食物の嗜好・選択，調理や加工などの食習慣を形成している。そして，文化の継承としての意味合いもあり，食文化がその人の価値観を形成する土台にもなっている。

2 援助のための基礎知識

1）食事援助の基本
　食事の援助には，①食事および食事摂取に関する教育・指導，②食事摂取の介助，③食事・食事摂取による栄養状態の評価，④食事および食事摂取・栄養補給に関する他職種との連絡調整などが含まれる。本節では，食事摂取に介助が必要な場合の援助方法を述べる。

図1-1 食事時の姿勢

食事摂取の介助の目的は，咀嚼能力，消化能力，健康レベルに合わせた食事動作を介助し，栄養補給することにより，食へのニーズを満たすことである。

2）誤嚥の防止

誤嚥とは，食物などが何らかの理由で誤って喉頭と気管に入ってしまう状態をいう。仰臥位で食事をする場合や嚥下障害のある場合，嚥下機能が低下する高齢者では特に注意が必要である。誤嚥を防ぐために食事の姿勢は座位（図1-1）が望ましい。どうしても難しい場合はファーラー位など，できるだけ座位に近づける。また，一口の量，速度などを調節することが大切である。特に液体を与えるときは，顔を横向きにし，口角から静かに，患者の反応を確かめながら行う。高齢者では知覚や咳嗽反射が低下しており，気管内に食物が入っても喀出されないことがあり，誤嚥性肺炎の原因となることがあるので注意を要する。

誤嚥事例の報告によると，特に脳血管障害患者に誤嚥が多く起こるとされる。次いで多いのが認知症患者で，先行期（認知期）に飲食物の量などを適切に認識できず，過量の食物を一度に摂食して丸飲みし誤嚥・窒息する。また，中枢神経疾患はない一般の高齢者の事例も多くみられる。高齢者では，①歯牙欠損による食物粉砕の障害，②口腔の食塊保持能力の低下，③嚥下反射の遅れ，④安静時の喉頭の低位・食道入口部の前方偏位，⑤唾液分泌の低下，⑥咳嗽反射の低下などが，誤嚥の原因として挙げられている。

嚥下困難や嚥下障害がある場合などに誤嚥・窒息を防ぐポイントは以下のとおりである。
①体位は上体を高めに，もしくは側臥位にする。
②最初にまず水分を含ませる。
③一口で食べられる量や大きさを考え，患者の摂食機能のペースに合わせる。
④口腔内の炎症や歯牙の状態，義歯の有無とかみ合わせ具合いなどを把握しておく。
⑤患者の嚥下能力，意識状態を把握しておく。

3）経管栄養法による食事援助の基本

嚥下機能低下などの理由により経口的に食事摂取ができない人の空腹を満たすとともに，栄養状態や体内の水分・電解質バランスを維持・改善することを目的として，経管栄養が行われる。鼻から胃や十二指腸まで管を挿入する方法（経鼻経管栄養法）がある（図1-2）。

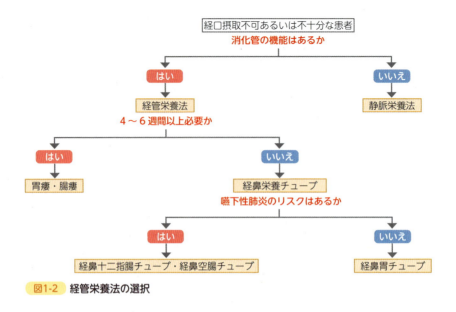

図1-2 経管栄養法の選択

3 患者のアセスメントと援助方法の選択

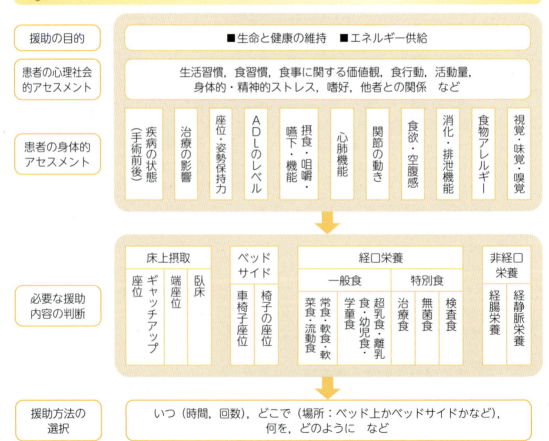

> **援助を考えてみよう**
>
> 　Aさんは，80代の男性です。誤嚥性肺炎のため入院しています。数年前に脳梗塞を発症し，軽い構音障害があります。点滴治療を終え，現在内服治療中です。熱も収まり，肺炎症状も落ち着いてきました。発熱のため臥床状態が3日間続いたため，下肢の筋力が低下し，リハビリが開始になりました。食事の際，むせが見られます。看護師がAさんの食事の様子を見ていると，急いで食べています。そして1回に口に入れる量も多いことがわかりました。看護師は，入退院を繰り返さないために，ゆっくり食べて誤嚥を防ぐこと，現在はベッド上で食べていますが，車椅子で姿勢を整えることも大切だと考えました。そして，就寝前には口腔内を清潔にすることも誤嚥性肺炎の予防になると考えました。また，構音障害があり，嚥下障害も考えられるため，食事前にパタカラ体操を勧めてみることにしました。

 4 援助実施時のポイント

1）食行動のアセスメント
　食事介助を実施する前に，以下の食行動の要素をアセスメントする。
①食事をする場所に行くことができるか。
②起座位または食事をしやすい体位がとれるか。
③自分で食べるものを見て認識し，選択できるか。
④食事用具（器，はし，スプーン，フォークなど）を手に持ち，食物を口に運べるか。
⑤摂食・咀嚼・嚥下機能があるか。
⑥後片づけができるか。

2）食事介助の基本事項
　次に対象に応じた食事介助を実施するが，共通する基本事項を以下に示す。
（1）食事前
①前述の食行動に関するアセスメントを行う。
②処置や治療の時間を調節する。
③清潔で落ち着いた雰囲気の環境を整備する。
　・汚物や不快な臭気の除去を図る。
　・食卓を拭く。
　・患者を好みの場所に誘導する。
④手指を清潔にする。
⑤排泄を確認する。
⑥食事・嚥下に適した姿勢を整える。
⑦必要物品（食事用エプロン，ティッシュペーパー，おしぼり，はし，スプーン，フォークなど）を準備する。
⑧食事内容（温度，形，硬さ，大きさ，飲み込みやすさなど）を確認する。

⑨アレルギーなど禁忌食材を確認する。
⑩口腔内を清潔にする。

（2）食事介助中
①患者の嗜好を尊重する。
②食事の進め方を工夫する。
③患者ができるだけ自分で食べられるようにする。
④食事介助時には以下のことを観察する。
・食べ方の状態，摂取時間，摂取動作，摂取ペースの把握。
・患者の表情や食欲，食事に対する訴え。
・食物の摂取量。

（3）食事介助後
①食後の患者の状態を把握する。
・満足感は得られているか。
・消化器症状（悪心・嘔吐，腹部膨満感など）はないか。
②今後の食事への要望の有無について問う。

看護技術の実際

A 食事介助（全面介助）

- 目　　的：食事介助を円滑に実施することにより，患者が満足度の高い食事感覚を得て，適切な栄養素を摂取することができる
- 適　　応：自分で食事ができない患者
- 必要物品：食膳，食札，手洗い物品［石けん，タオル，温かいおしぼり（または洗面器に湯）］，はし，スプーン，フォーク，ナイフ，ストロー，ナプキン（フェイスタオル），湯のみ，または吸いのみなど（対象に応じて整える）

方　法	留意点と根拠
1　食事ができるか確認する 　1) 患者に食事時間がきたことを知らせ，摂取できるかどうか確かめる 　2) 食事前の患者の気分，食欲・口腔内の状態，不安や緊張など精神的状態を把握する（➡❶）	❶緊張は交感神経を優位にし，消化液の分泌を抑制するため
2　病室内の環境を整える	●不快臭気や騒音を除去し，室温を調節する（➡❷） ❷不快要因を除去し，落ち着ける状態にする
3　患者の準備をする 　1) 必要時排泄を済ませてもらう 　2) 患者の手指の清潔を図る（➡❸） 　3) 必要時，食事用エプロンを掛ける	❸自力で摂取できなくても生活リズムや習慣を大切にし，食欲を高める ●寝具，寝衣を十分に覆う

方　法	留意点と根拠
4）必要時，含嗽をする 　　5）可能であればギャッチベッドの角度を上げる（➡❹）	❹重力によって食物が胃に移動しやすい
4　食膳の準備をする 　　1）食札と患者名を確認する 　　2）食物を食べやすい状態にする 　　3）食膳の盛りつけと配膳をする 　　4）使用物品を不足なく，食膳に準備する	●間違いのないように病室，氏名，食事の種類を確認する（➡❺） ❺治療目的に沿った食事が準備されているため ●食べるときに適温となるように準備する ●魚は小骨を取り除いて身をほぐし，肉などの塊物は小さく切り分けておく ●食器を選択し，美しく盛りつけるよう配慮する ●献立や患者の状態に応じて，食べやすく，介助しやすい補助具を選択し，準備する（図1-3）

①食器の底には滑り止めがついている。トレイにも食器が滑りにくい工夫が施されている。
②スプーン類は，患者の障害の状況に応じ，把持しやすい取っ手になっていたり，角度がつけられている。吸いのみは，臥床したままでも安全に水分を摂取できるよう，クランプがついている。はしは，食べ物を挟みやすいよう工夫されている。

図1-3　工夫された食事補助具

5　食事介助をする 　　1）介助者は床頭台の前の椅子に腰かける 　　2）患者に献立を説明しながら料理を見せる（➡❻）	●介助しやすいように床頭台や椅子，身体の方向を調整する ●色彩，香り，調理方法など詳しく説明する ❻食事内容をイメージすることで消化液の分泌を活発にし，食欲を高める ●視力障害のある患者には，時計の何時の方向にあるかで食器の位置を説明する（図1-4）

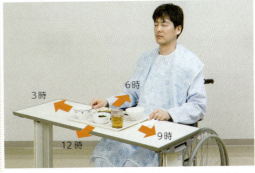

図1-4　視力障害のある患者への食器の位置の説明

3）食事の最初にお茶，次に汁物を飲用してもらう（➡❼）	❼消化液の分泌を促進して消化を助け，また，むせを防止する ●吸いのみやストローは患者と合図を決めておき，口角から挿入する（図1-5） ●場合によってはとろみをつけて一気に液体が喉に流れるのを防ぐ

第Ⅲ章 | 生理的ニーズの充足と援助技術

方　法	留意点と根拠
 ○ 口角から挿入すると誤嚥しにくい **図1-5** 吸いのみの挿入の仕方 4）食物の温度を確かめたりしながら主食と副食，固形物と汁物は交互にし，また患者の好みを聞きながら食事を進める（➡❽） 5）食物は舌の中央に入れる（図1-6） **図1-6** 食物を入れる位置 6）患者の咀嚼や嚥下運動などのペースに合わせて適切なスピードで介助する（➡❾❿） 7）最後にお茶を飲用してもらい，口腔内を清潔にする	× 口の中央から入れると，一気に喉の奥に流れ込み，誤嚥の原因になる ❽患者のペースに合わせて介助することができ，また消化器への負担が少なくなる ●歯や歯茎に当てないように入れる ❾急ぎすぎ，嚥下を確かめずに介助すると誤嚥につながる ❿食事に時間がかかると，満腹感や疲労感を生じる
6　患者の体位・リネン類を整える	
7　口腔ケアを行う（➡⓫）	●麻痺のある場合は，食物残渣物が残留し，誤嚥の原因となる ⓫口腔内の清潔を図り，感染を防止する
8　下膳し，患者の食欲や一般状態，摂取量を観察・記録する	

B 食事介助（部分介助）

- 目　　的：食事環境を整え，食欲の増進を図る
- 適　　応：食事ができるが，食事環境を整える必要がある患者
- 必要物品：全面介助に準じる

方　法	留意点と根拠
1　食事ができるか確認する 　Ａ「食事介助（全面介助）」の「方法1～3」に準じる	

方法	留意点と根拠
2　患者の準備をする 　1）必要時排泄を済ませてもらう 　2）患者の手指の清潔を図る 　3）必要時，食事用エプロンを掛ける 　4）必要時，含嗽をする 　5）可能であればギャッチベッドの角度を上げる（➡❷）	●離床が可能であれば，洗面台を利用する（➡❶） ❶患者のもつ機能を最大限に活用する。生活リズムや習慣を大切にし，食欲を高める ●寝具，寝衣を十分に覆う ●患者の状態に応じた体位とする ❷重力によって食物が胃に移動しやすい
3　食膳の準備をする 　1）食札と患者名を確認する 　2）必要時，食物や食べやすい状態にする 　3）食膳の盛りつけと配膳をする 　4）使用物品を不足なく，食膳に準備する	●間違いのないように病室，氏名，食事の種類を確認する（➡❸） ❸治療目的に沿った食事が準備されているため ●食べるときに適温となるように準備し，魚は小骨を取り除いて身をほぐし，肉などの塊物は小さく切り分けておく。場合によっては液体にとろみをつける ●食器を選択し，美しく盛りつけるように配慮する ●献立や患者の状態に応じて食べやすくする ●身体の機能によって鏡を用いた食事などの方法を選択し，準備する
4　食事をしてもらう 　患者の要望を聞き，なければ終了したら知らせるように伝えて，ナースコールを手の届く場所に置き，部屋を出る	●患者の状況をみて，必要であれば適宜介助する
5　患者の体位・リネン類を整える	
6　含嗽，歯みがきをしてもらう（➡❹）	❹清潔習慣を守り，う歯，口臭を予防するため
7　下膳し，患者の食欲や一般状態，摂取量を観察・記録する	

C　経管栄養法

1）経鼻経管栄養法（流動食の経鼻的注入）

- ●目　　的：経腸的に食物を取り入れることで，栄養状態の維持・改善を図る
- ●適　　応：経口的に食物や水分を摂取することが困難な患者
- ●必要物品：胃チューブ，潤滑剤，ガーゼ，イリゲーター，ディスポーザブル手袋，はさみ，絆創膏，聴診器，ディスポーザブル注射器，微温湯，経管栄養剤，ビニール（処置用）シーツ，イリゲータースタンド，タオル

方法	留意点と根拠
1　必要物品を準備する 　1）適切なサイズの胃チューブ（12〜18Fr）を選択し，確認する 　2）清潔なイリゲーター，注射器，注入セットなどを準備する 　3）流動食を適切な温度に準備する	●胃チューブの長さは，胃までが約50cm，十二指腸までが70cm，上部空腸までが約90cm必要 ●湯せんしたり，保温ポンプで温める方法もある（➡❶） ❶熱すぎると粘膜の損傷を起こし，冷たいと下痢の原因になるため

方法	留意点と根拠
2 **環境を整える** スクリーンやカーテンをし（チューブ挿入時），落ち着いた雰囲気をつくる（➡❷）	❷プライバシーに対する配慮のため
3 **患者の準備をする** 1）胃チューブ挿入の説明をし，理解を得る（➡❸） 2）ギャッチベッドなどを用いて，半座位または頭部を少し挙上し，膝を軽く曲げて，安楽な体位をとってもらう（図1-7）（➡❹） 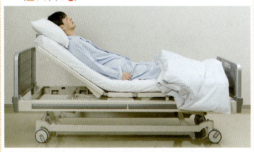 **図1-7** 経鼻経管栄養法実施時の安楽な体位 3）ビニールシーツとタオルを顎の下に広げる	❸説明し不安を軽減することで食道組織の緊張を緩和し，チューブの挿入をスムーズにする ❹鼻口から咽頭部までが真っすぐになるため挿入がスムーズになる
4 **チューブを鼻腔または口腔より胃まで挿入する** 1）手洗いをし，手袋を装着する（➡❺） 2）挿入する胃チューブの長さを確認する（図1-8） 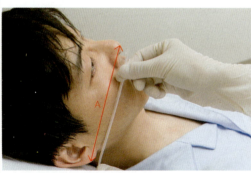 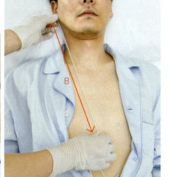 鼻の先端から耳朶までの長さ（A）と，耳朶から剣状突起までの長さ（B）を合わせた長さを目安とする **図1-8** 胃チューブの長さの目安 3）ガーゼに潤滑油を取り（➡❻），チューブの先端の穴をふさがないように注意しながら塗る 4）胃チューブを鼻腔または口腔に挿入する 〈鼻腔から挿入する場合〉 患者の顎を少し上げ，鼻先を押し上げるようにし片方の鼻腔からゆっくりと入れる（図1-9）	❺消化液などの体液はスタンダードプリコーションとして扱う ❻チューブの挿入をスムーズにし，苦痛を最小限にする ●成人の場合，喉頭の長さは約12cm，食道約25cm，これに鼻腔または口腔の長さを加えると約45cmで噴門に達する ●気管チューブが入ると咳嗽反射が起こる。脳血管疾患患者では咳嗽反射が起きにくく気管に入りやすい

方　法	留意点と根拠
 図1-9　鼻腔からのチューブの挿入 〈口腔から挿入する場合〉 患者の顎を上げるようにし，口を大きく開いてもらい，チューブの先端を舌根部の中央に乗せて，唾液を飲み込むようにしてもらいながら挿入する 5）チューブが咽頭部まで達したら顔を元に戻し（➡ ❼），静かに呼吸してもらい，患者の嚥下運動とともに胃（噴門部）まで手早く挿入する 6）必要とする長さまでチューブが入ったら，注射器を接続し，吸子を引いて胃液または胃内容物を吸引し，逆流の有無を確認する．また，注射器に空気を5mL入れて注入し，胃部にあたる上腹部に聴診器を当てて，空気音を確認する（図1-10）（➡ ❽） 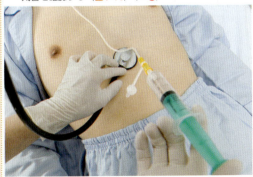 安全のため，複数の方法を用いて確認する 図1-10　胃内へのチューブ挿入の確認 7）胃への挿入が確認できたらチューブをさらに約5〜10cm挿入し，胃中央部まで挿入する（➡ ⓫）	●目安としては1回の嚥下で5〜10cm挿入する ❼気管へのチューブの侵入を防ぐため ●気管にチューブが入ると咳嗽反射が起こる．脳血管疾患患者では咳嗽反射が起きにくく気管に入りやすい ●チューブの先端が気道や食道下部であっても，空気音は聴かれることがあるので注意する ●吸引しても胃内容物が出てこない場合もあるが，チューブの先端が内容物に届いていない場合もある ❽胃内にチューブが挿入できたかどうかを確認するため ●リトマス紙で胃内容物が酸性であることを確認する（➡ ❾） ❾胃液は酸性であるため ●チューブが胃内に確実に入っているかどうか，X線撮影により確認する（➡ ❿） ❿気道内に誤挿入していないか確認するため ●経管栄養チューブの挿入は，誤挿入や位置が浅いことによる．流動食の誤嚥によるリスクと，その影響が大きいことから，医師が行い，かつX線で確認することが必須とされている場合が多い ⓫噴門部よりさらに胃内に挿入するため
5 チューブを固定する 1）チューブを鼻腔部，または頬部または顎に絆創膏で固定する（図1-11）	

方法	留意点と根拠

 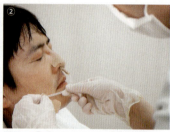 
 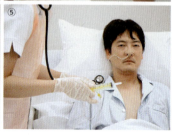

図1-11 チューブの固定

2）チューブの先端は逆流しないようにクランプしておく．ビニールシーツを取り除く	●鼻翼を圧迫しないようにする（→⑫） ⑫鼻翼の同一か所に圧迫が加わると潰瘍形成のおそれがあるため
6 流動食を注入する 　1）スタンドにイリゲーターを掛ける 　2）コントローラーが閉まっていることを確認し，イリゲーターの中に室温の流動食を入れる 　3）イリゲーターのチューブのコントローラーを緩め，流動食でチューブ内を満たした後，再び止めておく 　4）カテーテルのクランプを取り，チューブとカテーテルを接続し，コントローラーを緩め，ゆっくり注入を開始する 　5）注入速度を調整する（注入速度の目安は100mL/30分）（図1-12）（→⑭）	●座位のまま注入する（→⑬） ⑬栄養剤の逆流による誤嚥の防止のため ●下痢や消化管への障害を最小限にするため，37～38℃に温めて用いる場合もある ●患者の様子を見ながら速度を決める．長時間の同一体位を防ぎ，これ以外の生活行動を抑制しないためにも，時間がかかりすぎないように調整し，1回の注入時間は8時間以内とする（→⑮） ⑭腸管への刺激を最小限にし，下痢や悪心・嘔吐などの腹部症状を起こさないための，胃内から十二指腸へ食物が移動する速度 ⑮8時間後に容器内の細菌数は$10^5/mm^3$以上になるといわれている

図1-12 注入速度の調整

方法	留意点と根拠
7　患者の観察をする 　1）腹部膨満，嘔吐の発現はないか（➡❶⑥） 　2）下痢の発現はないか（➡⑰）	❶⑥栄養食の成分が合わない，栄養食の変質または腐敗，温度が低い，注入速度が速い，消化・吸収機能の低下 ⑰食事の組成，pH，浸透圧が合わない，温度が低い
8　チューブを洗浄または抜去する 　1）流動食の注入が終わったら，微温湯かお茶を約30～50mL注入してチューブを洗浄し，クランプする（➡⑱） 　2）チューブ内に20～30mLの空気を注入し，チューブ内を空にする（➡⑲） 　3）クランプした後は，抜けないように，チューブをコンパクトにまとめて始末しておく 　4）口腔から挿入した場合は，絆創膏を取り，チューブを静かに抜き，膿盆に入れる 　5）注入終了後も1時間以上はそのままの姿勢をとる（➡⑳）	●内服薬などを注入するときは，専用の注射器で注入する ⑱細菌繁殖や腐敗を招くと腹痛や下痢の原因にもなるため ●空気を注入せず，チューブの先端を高くしてチューブ内の水分を胃内に流入させる方法もある ⑲水分も細菌繁殖の原因となるため ●先端はキャップをし，ガーゼで包んでおき，衣服などに留めておく ●同一体位が長時間になるときは，適宜プッシュアップなどを行い，安楽や圧散分配を図る ⑳栄養食が胃を通過するまでの約1時間は，逆流による誤嚥を防止する必要がある
9　後片づけをする 　1）患者に含嗽してもらい，襟元のタオルを取り除く（➡㉑） 　2）使用物品を適切に洗浄，廃棄する（➡㉒）	㉑口腔内を清潔に保つことで誤嚥性肺炎の予防につながる。唾液中には殺菌成分が存在するが，経管栄養患者では経口摂取が不可能なことから，唾液による自浄作用が保たれにくい ㉒使用物品の清潔により感染予防を図る
10　記録する 時刻，注入に要した時間，方法，注入の種類と量，患者の状態および反応，施行者名を記録する	

文献

1) 大岡良枝・大谷眞千子編：NEWなぜ？がわかる看護技術LESSON，学習研究所，2006.
2) 尾岸恵三子・正木治恵編著：看護栄養学，第4版，医歯薬出版，2018.
3) 小板橋喜久代編：カラーアトラス　からだの構造と機能，学習研究社，2001，p.192-197.
4) 深井喜代子・前田ひとみ：基礎看護学テキスト，第2版，南江堂，2015.
5) 深井喜代子編：基礎看護技術〈新体系看護学基礎看護学③〉第2版，メヂカルフレンド社，p.209-305，2012.
6) 深井喜代子・佐伯由香・福田博之編集：新看護生理学テキスト─看護技術の根拠と臨床への応用，南江堂，2008.
7) 藤谷順子・他：脳血管疾患にみられる嚥下障害，臨床リハ，4（8）：713-720，1995.
8) 日本静脈経腸栄養学会：コメディカルのための静脈・栄養手技マニュアル，南江堂，2003，p.170.
9) 石井範子・阿部テル子：イラストでわかる基礎看護技術，日本看護協会出版会，2002.
10) 川島みどり監：看護技術スタンダードマニュアル，メヂカルフレンド社，2006.
11) 川島みどり編著：実践的看護マニュアル共通技術編，改訂版，看護の科学社，2002，p.115-129.
12) 川村治子：医療安全　看護の統合と実践，医学書院，2018.
13) 村中陽子・玉木ミヨ子・川西千恵美：看護ケアの根拠と技術―学ぶ・試す・調べる，第3版，医歯薬出版，2019.
14) 竹尾惠子：看護技術プラクティス，第4版，学習研究社，2019.
15) 堺　章：目で見るからだのメカニズム，第2版，医学書院，2016.
16) 坪井良子：考える看護技術Ⅱ，第3版，ヌーヴェルヒロカワ，2007.

2 排泄すること

学習目標
- 排泄の意義を理解する。
- 排泄の生理機能を理解し，健康な排泄状況について理解する。
- 排泄機能の障害について理解し，適切な援助法を習得する。
- 排泄行動障害の種類や程度に応じた基本的援助技術を習得する。
- 排泄の援助を受けることに伴う患者の心理的苦痛を理解する。

1 援助の目的と意義

1）生命の維持にかかわる重要な機能

排泄とは，生体にとって有害なものや不要な代謝産物を体外に排出することである。排泄は生体内部の恒常性を保ち，生命活動を維持するために欠かせない基本的欲求でもある。身体から排泄されるものには，便，尿，呼気から排出される炭酸ガス，痰，汗，月経血などがある。

2）排泄は日常生活の健康のバロメーター

健康が障害されると排泄物の性状や量，回数に変化を生じやすい。排泄は健康状態や疾病を早期に発見するための大切な情報，バロメーターとなる。また，排泄は食事や活動，睡眠と密接に関連しており，尿や便の状態を観察することによって，生活全般の検討をするための資料が得られる。

3）排泄の自立は人間としての尊厳につながる

排泄の習慣や，排泄物に対してどのような受け止め方をするかは，その人の帰属する文化に大きく左右される。排泄行動は親の実施する育児プロセスのなかでの学習によって獲得され，排泄に対する考え方が形成されていく。排泄の自立は人間の尊厳につながることであるが，ひとたびこの排泄を他者に頼らなければならない状況になると，羞恥心を伴い，人間としての自尊心を傷つけられる出来事となるので，十分に留意する。

4）円滑な排泄は充足した生活の源

食事がおいしく摂取でき，排尿・排便が心地よくできることは健康的な生活の指標であり，心身両面に対する満足感・爽快感をもたらし，生活の充足感につながる。反対に円滑な排尿・排便ができない場合，身体の苦痛ばかりでなく，精神的にいらだちを覚えたり，

悲観的になったりする。

2　援助のための基礎知識

1）正常な排泄
正常な排泄における便・尿の性状と量は，以下のとおりである。

（1）便の性状と量（成人の場合）
回数：1〜2回/日，量：100〜250g/日，色調：淡褐色〜黄褐色，形状：固形または有形，臭気：インドール・スカトール臭，混入物：なし。

（2）尿の性状と量（成人の場合）
回数：4〜6回/日，量：1,000〜1,500mL/日，約300mL/回，色調：淡黄色〜淡黄褐色，混濁物：なし（透明），臭気：一種の芳香性臭気，pH：5.0〜7.0，比重：1.015〜1.025。

2）排便の異常

（1）便　秘
便秘とは便が大腸内に停滞し，通過が遅延した状態であり，水分が吸収されて便は硬くなり，排便に困難を伴う。普通は摂取した食物残渣が2〜3日以内に排出されない場合を便秘という。便秘には以下の種類がある。
①弛緩性便秘（大腸性便秘）：大腸の緊張低下・腸の蠕動運動の鈍化による。
②痙攣性便秘（大腸性便秘）：ストレス，自律神経のアンバランス，特に副交感神経の過緊張による。
③機械的通過障害による便秘（大腸性便秘）：腫瘍などによる通過障害による。
④直腸性便秘（習慣性便秘）：たび重なる便意の抑制による。
⑤食事性便秘：繊維の少ない偏った食事や少食による。

（2）下　痢
腸内で食物や水を消化・吸収する過程に何らかの障害が起こり，腸内容が急速に通過することにより水分の吸収が十分に行われない場合や，腸粘膜から過剰の液体分泌が行われた場合など，腸管の運動が異常に高まり，水分の多い液状や泥状の糞便が排出された状態である。急性下痢は感染性と非感染性に区別され，慢性下痢は，過敏性大腸炎，アレルギー性大腸炎，乳糖不耐性などによる。

3）排尿の異常

（1）尿量の異常
①尿閉：膀胱に尿が貯留しても排出されない状態。
②無尿：腎で尿生成がされない状態であり，尿量は100mL/日以下。
③多尿：尿量は2,000mL/日以上。
④乏尿：尿量は400mL/日以下。

（2）排尿回数の異常
①頻尿：10回/日以上。

②稀尿もしくは尿意減少：2回/日以下。

（3）排尿困難
①遷延性：尿意が生じてから尿が出始めるまでに時間がかかる状態をいう。
②苒延性：尿が出始めてから尿線に勢いがなく終了までに時間がかかる状態をいう。

（4）尿失禁
尿失禁とは尿を不随意に漏らしてしまう状態をいう。
①切迫性尿失禁：尿意の抑制ができないため，尿意を感じたらすぐにトイレに行かないと漏れてしまう状態をいう。
②機能性尿失禁：尿の膀胱内保持も排尿も可能であるが，日常生活動作の障害があるために，尿失禁がある。
③腹圧性尿失禁：尿道括約筋の弛緩により，咳，くしゃみ，笑いなどで尿が漏れるもの。
④溢流性尿失禁：尿道の閉塞や膀胱の収縮力の低下により多量の残尿が生じ，膀胱壁が過伸展を起こす。その結果，膀胱内の残尿が漏れ出すもの。

3 患者のアセスメントと援助方法の選択

援助の目的	■代謝老廃物の排泄　■排泄習慣の確立
患者の心理社会的アセスメント	これまでの生活習慣，排泄に関する価値観，排泄行動，食物の種類と量，飲水の種類と量，活動量，身体的・精神的ストレス，排泄環境　など
患者の身体的アセスメント	疾病の状態（手術前後）／治療の影響／排泄機能に影響する疾患／関節の動き／座位・姿勢保持力／筋力／消化・排泄機能／心肺機能／尿意／便意／ADLのレベル
必要な援助内容の判断	差し込み便器（洋式便器／和式便器／和洋折衷便器）／ポータブル便器（便器椅子／椅子式便器）／トイレ（洋式トイレ／和式トイレ）／尿器（尿器／安楽尿器）／紙おむつ（テープとめ型おむつ／尿取りパッド／矩形おむつ／パンツ式おむつ）／導尿（一時的導尿／持続的導尿）／催下浣腸
援助方法の選択	いつ（時間，回数），どこで（場所：ベッドサイドかトイレかなど），何を，どのように（便器・尿器の種類　など）

援助を考えてみよう

> Bさんは80代の女性です。家の庭で草木の世話をしているときに転倒し，右大腿骨頸部骨折となり，右大腿骨頭置換術を受けました。リハビリテーションが開始となりましたが，痛みのため積極的になれません。家にいたときと比べて活動量は低下し，食欲がなく，食事の1/2程度の摂取しかできていません。多床室のためベッド上での排泄は周りに遠慮して我慢してしまいます。現在，リハビリテーション以外はベッド上で過ごすことが多く，気分転換もできていません。看護師は，できる限りトイレでの排泄を促すこと，気分転換を図るために車椅子で院内の庭を散歩する計画を立てました。

4 援助実施時のポイント

（1）患者が排泄のニードを訴えやすい雰囲気づくりに配慮する

患者の排泄に対する羞恥心や遠慮があることを理解して，援助時の態度には十分留意する。訴えがあった場合は，迅速な対応に心がけ，我慢させない。

（2）安全かつ安心して排泄できるよう排泄環境および排泄物品を整える

病室での排泄時には，プライバシーが保持できるようにし，患者の状態や体格に適した便器，尿器を選択する。トイレでの排泄時には，患者のADLに応じた介助を行う。

（3）排泄物による感染を予防する

スタンダードプリコーションを遵守し，排泄物を適切に処理し，看護師の指手および使用後の便器・尿器の洗浄と消毒を確実に行う。

（4）排泄後の患者の清潔を保持する

特に，ADLが低下した患者や認知機能が低下した患者は，自ら清潔を図ることが困難なため，陰部および手指の清潔が十分に図れるようにする。

（5）排泄物の観察を的確に行う

排泄物は健康のバロメーターであることから，排泄物を観察し患者の状態をアセスメントする。

看護技術の実際

A 便器を用いる排便・排尿の援助

- ●目　的：ベッド臥床患者が苦痛，不安なく排泄が行えるように援助し，その人らしい排泄習慣を維持する。排泄状況・排泄物を観察し，患者の身体機能の状況を把握する
- ●適　応：ベッド上での排泄が必要な患者
- ●必要物品：消毒済み便器，便器カバー，便座カバー，処置用シーツ，トイレットペーパー，タオルケット，おしぼり，ディスポーザブル手袋，ディスポーザブルエプロン

方 法	留意点と根拠
1 **必要物品を準備する**	●便器は患者の体格, 排泄量, 皮膚の状態などを考慮して選ぶ (図2-1)

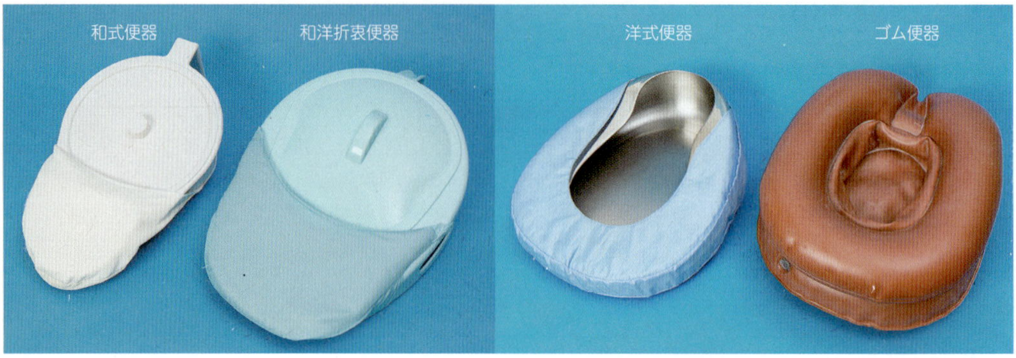

図2-1 便器の種類（和式便器／和洋折衷便器／洋式便器／ゴム便器）

方 法	留意点と根拠
	●便器カバーをかける (➡❶) ❶使用前に他人の目に触れないようにするため ●便器保温器がない場合は, 湯を入れて温めたり, 便座カバーをつけたりする (➡❷) ❷便座の冷たさは, 便意, 尿意を減退させるため
2 **患者の排泄の訴えに速やかに応じる**	●不用意な言動は避け, 患者が訴えやすい雰囲気をつくり (➡❸❹), 我慢させない ❸患者が傷ついたり, 情けない思いを抱いたりしないようにするため ❹排泄の回数を減らそうとして水分や食物の摂取制限につながり, 排便困難や排尿困難をもたらす
3 **環境を整える** 1) カーテンやスクリーンを用いる 2) ベッドのストッパーを確認する 3) 作業域を確保する	●プライバシーに十分に配慮する。「入室禁止」とするなど, ベッドサイドに人が近づかないようにする (➡❺) ❺安心して排泄できるようにする
4 **患者の準備を整える** 1) 上掛けをタオルケットと交換し (➡❻), 上掛けは足下に扇子折りにする 2) 処置用シーツを殿部下に敷く 3) 和式寝衣の場合は, すそを腸骨部まで上げ, 患者の膝を立て殿部を挙上してもらい, 下着をはずす	●保温に留意する (➡❼) ❻タオルケットに換えない場合は, バスタオルなどを用いて臭気が漏れるのを防ぎ, 掛け物の汚染防止を図る ❼冷感はスムーズな排泄を阻害する ●腰部から膝の位置までしっかり引っ張る (➡❽) ❽尿が殿裂を伝って後ろに流れることが多いので, ベッドを汚染しないため ●下着はできるところまで患者に下ろしてもらい, はずしたら掛け物の中に入れておく (➡❾) ❾羞恥心への配慮のため
5 **便器を当てる** 殿部を挙上してもらい, 上肢で患者の殿部を支え (➡❿), 便器を当てる (図2-2)	●殿部の挙上ができない場合は, 側臥位になってもらってから便器を当て, 仰臥位に戻す (図2-3) ❿殿部を支えることで, 便座と殿部の摩擦を避ける

方　法	留意点と根拠

図2-2 便器の当て方

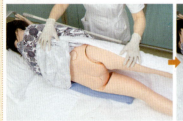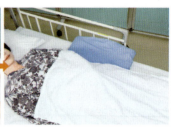

側臥位にしてから殿部に便器を当て，仰臥位に戻す

図2-3 側臥位での便器の当て方

6 尿の飛散などを防止する
1) 肛門部が便器の受け口の中央部にくるようにする（図2-4）

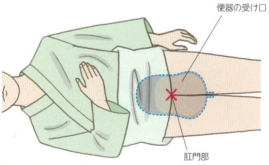

図2-4 便器の適切な位置

2) 便器にはトイレットペーパーを敷いておく（➡⓫）

3) 便器挿入後，体軸にゆがみがないか，痛みがないか，安定感があるか確認する（➡⓬）
4) 性別による工夫
〈女性の場合〉排尿・排便の場合ともにトイレットペーパーを陰部に当てる（➡⓭）（図2-5）

● ティッシュペーパーは水に溶けにくいので，使用しない
⓫ 便のこびりつき・尿の飛散の防止，消音を図るため
⓬ 安楽な体位の保持のため

● トイレットペーパーが便器に浸からないようにする（➡⓮）
⓭ 尿の飛散防止
⓮ 尿の逆流防止

方 法	留意点と根拠
図2-5 女性の排尿時のトイレットペーパーの当て方 〈男性の場合〉排便の場合，排尿も誘発されるので尿器も使用する	
7 腹圧をかけやすい体位に整える 　1）10度くらいベッドアップする（➡⑮） 　2）膝を立て，両膝を合わせる（➡⑯） 　3）下肢に支持力がない場合は，足を伸ばしたまま組んでもらう 　4）可能であれば患者の手元にナースコールを置き，患者を一人にする	⑮腹圧をかけやすいため ⑯羞恥心を和らげるため ●排泄中は人の出入りがないようにする（➡⑰） ⑰羞恥心に配慮するため
8 便器を取り除く 　1）排泄後，殿部を挙上してもらい，ディスポーザブル手袋を装着し，エプロンを着用して（➡⑱），陰部・肛門部を拭く 　2）上肢で殿部を支えながら（➡⑳），便器を取り除き，ワゴンの下に置き，カバーを掛ける（➡㉑）	●女性の場合は尿道から肛門へ向かって拭く ⑱スタンダードプリコーションの実施のため。この時点より前に排泄物での汚染が予想される場合は，手袋を装着し，エプロンを着衣しておく ●目で確認しながら尿道口〜肛門部へ向かって拭く（➡⑲） ⑲尿道へ雑菌を侵入させないため ●汚れや皮膚の状態によっては，陰部洗浄や温タオルで清拭を行う ●殿部の挙上ができない場合は，側臥位になってもらい，殿部を清潔にした後，便器を取り除く ●内容物をこぼさない，掛け物など周囲に触れない ●手袋およびエプロン装着は，スタンダードプリコーションの考え方に基づいてタイミングを考える ⑳殿部と便器の摩擦を避けるため ㉑排泄後の臭気を防ぐため
9 排泄後の処理を行う 　1）便器をはずしてから，患者を側臥位にし，殿部周囲の汚染の有無の確認をし，必要時は拭く（➡㉒） 　2）処置用シーツをコンパクトに折り，患者を仰臥位にする 　3）処置用シーツを取り除き，下着をつけ，寝衣を整える	㉒特に排便後は，肛門部を清潔に保つため ●汚染部位を内側にして小さくまとめる
10 患者の寝衣と掛け物を整え，おしぼりを手渡す	
11 患者の観察を行う	●一般状態，排泄後の満足感，残尿便感の有無，排泄時の疼痛の有無
12 排泄物を観察する	●量，臭気，色，混入物，形状など
13 環境，物品の後始末を行う 　1）カーテンを開けたりスクリーンをはずしたりして，換気をする（➡㉓）	㉓特に多床室の場合は，臭気や音は気兼ねの原因になるため

方法	留意点と根拠
2) 排泄物は観察後，汚水槽に流す 3) 便器を便器洗浄器で洗浄・乾燥させる。もしくは消毒薬に浸水消毒後に乾燥させる（➡㉔）	㉔感染予防のため
14 手指衛生を行う	
15 記録する 時刻，便の量・性状，尿の量・性状，患者の反応・一般状態，随伴症状	

B 尿器を用いる排尿の援助

- 目　　的：ベッド上臥床患者が苦痛，不安なく，排尿を行えるよう援助し，その人らしい排尿習慣が維持できる
- 適　　応：ベッド上での排尿が必要な患者
- 必要物品：消毒済み尿器，尿器カバー，処置用シーツ，トイレットペーパー，タオルケット，おしぼり，ディスポーザブル手袋，ディスポーザブルエプロン

1) 女性の場合

	方　法	留意点と根拠
1	必要物品を準備する A「便器を用いる排便・排尿の援助」の「方法1〜4」に準じる	●尿器は患者の状態，排泄量などを考慮して選ぶ（図2-6）

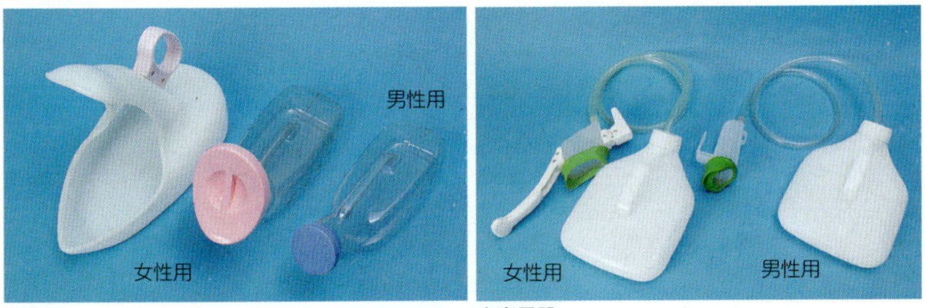

図2-6 尿器の種類

（女性用／男性用　尿器）　（女性用／男性用　安楽尿器）

安楽尿器はベッド上で臥床したまま使うことができる。ホースで蓄尿器につながっているため，一定量をためることができる

	方法	留意点と根拠
		●尿器はふたをし，尿器カバーをかけて（➡❶）ベッドサイドに持って行く ❶羞恥心への配慮のため
2	尿器を当てる 患者に膝を立て，股間を開いてもらい，尿器の受尿口を会陰部にしっかりと当てる（➡❷）	●座位になれる患者は座位で行う ❷しっかり固定しないと隙間ができ，尿が漏れてしまう
3	トイレットペーパーを当てる トイレットペーパーを重ねて，縦2つか3つ折り（7〜9cm幅）にしたものを，恥骨の上から陰部に垂らし（➡❸），患者に片方の手で保持してもらう	●トイレットペーパーは尿器に浸からないように，また尿器からはみ出さないようにする（➡❹） ❸尿の飛散を予防し，尿器に誘導できる ❹シーツを汚染しないようにするため
4	上体を挙上する（➡❺）	❺陰部が下を向くので尿器の中に尿が誘導されやすく，腹圧をかけやすいため

方　　法	留意点と根拠
5　トイレットペーパーの保持をする 　　患者自身に尿器の取手を持って保持してもらう（図2-7） 　図2-7　尿器の保持（女性）	●患者が保持できない場合は，看護師が保持するか砂のうなどで固定するなど，患者の状態に応じて援助する
6　排尿後の処理を行う 　　排尿が終わったら，陰部に当てているトイレットペーパーを尿器の中に入れる	
7　ディスポーザブル手袋を装着する（→❻）	❻スタンダードプリコーションを実施する ●手袋を装着するタイミングはスタンダードプリコーションに基づいて考える
8　排尿後の処理を行う 　1）尿器を押さえていない手にトイレットペーパーを持って，陰部を拭きながら尿器をはずす（→❼） 　2）取り除いた尿器はすぐにふたをし，尿器カバーをかける（→❽） 　3）腰部を支えて患者の腰を浮かし，殿裂に沿って後ろのほうも十分に拭く	❼尿器だけ先に除去してしまうと，尿器でとめていた尿のしずくが肛門側に流れるため ❽尿臭の拡散を防ぎ，人目から隠すため ●腰が十分に上がらない場合は，側臥位になってもらってから拭く（→❾） ❾拭き残しをしないため
9　患者に拭き残しがないか確認する	
10　排泄物を観察する	●尿量は目の高さで目盛を読む（図2-8） 　図2-8　尿量の観察

2）男性の場合

方　法	留意点と根拠
1　尿器を安定させる 尿器の受尿口に陰茎を入れ，患者自身に尿器の取手を保持してもらい尿器を安定させる（図2-9）  図2-9　尿器の保持（男性）	●看護師が援助する場合，素手で陰茎に触れずにトイレットペーパーなどを当てる（➡❶） 　❶羞恥心や不快感を予防する ●尿器は砂のうを2つ「ハ」の字形に用いて固定してもよい
2　側臥位にする 自力で尿器を持つことができる場合で，側臥位が可能であれば，側臥位で行うほうが排尿しやすい	

C おむつ交換

- ●目　　的：陰部・殿部およびその周辺の皮膚を清潔に保ち，排泄物の除去によって爽快感を得る
- ●適　　応：意識がない，便意・尿意を催してから排泄行動までの時間が短く失禁するなど，自分で排泄行動のタイミングをコントロールできない患者
- ●必要物品：おむつ，おむつカバー（紙おむつでは不要のものもある），トイレットペーパー，温タオルまたはディスポーザブルタオル，ビニール袋，ディスポーザブル手袋，ディスポーザブルエプロン，タオルケット，殿部清拭物品

方　法	留意点と根拠
1　患者におむつを交換することについて説明し，了解を得る	
2　寝衣をおむつの上までたくし上げるまではA「便器を用いる排便・排尿の援助」の「方法1～3」に準じる	
3　ディスポーザブル手袋をつける	
4　汚れたおむつを取り除く 　1）おむつを開き，排泄物を包み込むようにして汚れたおむつを患者の股間に丸める（図2-10a,b）。便などで陰部や大腿部が汚れている場合はトイレットペーパーで拭き取る 　2）患者を側臥位にし新しいおむつを皮膚に沿わせて敷き込み，殿部，肛門部に付着している汚れをトイレットペーパーで拭き取る（図2-10c） 　3）汚れたおむつをビニール袋に入れる	●排泄物で寝衣や寝具を汚染しないようにする

方　法	留意点と根拠
4）陰部，殿部，肛門部を温タオルやディスポーザブルタオルでやさしく清拭し，乾燥させる（➡❶） 5）陰部・殿部の皮膚を観察する（➡❷）	❶尿や便による浸潤で皮膚が汚染されると皮脂が除去され，皮膚のバリア機能が低下する。特に便はアルカリ性であり，細菌や消化酵素によって化学的刺激を起こす。さらに皮膚の浸潤は表皮の結合性を弱めるため，軽い摩擦でも剥離しやすく，損傷や感染を起こしやすい ● 特に褥瘡好発部位である仙骨部に留意する ❷便のアルカリ性の刺激，尿のアンモニアによる刺激により，皮膚炎を起こしやすいため

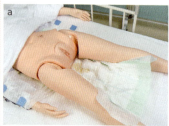  
 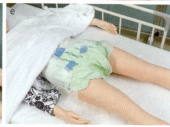

図2-10　おむつの交換

5　新しいおむつを装着する（図2-10 d） 　1）おむつの中心線が患者の脊柱に，おむつの上端が患者のウエスト部に当たるように（➡❹）する 　2）仰臥位に戻し，尿漏れ防止ギャザーを立て，鼠径部にフィットするように沿わせて腹部までしっかり引き上げる。ウエスト回りは折れがないように隙間がなく伸ばして，腹部にテープを止める（図2-10e）	❹排泄物が多い場合，おむつの中がいっぱいに広がって，腹部まで汚染されるなど，不要な汚染を防止するため ● 失禁状態で排泄量が多い場合は，テープタイプの紙おむつとフラットタイプのおむつ，または尿取りパッドを併用する ● 尿・便の排泄パターンや性別に応じて部分用おむつ，全体用おむつを選択する（➡❺）（図2-11） ❺効果的におむつを当てることで，おむつ外に排泄物が漏れ出て，シーツなどを汚染するのを防ぐ。また，部分的な交換ですむ場合は，患者への負担も軽減できる ● 尿取りパッドを使用する場合，男性は円錐形に形成して，陰茎を包み込む（図2-12a）。女性は陰部から殿部に当たるようにする（図2-12b） ● 尿取りパッドなどを使用する場合は，テープタイプからはみ出さないようにする

方法	留意点と根拠

テープタイプ　　　　　　　尿取りパッド

陰茎用おむつ　　　　　　　ネットパンツ
陰茎用おむつは少量の尿漏れに対し，かさばらず適している　　ネットパンツは収縮性があり，中に装着するおむつの固定がしやすい

図2-11　おむつの種類

男性　　　　　　　　　　　　　　　　　　　　女性

図2-12　尿取りパッドの当て方

	方法	留意点と根拠
6	患者の体位，寝衣を整える	
7	タオルケットから毛布に戻す	
8	終了を伝え，カーテンを開け換気する	
9	排泄物の性状を観察し，記録する	●A「便器を用いる排便・排尿の援助」の「方法13〜15」に準じる
10	便は汚水槽に流し，紙おむつは感染性廃棄物として廃棄する	
11	排泄パターンを観察し，おむつを適宜交換する（➡❻）	●事前に排泄の誘導を行うなど，トイレでの排泄ができるか否かを検討し，排泄の自立を目指す ❻尿や便による汚染が放置されると，患者にとって不愉快である。さらに皮膚の浸軟により褥瘡などの皮膚障害が起こりやすい

D ポータブルトイレを用いる排泄の援助

- ●目　　的：できるだけ健康時に近い状態で排泄することにより，正常な排泄機能を維持し，満足感を得る
- ●適　　応：尿意や便意はあるが，トイレまでの歩行が困難な場合やトイレまで我慢できない患者，トイレまでの往復に循環・呼吸などの身体能力が耐えられない患者
- ●必要物品：ポータブルトイレ，トイレットペーパー，温かいおしぼり，タオルケット

	方　法	留意点と根拠
1	カーテンまたはスクリーンをする	
2	必要物品を準備する ベッドサイドにポータブルトイレ，トイレットペーパー，おしぼりを準備する（図2-13）	●便器には便座カバーをする（➡❶） ❶便座の冷たさや硬さを和らげるため ●患者の身体能力に合わせ，安定感のあるトイレを準備する*❶
	図2-13　ポータブルトイレの種類	
3	患者にベッドの端に座ってもらう	●トイレットペーパーを便器の底に敷く（➡❷） ❷排泄時の飛散を防ぐため
4	患者を支え，ベッドサイドに立ってもらう（➡❸）	●ボディメカニクスを考え，安全に行う❶* ❸転倒の防止のため
5	ポータブルトイレを使う 1）ポータブルトイレに座るように患者の身体の向きを変え，下着を下ろす 2）トイレに座ってもらい，下半身にタオルケットやバスタオルを掛ける（➡❹）	❹臭気が飛散するのを防ぐ，羞恥心を和らげる，保温のため
6	安全を確かめ，ナースコールを手元に置いて退出する	
7	排泄後の処理を行う 排泄が終わったら，患者の殿部を前にずらしてもらい，陰部・殿部を清潔にする	●必要時，陰部洗浄を行う
8	患者に立ってもらい，下着，寝衣を整える	
9	患者をベッドに誘導する	
10	患者の手を清潔にする	●温かいおしぼりや温湯を用いると心地よい
11	患者の観察を行う	
12	換気する	

方法	留意点と根拠
13　排泄物の性状を観察し，後始末を速やかにする（→❺）	❺すぐに始末をしないと臭気がする
14　記録する	

❶川村治子：ヒヤリ・ハット11,000事例によるエラーマップ完全本，医学書院，2003，p.72-74.
＊ヒヤリ・ハットの報告では，自力による排泄行動における転倒・転落の25％がポータブルトイレ使用者であるとされている。ポータブルトイレへの移乗時の転倒，ふたにもたれ，ふたごとの転倒，便座からの立ち上がりの際のふらつきによる転倒などである。ただ単にポータブルトイレの使用法を説明するだけでなく，自尊心に配慮しながら，必要時介助が求められるような患者との関係づくりも大切といえよう。

E　グリセリン浣腸

- 目　　的：便秘の改善，検査，術前処置として行う
- 適　　応：自然排便ができない患者，下剤を使用しても便秘が改善できない患者
- 必要物品：浣腸液，クレンメ（浣腸液に逆流防止弁が付いている場合は不要），潤滑剤（浣腸液が充填されている場合は不要），ガーゼ，膿盆，処置用シーツ，ディスポーザブル手袋，ディスポーザブルエプロン，タオルケット，トイレットペーパー

方法	留意点と根拠
1　物品を準備する 　1）グリセリン浣腸液を湯せんにかける 　2）浣腸容器の空気を抜く（→❷）	●浣腸液は使用時の温度40±1℃より1℃ほど高めとする（→❶） ❶直腸温は37.5〜38℃なので浣腸液はそれに近い温度とする。45℃以上だと直腸の粘膜損傷を起こし，直腸温以下では蠕動異常や末梢血管収縮による血圧上昇が起こる ❷空気は腸内圧を高めるため，不要な圧はかけない
2　環境を整える 　1）室温は24±2℃とする 　2）カーテンやスクリーンでプライバシーを保護する（→❸） 　3）作業域を確保する 　4）ディスポーザブル手袋およびエプロンを装着する（→❹）	 ❸羞恥心に配慮するため ❹スタンダードプリコーションの実施のため。この時点より前に排泄物で汚染が予想される場合は，手袋を装着し，エプロンを着ける
3　患者の準備をする 　1）全身状態の観察をしたうえで，説明し同意を得る（→❺） 　2）排尿の有無を確認する（→❻） 　3）掛け物を掛け換え，処置用シーツを殿部付近に敷き，下着をはずす（→❼） 　4）左側臥位にする（困難な場合は仰臥位で行う）。立位では行ってはならない❶＊（→❽）	●援助を実施してよい状態か判断する ❺十分な説明を行うことは患者の不安を軽減し，協力が得られやすく，浣腸の効果も増す ❻薬液注入直後に排尿すると，液が保留されないため ❼掛け物，シーツの汚染を防ぐため ❽腸の走行により浣腸液がS状結腸へたどりやすい（図2-14）

方法	留意点と根拠

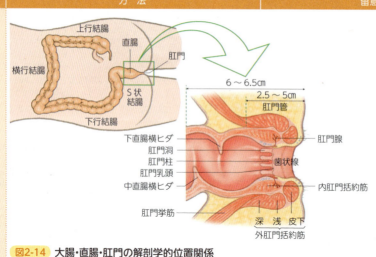

図2-14 大腸・直腸・肛門の解剖学的位置関係

4 浣腸を行う（図2-15）

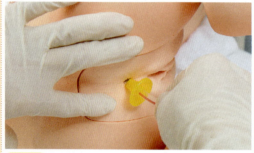

図2-15 浣腸を行う

方法	留意点と根拠
1) カテーテルの先端に潤滑剤を塗り（→❾），示指と母指または中指で肛門を開き，患者に口呼吸（→❿）を促しながらゆっくりと約5〜6cm（→⓫）挿入する	❾粘膜の保護と，排便時に潤滑剤の役割を果たす ❿口呼吸により緊張が解け，肛門括約筋が弛緩する ⓫肛門管は2.5〜5cmであり，挿入はそれ以上でないと括約筋を刺激し浣腸液を保留しにくい❶* ●まず，臍に向け，その後腸管の走行に沿わせる（→⓬） ⓬肛門管を通過した後，直腸は背部側に急角度に曲がることを考慮し，無理に挿入しない ●挿入，注入時に抵抗のある場合は，カテーテルを引いたり回したりして無理に挿入してはならない（→⓭） ⓭無理に挿入することで，腸粘膜を損傷させる危険性がある
2) クレンメをはずし，ゆっくりと薬液を注入する（→⓮）	●薬液の不用意な注入を避けるため，注入前はクレンメをしておくとよい ⓮注入速度が速いと腸粘膜の機械的刺激を急激に起こし，急激な直腸内圧上昇や蠕動異常が起こり，浣腸液の保留が困難になるため ●逆流防止弁がついている場合，クレンメは不要である
3) 腹痛，悪心，悪寒，冷感などないか観察する（→⓯） 4) 注入後，カテーテルをクレンメで止め，肛門をトイレットペーパーで押さえながら，静かに抜く 5) 抜いたカテーテルに血液などが付着していないか観察する 6) 腹圧をかけずに3〜5分の間，我慢するよう説明する	⓯カテーテルによる腸穿孔，血圧変動の危険性があるため* ●トイレを使用する場合は，すぐ使用できるように確保しておく（→⓰） ⓰患者が安心できる

方法	留意点と根拠
5　排泄後の観察 患者の状態，排便量，性状，残便感，腹痛の有無，排尿時の血液混入について確認する	●浣腸による強制排便時には迷走神経反射による血圧低下ショックが起こる可能性があるため，排便時に異常があれば速やかに伝えるように患者に説明し，観察を怠らない
6　後片づけをする スタンダードプリコーションに基づき，後片づけをする	

❶春田佳代・山幡朗子・篠田かほる・他：安全な浣腸カテーテル挿入の長さ—成人下部消化管造影画像を用いての検討，日本看護研究学会雑誌，34（5）：71-75，2011．

＊立位による浣腸の危険性：肛門管を通過すると直腸は急角度で背側に曲がっている。そのため，立位でカテーテルを挿入すると，そのまま膀胱側へ向けて穿孔する危険性がある。また，立位は左側臥位と違って肛門の確認がしにくく，カテーテル挿入が目視できない危険性があり，過長挿入やカテーテルの抜去も生じやすい。直腸の形態については，立位では側臥位のときとは変化し，直腸横ひだにカテーテルがぶつかり，直腸の収縮によってカテーテルの挿入が困難で，直腸が傷つきやすくなる。ベッド上で左側臥位で行うことを説明し，患者の協力を得る。過去にも直腸穿孔による腹膜炎の医療事故が報告されている（日本医療機能評価機構）。

F　一時的導尿

- ●目　　的：尿閉の改善，残尿測定，無菌尿採取，手術や検査前処置，排尿による陰部の手術創の汚染防止，分娩前処置などに際して行われる
- ●適　　応：（1）膀胱内に尿が充満しているが，自然排尿できない患者
  　　　　　（2）検査のために無菌尿を採取する必要のある患者
- ●必要物品：滅菌済導尿セット（ネラトンカテーテル10〜14Fr，鑷子，消毒トレイ，消毒用綿球，清潔ガーゼ，潤滑剤，滅菌手袋，細菌培養の場合は滅菌カップ），ディスポーザブルエプロン，膿盆，尿器，処置用シーツ，バスタオル，タオルケット

1）女性の場合

方法	留意点と根拠
1　環境，物品などの準備をする 　1）室温を調整する（➡❶） 　2）カーテンやスクリーンでプライバシーを保護する（➡❷） 　3）作業域を考慮して物品を配置する	❶冷感は，膀胱周囲の筋組織を緊張させ，カテーテルの挿入を困難にする ❷羞恥心への配慮のため
2　患者の準備をする 　1）導尿の説明をし，同意・協力を得る 　2）掛け物をタオルケットに掛け替える 　3）寝衣をたくし上げ，処置用シーツを殿部に敷き，下着をはずす 　4）近位の下肢をバスタオルで覆い，遠位の下肢をタオルケットで覆う	●不安を軽減し，緊張を解く（➡❸） ❸不安による身体の緊張は膀胱周囲の筋組織を緊張させ，カテーテルの挿入を困難にする ●寝具の汚染の防止 ●寒さや羞恥心を考慮する
3　実施する 　1）外陰部に近いところに尿器を置く 　2）ワゴン上で導尿セットを開けた後，ワゴンをベッドの足元に移動し，物品を配置する 　3）滅菌手袋を装着する 　4）カテーテルの先端に潤滑剤を十分つけておく（図2-16）（➡❹）	●無菌操作を徹底させるために，必要物品の配置を考慮する ❹カテーテルの挿入をスムーズにし，尿道粘膜を損傷しないため

方　法	留意点と根拠

図2-16　潤滑剤のつけ方

5）膝を立て，股関節は外転してもらう
6）小陰唇を開き（➡❺），外陰部を消毒する（図2-17）

❺尿道口が確実に見えるように
● 中央→遠位→近位→中央の順に綿球を1回ずつ換える（➡❻）
❻最も清潔にしたい部分は最初と最後に消毒し，雑菌などの侵入を防ぐ

写真はモデルを使用しているため小陰唇が開かれてないが，しっかり開いて消毒・挿入を行う

図2-17　尿道口の消毒（女性）

7）患者に口呼吸を促し（➡❼），尿道から4～6cm（➡❽）カテーテルを挿入する（図2-18）

● カテーテル末端が汚染されないように長さを調節し，カテーテルを閉じてつまむ
❼口呼吸は腹圧がかからない．膀胱括約筋を弛緩させ，カテーテルの挿入をスムーズにする
❽女性の尿道の長さは3～4cmであり，深いと膀胱壁を傷つける

図2-18　カテーテルの挿入（女性）

8）カテーテルを膀胱の位置より低くして，排出側から尿を尿器に排出させる（図2-19）

● 尿器にカテーテルが浸らないようにする（➡❾）
❾逆流性の感染防止のため
● 尿流出中，カテーテルを膀胱内に侵入させないようにする（➡❿）
❿小陰唇は閉じているため，小陰唇に触れたカテーテルが膀胱内に侵入することになる

方 法	留意点と根拠
図2-19 カテーテルからの尿の排出(女性)	
9) 尿の流出が停止したら，患者の恥骨上部を圧迫したり，カテーテルを引いたりして残尿がないか確認し，患者にも残尿感を確認する	●カテーテルの根元を先端より高くしない（➡⓫） ⓫一度排出した尿の逆流防止
10) カテーテルを圧し（➡⓬）静かに抜去し，尿器に入れる	⓬カテーテルの内腔を閉ざし，尿の移動を防ぐ
4 患者の陰部を清潔にする	●尿道から肛門方向へ拭く（➡⓭） ⓭肛門周囲に付着した雑菌を尿道に押し込めない
5 手袋をはずし，患者の寝衣，体位を整える	
6 排尿後の患者の状態・尿量，性状，残尿感を観察する	●腹圧の急激な変化でショックを起こす場合もまれにある
7 後片づけをする 膿盆の消毒，スタンダードプリコーションによる廃棄物の処理	

2）男性の場合

方 法	留意点と根拠
1 尿道口の消毒をする 1）陰茎の包皮を引いて，亀頭の中心部にある尿道口を露出する 2）尿道口および周辺を消毒する（図2-20）	
図2-20 尿道口の消毒（男性）	

方法	留意点と根拠
尿道口→尿道口周辺→尿道口の順に綿球を換えて行う（➡❶）	❶最も清潔にしたい尿道口を最初と最後に消毒する
2 カテーテルの準備をする 約20cm挿入することを考えてカテーテルの準備をする	●男性は女性よりも尿道が長いため，長いカテーテルを準備する（➡❷） ❷尿道は約20cmあるため
3 カテーテルの挿入方法（図2-21） 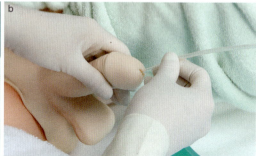 図2-21 カテーテルの挿入（男性） 1）陰茎の先端から4〜5cmのところを母指と示指で持ち，120〜90度の角度に持ち上げてカテーテルを約15cm挿入する（➡❸） 2）陰茎を60度にし，さらに約5cm挿入する（➡❹）  図2-22 鑷子を用いる場合のカテーテルの挿入（男性） 3）カテーテルを膀胱の位置より低くして，排出側から尿器に尿を排出させる（図2-23）  図2-23 カテーテルからの尿の排出（男性）	❸前立腺部まで尿道が真っすぐになり，挿入しやすく，陰茎，陰嚢角部を損傷しないため ●鑷子を用いる場合は，鑷子の先端で陰茎を傷つけないように留意する（図2-22） ❹前立腺部を傷つけないため
4 女性の場合の「方法4〜7」に準じる	

G 持続的導尿

- **目　的**：導尿をたびたびすることで患者の安楽や安静を阻害する場合や，手術後の創部安静と感染の予防が必要な場合に行う
- **適　応**：（1）手術後の安静を必要とする患者
  - （2）排尿動作により安楽が著しく阻害される場合
  - （3）尿量を正確に把握する必要のある患者
  - （4）泌尿器手術後の局所の安静の必要な患者
- **必要物品**：滅菌済膀胱留置カテーテルセット（バルーンカテーテル14〜18Fr，蓄尿用滅菌バッグ，注射器10mL，滅菌蒸留水，鑷子，滅菌ガーゼ，潤滑剤），消毒綿球，ディスポーザブルエプロン，処置用シーツ，蓄尿バッグ架台，絆創膏，はさみ

	方　法	留意点と根拠
1	**カテーテルを選ぶ** カテーテルは通常14〜18Frとし，目的や体格によって選択する（図2-24）  図2-24 カテーテルの種類	● Fr÷3＝外径（mm） ● 潤滑剤はオリーブ油やキシロカインゼリーを使用しない（→❶） ❶オリーブ油などの植物性油は製品を劣化させ，バルーンの破裂を引き起こし，キシロカインはショックを起こす危険性がある
2	**準備をする** 1）カテーテルは，前もって蓄尿バッグのチューブと接続しておく 2）バルーンの大きさに合わせ，指定された量の滅菌蒸留水を注射器に吸い，バルーンの膨らみを確認する	● カテーテルと蓄尿バッグが接続されているものもあり，感染予防の点では効果的である
3	**カテーテルを挿入する** カテーテルを挿入し尿が流出した後，さらに2cmほどカテーテルを挿入する（→❷）	❷尿道でバルーンが膨らみ，尿道を傷つけないようにするため
4	**注射器を用いて滅菌蒸留水をバルーンに注入する（→❸）**	❸固定水に生理食塩水を用いると，塩分が析出し，カテーテル内腔を閉塞させる危険性がある。また，万一バルーンが破裂して膀胱内に固定液が漏れることも考えられるため ● 患者の表情を観察しながら行う

方　法	留意点と根拠

5　カテーテルを固定する
　1）カテーテルが動いて引っ張られないように患者の身体に固定する
　〈男性の場合〉
　陰茎を上に向けて固定する（➡❹）（図2-25）

❹陰茎を下げたままカテーテルを固定するとカテーテルで陰茎陰嚢角部が常に圧迫され，血行障害によってびらんや潰瘍，尿道皮膚瘻を生じる危険性があるため

図2-25　膀胱留置カテーテルの固定（男性）

〈女性の場合〉
大腿に固定する（図2-26）

● 足の動きで引っ張られないように余裕をもたせておく
● 大腿に固定する部分のカテーテルは，テープを周囲に巻きつけるようにすると，皮膚へのカテーテルの圧迫を防ぐことができる（図2-26）

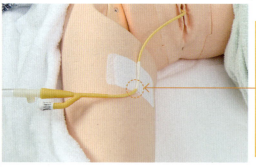

図2-26　膀胱留置カテーテルの固定（女性）

　2）カテーテルと蓄尿バッグの接続部の刺激を防ぐため，ガーゼなどで保護しておく（➡❺）

❺刺激により瘙痒感，不快感，表皮剝離を起こす危険性があるため

6　バルーンカテーテル留置中の管理を行う
　1）陰部洗浄などで尿道口の清潔に努める（➡❻）
　2）カテーテルの接続部は不必要にはずさない（➡❼）
　3）蓄尿バッグは膀胱よりも低い位置で保ち，尿を逆流させない（➡❽）（図2-27）
　4）蓄尿バッグの排出口の清潔を保つ（➡❾）
　5）水分摂取を促す（➡❿）

● 留置期間はできるだけ短期間にする
❻感染防止のため
❼細菌の侵入を防ぎ感染を予防するため
❽尿の逆流性感染防止のため

❾細菌の侵入を防ぎ感染を予防するため
❿尿量を増やして，自浄作用を促進し，尿路感染を予防するため

方　法	留意点と根拠
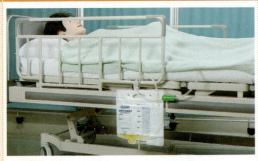 図2-27　バルーンカテーテル留置中の管理	
7　カテーテル挿入中の観察を行う 　1）尿道の疼痛，尿道からの分泌物，灼熱感 　2）尿路感染の有無，尿量，尿の性状（色，混濁，浮遊物，臭気），下腹部不快感，尿意，体温 　3）尿の流出状況，カテーテルの屈曲・圧迫	
8　カテーテル・蓄尿バッグの交換を行う 　カテーテルの交換は材質やカテーテルの汚れ具合，尿の流出状況を見て判断する	● カテーテルの挿入期間が長くなると，尿路感染症の危険性が高くなり，膀胱の機能低下もきたすため，できるだけ早期に抜去できるようにする ● カテーテルとバッグはセットで交換する

文　献

1) 氏家幸子・阿曽洋子・他：基礎看護技術，第6版，医学書院，2005.
2) 深井喜代子編：基礎看護技術〈新体系看護学基礎看護学③〉，メヂカルフレンド社，2002.
3) 深井喜代子・前田ひとみ編：基礎看護学テキスト，南江堂，2006.
4) 深井喜代子・福田博之・他編：看護生理学テキスト　看護技術の根拠と臨床への応用，南江堂，2000.
5) 石井範子・阿部テル子編：イラストでわかる基礎看護技術，日本看護協会出版会，2002.
6) 川島みどり編著：実践的看護マニュアル共通技術編，改訂版，看護の科学社，2002.
7) 小板橋喜久代編：カラーアトラス　からだの構造と機能，学習研究社，2001.
8) 川島みどり監：看護技術スタンダードマニュアル，メヂカルフレンド社，2006.
9) 川村治子：ヒヤリ・ハット11,000事例によるエラーマップ完全本，医学書院，2003.
10) 三上れつ・小松万喜子編：演習・実習に役立つ基礎看護技術，第2版，ヌーヴェルヒロカワ，2005.
11) 村中陽子・玉木ミヨ子・他編：看護ケアの根拠と技術―学ぶ・試す・調べる，第3版，医歯薬出版，2019，p.43.
12) 堺　章：目で見るからだのメカニズム，新訂版，医学書院，2000.
13) 竹尾惠子監修：看護技術プラクティス，第4版，学研メディカル秀潤社，2019，p.194-195.
14) 坪井良子・他編：考える基礎看護技術Ⅱ，第3版，ヌーヴェルヒロカワ，2007.

3 動くこと

学習目標
- よい姿勢と安楽な体位を保つことの目的と意義について理解する。
- 動くことの援助の目的と意義について理解する。
- 運動機能の障害や制限に応じた援助方法を選択する。
- 援助を実施する際のポイントを理解する。
- 体位変換，ポジショニング，移乗と移送，関節可動域訓練の基本的な技術を身につける。

1 援助の目的と意義

1）よい姿勢と安楽な体位を保持する援助

　姿勢は，身体の各部分の相対的な位置関係を意味する「構え」と，身体の基本面と重力方向との位置関係を示す「体位」に分けられる（図3-1）。力学的に「よい姿勢」とは，身体の重心が低く，重心線が支持基底面の中心に近い状態にあり，姿勢が安定していることをいう。生理学的に「よい姿勢」とは，疲労が少なく，エネルギーの消耗が最小限で，内臓器官の圧迫や負荷が少ない姿勢をいう。さらに，対象者が心地よい，気持ちよいと感じる姿勢が望ましい。

　よい姿勢を保つことは身体のあらゆる組織，特に筋肉や内臓の神経学的かつ力学的な調和につながる。よい姿勢からはよい動作が生まれ，生活の質を健康的に高める。また，よい姿勢をとることによってエネルギーの消耗が最小限に抑えられるため，対象者にとって安楽がもたらされるとともに，医療処置を受けるための特定の体位の保持が可能となる。

　よい姿勢かどうかは個人の好みや体格や生活習慣などに関連する。その人にとってのよい姿勢を保持するためには，力学的・生理的・心理的視点からアセスメントすることが重要である。

2）「動くこと」の援助

　看護における「動くこと」の援助は，その人の生活に生じる様々な問題を考慮し，その人に備わる機能を見きわめ，その人に合った方法で行うことによって，日常生活における自立を目指すことを目的とする。動くことへの援助は，身体機能の回復や廃用症候群の予防につながる。また，社会生活を営むための活動や運動への援助は，日常生活動作の自立のための意欲の向上や不安の軽減，自己効力感の向上をもたらす。

図3-1 構えと体位

2 援助のための基礎知識

1）体位の安定性を構成する要素

体位の安定性は，①支持基底面の面積，②支持基底面と重心線との関係，③重心の高さ，④物体の質量，⑤摩擦力，⑥構造の分節性*，⑦心理的要因，⑧生理学的要因の8つの要素からなる（図3-2）。

*分節性：身体は関節で身体の各部位が連結した分節性の構造物である。分節性の構造物が安定性を得るためには，上位分節の重心線が支持基底面内にあることが要件となる。

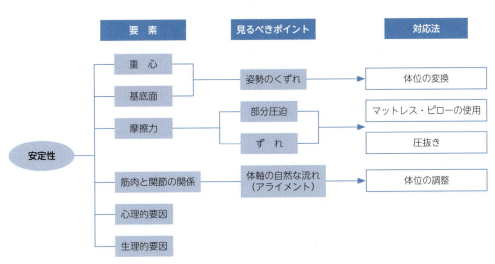

図3-2 体位の安定性を構成する要素と観察ポイントおよび対応例

齋藤宏・他：姿勢と動作－ADL その基礎から応用，第3版，メヂカルフレンド社，2010．より引用

2）良肢位の保持

良肢位（図3-3）とは，仮に関節の拘縮が生じるなどして関節の可動性が失われた場合にも，日常生活で最も支障をきたさず，苦痛の少ない肢位をいう。看護師は，自分で身体の向きを変えることや体位を保持することができない人に対して，良肢位を保つことができるように安楽な体位を整える。体位の保持には，患者の状態に応じて各種の安楽用品（表3-1）を活用する。

3）体位の種類と特徴

看護師は，常に対象者の状態をアセスメントし，状態に合わせた体位変換や体位保持の援助を行う。日常生活における様々な体位とその特徴を表3-2に示す。

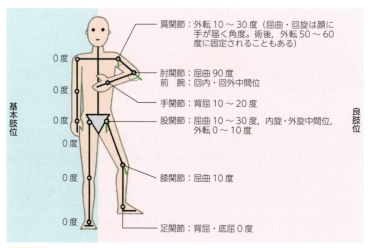

図3-3 基本肢位と良肢位

表3-1 安楽用品の種類

安楽用品	使用方法	目的
エアマット，ポリウレタンマット，敷布団など	マットレスとして使用する，またはマットレスの上全体に置く	身体全体の体圧を分散させる
円座（ビーズ入り，空気入り，綿花製），スポンジ，羊毛皮，人工羊毛パッド，フローテーションパッド（高分子人工脂肪），デキュビテックス，フォームパッド	ベッドの上に部分的に敷く	局所にかかる体圧を分散させる
枕，バックレスト，フットボード，砂のう，布団類など	部分的に当てる，体位を支持する	基底面積を広くする　患者の体幹，頭部，四肢を支える
離被架（体幹用，上肢用）など	掛け物の下に挿入する	掛け物の重さによる圧迫，摩擦を軽減する

表3-2 体位の種類と特徴

体位の種類		特徴
立位		足底面を床につけて立っている体位のこと。基底面積が狭く重心が高いため姿勢は安定しにくい
座位	椅座位	椅子の背もたれに腰背部，座面に殿部と大腿後面をつけて座った体位のこと
	端座位	ベッドの端に腰を掛け，両下肢をおろした体位のこと
	長座位	上半身を起こし，股関節を屈曲した状態で下肢を前に投げ出した体位のこと。下肢の後面と殿部が基底面となる
	半座位	仰臥位から上半身を約45〜60度起こした体位をファーラー位，30度くらい起こした体位をセミファーラー位という
臥位	仰臥位	仰向けに臥床した体位のこと。体位のなかで最も基底面積が大きくて安定しており，筋の緊張も少ない
	側臥位	身体の左右どちらかを下にした体位。仰臥位に比べて基底面積が小さいため安定が悪い。緊張が強く，下側になる部位や内臓器官への影響が大きい。右を下にした体位を右側臥位，左を下にした体位を左側臥位という
	腹臥位	前胸部，腹部を下にしたうつぶせの体位のこと。胸腹部の内臓が圧迫されるため，呼吸運動が妨げられやすい
	半腹臥位	上半身は側臥位の下側の上肢を背部に回して腹臥位に近くし，下半身は側臥位よりやや前面に倒した体位のこと。規定面積が大きく安定している。シムス位ともいう
	骨盤高位	仰臥位で頭部を腹部や下肢より低くした体位のこと。静脈還流量が増加し，血圧が上昇する。トレンデレンブルグ位ともいう
	砕石位（截石位）	仰臥位で膝関節を屈曲して大腿部を挙上し，股関節を外転・外旋した体位のこと。

4）ボディメカニクスの活用

よい姿勢を保持することや体位変換など動くことへの援助は，科学的で効率的な姿勢や動作で行うことによって，援助する側の身体的負担の軽減や，対象者の安全・安楽をもたらす。ボディメカニクスとは，人間の身体の骨格・筋・神経・内臓などの特性をとらえ，その力学的相互関係によって起こる姿勢・体位・動作を表す言葉である。ボディメカニクスは，動くことのすべての援助に活用できる基本的な技術といえる。

（1）基本的なボディメカニクス

ボディメカニクスを実践するためには，作業姿勢・作業域・作業面の確保が重要となる。安定した作業姿勢とは，支持基底面が広く，重心を低く，重心線が支持基底面のなかにあることをさす。作業域には最大作業域と通常作業域とがあり，手の長さや関節の可動域から算出される。作業面の最適な高さは作業する人の重心と一致している（表3-3，図3-4）。

（2）ボディメカニクスのポイントと根拠

・支持基底面を広くとり重心を低くする→作業姿勢の安定性は身体の重心と支持基底面の広さに依存する。重心が低い位置にあるほうが安定する。
・前傾姿勢にならない→脊柱の生理的彎曲（図3-5）の維持により椎骨にかかる負担が均一化する。

表3-3 ボディメカニクス活用のポイント

(1)基本動作を考える	①動作の数はできるだけ少なくする ②動作の距離はできるだけ少なくする ③人間の自然な動作を利用する
(2)身体の機能を生かす	①身体各部の自然の位置からはずれないように，特に看護師の作業域を利用する ②大きな動作では大きな筋力を利用する ③一部の筋力に負担をかけず，上半身と下半身，または，両上肢や両下肢に分散させる ④動作の急激な方向転換を行わず，軌道を描く ⑤筋収縮が持続する静的筋活動を避ける ⑥脊柱や腰をひねらないように体軸に沿って回転させる ⑦筋力をかけやすい方向を生かして，上肢は引く力を，下肢は伸ばす力を用いる
(3)運動力学を用いる	①安定を保つために基底面積を最大にする。逆に移動時は基底面積を小さくする ②安定を保つために重心を下げる ③安定を保つために重心を基底面積の中央に位置させ，移動時は重心（体重）を移動させる ④移動において重力を利用する ⑤移動において慣性を利用する ⑥てこの原理，振り子の原理，トルクの原理を利用する ⑦摩擦力の高さ（滑りにくさ）や低さ（滑りやすさ）を利用する

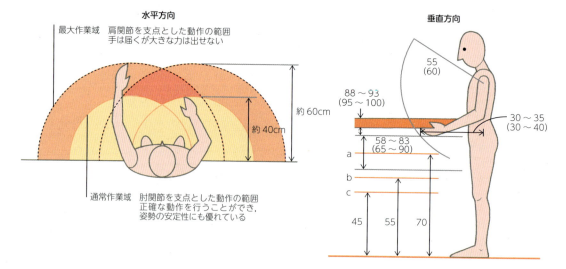

図3-4 最大作業域と通常作業域

- 力の方向に合わせた姿勢をとる→重心の上下・水平方向の移動を少なくする。
- 患者や対象物に近づく→作業中の重心線が支持基底面を通りやすい。
- 患者の支持基底面を狭くする→重心が中心に集まる，接地面積が狭くなることにより摩擦力が減少する。
- 大きな筋群を使う→手や腕だけでなく大きな筋群を使うことで強い力が発揮できる。
- てこの原理，トルクの原理，力のモーメント（能率）を応用する→最小限の力で体を動かすことができる。

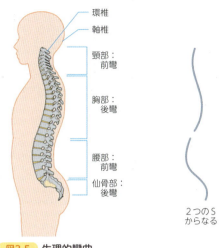

図3-5　生理的彎曲

5）動くことと不活動状態が及ぼす影響

（1）身体が動くこととは

　身体が動くこととは，主として筋肉，特に骨格筋の作用として生じる移動を示す。「動くこと」は日常における様々な目的を遂行するための身体運動であり，日常生活を営むうえで欠かせない。

　筋骨格による運動を伴う活動は，筋肉や筋持久力の増強，酸素摂取量や換気量の増大による心肺機能の向上を促し，生活不活発病（関節拘縮，筋力低下，褥瘡，深部静脈血栓症などの廃用症候群）の予防につながる。また，活動や運動をとおして楽しさや充実感を得ることは生活の活性化につながる。活動が阻害されると，それまであたり前に行ってきた日常生活動作に支障をきたし，心理的な安寧が脅かされる。また，遊び，仕事，家事，通学といった社会的な活動をとおした役割の遂行が困難になる。活動や運動が制限されることは，心身の健康状態に影響を及ぼす。

（2）不活動状態が及ぼす影響

　安静臥床などによって一定の体位をとり続けることや長期にわたる運動不足などの不活動状態は，全身の機能に様々な弊害をもたらす。身体の不活動状態によって局所や全身に起こる症候群を廃用症候群（または不使用症候群）とよぶ。廃用症候群は，筋骨格系，循環・呼吸器系，内分泌・代謝系，神経系など各臓器の症状として多岐に現れ，日常生活の自立度を低下させる。廃用症候群の主な種類を下記に示す。

①骨格系の障害：筋萎縮，骨萎縮，関節の拘縮

　不活動状態によって筋の構成成分であるタンパク質が減少するため（筋肉量の減少），歩行などの運動や体位の安定化に障害をもたらす。さらに，骨に負荷がかからない状態が続くとカルシウムが骨から溶け出して尿中に排泄されるため，骨がもろくなる。また，関節周囲の靱帯や関節包の弾性が失われ，筋肉周囲の筋膜や筋肉の結合組織が収縮することによって筋自体の弾力性や伸展性がなくなり，関節拘縮が起こる。

②心・血管系の障害：起立性低血圧，静脈血栓・塞栓・うっ血

　不活動状態が続くことによって交感神経系の活動が障害されると，静脈還流を促す反射的血管収縮が起こりにくくなり，急に立つと立ちくらみを起こす。また，下肢筋群の筋収縮-弛緩ポンプ作用の低下によって，血流のうっ滞，循環血漿量の減少による血液凝固能の亢進が起こり，静脈血栓が生じる。血栓などの異物によって血管内腔が閉塞（塞栓）した場合，閉塞した部位から末梢の組織の機能低下をきたす。

③呼吸器系の障害：無気肺，沈下性肺炎

　長期臥床によって呼吸筋の筋力低下や胸郭の可動域制限が起こると，一回換気量，分時換気量，肺活量などが低下する。呼吸筋の低下によって分泌物の喀出力が弱まると，痰などの分泌物が気道内を逆行性に降下し，細菌が増殖して肺炎を起こす危険性がある。分泌物が気管支や肺胞内にたまることによって，空気が肺胞に送られない無気肺という状態になる。

④消化器系の障害：食欲不振，便秘

　不活動状態によって消化器の動きや消化腺の分泌機能の低下が起こると，食欲や腸管蠕動運動も低下する。その結果，栄養吸収率低下，体重減少，便秘などが生じる。

⑤泌尿器系の障害：残尿，尿失禁，尿閉，尿路感染，腎結石，尿路結石

　尿の停滞によって菌が増殖しやすくなり，感染が起こりやすくなる。また，尿の停滞や骨から溶け出た尿中のカルシウムの増加によって結石ができやすくなる。膀胱結石や尿結石によって粘膜が損傷すると，感染のリスクは高まる。

⑥皮膚の障害：褥瘡

　同一部位による皮膚の圧迫は，皮膚表層にある軟部組織の血流を低下あるいは停止させる。この状態が一定時間持続すると，組織は不可逆的な阻血性障害に陥る。圧迫，身体機能の低下（循環障害，運動障害，筋肉の退化など）は，褥瘡の主な要因である。

⑦精神状態の障害：無気力，抑うつ，睡眠障害

　不活動状態が続くことによる身体活動量の低下や感覚入力の減少は，精神障害や睡眠障害の誘因となる。

3 患者のアセスメントと援助方法の選択

　「動くこと」には，脳からの指令が神経を介して筋肉に伝わり，筋肉が収縮・弛緩し，それに合わせて骨と関節が動くというメカニズムが機能している。また，身体を動かすことによって気分転換や満足感を味わうことができる。動くためのアセスメントは，脳神経系，筋骨格系といった身体的側面だけでなく，心理社会的側面のアセスメントが欠かせない。廃用症候群を予防し，患者の生理機能や運動機能を促進するためには，患者の生活リズムや生活活動を踏まえて，体位の保持，体位変換，関節可動域訓練などを行うことが有効である。

援助の目的	■リハビリテーション　■リラクセーション　■気分転換　■安全な歩行 ■褥瘡予防　■皮膚の観察　■目的の場所への移動・移送　■血行促進
患者の心理社会的アセスメント	生活習慣，活動・運動習慣，セルフケアの状況，日常生活自立度，精神状態，認知機能，意欲，希望，好み，価値観，他者との関係性　など
患者の身体的アセスメント	疾病の状態（手術前後）／治療の影響／ADLのレベル／関節の動き／座位・姿勢保持力／筋力・筋量／心肺機能／皮膚の状態
必要な援助内容の判断	ポジショニング（仰臥位／側臥位／腹臥位／ファーラー位）／体位変換／移動・移送（ベッド上での移動／車椅子への移動・移送／ストレッチャーへの移動・移送）／関節可動域訓練／歩行訓練（人による援助／杖歩行／歩行器による歩行）
援助方法の選択	いつ（時間，回数），どこで（場所：ベッドサイド，廊下など），何を，どのように（器材など）

援助を考えてみよう

　Aさんは72歳の女性です。1週間前に庭で花の水やりをしているときに段差につまずいて転倒し，動けなくなりました。検査の結果，右大腿骨頸部骨折と診断され，手術を受けました。現在はリハビリテーション室で，歩行訓練と衣服の着脱訓練を行っています。リハビリテーション室への移送は看護師が行っています。排泄時はナースコールで看護師を呼ぶよう伝えていますが，「看護師さんは忙しそうだから」と言って一人でポータブルトイレに移ろうとすることがあります。自力で端座位をとることは許可されていますが，「脱臼するかもしれない」と言って，訓練以外の時間は臥床して過ごしています。また，「動かないから食欲がない」と言って，食事も半分程度しか摂取していません。Aさんの趣味は園芸とカラオケですが，「こんなことになってしまってはもう外出することも無理ね」と寂しそうに看護師に話していました。看護師は，このままではAさんが廃用症候群になってしまうかもしれないと懸念しています。看護師は，Aさんが自立して活動することでADLの低下を防ぐことができ，食欲増進や回復意欲の向上につながると考えました。そこで，Aさんが離床して過ごす時間を増やすことを計画しました。上のフローチャートを用いて援助を考えてみましょう。

4 援助実施時のポイント

（1）患者にとっての安楽，快不快への配慮
安楽に感じるかどうかは患者によって異なるため，患者の好みや要望に応じた援助をすることを心がける。

（2）患者とのコミュニケーション
動くことは，患者にとって回復への期待や喜びを味わうことができる行為であるとともに，不安や苦痛を伴う可能性もある。患者にこれから行う動作の目的や方法をていねいに説明することによって，患者の主体的な参加と自立を促すことができる。疲労や苦痛に配慮した声かけを行うことは不安の軽減につながる。

（3）羞恥心やプライバシーへの配慮

（4）腰痛予防対策の実施
介助者の腰部に過度の負担が加わるような動作においては，作業姿勢や動作の見直し，福祉用具の活用，作業環境の整備などを行い，腰痛の発生予防に努める（厚生労働省（2013年）「職場における腰痛予防対策指針及び解説」を参照）。

看護技術の実際

A ベッド上での移動

1）枕の与え方，はずし方

- 目　　的：看護，治療，検査に必要な体位をとったり，移動したりする
- 適　　応：自力での体位の保持やベッド上での移動が困難な患者
- 必要物品：枕

方　法	留意点と根拠
1 擦式手指消毒による手指衛生を行う（➡❶）	❶手指衛生は感染予防の基本である
2 患者の状態に適した，枕，耐圧分散寝具などを準備し，ワゴンに置く	
3 患者に目的，方法，所要時間を説明し同意を得る	●患者の意思を尊重し，協力を得やすくする
4 カーテンやスクリーンを閉める（➡❷）	❷プライバシーの保護に努める
5 床頭台やオーバーテーブルをベッドから離しておくなどベッド周囲の環境を整え，作業域を確保する（➡❸）	❸ボディメカニクスを活用し，作業の効率を上げるため
6 ベッドの高さを看護師が実施しやすい位置に調節し，ストッパーを確認する（➡❹）	●看護師の負担にならない高さにする ❹ベッドが動くなどの作業中の危険を予防する
7 手前のベッド柵をはずす	
8 室温を調整し，掛け物をはずす	

	方　法	留意点と根拠
9	両手背を枕に押しつけるようにして患者の頭部と枕の間に空間をつくり，両側から看護師の手を差し込む	
10	両手で患者の頭部を静かに持ち上げる	
11	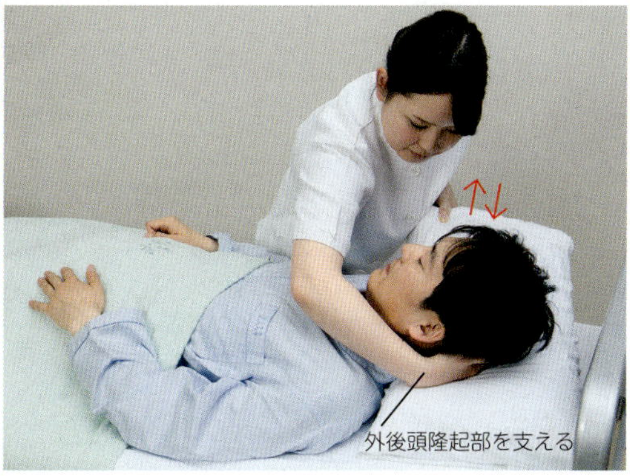 向こう側の手の手掌全体で患者の外後頭隆起部を支える（図3-6）（➡❺）	●看護師の手指を十分に広げる ❺基底面積を広くすることで圧迫を避け，安定を図る

図3-6　枕の与え方，はずし方

	方　法	留意点と根拠
12	手前の手で静かに枕の出し入れを行う	
13	患者の頭部を両手で支え，静かにおろす	
14	枕の中央に患者の頭がのっているか（枕を与えた場合），頸部の屈曲（前屈）や伸展（後屈）がないかを確認する	●頸椎の生理的な前彎を保つ
15	緊張や圧迫や痛みの有無，安楽な姿勢かどうかを患者に確認する	

❶世界保健機関（WHO：World Health Organization）医療における手指衛生についてのガイドライン　https://apps.who.int/iris/bitstream/handle/10665/44102/9789241597906_eng.pdf

2）-①ベッドの上方への移動（看護師1人で行う場合）

- 目　　的：看護，治療，検査に必要な体位をとったり，移動したりする
- 適　　応：自力での体位の保持やベッド上での移動が困難な患者

	方　法	留意点と根拠
1	**枕をはずす** A 1）「枕の与え方，はずし方」の方法に準じる	
2	患者の両上肢を腹部の上で組む（➡❶）	❶患者の身体をまとめ，基底面積を小さくして摩擦を最小にする
3	患者の膝関節を屈曲して両膝をできるだけ高く立て，移動時に足底でベッドを踏みつけるよう説明する（➡❷）	❷摩擦を最小にすることと，患者のもてる力を引き出すことができる
4	看護師は，患者の頭側にある側の手を患者の手前側の肩から挿入し，肘関節で後頸部を支え，手掌で患者の向こう側の肩を支える（図3-7）	

方 法	留意点と根拠

図3-7 ベッドの上方へ位置を変える方法

5	看護師のもう片方の手を患者の生理的彎曲部から腰部に挿入する	
6	患者が移動する方向に足を開き,重心を低くして患者の足側から頭側に水平に重心移動する	●患者に合図して協力を得る
7	**背抜きを行う**(➡❸)(図3-8) 患者の左右どちらか片方の肩を床面から軽く挙上し,浮いた部分から看護師の手を,手掌を上向きにして挿入する 肩甲骨部に挿入した看護師の手を仙骨部にかけてゆっくりと移動させることで背部の除圧を行う 身体の片方ずつ脊柱線をこえるように仙骨部まで浮かせる方法,ベッドから上半身が離れるよう上半身を起こす方法などがある。 左右両方とも行う	❸圧迫やずれを開放することによって苦痛や皮膚損傷のリスクをなくす ●肩から仙骨部までの背中全体をベッドから浮かせることを意識して行う。看護師の手背を床面に押しつけるようにする ●ポジショニンググローブ(図3-9)を装着して行うと,摩擦力が最小限になる

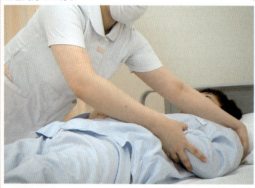 

図3-8 背抜き

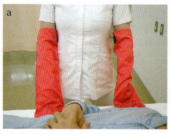  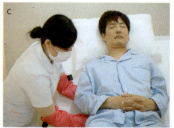

図3-9 ポジショニンググローブを用いた背抜き

8	枕を与え,頭部,脊柱,骨盤が一直線になるように仰臥位の姿勢を正し,安楽な姿勢かどうかを患者に確認する

2)-② ベッドの上方への移動（看護師2人で行う場合）

	方　法	留意点と根拠
1	**移動の準備を行う** A 2)-①「ベッドの上方への移動（看護師1人で行う場合）」の「方法1〜3」に準じる	
2	2人の看護師は，同じ側または患者の両側に一人ずつ立つ	
3	看護師のうち，1人は片方の手を患者の肩から挿入し，肘関節で後頸部を支え，手掌で患者の向こう側の肩を支える。もう片方の手を生理的彎曲部から背部に挿入する。もう一人は片方の手を生理的彎曲部から腰部に挿入し，もう片方の手を大腿部に挿入する	
4	患者が移動する方向に足を開き，重心を低くして，看護師2人が同時に患者の足側から頭側に水平に重心移動する	●患者に合図して協力を得る
5	移動できたら，看護師の手を静かに抜き取る	
6	**背抜きを行う** A 2)-①「ベッドの上方への移動（看護師1人で行う場合）」の「方法7」に準じる	
7	枕を与え，頭部，脊柱，骨盤が一直線になるように仰臥位の姿勢を正し，安楽な姿勢かどうかを患者に確認する	

3) ベッドの片側への移動

- **目　的**：看護，治療，検査に必要な体位をとったり，移動したりする
- **適　応**：自力での体位の保持やベッド上での移動が困難な患者

	方　法	留意点と根拠
1	**移動の準備を行う** A 2)-①「ベッドの上方への移動（看護師1人で行う場合）」の「方法1〜2」に準じる	
2	看護師の片方の手を患者の肩から挿入し，肘関節で後頸部を支え，手掌で患者の向こう側の肩を支える（図3-10） ＊看護師2人で行う場合は，「ベッドの上方への移動（看護師2人で行う場合）」の「方法3」に準じて看護師の上肢を挿入する	

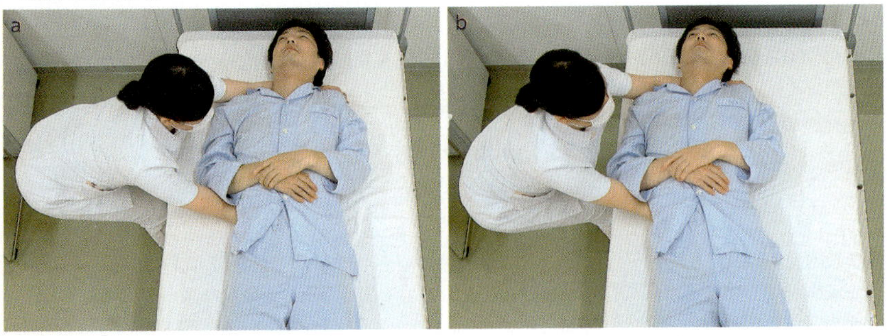

図3-10 上半身を手前に引く方法（水平に引く方法）

3	看護師のもう片方の手を患者の生理的彎曲部から腰部に挿入する	

	方　法	留意点と根拠
4	看護師の足を前後に開き，重心を低くして前側から後ろ側に重心移動する ＊看護師2人で行う場合は，2人同時に重心移動するため，一度で移動する	● 上半身と下半身を分けて行う ● 患者に合図して協力を得る
5	患者の肩を支持していた手を患者の身体から抜き，患者の腰部に挿入すると同時に，もう片方の手を抜いて，大腿部に挿入する（図3-11）（➡❶） 「方法4」と同様に，看護師の重心を前側から後ろ側に移動する	❶上半身を移動させたあと看護師の両手を同時に抜くのではなく，腰部への挿入と抜去を同時に行うことによって，患者の身体の下に看護師の手を挿入する回数を減らすことができ，苦痛を最小にすることができる

 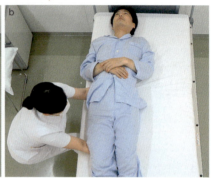

図3-11 下半身を手前に引く方法

6	背抜きを行う A2)-①「ベッドの上方への移動（看護師1人で行う場合）」の「方法7」に準じる	
7	枕を与え，頭部，脊柱，骨盤が一直線になるように仰臥位の姿勢を正し，安楽な姿勢かどうかを患者に確認する	

4）ベッド上でのスライドシートを用いた移動

	方　法	留意点と根拠
1	**枕をはずす** A1)「枕の与え方，はずし方」の方法に準じる	
2	患者の身体を仰臥位から側臥位の方法で体位変換し，背部から殿部にかけてスライドシートを敷く（➡❶）。患者の身体を仰臥位にする シートは二枚重ねの状態で輪になっているので，移動する方向によって輪の向きを変える（➡❷）（図3-12a） ベッドの上方に移動する場合：身体の左右に輪がくるように敷く ベッドの片側に移動する場合：身体の上下に輪がくるように敷く	❶ベッドに面している側の背部から殿部までにスライドシートを敷きこんでおくと，仰臥位になったときに広げやすい ❷引き出す側のシートの端を小さくまとめておく，あるいは扇子織にしておくと引き出しやすい
3	**ベッドの上方に移動する場合**（図3-12b, c）： 患者の膝関節を屈曲して両膝をできるだけ高く立て，移動時に足底でベッドを踏みつけるよう説明する。患者の両上肢を腹部の上で深く組む。看護師の片手で患者の足背を軽く押さえ，頭側の手で膝関節を頭部側に向かって押すと，患者の身体は上方に移動する	● 患者が殿部を浮かせられる場合は，患者に合図して殿部を浮かせてもらうことで移動がスムーズになる

方　法	留意点と根拠

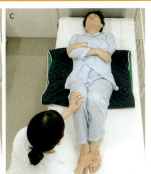

図3-12 スライドシートを用いたベッド上での移動

方　法	留意点と根拠
ベッドの片側に移動する場合： 看護師は移動する側と反対側に立つ。患者の両上肢を腹部の上で組み，患者の両下肢を伸展させる。両手で患者の肩と腰部を軽く押して移動させる ＊移動する側に立ち，遠位にある患者の肩と腰部に手を当てて引き寄せてもよい	
4　スライドシートをはずす	
5　背抜きを行う 　A 2）-①「ベッドの上方への移動（看護師1人で行う場合）」の「方法7」に準じる	
6　体位を整える 　A 2）-①「ベッドの上方への移動（看護師1人で行う場合）」の「方法8」に準じる	
7　患者の顔を手前に向ける	●患者のこちらを向こうとする意思と頭の位置に体幹を合わせようとする反射が働き，側臥位がスムーズにとれる
8　患者の手前の上肢を体幹から離して肘関節で曲げておく。看護師から遠位にある上肢は肘関節を軽く曲げて胸の上に置く（➡❺）	❺側臥位になったとき，下になる側の上肢が身体の下に圧迫されて起こる循環障害を防ぐ
9　看護師から遠位にある膝を立てる。このとき，膝から手を離さないようにして膝を外側から支える	●膝を立てた側の足底をベッドにつけるようにする ●安定している場合には患者の両膝をできるだけ高く立てる ●患者の殿部を支点としたトルクの原理を働かせる

B 体位変換

1）仰臥位から側臥位

- ●目　　的：同一体位の圧迫による苦痛を軽減し，また同一体位による障害を予防する
- ●適　　応：自力での体位変換が困難な患者

方　法	留意点と根拠
1　手洗いあるいは擦式手指消毒による手指衛生を行う（➡❶）	❶手指衛生は感染予防の基本である
2　患者の状態に適した，枕，耐圧分散寝具などを準備し，ワゴンに置く	

	方　法	留意点と根拠
3	患者に目的，方法，所要時間を説明し，同意を得る	●患者の意思を尊重し，協力を得やすくする
4	カーテンやスクリーンを閉める（➡❷）	❷プライバシーの保護に努める
5	床頭台やオーバーテーブルをベッドから離しておくなどベッド周囲の環境を整え，作業域を確保する（➡❸）	❸ボディメカニクスを活用し作業の効率を上げるため作業域を確保する
6	ベッドの高さを看護師が実施しやすい位置に調節し，ストッパーを確認する（➡❹）	●看護師の負担にならない高さにする ❹ベッドが動くなどの作業中の危険を予防する
7	手前のベッド柵をはずす	
8	室温を調節し，掛け物をはずす	
9	枕をはずし，患者の身体を向く側と反対側の端に移動させてから枕を入れる A 3）「ベッドの片側への移動」の「方法2〜5」に準じる	●側臥位になったときに患者の身体がベッド中央に位置するようにする
10	枕をベッドの中央に移動させておく（➡❺）	❺側臥位になったときに患者の頭部が枕の中央に位置するようにする
11	看護師は側臥位になったときに向き合う側に立つ（➡❻）	❻押すより手前に引くほうが上肢の屈筋を利用できる
12	患者の顔を手前にする（➡❼）	❼患者のこちらを向こうとする意思と頭の位置に体幹を合わせようとする反射が働き，側臥位がスムーズにとれる
13	患者の手前の上肢を体幹から離して肘関節で曲げておく。看護師から遠位にある上肢は肘関節を軽く曲げて胸の上に置く（➡❽）	❽側臥位になったとき，下になる側の上肢が身体の下に圧迫されて起こる循環障害を防ぐ
14	看護師から遠位にある膝を立てる。このとき，膝から手を離さないようにして膝を外側から支える	●膝を立てた側の足底をベッドにつけるようにする ●安定している場合には患者の両膝をできるだけ高く立てる ●患者の殿部を支点としたトルクの原理を働かせる
15	**身体を回転させる** 患者の膝に看護師の手を当てて手前の方向に膝を倒し，次いで，殿部，腰部，背部の自然な回転に合わせて肩関節を手前の方向に引きながら，患者の身体全体の回転を助ける（図3-13）	●手前の方向に力を加えて患者の膝を倒すと自然に左殿部が上がり，順次，頭部の方向に向かって螺旋を描くように自然に回転する ●自然な身体の回転を促す ●褥瘡などの創がある場合は，ひねりが創面のずれや疼痛を生むため，なるべくひねらないようにする

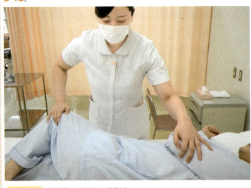

図3-13　身体の回転の援助

方法	留意点と根拠
16 体位を整える 両手で患者の左右の腸骨を把持し，上側の腸骨部を手前に引きながら下側の腸骨部を向こう側に押すようにして安定させる 患者にベッド柵を持ってもらい，看護師は患者の背面に移動して下側の腸骨部を引いてもよい	●患者の体位が安定するまでは，必ず片手を患者から離さないようにする ●側臥位の基底面積は狭く不安定になりやすいので，基底面積を広くする

2）仰臥位から腹臥位

- 目　　　的：同一体位の圧迫による苦痛を軽減し，また同一体位による障害を予防する
- 適　　　応：自力での体位変換が困難な患者
- 必要物品：枕

	方法	留意点と根拠
1	患者を側臥位にする 回転軸となる手前側の上肢（腹臥位になったときに看護師と反対側になる上肢）を挙上し，向こう側の肘関節を屈曲させる	
2	看護師から遠位にある膝を立てる。このとき，膝から手を離さないようにして膝を外側から支える	●患者の殿部を支点としたトルクの原理を働かせる
3	患者の身体を回転させる 向こう側の肩関節と立てた膝関節に手を当て，ゆっくりと手前に倒す 上側の膝を伸ばして，さらに腹臥位まで回転させる	
4	下になっている上肢を腹部まで下げる。看護師は患者の背中側に立ち，右腸骨部を持ち上げて手を入れ，背中側から患者の上肢を引っ張り出す	●このとき患者の上肢をねじらないように注意する。患者の手掌が常に天井を向いた形で引っ張り出すようにする
5	顔を横向きにし，枕を挿入する（➡❶）	❶窒息を予防する
6	両肘関節を屈曲させてベッド上に置く	
7	足関節の下に枕を入れて膝関節を屈曲させ，足指がベッドの床につかないようにする（➡❷）	❷尖足を予防する

3）側臥位から仰臥位

- 目　　　的：同一体位の圧迫による苦痛を軽減し，また同一体位による障害を予防する
- 適　　　応：自力での体位変換が困難な患者
- 必要物品：枕

	方法	留意点と根拠
1	移動の準備を行う B 1）「仰臥位から側臥位」の「方法1〜8」に準じる	
2	患者の頭部を持ち上げて支え，枕を移動させる側に寄せる（➡❶）	❶仰臥位になったとき，枕が頭の中央にくるようにする ●患者の頭部は横を向いているため，頸部をひねらないようにする

	方法	留意点と根拠
3	患者の背部に枕があってもたれている場合は，背部を支持しながら，先に枕をはずす	●背部の枕をはずすと支えがなくなり，患者が仰臥位になる場合があるので注意する
4	患者の下側の下肢の股関節と膝関節を伸展させる	
5	患者の下側の下肢も伸ばして両下肢をそろえておく	●看護師の片手で患者の上になった腸骨部を支えておくと，患者の姿勢が安定する
6	患者の肩関節と大転子部に看護師の両手掌を当て，静かに向こう側に倒す 大転子部を先に倒し，その後，背部，腰部，頭部が自然に回転するように倒す	●重量の大きい骨盤部を倒すことにより，自然にほかの部分が倒れることを利用する
7	枕をはずし，患者の身体がベッドの中央にくるように移動させる A 3)「ベッドの片側への移動」の「方法2～5」に準じる	
8	枕を入れる。頭部が枕の中央になるように枕の位置を調節する	●必要時，患者の身体をベッド中央に移動させる
9	**背抜きを行う** A 2)-①「ベッドの上方への移動（看護師1人で行う場合）」の「方法7」に準じる	
10	頭部，脊椎，骨盤が一直線になるように確認するとともに，姿勢の安定について患者に確認する A 2)-①「ベッドの上方への移動（看護師1人で行う場合）」の「方法8」に準じる	

4）仰臥位から端座位

- 目　　的：同一体位の圧迫による苦痛を軽減し，また同一体位による障害を予防する。立位への準備体位である
- 適　　応：自力での体位変換が困難な患者

	方法	留意点と根拠
1	移動の準備を行う B 1)「仰臥位から側臥位」の「方法1～5」に準じる	
2	端坐位となったときに患者の足底が床につくようにベッドの高さを調節する（➡❶）	❶足底がつかないと姿勢が不安定となる ●ベッドの高さをリモコンで操作できる場合は，座位になってから高さを調節してもよい
3	手前のベッド柵をはずす	
4	室温を調整し，掛け物をはずす	
5	看護師は患者の足を下ろす側に立つ	
6	看護師は，患者の手前側の肩から手を挿入し，肘関節で後頸部を支え，手掌で患者の向こう側の肩を支える	
7	患者の顔を手前側に向ける	

	方　法	留意点と根拠
8	患者の頸部を支えている側の手の肘頭部をベッドにつけ，肘関節を屈曲させて患者の向こう側の肩を手前に浮かせる（→❷）	❷てこの原理を働かせる
9	看護師のもう片方の手掌で患者の手前側の前腕の肘関節に近い部分を軽く押さえる	●肘関節の屈曲を妨げない位置を押さえる ●垂直に押さえるのではなく患者の頭側に押すようにする
10	座位へ体位変換する 患者の手前の前腕を押さえながら上半身を手前に引き寄せ，患者の肘関節を支点に，患者の頭の軌跡が看護師側に向かって円弧を描くように起こす（図3-14a，b）	●看護師は両足を前後に開き，重心を前の足から後ろ足に移動する ●人間が起き上がるときの自然な動きを利用する

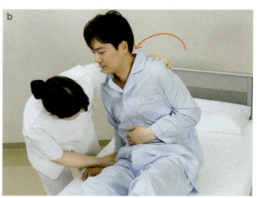

仰臥位から長座位へ

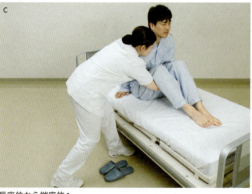
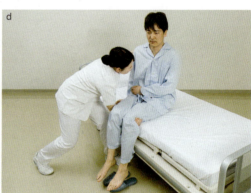

長座位から端座位へ

図3-14 仰臥位から端座位への体位変換の援助

11	患者の肩はそのまま支え続け，看護師の反対の手で患者の両膝を下から把持して足をベッドの下ろす（図3-14c，d）	●患者の殿部を軸にして回転させる
12	膝窩部がベッドの端につくようにベッドに深く腰掛けてもらう	●姿勢が安定するまで患者の身体を支える手を離さないようにする
13	患者の足底が床につくようにベッドの高さを調節する	
14	安楽な姿勢かどうかを患者に確認する	

5）端座位から仰臥位

- 目　　的：同一体位の圧迫による苦痛を軽減し，また同一体位による障害を予防する。身体をベッドに戻す体位である
- 適　　応：自力での体位変換が困難な患者

方　法	留意点と根拠
1　移動の準備を行う 　Ⓑ1）「仰臥位から側臥位」の「方法1〜5」に準じる	
2　看護師は，患者の身体の横，仰臥位になったときに頭側になる位置に立つ	
3　看護師の片方の手で患者の背部，もう片方の手で膝関節を下から支える	
4　患者の殿部を軸にして方向転換させながら，患者の両下肢をベッド上に持ち上げる。患者の上半身をゆっくり倒し，臥床させる	
5　ベッドの中央に臥床するよう水平移動させる 　Ⓐ3）「ベッドの片側への移動」の方法に準じる	
6　頭部が枕の中央になるように枕の位置を調節する	
7　背抜きを行う 　Ⓐ2）-①「ベッドの上方への移動（看護師1人で行う場合）」の「方法7」に準じる	
8　頭部，脊椎，骨盤が一直線になるように確認するとともに，姿勢の安定について患者に確認する 　Ⓐ2）-①「ベッドの上方への移動（看護師1人で行う場合）」の「方法8」に準じる	

Ⓒ 安楽な体位の保持（ポジショニング）

　ポジショニングとは，対象者の状態や必要な医療処置に応じた体位や姿勢をとることである。看護師はポジショニングにおいて，常に患者の安楽が図られるように考慮し，工夫する。

1）仰臥位（図3-15）

- 目　　的：仰臥位を保持することによって起こる障害を予防し，苦痛を軽減する
- 適　　応：自力での体位変換が困難な患者
- 必要物品：頭部用枕，安楽枕（各サイズ），耐圧分散寝具（踵用マットやパッド，フットボード，ビーズクッションなど），枕用カバー（各種），ポジショニンググローブ

図3-15　仰臥位

	方法	留意点と根拠
1	擦式手指消毒による手指衛生を行う（➡❶）	❶手指衛生は感染予防の基本である
2	患者の状態に適した，枕，耐圧分散寝具などを準備し，ワゴンに置く	
3	患者に目的，方法，所要時間を説明し同意を得る（➡❷）	❷患者の意思を尊重し，協力を得やすくする
4	カーテンやスクリーンを閉める（➡❸）	❸プライバシーの保護に努める
5	床頭台やオーバーテーブルをベッドから離しておくなどベッド周囲の環境を整え，作業域を確保する（➡❹）	❹ボディメカニクスを活用し作業の効率を上げるため作業域を確保する
6	ベッドの高さを看護師が実施しやすい位置に調節し，ストッパーを確認する（➡❺）	●看護師の負担にならない高さにする ❺ベッドが動くなどの作業中の危険を予防する
7	手前のベッド柵をはずす	
8	室温を調整し，掛け物をはずす	
9	患者の身体がベッドの中央に位置するよう，上下，左右に移動させる Ａ1）「ベッド上での移動」，Ａ3）「ベッドの片側への移動」の方法に準じる	●患者を上下方や左右に移動する場合，安全のために患者の上肢を腹部の上で軽く組む ●動作は，上半身→殿部→下肢の順に行う
10	正面から見て脊柱が一直線になっていることを確認する（➡❻）	❻椎骨棘突起部が一直線となるような姿勢が解剖生理学上無理のない姿勢である
11	背抜きを行う Ａ2）-①「ベッドの上方への移動（看護師1人で行う場合）」の「方法7」に準じる	
12	頭部用枕の中央に頭が乗るよう整える	
13	側面から見て，身体と床面の隙間にタオルや枕を挿入する	●良肢位や生理的彎曲の保持，支持基底面を広く取る，胸郭の動きを妨げない，骨突出部に局所的な圧力がかからないよう配慮する
14	膝の下に枕を入れ，股関節を屈曲，外転させ，両膝関節の間は5～7cm開ける（➡❼）	❼両膝関節の間を5～7cm開けると股関節の外転位がとれ，大腿骨の筋肉の緊張がとれる
15	下腿と足部が直角になるように枕やフットボードで足底を支える（➡❽）	❽足底の固定がない状態が長時間続くとアキレス腱が縮み尖足になりやすい
16	踵骨部の圧迫防止のためにクッションや枕を使用する	
17	両上肢を枕やクッションで支える（➡❾）	❾上肢の良肢位を保持する
18	寝衣，シーツのしわを伸ばす（➡❿）	❿しわによる局所的な圧迫が生じるのを避ける
19	緊張や圧迫や痛みの有無，安楽な姿勢かどうかを患者に確認する	

2）側臥位（図3-16）

- 目　　的：側臥位を保持することによって起こる障害を予防し，苦痛を軽減する
- 適　　応：自力での体位変換が困難な患者
- 必要物品：頭部用枕，安楽枕（各サイズ），耐圧分散寝具（踵用マットやパッド，ビーズクッションなど），枕用カバー（各種）

図3-16　側臥位

	方　法	留意点と根拠
1	ⓒ1）「仰臥位」の「方法1〜8」に準じる	
2	側臥位になったときに患者の身体がベッドの中央に位置するよう，上下，左右に移動させる	●患者を上下方や左右に移動する場合，安全のために患者の上肢を腹部の上で軽く組む ●動作は，上半身→殿部→下肢の順に行う
3	患者を側臥位にする	
4	背部を大きめの枕で支え，患者が枕に寄りかかって安定するようにする（➡❶）	●枕の長さは脊柱と同じ程度にする ❶基底面積を広くし，不必要な筋の緊張と局所の圧迫を軽減するため
5	頭部用枕は頭部の中央に位置させ，頸部が後屈しないように顔側の枕を足元の方向に傾ける	●枕が安定するようにベッド柵などを利用する
6	大きめの枕を患者の前胸部の前に置き，患者の上側の前腕と肘を自然な位置に置いて支える（➡❷）	❷肩関節の伸展位での拘縮を予防する ●枕を抱くように用いると上側の肩関節が安定する
7	下側の上肢を患者の顔の前に移動させる（➡❸）	❸体幹の重みで血管や神経が圧迫されないようにする
8	患者の下側の股関節と膝関節を軽く屈曲させ安定させる（➡❹）	●腹部が緊張していないことを確認する ❹腰椎の生理的な前方への彎曲を保つ。支持基底面が広くなり安定する。また，腹筋の緊張が緩和される
9	下側の腓骨頭部の下に小枕を入れる（➡❺）	❺腓骨神経麻痺を予防する
10	患者の上側の股関節と膝関節を下側よりもやや深く屈曲させ（➡❻），上側の下肢の下に中枕を入れる（➡❼）	❻股関節の良肢位が保たれる ❼脛骨内側顆の除圧を行う
11	ⓒ1）「仰臥位」の「方法18〜19」に準じる	

3）ファーラー位（図3-17）

- 目　　的：ファーラー位を保持することによって起こる障害を予防し，苦痛を軽減する
- 適　　応：自力での体位変換が困難な患者
- 必要物品：頭部用枕，安楽枕（各サイズ），耐圧分散寝具（踵用マットやパッド，ビーズクッションなど），枕用カバー（各種），ポジショニンググローブ

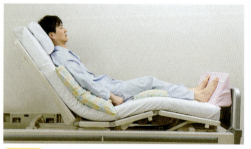

図3-17　ファーラー位

	方　法	留意点と根拠
1	C1)「仰臥位」の「方法1～10」に準じる	
2	ベッドの膝側を20度ほど挙上する	●身体のずれを防ぐため膝側から挙上する
3	ベッドの頭部を30度ほど挙上する（➡❶）	❶安楽を目的とした挙上は20～30度であるが個人差がある
4	背抜きを行う A2)-①「ベッドの上方への移動（看護師1人で行う場合）」の「方法7」に準じる	
5	膝の下に中枕を入れ，股関節を屈曲させ，両大腿の間を適度に開けて膝を屈曲させる（➡❷）	●膝で屈曲した大腿部と下腿部の後面が接地する高さの枕を選択する ❷上半身の下方へのずれを止める，腹部・腰部・大腿部の筋肉の緊張がとける
6	下腿と足部が直角になるように中枕で足底を支える C1)「仰臥位」の「方法13」に準じる	●枕が固定されるように身長とベッドの距離に応じてさらに小枕を挟む ●腫部に力が加わらないように中枕を使用する
7	肘関節を軽く屈曲させた状態で，腋窩から体幹に沿って中枕を置く（➡❸）	❸身体を左右から支えるため ●上肢の左右の高さは同じにする（➡❹） ❹身体が傾かないように支えるため
8	C1)「仰臥位」の「方法18～19」に準じる	

4）腹臥位（図3-18）

- ●目　的：腹臥位を保持することによって起こる障害を予防し，苦痛を軽減する
- ●適　応：自力での体位変換が困難な患者
- ●必要物品：頭部用枕，安楽枕（各サイズ），耐圧分散寝具（ビーズクッションなど），枕用カバー（各種）

図3-18　腹臥位

	方　法	留意点と根拠
1	C1)「仰臥位」の「方法1～8」に準じる	
2	腹臥位になったときに患者の身体がベッドの中央に位置するよう，上下，左右に移動させる	
3	左右どちらかに顔を向ける（➡❶）	❶窒息を予防する ●楽に呼吸ができるように留意する
4	腹部の下に小枕を入れる　枕が骨盤の下にかかるようにする（➡❷）	❷枕で胸部を圧迫しないようにする
5	肘関節を屈曲させ，手掌を下向きにして肩関節付近に置く	
6	足関節の下に中枕を入れる（➡❸）	●足指がマットレスにつかないように枕の高さを選択する ❸尖足の予防。膝関節の屈曲により，下肢の緊張が緩和する
7	C1)「仰臥位」の「方法18～19」に準じる	

D　ベッドからの移乗・移送

1）車椅子への移乗・移送

- ●目　　的：治療や検査などのため，患者を安全・安楽に車椅子に移乗し，目的の場所に移送する
- ●適　　応：自力での移動が困難な患者，自力での移動を制限されている患者
- ●必要物品：車椅子（図3-19），履物

★車椅子での移送技術

> a. 基本の進み方
> ・スピードは極力抑えて，両方のハンドルに均等に力を入れて押す。
> ・動き始め，曲がり角，揺れが予想されるときは必ず声をかけて患者に知らせる。
> ・左折時には左ハンドルを軸にするつもりで右ハンドルを押し，右折時には逆にしてハンドルを押す。
> ・止まるときや，しばらく停止しているときは，ハンドルを離さず，ストッパーをかける。
>
> b. 斜面の進み方（図3-20）
> ・下り坂は車椅子を引っ張るようにして進む。
> ・急な斜面は避ける。急な斜面を下る場合，斜面に幅があれば，傾斜を緩くするために蛇行して進む。蛇行する幅がない場合には，足側を上にして後方に注意しながら後進させる。
>
> c. 段差のある場合
> ・段差の手前でティッピングレバーを踏むと同時に，ハンドルを手前側に引き寄せ，前輪を浮かして段差の上に置き，後輪は手で持ち上げて進む（図3-21）。

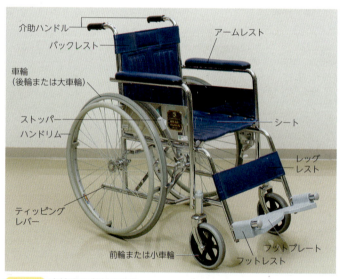

図3-19　車椅子の各部の名称

上り坂

下り坂

図3-20　斜面の進み方

ティッピングレバーを踏む

前輪を浮かせる

後輪を持ち上げる

段差を越える

図3-21　段差時の車椅子の操作

	方　法	留意点と根拠
1	車椅子の準備と点検をする（➡❶） ・タイヤの空気は入っているか ・スムーズに動くか ・ストッパーがしっかりかかるか ・ブレーキは効くか	❶患者の安全確保のために行う
2	擦式手指消毒による手指衛生を行う（➡❷）	❷手指衛生は感染予防の基本である
3	患者に，車椅子への移動や移送の方法，目的，注意事項を説明し，同意を得る（➡❸）	❸不安，緊張を除去し，自主的に行える動作の協力を得る
4	ベッドサイドの作業域を確保する	●患者のベッドサイドにある椅子などを移動させる場合は，患者に断ってから行う
5	ベッドの高さを，患者が端座位になったときに足底が床につく高さに調節する（➡❹）	❹端座位の保持，および，患者が立位をとるときに安定するため
6	ベッドが動かないか，ストッパーがかかっていることを確認する（➡❺）	❺事故を防ぐため
7	車椅子をベッドに対して斜め30〜45度の角度につけ（➡❻），ストッパーをかける	❻45度以上では回転角度が大きくなり，バランスを崩しやすい。移動距離と回転角度を最小限にする ●患者の乗せ替えをするときや車椅子から手を離すときは，必ずストッパーをかける
8	車椅子のフットレストを上げておく（➡❼）	❼安全のため
9	患者を端座位にし，患者の両手をベッドにつかせ，姿勢を安定させる（➡❽）	❽後ろに転倒するのを防止する ●端座位になったときは，患者を視野からはずさないようにし，そばを離れない ●患者の表情や顔色，訴えに注意し，気分不快時は中止する（➡❾） ❾長く臥床していた患者が座位になった場合に起立性低血圧を起こしやすい ●端座位が安定するまで看護師は患者から手を離さず患者の身体を支える
10	履物を履かせ，両足底を床につかせる	
11	車椅子はベッドとの角度をそのままにして，できるだけ患者に近づける	
12	患者と正面で向かい合い，車椅子の反対側にある看護師の足を患者の足の外側に置き，車椅子に近いほうの足を車椅子の外側に置く	●車椅子に近いほうの看護師の足が患者の方向を変えるときの軸足になる
13	看護師の両膝を十分に曲げて腰を低くし，看護師の重心を患者の重心の高さに合わせる	
14	患者の骨盤部を手前に引き寄せ，ベッドに浅く腰掛けさせる	
15	患者の上半身を看護師の肩にもたれるように前傾し，両手を看護師の肩か背部に回して組ませる（図3-22a）	

	方　法	留意点と根拠
16	看護師は両膝を曲げて足を前後に開く（➡❿）	●患者を立ち上がらせる動作中に看護師と患者の重心の移動を安定させる ❿立ち上がりの動作中に，看護師と患者の基底面上に重心が位置することでバランスがとれる ●看護師は腰を曲げないようにする（➡⓫） ⓫腰を曲げると脊椎に不均衡な力が加わり，看護師の腰を傷めやすい
17	患者の腰または骨盤の後ろでしっかり手を組み，肘を体幹につけるように脇を引き締める	
18	立ち上がることを患者に告げ，患者がさらに前傾になるように看護師の重心を後ろの足に移動させる（図3-22b）	●患者に身体の重みを看護師にあずけるように促す
19	組んだ手で患者の骨盤を手前に寄せ，患者を立たせる 患者の膝が伸びて立ち上がっていることを確認する	●患者の身体を持ち上げるのではなく，前に引くようにして立ち上がらせる
20	患者の向きを変える 看護師の車椅子に近いほうの足のつま先を車椅子に向ける 患者に声をかけ，看護師の車椅子に近いほうの足を軸足として，両手ともう一方の足で患者を支えながら，車椅子の前まで患者の向きを変える（図3-22c，d）	●看護師の軸足の位置を決定する ●患者の向きを変える動作中は軸足を踏み換えないようにする（➡⓬） ⓬踏み換えると重心が移動し，危険である
21	患者を車椅子に座らせる 殿部を先に座席にのせるよう患者に声をかけ，患者が前傾姿勢になるように看護師の腰をゆっくりと低くし，患者を静かに座席に座らせる（図3-22e）	●車椅子のシートに殿部がのる位置に座らせる（➡⓭） ⓭殿部がシートにのっていないと危険である ●腰を曲げると脊椎に不均衡な力が加わり，看護師の腰を傷めやすい ●看護師の後ろの足に重心を移動させながら座らせる（➡⓮） ⓮座る動作中に，看護師と患者の基底面上に重心が位置することでバランスがとれる

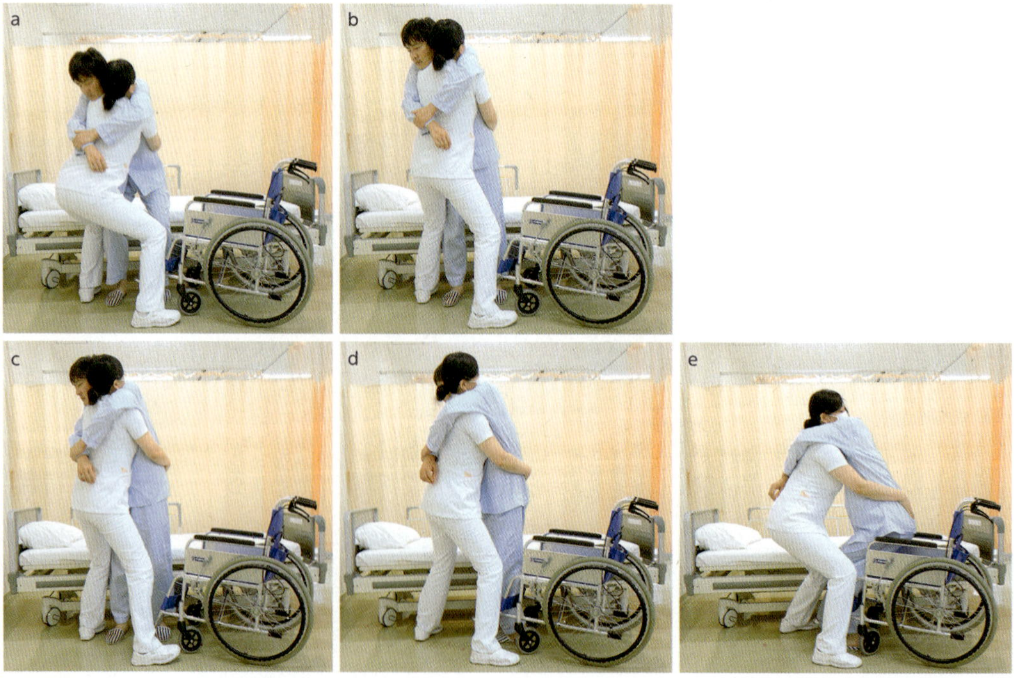

図3-22　車椅子への移乗（全面介助の場合）

方法	留意点と根拠
22 姿勢を整える 患者の後ろに回り，腕を組ませる（➡️⑮） 患者の脇の下から両前腕を入れ，組ませた前腕の肘に近い部分をしっかり握る（図3-23a） 患者と共に前傾姿勢をとる（図3-23b）	⑮立患者を小さくまとめ，摩擦力を小さくする ●患者に前傾姿勢をとってもらうと患者の身体がコンパクトになり少ない力で整えることができる

図3-23 車椅子での座位の姿勢を整える方法（全面介助の場合）

23	患者に声をかけて患者を引き上げる要領で手前に引く	●胸腹部を圧迫しないように注意する
24	患者の両足をフットレストに乗せる	
25	安楽な姿勢かどうかを患者に確認する	
26	寝衣などを整える。整容する	●移動先の環境に応じて，保温やプライバシーを保つことのできる衣服にする
27	車椅子のストッパーをはずし，患者を移送する	

2）ストレッチャーへの移乗・移送

- ●目　　的：治療，検査などのため，患者を安全・安楽にストレッチャーに移乗し，目的の場所に移送する
- ●適　　応：自力でベッドからの移動が困難で，座位保持困難などのため車椅子を使用できない患者
- ●必要物品：ストレッチャー（図3-24），バスタオル（看護師4名で移乗する）／スライディングボード（看護師2名で移乗する），枕，掛け物，タオルケット

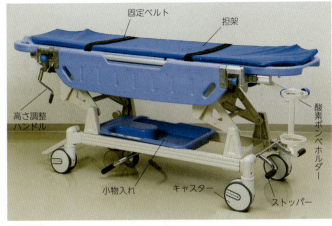

図3-24 ストレッチャーの各部の名称

第Ⅲ章 生理的ニーズの充足と援助技術

★ストレッチャーでの移送技術

a. 基本の進み方
- 患者の足部を前にして，看護師2名で移送する。
- 前の看護師は前方の確認と舵取りをし，後ろの看護師はストレッチャーの頭部側中央に位置して，患者を観察しながらストレッチャーを押す。
- 動き始め，曲がり角，揺れが予想されるときは必ず声をかけて患者に知らせる。
- スピードは極力抑える。
- 止まるときや，しばらく停止しているときにも患者に説明する。
- 左折時にはストレッチャーの右側の角から押すようにし，右折時には逆とし，患者の頭部が揺れないように緩やかなカーブを描くように進行する。

b. 傾斜路や段差の進み方
- 傾斜路や段差はできるだけ避けた通路を使う。
- 傾斜路では，患者の頭部が高くなるようにし，上る場合には進行方向に頭を向ける。
- 車輪が段差の手前に来たら，ストレッチャーの前輪と後輪を看護師が順次持ち上げて進む。

	方 法	留意点と根拠
1	ストレッチャーの準備と点検をする（➡❶） ・スムーズに動くか ・ストッパーがしっかりかかるか ・ブレーキは効くか ・柵は確実に固定できるか 輸液，酸素などが必要な場合は，点滴スタンドや酸素ボンベなどを準備する	❶患者の安全確保のために行う
2	擦式手指消毒による手指衛生を行う（➡❷）	❷患者の安全確保のため
3	患者に，ストレッチャーへの移動や移送の方法，目的，注意事項を説明し，同意を得る（➡❸）	❸不安，緊張を除去し，自主的に行える動作の協力を得る
4	ベッドサイドの作業域を確保する	●患者のベッドサイドにある椅子などを移動させる場合は，患者に断ってから行う
5	移動のための準備を行う 患者の掛け物をはずし，輸液ラインやドレーン類を移動の際に安全に保たれるよう整理する 患者の両上肢を胸または腹部の上で組む 必要に応じて枕をはずす	
6	〈バスタオルなどを用いて看護師4名で行う場合〉（図3-25） 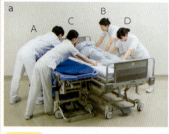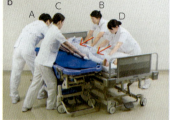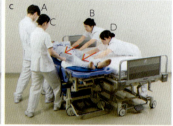 **図3-25** ストレッチャーへの移乗 患者の身体の下にバスタオルを敷く ストレッチャーを静かにベッドと平行に配置し，ストレッチャーの高さを看護師の手関節の位置に調節し，ストッパーをかける	●バスタオルなどを用いることで，患者の体重を4名の看護師で分散させ，安全に移動ができる ●看護師が無理なく作業できる高さにする

	方法	留意点と根拠
	看護師AとB，CとDはそれぞれ向かい合って以下の記述の位置につき，患者の下に敷いたバスタオルをできるだけ患者に近づけて順手で持ち，足は前後に開脚して立つ 　A：ストレッチャー側から患者の頭側に立ち，患者の頭部と腰部の位置のシーツを肩幅で持つ 　B：Aと向かい合ってベッド側に立ち，Aと同様にバスタオルを持つ 　C：ストレッチャー側から患者の足元に立ち，患者の殿部と足部のバスタオルを肩幅で持つ 　D：Cと向かい合ってベッド側に立ち，Cと同様にバスタオルを持つ	●左右の看護師が左右対称になる位置に立ってバスタオルを持つようにする（➡❹） ❹患者を支える力が患者に均等にかかるため，患者が安楽になる ●AとBは患者の枕も同時に移動できるようにバスタオルを持つ
7	看護師全員の態勢が整っていることを確認する AとCはバスタオルを引き，BとDはバスタオルを支え，まず患者をベッドの端まで移動させる（➡❺） 患者が頭部を自分で支えられる場合は，AとBは患者の肩関節部と殿部の位置のバスタオルを把持する頭頸部の安静が必要な場合などは，患者の頭部側に看護師1名が位置する	●頭側に位置した看護師が全体の作業を確認し合図をする役をとるなど，全員で連携して行う ❺一度にストレッチャーまで移乗せず，移動距離を分割することで，患者と看護師の負担を軽減する
8	患者に声をかけて患者をベッドの端まで移動させる	●患者に必ず声をかける（➡❻） ❻声をかけることで患者の緊張を軽減し，循環動態など生理機能の変動を避ける ●4人の呼吸を合わせて，静かに手早く移動させる。AとCは重心を前から後ろの足に移動させ，BとDは重心を後ろから前の足に移動させる
9	同様にして，患者をベッドの端からストレッチャーの中央まで移動させる	●ストレッチャーまで腕が届かない際には，ベッド側の看護師（BとD）が患者に断ってベッドに膝をつく ●バスタオルがたるんでいると，患者の体位が支持されず不安定になる
10	バスタオルを除去し，枕を整え，掛物を掛ける	
11	安楽な姿勢かどうかを患者に確認する	
12	〈スライディングボードを用いて看護師2名で行う場合〉 看護師は，ストレッチャー側と反対側に1名ずつ向かい合って立つ 枕をはずす	●準備や点検は〈バスタオルを用いて看護師4名で行う〉方法に準じる ●スライドしやすいよう，ストレッチャーの高さをベッドより少しだけ低めにしておく
13	患者に声をかけて患者をベッドの端まで移動させる Ａ3）「ベッドの片側への移動」の方法に準じる	●患者に必ず声をかける（➡❼） ❼声をかけることで患者の緊張を軽減し，循環動態など生理機能の変動を避ける
14	スライディングボード側の患者の肩と腰部を浮かせ，体幹とベッドの間にスライディングボードを半分以上挿入し，患者をスライディングボードにのせる	●患者の背部にスライディングボードが強く当たらないようにする
15	ストレッチャーと反対側の看護師が患者の身体を押すようにして滑らせ，ストレッチャー側の看護師は患者の身体に手を添えて受け止める 患者をベッドの端からストレッチャーの中央まで移動させる	●移動前にもう一度患者に声をかける（➡❽） ❽素早い移動で気分不良や恐怖を感じることのないようにする
16	枕を与え，掛物を掛ける	
17	安楽な姿勢かどうかを患者に確認する	

	方　法	留意点と根拠
18	ストッパーをはずし，移送する（図3-26）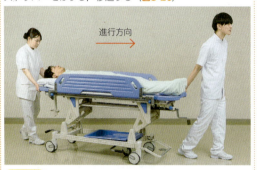図3-26　ストレッチャーによる移送	

E 歩行の援助

1）人による援助

- 目　　的：転倒を防止し，安全な歩行を適切に補助する
- 適　　応：自力歩行ができるが，歩行が不安定な患者

	方　法	留意点と根拠
1	擦式手指消毒による手指衛生を行う（➡❶）	❶手指衛生は感染予防の基本である
2	患者に歩行の方法，目的，注意事項を説明し，同意を得る（➡❷）	❷不安，緊張を除去し，自主的に行える動作の協力を得る
3	患者の衣服や履物が安全に歩行できるものであるかを確認する ・軽装で，動作の妨げとならないような裾幅のものか ・足のサイズに合った歩きやすく滑りにくい履き物か	●スリッパなどは滑ったり脱げたりする危険性がある。裾の長いズボンは足に絡んでつまずく危険性がある ●移動先の環境に応じて，保温やプライバシーが保たれる衣服にする
4	歩行の障害となる物が置かれていないか確認し，環境を整える	
5	看護師は患者にすぐ手を出せる位置に立ち，患者の立ち上がりを援助する	●看護師は立ち上がりや歩行の妨げにならない位置に立つ ●起立性低血圧の出現に注意し，症状の観察を行う
6	背を伸ばし，進行方向を向いて歩行するよう患者に促す 看護師は，患者のペースに合わせて付き添って歩く（➡❹） 輸液中の場合は，点滴スタンドを押しながら歩行してもらう（➡❺）	●患者の患側に立つことを基本として，それ以外は患者の利き手の反対側に立つ ●手すりがある場合には看護師は手すりの反対側に立つ（➡❸） ❸患者のできる部分を妨げると看護師が歩行の障害になる場合がある ❹急がせないことで安心感を与える。患者の主体的な行動を支援する ❺輸液ライン類が絡まないように注意する
7	患者の状態に応じて，以下のように看護師の位置や支える部位を考慮する（図3-27） ・患者の横で手首か前腕を持つ ・患者の斜め後ろから腰部を支える	●腰部を把持する場合には，介助ベルト，寝衣の腰ひも，パジャマのズボンのウエスト部分などを利用する ●ベルトや腰ひもが身体を圧迫していないか，しっかり結ばれているかを確認する

方法	留意点と根拠
・患者に看護師の腕や肩につかまってもらい，看護師は一歩手前を歩く ・前方から向かい合って立ち，看護師の両手を患者の両手に添える	

  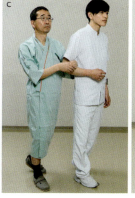 

a　　　　　　　　　　b　　　　　　　　　　c　　　　　　　　　　d

図3-27　歩行介助

2）歩行器の使用による援助

- 目　　的：転倒を防止し，安全で適切に歩行を補助する
- 適　　応：上肢が使えて立位が安定しているが，杖の使用による歩行が不安定な患者
- 必要物品：歩行器（キャスター付き歩行器，交互型歩行器）（図3-28）

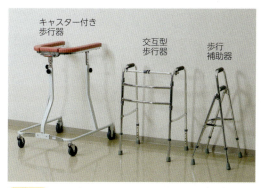

図3-28　歩行器

	方法	留意点と根拠
1	患者に，歩行の方法，目的，注意事項を説明し，同意を得る（➡❶）	❶不安，緊張を除去し，自主的に行える動作の協力を得る
2	歩行器の点検を行う ・スムーズに動くか ・高さを患者に応じて調整する	
3	患者の衣服や履物が安全に歩行できるものであるかを確認する ・軽装で，動作の妨げとならないような裾幅のものか ・足のサイズに合った歩きやすく滑りにくい履物か	●スリッパなどは滑ったり脱げたりする危険性がある。裾の長いズボンは足に絡んでつまずく危険性がある ●移動先の環境に応じて，保温やプライバシーが保たれる衣服にする

	方　法	留意点と根拠
4	歩行の障害となる物が置かれていないように環境を整える	
5	看護師は患者にすぐ手を出せる位置に立ち，患者の立ち上がりを援助する	●看護師は立ち上がりや歩行の妨げにならない位置に立つ ●起立性低血圧の出現に注意し，症状の観察を行う
6	上肢で歩行器を把持し，肘を歩行器に乗せて前腕で体重を支えるようにして歩行器を押しながら移動する 背筋を伸ばし，進行方向を向いて歩行するよう患者に促す	
7	患者のペースに合わせて，後方に付き添って歩く（➡❷）	❷歩行器での移動時は，患者の重心は前方にある。後方にバランスを崩すと容易に後方に転倒する危険があるため

3）杖の使用による援助

- 目　　的：下肢にかかる負担を軽減しながら，安全で適切に歩行を補助する
- 適　　応：上肢が使えて立位が安定しているが，一定時間以上の歩行が不安定な患者
- 必要物品：一本杖（ほかにも多脚杖，松葉杖などがある）（図3-29）

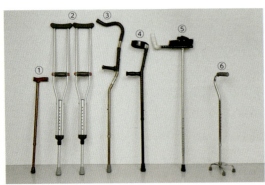

①T字型杖
②松葉杖
③折りたたみ式松葉杖
④ロフストランドクラッチ
⑤プラットフォームクラッチ
⑥四点杖

図3-29　杖の種類

	方　法	留意点と根拠
1	患者に，歩行の方法，目的，注意事項を説明し，同意を得る（➡❶）	❶不安，緊張を除去し，自主的に行える動作の協力を得る
2	杖の高さを調整する　杖の長さは大転子から床までとし（➡❷），肘関節が20～30度曲がるものがよい	❷杖が短すぎると体重を支えることができず，背部を傷める危険性がある
3	患者の衣服や履物が安全に歩行できるものであるかを確認する ・軽装で，動作の妨げとならないような裾幅のものか ・足のサイズに合った歩きやすく滑りにくい履物か	●スリッパなどは滑ったり脱げたりする危険性がある。裾の長いズボンは足に絡んでつまずく危険性がある ●移動先の環境に応じて，保温やプライバシーが保たれる衣服にする
4	歩行の障害となる物が置かれていないように環境を整える	
5	床にしっかりと足をつけて立位になるよう促す	
6	患者に，患側と反対側の手，あるいは力の入りやすいほうの手で杖を持ってもらい，足の前方のやや外側の位置に杖をつくように促す（➡❸）	❸力が入りやすい側で杖を持ち，体重を常に2つの支点で支える（図3-30）
7	健側と患側に交互に体重をかけながら歩行するよう促す（➡❹）	❹基底面内に患者の重心が入るため，バランスがよくなる

	方 法	留意点と根拠
		図3-30 杖と支持点
8	患者に背を伸ばし，進行方向を向いて歩行するように促す ・平地での3動作歩行：杖→患側→健側の順に前に出す（➡❺） ・平地での2動作行動：杖と患側→健側の順に前に出す（➡❺）	❺歩行時に左右逆の上下肢を前に出すことによって上肢と下肢の協調運動が成り立ち，歩行が安定する。また，患側だけで身体を支えることは転倒のリスクを高めることから，最後に健側を前に出す
9	段差での杖歩行（昇るとき） ・杖を段上に乗せる ・健側下肢を段上に乗せる（➡❻） ・患側下肢を段上に乗せて健側下肢とそろえる	❻健側で体重を持ち上げる必要があるため，杖の次に健側乗せる
10	段差での杖歩行（降りるとき） ・杖を一段下におろす ・患側下肢を一段下おろす（➡❼） ・健側下肢をおろして患側下肢とそろえる	❼片方の下肢を下したとき，上段に残っている下肢は膝を屈曲した状態で力を入れなければならないため，残っているほうの下肢に負担がかかる
11	看護師は杖の反対側に立ち，患者のペースに合わせて付き添って歩く（➡❽）	❽患者が杖の反対側にバランスを崩し転倒しそうになった場合に対応する

F 関節可動域訓練

- ●目　　的：関節拘縮を予防し，関節可動域を維持・確保する。筋萎縮の予防，運動感覚への刺激を図り，随意性運動を誘発する
- ●適　　応：長期臥床や関節拘縮などにより，廃用症候群をきたすおそれのある患者，意識障害，運動麻痺，視力低下などがある患者

★関節可動域訓練を行う上でのポイント

- ・仰臥位で行う
- ・健側の上下肢から実施し，安心感を与えてから患側の上下肢を行う
- ・高齢者や麻痺のある患者は関節可動域が狭くなることが多いということを念頭に，訓練を進める
- ・関節を支持固定しながらゆっくりと行う
- ・訓練中は患者の反応や筋肉の抵抗を観察し，声をかけながら行う
- ・痛みの訴えがあれば，それ以上は行わない
- ・できるだけ少ない介助とし，患者自身の動きをサポートする

	方　法	留意点と根拠
1	擦式手指消毒による手指衛生を行う（➡❶）	❶手指衛生は感染予防の基本である
2	患者に目的，方法，所要時間を説明し同意を得る（➡❷）	❷患者の意思を尊重し，協力を得やすくする
3	カーテンやスクリーンを閉める（➡❸）	❸プライバシーの保護に努める
4	床頭台やオーバーテーブルをベッドから離しておくなどベッド周囲の環境を整え，作業域を確保する（➡❹）	❹ボディメカニクスを活用し作業の効率を上げるため
5	ベッドの高さを看護師が実施しやすい位置に調節し，ストッパーを確認する（➡❺）	●看護師の負担にならない高さにする ❺ベッドが動くなどの作業中の危険を予防する
6	手前のベッド柵をはずす	
7	室温を調整し，訓練する側の掛け物をはずす	
8	患者を仰臥位にする B）5）「端座位から仰臥位」の方法に準じる 患者を看護師側に引き寄せる（➡❻） A）3）「ベッドの片側への移動」の方法に準じる	❻患者との距離が遠いと，看護師の腰に負担がかかる
9	1つの運動をゆっくり行う 1回に3〜5度繰り返し，これを1日に1〜2回程度行い，痛みが起こらない範囲で動かす	●どこを動かすか声をかける（➡❼） ❼急に動かすと痛みが起こりやすい
10	上肢の運動 1）肩関節の屈曲（図3-31） ・患者の肩関節と前腕を下から支えるように持つ ・腕を前方（天井方向）に挙上させ，さらに，そのまままっすぐに患者の頭上まで挙上させる（前方挙上）	●動かす速さや方向に注意し，無理な挙上を避ける。体を動かさずに上肢だけを動かすようにする。近位の関節を固定して行う（➡❽） ❽運動の方向を安定させる ●挙上しながら肩関節を外側に開くと肩関節がねじれて脱臼しやすくなるため注意する

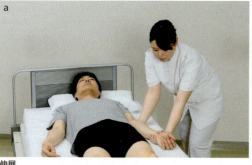
a 伸展

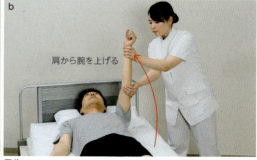
b 屈曲　肩から腕を上げる

図3-31　肩関節の運動（伸展・屈曲）

2）肩関節の外転（図3-32）
・患者の上肢をまっすぐに体幹に沿わせるようにし，肩関節と手関節を下から支えるようにして持つ
・上肢を体幹からゆっくりと側方に向かって離し，さらにそのままゆっくりと側方に向かって動かす

●麻痺のある場合は，肩関節を支え，肩の緩みを確認しながら行う
●上肢の持ち方，持つ部位に注意する（2つ以上の関節をまたいで持つと関節に負担がかかる。指だけで持つと力が加わるため痛みや皮膚の損傷が起こりやすくなる）

方　法	留意点と根拠
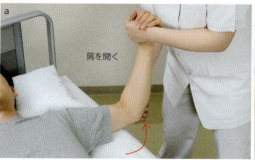 外転　　　　　　　　　　　　　　　　　内転 **図3-32** 肩関節の運動（外転・内転）	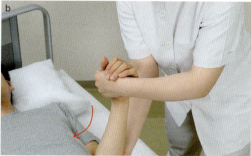

3）肩関節の外旋・内旋（図3-33）
- 患者の肩関節を側方に90度外転させ，前腕部を直角に立てる
- 看護師は片方の手で患者の肩関節を固定し，もう片方の手で手関節を支える
- 肩を固定したまま，手の甲がベッド面につくまでゆっくりと上方

● 患者の耳に上肢を近づけるようなイメージで行う。このとき，肩関節から肘までがしっかりとベッド面についているようにする

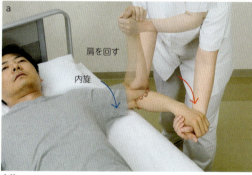
内旋
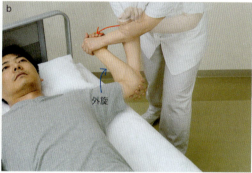
外旋

図3-33 肩関節の運動（内旋・外旋）

4）肘関節の屈曲・伸展（図3-34）
- 患者の上肢をベッド上に置き，肘関節と手関節を支える
- 患者の肩に手指が触れるまで肘を曲げる。ついで肘を伸ばす

● 患者の上肢は回外位（手掌が上を向いている状態）とする

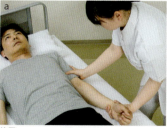
伸展　　　　　　屈曲（90度）　　　　　屈曲（145度）
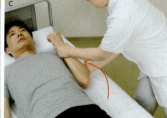

図3-34 肘関節の運動

5）手関節の屈曲・伸展（図3-35）
- 一方の手で手関節を持ち，もう一方の手で手掌を持つ
- 手関節を手掌側に曲げ，次いで，手背側に曲げる

● 屈曲や伸展の途中で手関節をねじらないようにする

方　法	留意点と根拠

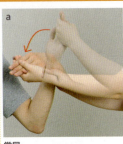
掌屈
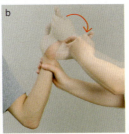
背屈

手首を曲げ伸ばしする

図3-35　手関節の運動

6）指の屈曲・伸展（図3-36）
（1）母指
・一方の手で母指を持ち，もう一方の手で母指以外の手指を包み込むようにして持つ（➡❾）
・母指を曲げたり伸ばしたりする
（2）母指以外
・一方の手で手関節を持ち，もう一方の手で指の全体を包むようにして持つ
・手指を手背方向に伸ばしたり，手掌方向に曲げたりする

❾指先だけを引っ張ると痛みが生じてしまう

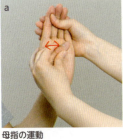
母指の運動　　手指の運動

指を曲げ伸ばしする

図3-36　指関節の運動

11　下肢の運動
1）股関節の屈曲（図3-37）
・患者の下肢をベッド上で伸ばし，看護師は膝窩部と踵部を下から支えるようにして持つ
・股関節と膝関節を90度に屈曲する
・膝関節を頭側に押すようにして，股関節をできるだけ深く屈曲させる

●前腕で足底全体を支えることによって，足底に均一に力が加わり，安定する

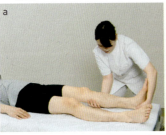
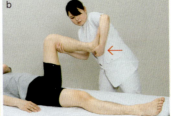
膝関節・股関節の屈曲
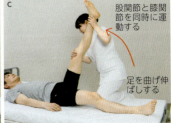
股関節の屈曲と膝関節の伸展

股関節と膝関節を同時に運動する

足を曲げ伸ばしする

図3-37　股関節・膝関節の運動

方　法	留意点と根拠

2）股関節の外転・内転
- 患者の下肢をベッド上で伸ばし，看護師は膝窩部と踵部を下から支えるようにして持つ
- つま先を上に向けた状態で，患者の下肢を看護師のほうに水平に引き，元に戻す
- 反対側の下肢の股関節を外転しておき，先に外転させたほうの下肢を反対側の下肢に向かって水平に動かし，元に戻す

3）膝関節の屈曲・伸展
- 患者の下肢をベッド上で伸ばし，看護師は膝窩部と踵部を下から支えるようにして持つ
- 患者の足底をベッド上の床面につけたまま，踵部を殿部のほうに滑らせるようにして膝関節を屈曲させ，元に戻す

4）足関節の屈曲・伸展（図3-38）
- 患者の下肢をベッド上で伸ばし，看護師は片方の手で足関節を持ち，もう片方の手で踵部を下から支えるようにして持つ
- 患者の足底を看護師の前腕内側に押し付けるようにして，足底全体を頭側にそらせ，元に戻す

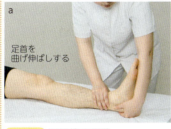 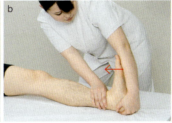

図3-38　足関節の運動

5）指の屈曲・伸展
- 患者の下肢をベッド上で伸ばし，看護師は片方の手で測定の中心部を持ち，もう片方の手で足趾全体を包み込むようにして持つ
- 足趾全体を足背側にそらせ，元に戻す
- 足趾全体を足底側に曲げて，元に戻す

文　献

1) 阿曽洋子・井上智子・伊部亜希：基礎看護技術，第8版，医学書院，2019，p.114-151．
2) 川島みどり監，平松則子・鈴木美和・他：ビジュアル　基礎看護技術ガイド―写真でわかる！根拠がわかる！，照林社，2007，p.28-50．
3) 竹尾惠子著：看護技術プラクティス（第4），学習研究社，2019，p.262-295．
4) 坪井良子・松田たみ子編：考える基礎看護技術Ⅰ　看護技術の実際，第3版，ヌーヴェルヒロカワ，2005，p.179-212．
5) 坪井良子・松田たみ子編：考える基礎看護技術Ⅱ　看護技術の実際，第3版，ヌーヴェルヒロカワ，2006，p.295-328．
6) 深井喜代子編：新体系　看護学全書　基礎看護学③　基礎看護技術Ⅱ，メヂカルフレンド社，2014，p.98-129．
7) 三上れつ・小松万喜子編：演習・実習に役立つ基礎看護技術―根拠に基づいた実践をめざして，第3版，ヌーヴェルヒロカワ，2010，p.84-104．
8) 村中陽子編著：基本的看護ケア―EBNの実践に向けて，医歯薬出版株式会社，2001，p.20-36．
9) 村中陽子・玉木ミヨ子・川西千恵美編著：学ぶ・活かす・共有する　看護ケアの根拠と技術（第3版），医歯薬出版，2019，p.55-64．
10) 吉田みつ子・本庄恵子監：写真でわかる基礎看護技術，インターメディカ，2012，p.50-67,180-191．
11) 任和子著：系統看護学講座　専門分野Ⅰ　基礎看護学［3］　基礎看護技術Ⅱ，医学書院，2017，p.94-112．
12) 志自岐康子・松尾ミヨ子・習田明裕・金壽子：ナーシング・グラフィカ基礎看護技術③　基礎看護技術，2017，p.192-204．

4 休む，眠ること

学習目標
● 休息と睡眠が人間の生命や生活に与える影響を理解する。
● 睡眠を促す必要がある状況と，対応した援助について理解する。

1 援助の目的と意義

1）休　息

　休息とは，それまで行っていた活動をやめて，身体を休めることである。さらに，それまで行っていた活動と違うことを行うことによって，精神的にも力を抜いて休むことでもある。このため，休息には，会話をしたり，飲食をしたり，身体を軽く動かしたり，リラクセーションのための活動を行ったりすることも含まれる。

　安静とは，患者のエネルギー消費を最小限に抑え，身体を動かすことが治療上望ましくない場合に，「動かないでいる」ことをいう。安静にしなければならないレベルである安静度は，医師が指示したり，看護師が提案することで決定され，病棟ごとに取り決めをしていることが多い。運動や体位が患者に与える侵襲の程度をアセスメントして決められる治療の一部である。安静を保って身体の負荷を最小限にしつつも，動かさないことの弊害である廃用症候群を引き起こさないようにすることが重要になる。

　休息と安静は，エネルギーの消費を最小限に抑えるという意味で，身体的負荷が軽減され，疲労や苦痛が軽減し，身体の修復が促進されることが共通している。休息はこれらの効果に加え，精神的にほっとし，気分がさっぱりとして活動意欲が高まり，楽しみや安楽さを感じるという精神的効果が期待できる。これらの快適な気分が人間にもたらす影響についての研究が近年多く行われ，免疫能や回復力を高め，不安や抑うつ，ネガティブな感情から抜け出し，意欲を引き出すことができると考えられている。

2）睡　眠

　睡眠は生命維持と，身体を健やかに保つこと，心を整えて人間らしい判断を行うことに必要不可欠な現象である。さらに，睡眠時間の不足や不眠がある人では，生活習慣病の罹患のリスクが高くなることが知られている。また，睡眠障害の一つである睡眠時無呼吸症候群は，高血圧，糖尿病，脳卒中，虚血性心疾患，歯周疾患のリスクが高まることもわかっている。疾患への罹患だけでなく，満足できる睡眠は気持ちを豊かにし，明日の活動への活力となる。また，成長し，病気を治していくうえで重要なものである。

援助のための基礎知識

1) 睡眠の生理学的特徴

　人間の睡眠は，レム（rapid eye movement：REM）睡眠，ノンレム（non rapid eye movement：NREM）睡眠の2種類に分類されている。正常な成人の睡眠では，この2種類は約90分のサイクルで繰り返し現れる。睡眠時の脳の状態を脳波を用いて観察すると，覚醒に近いStage 1から周囲への反応レベルが低いStage 4までに分類される（図4-1）。この図からわかるように，Stage 3や4の深睡眠は，睡眠に入った（入眠）直後の睡眠サイクルで現れる。また，レム睡眠は全体の睡眠時間が長くなるに従って延長するという性質がある。
　これらの2種類の睡眠はそれぞれ違う役割を果たしている。
　ノンレム睡眠時には，全身の筋肉の緊張がゆるみ，体温，血圧，脈拍，呼吸が低下し代謝が低下する。脳への血流が最低になり，見えず，聞こえず，外界の刺激から切り離される。筋肉への血流は増加する。深睡眠時には，組織の修復に欠かせない成長ホルモンが分泌される。つまり，ノンレム睡眠は，日中の活動に備えて身体にエネルギーを補給し，蓄え，組織を修復する役割を担っている。
　レム睡眠は閉じた瞼の奥で目が急速に左右に動くことに特徴があり，このときに夢を見ていることが多い。脳に流れる血流が増加し，脈拍・呼吸・血圧は上昇し不規則になる。大脳の運動皮質からの神経伝達が脳幹で遮断され，筋肉はすっかり脱力して動かない。レム睡眠時には，記憶や学習に関する脳の領域の賦活化が認められ，レム睡眠が奪われると記憶の保持が難しくなる。日中の学習やストレスが多いと，レム睡眠が増加する。つまり，レム睡眠は，日中の学習や記憶の整理をして，脳を活発に整える役割があると考えられている。

2) 睡眠の起こるしくみ

　人は昼間活動し，夜間眠る昼行性の動物である。間脳の視床下部にある視交叉上核という1mmほどの神経の塊に，リズムを自発的に刻む体内時計が存在する。人間の体内時計は，

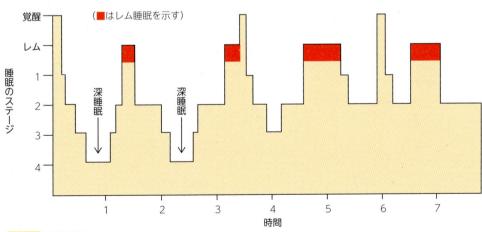

図4-1　睡眠構造

地球環境より1時間長い約25時間で1日のリズムを刻んでいるといわれており，これをサーカディアンリズム（概日リズム）とよぶ。地球環境は24時間で1日であるため，このままだと1日に1時間ずつリズムが遅れていってしまう。これを防ぐために，体内時計を地球環境の24時間に日々時刻合わせをしている。時刻合わせを行う因子を「同調因子」とよび，動物の体内時計の最大の同調因子は「光」である。これに加え，人間は，食事，仕事，人とのかかわりといった「社会的同調因子」に曝露されることで，環境時間と生体内の時間を調節している。これがうまくいくことによって，ある一定の時間に眠り，一定の時間に起きるというリズムを保つことができている。

3）睡眠困難

睡眠困難の種類としては，寝つけない「入眠困難」，寝ている間に目が覚めてしまう「中途覚醒」，眠りが浅いと感じる「熟眠障害」，朝早く目覚めすぎて苦痛である「早朝覚醒」が挙げられている。これに加え，近年では睡眠の質および量が不足していることで起こる「日中の眠気」が問題になっている。

3 患者のアセスメントと援助方法の選択

1）患者のアセスメント

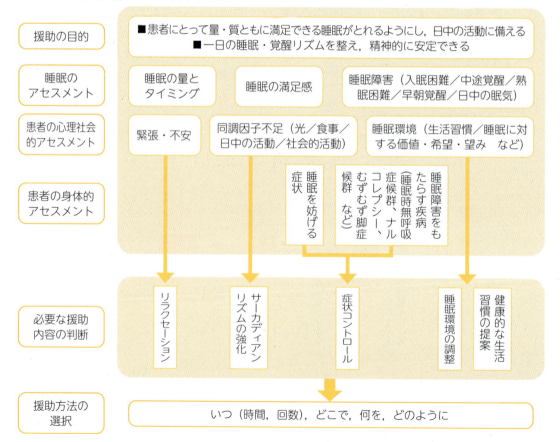

316

睡眠時のアセスメントを行う。睡眠の量では，入眠時刻，起床時刻，睡眠時間について情報収集する。患者の睡眠への満足度についても情報収集する。

睡眠障害については，入眠にかかる時間，中途覚醒の時間と回数，眠りの深さの自覚，早朝覚醒，起床時刻と起床時の眠気や満足度，日中の眠気と昼寝の時間と時刻について情報収集し，睡眠困難の有無と種類についてアセスメントする。

睡眠困難を引き起こしている因子として以下のことが考えられる。

①睡眠に適切な環境でないこと
②睡眠を妨げる症状や疾病があること（疼痛，夜間排尿，瘙痒感，呼吸困難，いびき，下肢のむずむず感，就寝後の四肢のぴくぴくとした動き）
③緊張や不安があり，リラックスできていないこと
④サーカディアンリズムの同調因子が不足していること（日中の光量，身体的・精神的・社会的活動，規則正しい就寝と起床）
⑤健康的な睡眠への知識不足

2）必要な援助の判断

睡眠困難を引き起こしている因子に対応した援助を行う。

（1）環境調整

なるべく患者に合わせた眠りやすい環境とする。空調，寝具の種類や厚さ，乾いて清潔な寝衣や寝具，睡眠中の光やケア，騒音を最低限にする。

（2）睡眠を阻害する症状

夜間の症状がコントロールできるように，症状緩和のための薬剤の量や服用タイミングを工夫する。利尿作用や覚醒作用のある茶やコーヒーなどの摂取を避ける。乾燥しないようなスキンケアで瘙痒感を軽減する。夜間頻尿を軽減するためには，午後はなるべく下肢を挙上し，足の屈曲運動をすることで下肢に貯留した水分の還流を促す。トイレまでの距離を短くし，温かく保つ。処方されている睡眠薬は指示どおりに確実に与薬する。

（3）就寝前のリラクセーション

看護技術分解表参照。

（4）サーカディアンリズムの強化

日中適切な光を浴びる。朝方の光では時計は前進し（早く起き，早く眠る），夕方の光では時計は後退（遅く起き，遅く眠る）とされている。曇りの日の窓際程度の光量で同調因子になるといわれている。

日中の活動を促す。特に身体活動が有効であるため，可能であれば身体を動かせるように調整する。

日中の昼寝は，午後早い時刻に30分以内とする。長い眠りは夜間睡眠を阻害する。

起床時刻や就寝時刻を一定化し，眠くなってから就寝し，目覚めたらなるべく床から離れる。

（5）良い睡眠を保つための健康教育を行う

健康づくりのための睡眠指針2014（厚生労働省）（**表4-1**）を参考に，睡眠を阻害する要因に合わせた健康教育を行う。

表4-1 健康づくりのための睡眠指針2014～睡眠12箇条～（厚生労働省）

1	良い睡眠で，からだもこころも健康に。
2	適度な運動，しっかり朝食，ねむりとめざめのメリハリを。
3	良い睡眠は，生活習慣病予防につながります。
4	睡眠による休養感は，こころの健康に重要です。
5	年齢や季節に応じて，ひるまの眠気で困らない程度の睡眠を。
6	良い睡眠のためには，環境づくりも重要です。
7	若年世代は夜更かし避けて，体内時計のリズムを保つ。
8	勤労世代の疲労回復・能率アップに，毎日十分な睡眠を。
9	熟年世代は朝晩メリハリ，ひるまに適度な運動で良い睡眠。
10	眠くなってから寝床に入り，起きる時間は遅らせない。
11	いつもと違う睡眠には，要注意。
12	眠れない，その苦しみをかかえずに，専門家に相談を。

 援助を考えてみよう

　Aさんは80歳の男性です。入院してほとんど部屋から出ない生活でいたところ，24時過ぎまで眠れなくなり，「いつもは20時くらいには眠っていたのに，床についても眠れなくてつらい」「酒を飲めば眠れるんだ。いつもそうしていた」と言っています。睡眠の援助の判断をもとに援助を考えてみましょう。

4 援助実施時のポイント

　患者各々の生活習慣に合わせ，阻害要因をアセスメントしたうえで援助を実施することが最も重要である。

　睡眠の問題は，「なぜ眠れないのか」「なぜ日中眠くなってしまうのか」という原因や要因をアセスメントし，これに対応したケアを提供していく必要がある。眠ることは意識的に行えることでなく，逆に眠ろうと意識すればするほど目覚めてしまう。眠れる身体，眠れる心に整えることが必要となる。身体的にも精神的にも力の抜けたリラックス状態になる必要がある。このため，看護師は温かで余裕のある態度で接する。

看護技術の実際

- ●目　　的：身体と精神をリラックスさせ，スムーズに入眠できるようにする
- ●適　　応：睡眠に困難を訴える患者，睡眠の質が保てないために日中の覚醒困難や精神的影響の

ある患者
- **必要物品**：足浴（40℃程度の温湯，深めのベースンやバケツ，保温のためのバスタオル，大きめのビニール袋）

1）筋弛緩法

方　法	留意点と根拠
1）落ち着いて話しかけ，不安や気がかり，眠ることに対する執着から気分がまぎれるようにかかわる 2）筋を一気に緊張させ（図4-2a），一気に弛緩させる（図4-2b） 3）数回繰り返す	● 不安の訴えがあったときには，受容的に接し，患者に安心感をもたらすとともに，夜間は不安感が増すものであることを説明する ● リラクセーションはゆったりとした気分になることを目的としているため，患者の意向を確認して，時間に余裕をもって行う ● 筋肉の緊張がとれるリラクセーションの一方法である

図4-2　筋弛緩法

2）足　浴

方　法	留意点と根拠
1）深めのベースンに40℃程度の温かい温湯を入れる 2）患者の足を漬け，湯温を確認し，好みの温度にする 3）ベースンごとビニールにくるみ（図4-3），下腿まで温められるようにする 4）10分程度温める（➡❶）	❶ 足を温め，末梢血管を広げることによって体温の放散を促し，深部体温が低下するためスムーズな入眠に効果的といわれている ● 座位で行う場合は，バケツ（図4-4）を用いると下腿まで漬けることができる

図4-3　ベッド上での足浴　　図4-4　座位での足浴

文　献

1) 菱沼典子：看護形態機能学―生活行動からみるからだ，第3版，日本看護協会出版会，2011.
2) マース，JB著，井上昌次郎監訳，箕田和子訳：快眠力 パワースリープ，三笠書房，1999.
3) デメント，WC著，藤井留美訳：人はなぜ人生の3分の1も眠るのか，講談社，2002.
4) 佐々木三男：疲れ・ストレスから解放されるための眠る技術，経済界，2003.
5) 佐々木三男：睡眠障害を治す本，講談社，2003.
6) 厚生労働省健康局：健康づくりのための睡眠指針2014，2014.

5 身体をきれいにすること

学習目標
- 身体の清潔の意義と重要性について理解する。
- 皮膚・粘膜の生理学的知識に基づいた清潔の方法の原則を理解する。
- 清潔の方法による身体への負担の違いを理解する。
- 患者の疾病や日常生活活動（ADL）に合わせた清潔の方法を選択することができる。
- 患者の安全・安楽・自立を考え，清潔の援助をすることができる。

1 援助の目的と意義

1）生理的意義
（1）皮膚・粘膜を清潔にすることで，感染を予防し生理的機能を高める。
（2）血液循環・新陳代謝を促進することで，一般状態を良好にする。
（3）鎮静や入眠効果をもたらす。

2）心理的意義
（1）気分転換を図ることで，爽快感やリラックス感をもたらす。
（2）満足感や対人関係において安心感をもたらす。

3）社会的意義
（1）人々や社会と積極的にかかわっていくことができる。
（2）外観を美しく保ち，心理的な満足を与え，社会生活を円滑にする。

2 援助のための基礎知識

1）皮膚・粘膜・口腔の機能
（1）皮膚の機能
①身体表面の保護作用（肌のバリア機能）
- 機械的損傷：表皮・皮下脂肪・毛髪が外力に対するクッションの役目をする。
- 化学的傷害：皮脂腺・皮質が有害な物質や細菌などの皮膚内侵入を防ぐ。皮膚自体はアルカリ性であるが，皮膚表面の脂肪酸によって弱酸性（pH：4.5〜6.5）に保たれているため抗菌作用がある。

- 微生物：皮脂膜と角質により細菌増殖を阻止している。
- 光線に対する保護：メラニン細胞でメラニン色素を産生し，紫外線を吸収する。
- 乾燥に対する保護：角質層により，体内の水分の喪失を防ぐ。

② 分泌作用
- 皮脂：脂腺からの分泌物で，主成分は遊離脂肪酸，ワックスエステル，トリグリセリドなどであり，汗と混合して皮膚表面を滑らかにする。脂腺は新生児でよく発達する。皮脂は男性ホルモンで分泌が促進される。
- 汗：汗腺から分泌される。汗腺にはエクリン腺とアポクリン腺がある。エクリン腺は全身に分布し，主成分は塩化ナトリウムであり，体温調節に重要な役割を果たしている。アポクリン腺は，腋窩や会陰部などの毛孔部に開口し，エクリン腺の成分以外に脂肪酸やタンパク質が加わり，体臭の原因となる。発汗には温熱性と非温熱性（精神性発汗，味覚性発汗）があり，温熱性発汗は体温調節に関与する。
- 不感蒸泄：発汗作用による水分の損失を含まず，発散されることが自分で感知できないため，不感蒸泄といわれている。1日当たり皮膚からは約500〜800mL，呼気からは300〜400mLの水分が蒸散し，身体の熱の25％が失われている。

③ 知覚作用
- 皮膚には触覚，圧覚，温覚，冷覚，痛覚の5種類の感覚がある。
- 触覚，圧覚は身体の部位によって異なる。触点，圧点の密度は，指尖では$100/cm^2$以上と多いが，大腿部では$10/cm^2$程度と少ない。
- 温点，冷点の分布は，体表の部位によってそれぞれの密度は異なっているが，どの部位でも冷点のほうが10倍ほど多い[1]。冷点の分布は，胸部・背部・腹部，頸・肩部，の順に多く，温点の分布は，頬，前腕の順に多い。
- 温度感覚は20〜40℃の範囲で順応が起きる。皮膚温が45℃より高くなると温覚は痛覚に，15℃以下になると，冷覚は痛覚に変わってくる。

④ 体温調節作用
- 外気温が高いとき：皮膚の血管が拡張することで発汗を促し，汗が蒸発する際に奪われる気化熱によって体を冷却する。
- 外気温が低いとき：皮膚の血管が収縮して，血流量が少なくなり，発汗もしなくなる。

⑤ 経皮吸収作用
　皮膚外用剤（軟膏，パッチ剤など）は主として毛包・脂腺から吸収され，一部は表皮を直接浸透して吸収される。経皮からの吸収は分子量500を超えると難しいと考えられている[2]。

⑥ ビタミンD合成
　コレステロール誘導体からビタミンDが合成され，骨へのカルシウム吸収を促進する。

⑦ 呼吸作用
　肺呼吸の1％程度だが呼吸作用がある。

(2) 皮膚割線と頭の皮脂腺
　皮膚には線維の方向を示す線状の裂隙があり，一定の伸展方向がある。これを皮膚割線という（図5-1）。皮膚は割線方向に沿って拭くほうが，循環や快感が促進される。
　前頭部と頭頂部は皮脂腺が多く，四肢の16倍にあたる脂腺が開口している。48〜72時間

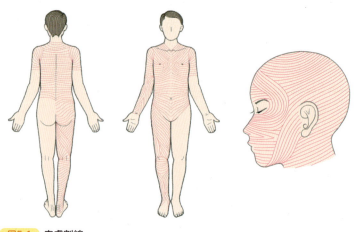

図5-1 皮膚割線

を過ぎると脂質量は増え，遊離脂肪酸の作用が強くなり，かゆみや不快感が増強する[3]。

(3) 粘膜の機能

- 粘膜は，外界と交通のある眼・中耳・呼吸器・消化器・泌尿器・生殖器の内面を覆う潤滑な膜である。体表の皮膚が途切れて粘膜に移行している部位には，眼，鼻孔，口，尿道，腟，肛門がある。
- 粘膜上皮からの分泌液により常に湿潤環境にあり，臓器や器管の表面を保護している。
- 水や電解質，栄養を吸収したり分泌したりして，粘膜下の組織の環境を維持する。
- 粘膜下には毛細血管や神経線維が網目状に分布しているため，粘膜の受けた刺激は神経系や内分泌系に影響する。

(4) 口腔の機能

- 口腔は，消化器と呼吸器の共通の入り口であり，発声器であり，感覚器である。口唇，舌，歯，歯肉，口蓋垂，扁桃などが複雑に込み入って存在しているため，食物残渣や歯垢がたまりやすく，細菌が繁殖しやすい構造になっている。
- 口腔では唾液腺から唾液が分泌される。唾液腺には大唾液腺（耳下腺，顎下腺，舌下腺の3種類）と小唾液腺があり，唾液が1日に1～1.5L分泌されている。唾液成分は，99.5％が水で，ほかに粘膜を保護するムチン，食物の消化を助けるアミラーゼ，抗菌作用として分泌型IgAやリゾチームから構成されている。口腔内の自浄作用や口腔粘膜を保護している。
- 口腔内には，唾液腺から分泌された唾液にそのほかの滲出液や剥離した上皮や細胞，口腔内細菌が混ざり，約500～700種類の細菌が存在する。誤嚥性肺炎は，唾液と口腔内細菌により惹起される可能性が示唆され，歯周病との関連性も指摘されている。
- 歯垢や舌苔には一定量の成熟した細菌が板状に棲みついて（バイオフィルム形成），口臭をはじめとする様々な疾病の発生源になっている。これらは，ブラッシングなどの機械的操作でないと除去できない。

2）入浴の全身への影響
（1）入浴の作用
①**温熱作用**：血流量が増加することによる循環の促進。高温浴では交感神経が優位となり血圧が上昇し覚醒状態となるが、微温浴では副交感神経が優位となり血圧は下降する。

②**静水圧作用**：腹部周辺の圧迫により横隔膜が挙上し、肺の容量は減少する。これを補うため呼吸数が増す。末梢にたまった血液やリンパ液は心臓に戻され、心拍出量が増加する。

③**浮力作用**：筋肉や関節への負荷が減り、緊張緩和につながる。

＊**ヒートショック**：急激な温度変化によって血圧が大きく変動することで身体が受ける影響のこと。心筋梗塞、脳梗塞、脳出血などが健康被害として起こる。めまい、失神、動悸といった症状によって転倒することもある。

（2）湯温による効果
表5-1に示す。

3）整　容
（1）整容とは
ひげそり、洗顔、整髪、耳掃除、化粧などといった身だしなみを整えることをいう。

（2）整容の介助
移動が可能であれば洗面台で行い、移動が難しい場合はベッド上で行う。起き上がれる場合はベッド上座位で行う。患者の状態や希望に合わせながら行っていく。

①**モーニングケア**

夜が明けてから朝食にかけて行うケアのこと。洗面、整髪、排泄、口腔ケア、ひげそり、更衣などを行う。患者の自宅での生活習慣を取り入れながら、朝の支度を支援する。快適な起床により手術後の身体回復の促進につながる[3]。

②**イブニングケア**

快適な就寝のために夕方から就寝前にかけて行うケアのこと。ベッドを整える、排泄、洗面、必要に応じて足浴などを行う。

表5-1 湯温による効果

湯温	目的	入浴法	効果
高温浴 （42℃以上）	覚醒	5〜10分の入浴、またはシャワー	交感神経を刺激し、一過性に血圧が上昇する
中温浴 （39〜41℃）	腰痛軽減	全身浴もしくは半身浴で20〜30分ゆっくりつかる	血液循環を良くし、浮力効果により関節にかかる負担軽減
微温浴 （37〜38℃）	ストレス解消 睡眠導入	20〜30分程度ゆっくりつかる	副交感神経が優位になり、身体の緊張がほぐれ、自然に入眠する

4）洗 浄 剤
（1）洗浄剤の種類と特徴
①石 け ん
　動植物の油脂をアルカリで煮たものであり弱アルカリ性（pH9〜10）である。固形石けんや粉石けんは水酸化ナトリウム，液体の石けんは脂肪酸カリウムで煮たものであり，いずれも洗浄力に優れ，洗い流すと皮膚に残らない性質をもつ。

②合成洗浄剤
　石けんではない合成界面活性剤を洗浄用に使ったもので，主原料として，高級アルコール系（主に石油からつくられるセタノールやステアリルアルコールなど分子量の大きいアルコール類）やアミノ酸系（たんぱく加水分解物を親水基にしたもの）がある。ボディソープやシャンプーのほとんどが，高級アルコール系の洗浄剤である。原料が石油系で皮膚に刺激が強いため，皮膚乾燥などに注意する。また，石けんに比べると皮膚に洗浄剤成分が残留しやすいため，十分に洗い流す。

③弱酸性洗浄剤と弱アルカリ性洗浄剤
　弱酸性洗浄剤は，弱アルカリ性洗浄剤に比べると泡のきめが粗く，洗浄力，脱脂力は低い。弱アルカリ性洗浄剤は，洗浄力が高く，皮膚への吸着も強いため，十分に洗い流す。乾燥肌には弱酸性洗浄剤，脂性肌には弱アルカリ性洗浄剤を使用する。

（2）洗浄剤使用時の留意事項
・よく泡立てて使用する：洗浄剤の残留成分を減らし，刺激を低下させることができる。
・皮膚をこすらない：こすると角質が損傷し，角質水分や皮脂を喪失する。泡でなでるようにして皮膚を洗う。
・十分に洗い流す：界面活性剤が皮膚に残留すると皮膚のpHの回復に時間がかかり，角質水分量や皮脂量の低下，皮膚炎などを起こすことがある。
・水分を拭き取り保湿する：乾燥している皮膚は，保湿により保護する。保湿剤には，水分の蒸発を抑制し，角質水分量を増加させる「エモリエント効果」のある油脂性軟膏と成分自身が水と結合して蒸発を防ぐ「モイスチャライザー効果」のある尿素製剤やヘパリン類似物質があるので，成分の特徴を理解し効果的に活用する。一般にモイスチャライザーのほうがエモリエントよりも保湿効果は高いとされている。

3 患者のアセスメントと援助方法の選択

　清潔ケアの方法，回数，場所，時間，使用洗浄剤，器材などは，以下のような対象者の状況や価値観から判断して，個々に適した方法で実施する。
（1）疾病の状態：慢性期，急性期，治療法，呼吸器・循環器系への負荷，出血傾向，意識レベル，疼痛など。
（2）ADLのレベル：移動の可否，上下肢の可動状態，筋力など。
（3）皮膚の状態：浮腫，発疹，乾燥，びらんなど。
（4）精神状態：不安，抑うつ，情緒の安定性，自立に向けての意思など。
（5）価値観：習慣，好みの洗浄剤，回数，洗う順序など。

援助の目的	■感染予防　■リハビリテーション　■リラクセーション　■入眠促進 ■食欲増進　■皮膚の観察　■気分転換　■爽快感　■血行促進
患者の心理社会的アセスメント	これまでの生活習慣，清潔に関する価値観，セルフケアの状況， 睡眠状況，精神状態，意欲，希望，好み，他者との関係性など
患者の身体的アセスメント	疾病の状態（手術前後）／治療の影響／ADLのレベル／関節の動き／座位・姿勢保持力／筋力／消化・排泄機能／心肺機能／皮膚・頭皮の状態／アレルギーの有無／感染のリスク
必要な援助内容の判断	入浴（浴槽／シャワー浴／機械浴）／部分浴（足浴／手浴／陰部洗浄）／清拭（石けん／沐浴剤／熱布）／洗髪（ケリーパッド／洗髪車／洗髪台／ドライシャンプー）／口腔ケア（口腔衛生）（含嗽／清拭／ブラッシング）／更衣・整容（爪切り／ひげそり／寝衣交換）
援助方法の選択	いつ（時間，回数），どこで（場所：ベッド上，ベッドサイド，洗面所など）， 何を，どのように（洗浄剤，器材　など）

援助を考えてみよう

Aさん（78歳，男性）は，心不全で入退院を繰り返しています。家では1週間に1回程度の入浴だったようで入院時の皮膚は乾燥していました。心不全から生じる呼吸困難があり，現在，酸素と利尿薬の持続点滴が投与されています。起き上がったり，歩いたりすると呼吸困難症状が出現するため，ベッド上安静が指示されています。ベッド上で体位変換をすることは可能で協力も得られます。Aさんは心電図モニターを装着しており，モニター用のシールを貼付している部分の皮膚に瘙痒感があります。しかし，看護師が清潔ケアを提案してもAさんは「家で風呂に入っていなかったから大丈夫」「動いて呼吸がつらくなることが不安」と言っています。上記フローチャートを用いてケア方法を考えてみましょう。

4　援助実施時のポイント

1）清潔ケアのポイント
（1）羞恥心への配慮をする。

（2）患者に苦痛を与えず，疲労を最小限にする。
（3）適切な時間や回数を選ぶ。
　・食事前後の1時間，検査前後は避ける。
　・口腔ケアは，最低1日1回はていねいに行う。
（4）全身の汚れを除去する。
（5）寒さを感じさせない。
　・水分は乾いたタオルで素早く拭き取る。
（6）皮膚を損傷させない。
（7）患者にとって気持ちのよい方法で行う。
（8）患者とのよい人間関係を成立させる。
（9）全身状態を観察し，情報として正しく記録に残す。

2）寝衣交換のポイント

（1）支持基底面を広くしながら，障害部位があれば保護する。
（2）しわやたるみをつくらない。
（3）すそや袖は，ゆとりをもたせる。
（4）保温，プライバシーの保護を図る。
（5）片側麻痺がある場合，原則として健側から脱衣し，患側から着衣する。
（6）清拭と一緒に実施することが多い。

看護技術の実際

A 入浴介助

1）浴槽での入浴介助

- ● 目　　的：皮膚の汚れを取り除き，皮膚の働きを正常に保つ。また，浴槽の湯の中に身体を浸けることで得られる温熱効果により，新陳代謝を促進するとともに，心身の緊張を取り除き，気分の爽快を図る
- ● 適　　応：一人での入浴に安全面での問題がある患者
- ● 必要物品（自力での移動が可能な患者の場合）：洗面器，石けん，シャンプー・リンス（洗髪時），タオル，バスタオル，防水エプロン，ディスポーザブル手袋，着替え用の下着・寝衣など（必要時：シャワー椅子，図5-2）

図5-2　シャワー椅子

方　法	留意点と根拠
1　入浴の目的と方法を説明し同意を得る	● 必要に応じてバイタルサインを測定する ● 食前・食後1時間以内の入浴は避ける（→❶）

方法	留意点と根拠
	❶入浴により皮膚の血流量が増加するため，内臓への血流量が減少し消化管での消化・吸収機能に影響する ●治療や検査に影響がないか検討する。また，患者の希望する時間帯があれば合わせて検討する（➡❷） ❷入浴直後の治療や検査は入浴による疲労回復の妨げとなる ●排尿をすませるように伝える（➡❸） ❸温湯に触れると尿意を催すことがあるため ●創部や点滴が挿入されている場合は，ぬれないようにドレッシング材を貼付したり，カバーをしたりする ●動作が不自由な場合は，シャワー椅子を準備する
2 脱衣所を暖かくし，浴室は22〜26℃に暖めるなど，温度に配慮する（➡❹）	●冬季は，脱衣所，浴室をあらかじめ暖める。夏季は換気を行い高温になりすぎないように注意する ❹温度の変化により，末梢血管を収縮させ血圧に変動をきたすことを防ぐ
3 浴槽の湯の温度，深さの確認をする	●湯の温度は，夏季38℃前後，冬季40℃前後とする（➡❺） ❺快適と感じる温湯では皮膚血流量が増加する。42℃以上の高温で入浴すると，発汗による血液量減少や血液凝固亢進作用状態を起こし，脳梗塞や心筋梗塞の引き金になりうる ●湯の量は浴槽の七分目とする（➡❻） ❻静水圧によって胸部や腹部が圧迫され横隔膜が挙上すると，心臓から肺への血流が抑えられるので，心臓への負担が増加する。半身浴にすると負担が少なくなる
4 脱衣を介助し，浴室に行く	
5 患者の身体に湯をかけ，浴槽に入るのを介助する	●肩にタオルを掛け，その上から湯をかけると保温効果が高くなる
6 身体を洗う介助をする	●身体を洗浄した後，浴槽に入ることもある
7 必要時，洗髪を介助する	
8 もう一度浴槽に入り，身体を温めてから上がるように介助する	●患者の状態に合わせながら行う（➡❼） ❼入浴はエネルギーの消耗が大きいことを考慮する。特に対象の患者にとって手術後などしばらく入浴していない期間を経た後での初回の入浴は，配慮を要する。気分不良や転倒に注意しながら素早く行い，全体の入浴時間は15分以内とする
9 浴室内で軽く身体の水分を拭き取り，脱衣所に移動してもらう	
10 乾いたタオルで身体を拭く	●水分を残さない（➡❽） ❽水滴が蒸発するとき，気化熱により体温を奪うため，身体が冷えやすい（水1g蒸発するとき0.58kcalの熱が奪われる）[1] ●必要に応じて保湿をする（➡❾）。その際は，失われた皮脂成分に類似した保湿剤などで皮膚表面を保護する。保湿剤の使用量の目安は，フィンガーチューブユニット（FTU）が用いられており，軟膏であれば示指の先端から第一関節までの長さで，成人の手のひら2枚分の面積に塗布する[2] ❾バリア機能が破綻しやすいため

	方　法	留意点と根拠
11	着衣を介助する	● H 「寝衣交換」に準じる ● 患者が扇風機などの風に長時間当たらないようにする（➡⑩） ⑩ 入浴直後は血管が拡張しており，風に当たることによって体温を奪われる
12	入浴後の観察を行い記録する	● エネルギーの消耗が激しいので，20～30分休息時間をとる（➡⑪） ⑪ 入浴後は爽快感とともに疲労を伴うので，休息がとれるように配慮する。50kgの一般健常人が20分入浴した場合，入浴消費エネルギーは60kcal❸であるが，術後や高齢者では少しのエネルギー消費でも疲労感は大きい ● 水分補給をする（➡⑫）。特に高齢者では脱水による脳梗塞や心筋梗塞を起こしやすくなるため注意する ⑫ 入浴によって血行と代謝が促進されて発汗が起こり，水分が喪失し血液の粘稠性が高くなるため

❶佐藤和良：看護学生のための物理学，医学書院，2008，p.151．
❷関根祐介・藤瀬遥：スキンケア用品の正しい選び方・使い方，看護技術，65（2）：106-110，2019．
❸厚生労働省：日本人の栄養所要量

2）特殊浴槽による（図5-3）入浴介助

- ● 目　　的：清潔保持や生理機能を活性化し心地よさをもたらす，温度刺激や声かけによる覚醒を促す
- ● 適　　応：ADL障害や意識障害のある患者，長期臥床患者
- ● 必要物品：耳栓（青梅綿），洗面器，石けん，シャンプー・リンス（洗髪時），タオル，バスタオル，着替え用の下着・寝衣，耳栓（青梅綿），防水エプロン，ディスポーザブル手袋

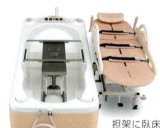

写真提供：株式会社アマノ
図5-3　特殊浴槽

担架に臥床したまま浴槽に浸かることができる。また，専用の車椅子を使用し，座位で入浴できる浴槽もある

	方　法	留意点と根拠
1	入浴の目的と方法を説明し同意を得る	● 必要に応じてバイタルサインを測定する ● 食前・食後1時間以内の入浴は避ける（➡❶） ❶ 入浴により皮膚の血流量が増加するため，内臓への血流量が減少し消化管での消化・吸収機能に影響する ● 治療や検査に影響がないか検討する。また，患者の希望する時間帯があれば合わせて検討する（➡❷） ❷ 入浴直後の治療や検査は入浴による疲労回復の妨げとなる ● 創部や点滴が挿入されている場合は，ぬれないようにドレッシング材を貼付したり，カバーをしたりする
2	排尿・排便状態を確認する（➡❸）	❸ 温湯に触れることによって，腸蠕動運動の亢進や肛門周囲筋の緊張がとれ，浴槽内で排尿・排便することがあるため
3	脱衣所を暖かくし，浴室は22～26℃に暖める	● A-1）「浴槽での入浴介助」の「留意点と根拠2」に準じる

方法	留意点と根拠
4　特殊浴槽の湯の温度，深さの確認をする	● A-1)「浴槽での入浴介助」の「留意点と根拠3」に準じる
5　特殊浴槽の安全性を確認する（➡❹）	● 操作手順を熟知し，注意事項を厳守する ❹ 患者の安全を保障するため
6　患者を脱衣させ，ベッドから特殊浴槽の担架に移動させる	● 担架に移動後，バスタオルやタオルケットでしっかり患者を覆う（➡❺） ❺ 保温やプライバシーの保護を図るため ● 担架に移動後は，サイドフェンスを上げ，ロックされていることを確認する（➡❻） ❻ 転落防止のため
7　患者に耳栓をする	● 耳栓には，油分があり水をはじく青梅綿を使用する（➡❼） ❼ 水が侵入しないようにするため
8　浴室に移動し，担架上でバスタオルの上からシャワーをかける	● 湯の温度は38～40℃に設定し，しばらく湯を放水した後に使用する（➡❽） ❽ シャワー使用時は，設定温度にしていても，パイプ内に貯留していた水が排出されるため，最初は低温，その後，設定温度より高温の湯になり，さらにその後，設定した温湯になるため ● シャワーは，身体の末梢からかけていく（➡❾） ❾ 心臓への負担を軽減するため
9　洗髪，洗顔を行い，バスタオルを取り除いて患者の前面（頸部，胸腹部，上下肢），側臥位にして後面の順に石けんで洗い，シャワーで石けんを洗い流す	● 適宜，全身に湯をかけながら行う（➡❿） ❿ 身体が冷えないようにするため
10　再度バスタオルで身体を覆い安全ベルトで患者を固定する	● サイドフェンスの隙間から患者の頭部や手足が落下しないように注意する
11　特殊浴槽内の湯の温度を確認後，担架を浴槽内に入れるための機械操作をする	
12　入浴を行う	● 入浴中は，常に患者の表情や反応，全身状態に注意する ● 患者の腋窩に手を入れ，水没を防ぐ（➡⓫） ⓫ 浮力により身体のバランスが不安定になり，患者が下方にずり落ちることがある ● 心臓の位置を水面近くにして，ほかの部分もあまり深く沈めない（➡⓬） ⓬ 静水圧の影響を受けないようにするため ● 気管カニューレ挿入中の患者では，湯が入り込むのを防ぐ
13　温湯で身体を温める	● 肩にフェイスタオルを掛け，適宜湯をかける ● 手足のマッサージや運動を行うこともある（➡⓭） ⓭ 水中では，浮力により，四肢の動きが楽になり，関節可動域の拡大が図れる
14　機械操作により浴槽外に担架を移動し，速やかに水分を拭き取りながら安全ベルトをはずす	
15　特殊浴槽の担架からベッドに移動する	● 特殊浴槽の担架からベッドに移動するときは，安全ベルトの位置に注意する（➡⓮） ⓮ 患者の身体を傷つけないようにするため ● ベッド上には，乾いたバスタオルを用意し，身体の水分を十分に拭き取る（➡⓯）

方法	留意点と根拠
	⑮水滴が蒸発するとき,気化熱により体温を奪うため,身体が冷えやすい(水1gの蒸発で0.58kcalの熱が奪われる) ● 必要に応じて保湿をする(➡⑯)。その際は,失われた皮脂成分に類似した保湿剤などで皮膚表面を保護する ⑯バリア機能が破綻しやすいため
16 着衣を行う	● H「寝衣交換」に準じる
17 入浴後の観察を行い記録する	● エネルギーの消耗が激しいので,20〜30分休息時間をとる(➡⑰) ⑰入浴後は爽快感とともに疲労を伴うので,休息がとれるように配慮する ● 水分の補給をする(➡⑱)。特に高齢者では脱水による脳梗塞や心筋梗塞を起こしやすくなるため注意する ⑱入浴によって血行と代謝が促進されて発汗が起こり,水分が喪失し血液の粘稠度が高くなるため

B 部分浴

1)足 浴

- **目　的**:足の清潔保持のために行う。温湯を使うことから,感染予防や循環促進に有効であり,フットケアとして行うこともある。リラクセーションや睡眠や入眠を促す
- **適　応**:自力での清潔の保持が困難な患者や不眠を訴える患者など
- **必要物品**(臥床患者の場合):ワゴン,足部が浸かる程度の湯(38〜40℃)を入れた足浴槽,石けんまたはボディソープ,ウォッシュクロスまたはガーゼ,ピッチャー大(水温調節用の水を入れる),ピッチャー小(かけ湯用に使用),タオルケット,バケツ2(43〜45℃の湯用,汚水用),新聞紙(バケツの下に敷く),水温計,バスタオル,防水シーツ,ディスポーザブル手袋,ディスポーザブルエプロン,ゴミ袋小(必要時:安楽枕,爪切り,保湿クリームなど)

　　(端座位がとれる患者の場合):足浴槽を足浴バケツにする(図5-4)

足浴バケツ

フットバブジェット

図5-4　足浴槽

	方 法	留意点と根拠
1	必要物品をワゴンに準備する	
2	足浴の目的と方法を説明し同意を得る	●排尿・排便の確認をする
3	ベッド周囲の環境を整える	●ベッドが固定されているか確認する ●室温を調節する（24±2℃）。隙間風を遮断する。カーテンやスクリーンをする ●物品を使用しやすいように配置する
4	臥床で行う場合，ベッドの上体を10～30度挙上する（➡❶）。座位で行う場合，ベッドの端から足を下ろすか，もしくは椅子や車椅子に移動し，安定した状態で座らせる	●歩行や車椅子での移動が可能な場合は，洗面所やシャワー室で行ってもよい ❶腹部の緊張をとるため
5	掛け物を膝下まで折り返し，バスタオルで大腿部，膝をくるむ（➡❷）。座位の場合，寝衣のすそを膝下まで上げ，膝の上にバスタオルを掛ける	❷膝は皮下組織や筋肉がないため，直接熱伝導が伝わり寒さを感じやすい
6	患者の膝を立て，寝衣のすそを膝上まで上げ，膝下に枕を当てる（➡❸）（図5-5a）	❸体位が安定する

図5-5　足浴

7	防水シーツとバスタオルを足の下に敷く	●防水シーツとバスタオルを重ね，中央に向かって両側から丸めて準備しておく ●端座位の場合は，床をぬらさないように，新聞紙や防水シーツを敷く
8	足の爪や皮膚の状態を観察する	●爪の色・長さ・形，皮膚の色，肥厚，発赤，創傷，浮腫の有無などを中心に観察する
9	足の脇に湯を入れた足浴槽を置く	●最初はややぬるめの湯（38～40℃）を準備し，患者の希望に合わせ湯温を調節していく（➡❹） ❹足先は身体のなかで温度が低く，温度に敏感であるため ●端座位で足浴バケツを使用する際は，腓腹部まで浸けるとより入浴に近い状態を感じることができる
10	片足ずつ湯の中に入れ，ゆったりと浸かるようにする。座位の場合も同様に両足を入れる（図5-5b）	●湯の温度を確認し，温湯を足し，患者の好む湯温にする ●足し湯は，患者の足に直接かからないように注意する ●3～5分浸す（➡❺） ❺足の角質化した皮膚は，湯に浸けることによって，汚れを落としやすくなる
11	ウォッシュクロスまたはガーゼに石けんをつけ，足を洗う	●外果，足背，内果，指間，足底，踵の順に，洗い残しのないように洗う（図5-5c） ●足底は，ウォッシュクロスを平らにして押し当てるように洗い，くすぐらないようにする
12	湯の中で石けん分を洗い落とす	

	方　　法	留意点と根拠
13	小ピッチャーの湯で，踵から足先に向けて石けん分を洗い流す	●一方の腕で患者の下腿を下から支え，他方の手でピッチャーの湯を患者の足にかける（図5-5d） ●片足ずつ行う（➡❻） 　❻座位の場合は，両足を一度に上げた場合に背もたれがないと後ろに倒れやすいため
14	患者の下腿を支えたまま，他方の手で洗面器を手前に移動させ，患者の足をバスタオルの上に置き，バスタオルで覆う	●足がぬれているので保温に注意する
15	〈新しい湯に浸ける場合〉方法15～17 足浴槽の湯をバケツに捨てる	
16	足浴槽と小ピッチャーに新しい湯を準備し，足浴槽をバスタオルの上に置く	●湯は外果が十分浸かる深さにする（➡❼） 　❼「方法6」と同じ理由
17	両足を再度，足浴槽に浸け，最後は13と同様にかけ湯を行う	
18	タオルで水分を拭き取る 必要時，爪切りをし，保湿クリームを塗布する（➡❾）	●指間に水分が残りやすいので，よく拭き取る（➡❽） ●G-1）「爪切り」に準じる 　❽指の間は汚れがたまりやすく，また皮膚が密着しているため湿潤し，不潔になりやすいため 　❾爪の間の汚れも落ち，爪自体も軟らかくなっているため切りやすい
19	膝に掛けていたバスタオルを取り除き，寝衣と掛け物を整える	●ベッドの上体を元の高さに戻す
20	ベッド周囲の環境を整える	●椅子，オーバーベッドテーブルを正しい位置に置く ●カーテン，スクリーンを開放する ●ナースコールを患者の手の届く位置に置く
21	使用物品を片づける	
22	足浴終了後の観察を行い記録する	

2）手　　浴

- 目　　的：手の清潔保持のために行う。温湯を使うことから，感染予防や循環促進に有効であり，リラクセーション効果や入眠を促す
- 適　　応：自力での清潔保持が困難な患者
- 必要物品（ベッド上で臥床患者の清潔保持を目的とした場合）：ワゴン，手が浸かる程度の湯（40±1℃）を入れた洗面器，石けん，ウォッシュクロスまたはガーゼ，バスタオル，防水シーツ，ピッチャー大（水温調節用の水を入れる），ピッチャー小（かけ湯用に使用），バケツ2（43～45℃の湯用，汚水用），水温計，新聞紙（バケツの下に敷く）（必要時：ディスポーザブル手袋，ディスポーザブルエプロン，爪切り，ゴミ袋小，保湿クリームなど）

	方　　法	留意点と根拠
1	必要物品をワゴンに準備する	
2	手浴の目的と方法を説明し同意を得る	●必要に応じて排泄をすませてもらう
3	ベッド周囲の環境を整える	●B-1）「足浴」の「留意点と根拠3」に準じる

	方法	留意点と根拠
4	患者を手が浸かる体位に整える	● 患者を安楽な体位にする ● 洗面器を安定して置ける場所をつくる
5	手前側の掛け物を折り，患者の腕を出す	● 掛け物の端をからだに密着させる（➡❶） ❶ 冷感を防ぐため
6	防水シーツとバスタオルを患者の手の下に敷く	● 寝具をぬらさないように広げる
7	患者の手前側の寝衣の袖を肘までまくる	
8	湯の入った洗面器をバスタオルの上に置き，患者の手を入れる。臥床している場合は片手ずつ（図5-6），座位が可能な場合は，両手を入れる	● 湯の温度は，足浴よりやや高め（40±1℃）に準備し，患者に確認する ● 湯の量は，手を入れてもこぼれないよう1/2程度とする
	図5-6 手　浴（臥床の場合）	
9	ウォッシュクロスまたはガーゼに石けんをつけ，洗い残しのないように十分に洗う	● 爪の間，指間，しわ，手首，手掌など汚れのたまりやすいところをよく洗う
10	湯の中で石けん分を洗い落とし，手を宙に浮かせ，ピッチャーに用意したかけ湯で洗い流す	● 必要に応じて，洗面器の湯を捨て，新しい湯に替えてもう一度浸ける
11	洗面器を取り除き，手をバスタオルでよく拭いて乾燥させる	● 指間を十分に拭く（➡❷） ❷ 指の間は汚れがたまりやすく，また皮膚が密着しているため湿潤し，不潔になりやすいため
12	バスタオル，防水シーツを取り除き，袖口を下げて掛け物をかける	
13	他方の手も同様にする	● 片側ずつ洗う場合は，そのつど新しい湯に替える
14	タオルで水分を拭き取る。必要時，爪を切り，保湿クリームを塗布する	● G-1）「爪切り」に準じる
15	体位，寝衣を整える	
16	ベッド周囲の環境を整える	● B-1）「足浴」の「留意点と根拠20」に準じる
17	使用物品を片づける	
18	手浴終了後の観察を行い記録する	

C 全身清拭

- **目　　的**：皮膚を清潔にすることによって皮膚機能を正常に保ち，爽快な気分にし，温熱刺激やマッサージ効果により末梢血管を刺激して血液循環を促進する
- **適　　応**：入浴によって体力の消耗や症状の悪化，回復への悪影響が予想される患者（入浴やシャワー浴ができない期間が長期となった場合や，皮膚の不潔が著明な場合は石けんを使用する）
- **必要物品**
  - 石けん清拭の場合：下記の共通①②の物品，洗面器2，石けん
  - 沐浴剤（清拭剤：図5-7）清拭の場合：共通①②の物品，洗面器1（沐浴剤を入れた湯に浸したタオルで拭く場合は，清拭後，清水での拭き取りは不要なため），沐浴剤（清拭剤）
  - 熱布清拭の場合

【温湯を使用する場合】共通①②の物品，洗面器1（石けんを使用しないため拭き取り用の洗面器は不要）

【電子レンジを使用する場合】：共通②の物品，ハンドタオルまたはフェイスタオル4（タオルを濡らしてビニール袋に入れ電子レンジで加温し，乾いたタオルや保温バッグで包み冷めないようにする）

共通①：ピッチャー大（70℃以上の熱湯），ピッチャー小，水温計，ウォッシュクロス，バケツ2（55〜60℃の湯用，汚水用），新聞紙（バケツの下に敷く）

共通②：フェイスタオル1，陰部用ディスポーザブルタオル，バスタオル2，タオルケット1，寝衣，下着，保湿剤，ディスポーザブル手袋，ディスポーザブルエプロン，ゴミ袋小

＊温タオルの作成方法は，温湯・電子レンジを使用する場合が多く，清拭車での長時間保管はしない。

＊タオルの代わりにディスポーザブルタオルを使うこともある（図5-8）。ディスポーザブルタオルは，準備が簡便で使い捨てのため，感染予防に適しているが，保温性が低く綿タオルよりコストが高いため，部分的に使用することや対象者に合わせて選択する。

①泡状タイプ（局所や乳幼児，高齢者のデリケートな皮膚用），②③泡状タイプ（一般的な皮膚用），④スプレータイプ（弱酸性），⑤クリームタイプ（保湿剤入り），⑥泡状タイプ（保湿剤入り）

図5-7 清拭剤

サルバ タオルD
写真提供：白十字株式会社

図5-8 ディスポーザブルタオル

〈石けん清拭〉

	方　法	留意点と根拠
1	必要物品をワゴンに準備する	●全介助が必要な患者では，患者の身体を拭く者とタオルの準備をする者の役割を看護師2名で適時分担したほうが時間の短縮ができ，患者への負担も少ない
2	清拭の目的と方法を説明し同意を得る	●排尿・排便の確認をする
3	ベッド周囲の環境を整える	●B-1)「足浴」の「留意点と根拠3」に準じる
4	タオルケットを掛け物の上に掛け，その下で掛け物一式を足元まで扇子折りにする	
5	バスタオルを患者の身体の下に敷く	●旧寝衣を下に敷いて行う場合は，バスタオルを下に敷かなくてよい
6	患者の寝衣を脱がせる	●旧寝衣を下に敷いて行う場合は，上肢のみを脱衣する
7	バスタオルを襟元から上半身に掛ける（➡❶）	❶タオルケットがぬれないようにするため
8	洗面器2個に50〜55℃の湯を準備する	●洗面器2つのうち1つはすすぎ用，もう1つは石けん用として使用する ●清拭中も湯温が50℃を保持できるように湯を交換し調節する（➡❷） ❷50℃の湯に浸して絞ると，皮膚に当たるときのウォッシュクロスは温かいと感じる40〜42℃になるため
9	ウォッシュクロスの準備をする 1)ウォッシュクロスを手のひらサイズにたたみ，石けん用の洗面器の中でぬらして軽く絞り，石けんを泡立つ程度につける。石けんは泡立ちをよくするために温めて使う	●ウォッシュクロスの皮膚に当たる面は平坦にし，厚くなるように持つ（➡❸） ❸ウォッシュクロスを手の大きさに合わせ，手で包み込むようにすることにより，熱の放散を防ぐ ●ウォッシュクロスの端は患者の皮膚に触れないようにし，手からはみ出ないようにコンパクトにまとめる（➡❹） ❹ウォッシュクロスの端が患者に当たると冷感があり不快である ●ウォッシュクロスは手に巻く方法と手の中に包み込む方法がある。拭く部位により使い分ける（図5-9）

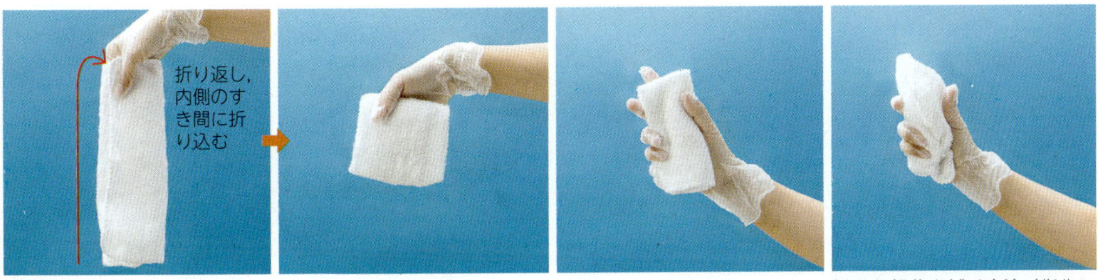

手に巻く方法　折り返し，内側のすき間に折り込む

手の中に包み込む方法

細かな部分を拭く方法（指先にタオルを巻き付け，余分なウォッシュクロスは手に握り込む）

図5-9　石けん清拭（ウォッシュクロスの使い方）

	2)石けんをつけたウォッシュクロスで拭く 3)フェイスタオルを4つ折りにし，すすぎ用の洗面器の湯で絞り，石けん分を拭き取る。または，清拭剤をつけ拭き取る	●拭き取るタオルの面は，1回ごとに新しい面に換える ●2，3回往復させて拭き取る（➡❺） ❺石けんを使用している場合の拭き取りは2回以上，弱酸性洗浄剤の場合は1〜2回とする。洗浄剤によっては拭き取り不要のものもあるため，確認する。山口ら[1]は，1回目の拭き取りで生理的範囲のpHの約50％を回復し，2回目で約75％，3回目で85％を回復させるため，最低2回以上は拭き取る必要があると報告している

Ⅲ-5　身体をきれいにすること

方法	留意点と根拠
	・石けんを使用しない場合は，中程度の強さで1回拭く。佐伯[2]は，清拭時の拭く強さと回数を変えた際の皮膚のバリアと洗浄度への影響を検討した結果，洗浄度は改善し，皮膚バリア機能の低下を最小限に抑えるには中程度の強さで1回拭くだけで十分であると報告している ・タオルを看護師の前腕内側に当て温度を確認する（➡❻） ❻手袋をつけて湯の中でタオルを絞ると，タオルの温度が確認できないこと，前腕内側は敏感な部位であるため，タオルを自分の前腕内側に当て温度の確認をする（図5-10） 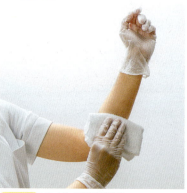 図5-10　タオルの温度確認
4）乾いたタオルで身体を軽く抑えるようにして水分を取り除き，バスタオルで覆う	・清拭直後5秒以内に乾いたタオルで水分を拭き取ることにより体温の低下を防ぐ ・露出のままでは体温は低下するため保温する
10　顔を拭く	・顔は，原則としてぬれタオルだけで拭くが，皮膚の状態によっては石けんを使用する ・最初に目を拭く。目は目頭から目尻，上眼瞼から下眼瞼の順に拭く（新生児の場合は，目尻から目頭に拭く）（➡❼） ❼目頭から目尻に拭くのは，眼筋の走行に沿って拭くことで眼球を傷つけるのを避け，涙管に眼脂をつまらせないようにするため ・目→額→鼻→頬→口の周りの順に拭く（図5-11）（➡❽） ❽清拭の順序は，「より清潔な部位から拭いていく」ことが原則（図5-12）。清潔な部位と不潔な部位を意識し，感染を予防するため 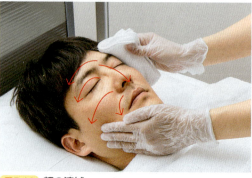 図5-11　顔の清拭

方法	留意点と根拠

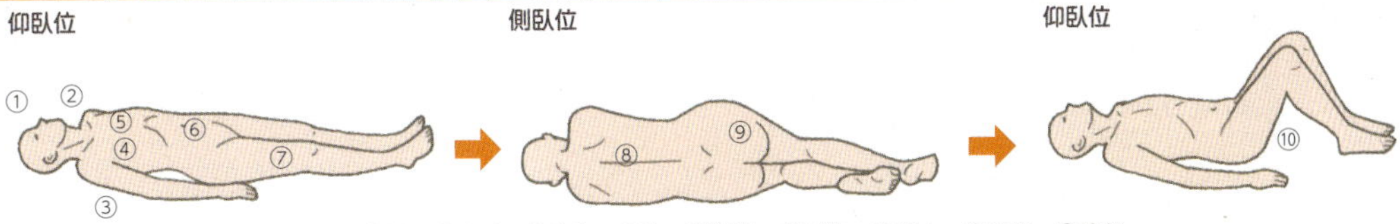

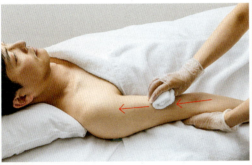

図5-12 清拭の順序

①顔→②首→③上肢→④腋窩→⑤胸→⑥腹部→⑦下肢→⑧背中→⑨殿部→⑩陰部

	方法	留意点と根拠
11	耳を拭く	
12	首を拭く	
13	上肢を拭く（図5-13） 1）タオルケットから片側の上肢を出し，肩と上肢の間にバスタオルを敷く 　タオルの準備をする間，バスタオルの半分で上側を覆っておく	●皮膚割線に沿って拭く（図5-1参照）

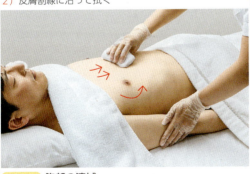

図5-13 上肢の清拭

	2）患者の肘関節を下から把持するように支え，圧をかけて拭く（➡❾） 3）関節部は伸展させて横に拭く 4）外気に触れないようにバスタオルを掛ける 5）反対側の上肢も同様に行う	●皮膚の状態に応じて圧力を調節する ❾関節2か所以上を支えることができ，患者への負担を軽減できる
14	2つの洗面器の湯を交換する	
15	胸部を拭く（図5-14） 1）タオルケットを胸の下まで折り返し，バスタオルを掛けておく 2）皮膚割線に沿って拭く	●胸部，腹部，背部は皮膚冷点密度が高いため，タオルの温度に気をつける

図5-14 胸部の清拭

方法	留意点と根拠
16 腹部を拭く（図5-15） 　1）バスタオルを胸に掛ける 　2）大腸の走行に沿って拭く（➡❿） 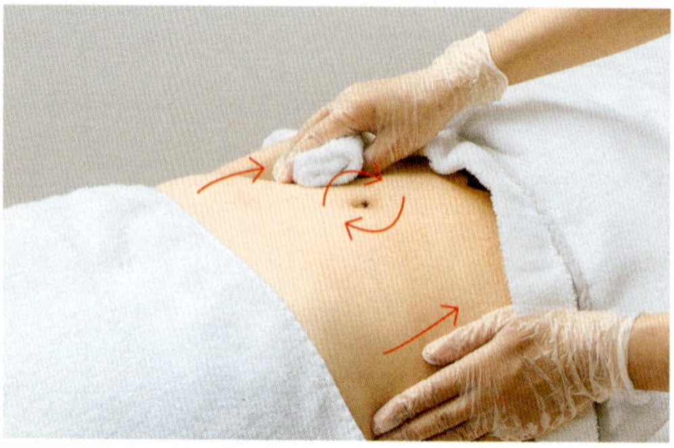 図5-15　腹部の清拭	❿腸の蠕動運動を促進できる
17　2つの洗面器の湯を交換する	
18　下肢を拭く（図5-16） 図5-16　下肢の清拭	● 上肢と同様に片側ずつタオルケットから出して行う
19　2つの洗面器の湯を交換する	
20　側臥位に体位変換し，背部・腰部・殿部を拭く	● 一方の手で肩を把持するように支えること ● タオルケットは身体の上に上げ，バスタオルは身体の下に差し込み下から上へ覆う ● 肩から背にかけて石けんをつけて清拭する前に，熱布を2つ折りにして広げ，温度を持続させるために，その上を乾いたバスタオルで覆い，しばらく蒸す（➡⓫）（図5-17a） ⓫熱布で背部を蒸すと皮下組織まで温熱が伝導し，循環が促進し末梢皮膚温も上昇する。加藤[3]は，腰背部温罨法により眠気のある気持ち良さ（休息的快）が生じ，足背部，手掌部の皮膚温が上昇したと報告している ● 筋の走行方向に従って拭く（➡⓬）（図5-17b） ⓬皮膚が伸展する ● 背部〜殿部の観察を同時に行う

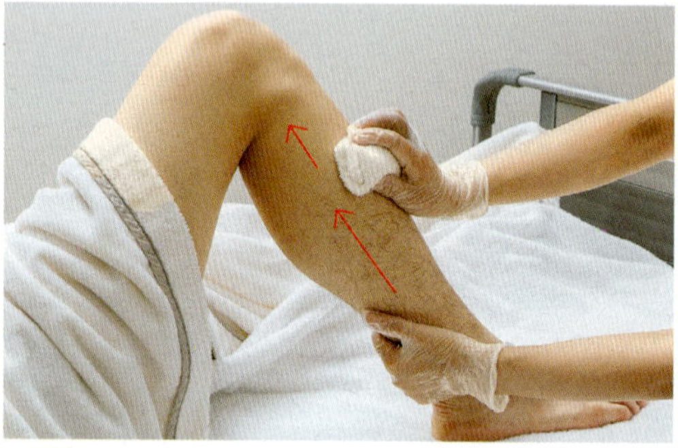

方　法	留意点と根拠
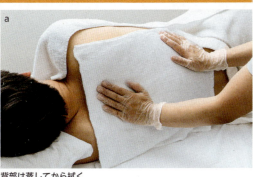　　背部は蒸してから拭く	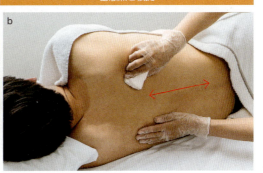

図5-17　背部・腰部の清拭

	方　法	留意点と根拠
21	陰部用ディスポーザブルタオルで陰部を拭く	● 患者が自分でできるならタオルを渡して自分で拭いてもらう（この場合は，拭き終わった後，手拭き用おしぼりを渡す） ● 陰部洗浄をすることもある。F「陰部洗浄」に準じる ● 陰部清拭後は未滅菌手袋を新しいものに替える ● 患者の状態により下肢を拭いた後，陰部清拭を行い，側臥位に体位変換して背部・腰部・殿部を拭くこともある。その場合は，側臥位にする前に新寝衣を片側に着せてから体位変換する
22	寝衣を着せる	● 皮膚の状態により保湿剤を塗布する ● H「寝衣交換」に準じる
23	患者を仰臥位にし，寝衣を整え，掛け物を元どおりに直す	
24	ベッド周囲の環境を整える	● B-1)「足浴」の「留意点と根拠20」に準じる
25	使用物品を片づける	
26	清拭終了後の観察を行い記録する	

❶山口瑞穂子・野村志保子・吉尾千世子・他：清拭における石鹸の皮膚残存度の研究，順天堂医療短期大学紀要，1：12-19，1990．
❷佐伯由香：清拭後の皮膚バリア機能と知覚の関係，Precision Medicine，3（1）：48-52，2020．
❸加藤京香：腰背部温罨法の快の性質─負荷からの回復過程における快不快と自律神経活動の変化から，日本看護技術学会誌，9（2）：4-13，2010．

D 洗　　髪

　洗髪は，湯を使用する方法と使用しない方法がある。湯を使う場合は，ケリーパッドや洗髪器を使用する方法，洗髪車を使用する方法，洗髪台（図5-18）を使用する方法があり，患者の状態により最も適した方法を選択する。洗髪車，洗髪台を使用すると湯の準備や片づけが簡便である。

● 目　　的：頭髪・頭皮の汚れを除去することにより清潔を保持し，瘙痒感や悪臭を除去して気分を爽快にし，頭皮に適度な刺激を与えて血液循環を促進する

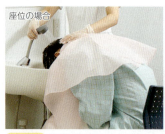 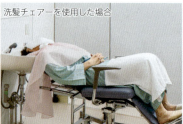 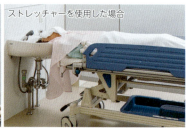

図5-18 洗髪台を用いた洗髪

1）湯を使う方法（ケリーパッドを使用する方法）

- **適　　応**：自力での洗髪が困難な患者
- **必要物品**：バケツ2（42〜43℃の湯用と汚水用），ピッチャー大（70℃程度の熱湯），ピッチャー小またはカップ（かけ湯用），ケリーパッド（図5-19），送気球，洗髪用ケープ，防水シーツ，フェイスタオル3，バスタオル，大枕，小枕，シャンプー，リンス（コンディショナー），ヘアブラシ，ガーゼ，ドライヤー，水温計，新聞紙（バケツの下に敷く），耳栓（青梅綿），ディスポーザブル手袋，ディスポーザブルエプロン，ゴミ袋（小），タルク（ケリーパッド片づけ時に使用）

図5-19 ケリーパッドの種類

	方　　法	留意点と根拠
1	必要物品をワゴンに準備する	●防水シーツの上にバスタオルを重ね，左右から丸めておく（➡❶） ❶寝具をぬらさないようにするため ●ケリーパッドを点検し，2/3ほど空気を入れ，排水のくぼみをつけておく（➡❷） ❷患者の首を接触しやすくするため
2	洗髪の目的・方法について患者に説明する	●排尿・排便の確認をする
3	ベッド周囲の環境を整える	●B-1）「足浴」の「留意点と根拠3」p.●に準じる
4	防水シーツの上にバスタオルを重ねたものを患者の頭部から頸部の下に敷く	●防水シーツの上にバスタオルを重ね，左右から丸めて手前側がマットレスの手前枕元側を完全に覆うように準備する（➡❸） ❸マットレスをぬらさないようにするため
5	患者の掛け物を胸のあたりまで下げ，身体をベッド上に対角線（看護師の手前側に頭部，反対側足元に足部）になるように移動し，膝の下に枕を挿入する（➡❹）	❹基底面積が広くなることで，患者のエネルギーの消耗を最小にし，疲労が軽減できる。また，ケリーパッド挿入後の頸部の後屈に伴う胸鎖乳突筋と胸腹部の筋緊張を膝の屈曲により緩和させ，安楽な姿勢を保つ

方法	留意点と根拠
	●木村ら[1]はケリーパッドを用いた洗髪時に膝下に枕を挿入することにより，対象者は筋の緊張度が軽減され下肢の安定感が増し，安楽に感じることを明らかにしている
6　襟のある寝衣は襟元を広げ，襟を内側に折り返す（図5-20）	●襟は片方ずつ折り返す
a 襟元を広げる　　b 襟を内側に折り返す 図5-20　襟の処理	
7　頸部にフェイスタオルと洗髪用ケープを巻く（→❺）	❺寝衣をぬらさないため，また頸部に不快感を与えないため ●寝衣がぬれないようにするため，寝衣とタオルが重ならないように巻く ●後頸部のタオルは，洗髪用ケープからはみ出さないように十分に覆う。前頸部は，ケープが直接当たらないようにケープの前の合わせは前頸部のフェイスタオルを5mm〜1cm程度出して巻いてもよい ●ケープはマトレスの枕元側を覆うように広げる
8　ケリーパッドを，患者の頭部の下に斜めに置く（→❻）	●排水路が頭側になるように置く ❻看護師の腰に負担がかからないように足が前後に開けて，重心が移動できる広さが確保できる
9　ケリーパッドの空気の量を調整する（→❼）（図5-21）	●頭部と肩部の位置がほぼ水平に保たれるようにする ❼頸部が過度に伸展または屈曲しないようにし，頭部が下がることや気道の閉塞を予防するため
図5-21　空気量の調整	
10　患者の安楽を確認し，必要時肩の下に小枕などを入れて体位を工夫する	
11　ケリーパッドの排水路にくぼみをつけ，先端をベッド下のバケツの中に入れる	●排出したときに飛び散らないようにする

方　法	留意点と根拠
12　耳栓をし，ガーゼまたはタオルで患者の顔を覆う（図5-22）	●先にブラッシングをしてもよい ●耳栓には，油分があり水をはじく青梅綿を使用する ●ガーゼは患者の顔に湯がかからないようにするため用いるが，患者に確認してから行う ●覆うときは鼻孔をふさがないように注意する（➡❽） 　❽呼吸苦を感じさせないため

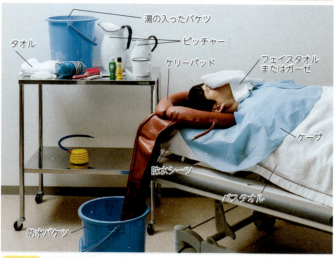
図5-22　洗髪の準備

13　ブラッシングをする（図5-23）  図5-23　ブラッシング	●ヘアブラシにはガーゼを重ねておく（➡❾） 　❾ブラッシングによりブラシにふけや汚れ，抜け毛がつくため，ガーゼを重ねておくとブラシの片づけが簡便になる ●長い髪の場合は髪を少し束ねて持ち，毛先からブラシをかけ，もつれをといていく ●頭部を片手の手掌全体でしっかり支えて固定し，振動を与えないようにする（➡❿） 　❿頸部の筋緊張による疲労や，振動による不快感を防ぐ
14　湯を毛髪全体にかける（図5-24） 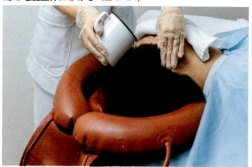 図5-24　湯のかけ方	●湯は40±1℃で準備し，患者に湯が適温かどうかを確かめる ●頭皮まで十分にぬらす（➡⓫） 　⓫頭皮まで十分にぬらさないと泡立ちが悪く，頭皮の汚れが取り除けない ●湯は頭に近い位置からかける（➡⓬） ●後頭部をぬらすときは，顔を横に向かせ，看護師の片方の手で耳介を倒し，耳に湯が入らないように注意する 　⓬湯が飛び散らないようにするため

	方　法	留意点と根拠
15	シャンプーを適量手に取り，頭全体につける	
16	頭皮と頭髪をよく洗う 生え際→前頭部から後頭部→頭を横に向け側頭部・後頭部から頭頂部→後頭部→頭頂部の順に洗う	● 片手で頭部を固定し，指腹を使い（➡️⑬），頭皮の皮膚割線および毛線に沿って，N，Z状に指を動かして洗う（図5-25） ⑬ 指腹を使うと頭皮や毛髪の角質を傷つけることが予防でき，また各指に一定の圧をかけることで頭皮を刺激できる ● 頭髪の汚れが目立つ場合は，2度洗いする（➡️⑭） ● 患者に洗い方の強さや，かゆいところがないか確認する ⑭ 被髪頭部，顔面はほかの部位より脂腺が大きく，数も800個/cm²と多いため，脂性の汚れが強くなりがちである
	図5-25　洗い方　　　　N状　　　　　　　　　　Z状	
17	頭髪の泡を取る	● 長い髪の場合は，泡を流すのに多量の湯が必要となるため，あらかじめ泡を取っておく
18	湯をかけてすすぐ	● 後頭部・後頸部のすすぎ残しがないように，手掌を椀状にして頭皮に湯が浸みわたるようにする。手掌で軽く叩くようにしてすすぐ（➡️⑮） ⑮ すすぎが足りないと，かゆみやフケの原因になる
19	リンスをつけ，すすぐ	
20	耳栓と顔のガーゼ（タオル）を取り除く	
21	首に巻いていたフェイスタオルで髪の水分を軽く拭き取る	
22	ケリーパッドとケープをはずす	
23	肩に入れていた小枕を防水シーツの下から頭部に移動する	● 安楽な体位に整える
24	バスタオルで髪の水分を十分拭く	
25	ドライヤーで乾かし，整髪する	● バスタオルをずらし，ぬれていない面を頭に当てる ● ベッドの上体を挙上することが可能な場合は，10～30度挙上する ● ドライヤーは髪から10cmほど離し，指間に髪を通しながら十分乾かす（➡️⑯） ⑯ 熱傷を防止し，熱風による不快感を軽減する ● 抜け毛はまとめてゴミ袋に入れる
26	バスタオル，防水シーツ，小枕，膝枕を取り除き，体位を整える	
27	寝衣を整え，掛け物を元どおりに直す	
28	ベッド周囲の環境を整える	● B-1）「足浴」の「留意点と根拠20」に準じる

	方　法	留意点と根拠
29	使用物品を片づける	●ケリーパッドは石けんと水または微温湯で洗う ●水分を拭き取り，2面が接しないように空気を入れ，日の当たらないところに吊るして乾かす ●乾燥後，空気を抜き，タルクを散布し2面が接するところには紙を挟んで保管する
30	洗髪終了後の観察を行い記録する	

[1] 木村静・澤田京子：洗髪時における膝の下への枕の挿入が，対象者の精神面に及ぼす影響，日本健康医学会雑誌，23（2）：60-68，2014.

2）湯を使う方法（洗髪車を使用する方法）

- **適　応**：自力での洗髪が困難でベッドから移動できない患者
- **必要物品**：洗髪車（図5-26），洗髪用ケープ，防水シーツ，フェイスタオル3，バスタオル，大枕，シャンプー，リンス（コンディショナー），ヘアブラシ，ガーゼ，ドライヤー，水温計，耳栓（青梅綿），ディスポーザブル手袋，ディスポーザブルエプロン，ゴミ袋（小）

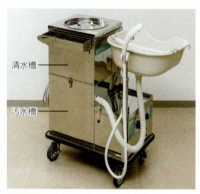

図5-26　洗髪車

	方　法	留意点と根拠
1	必要物品をワゴンに準備する	●洗髪車の点検を行い，清水槽に40±1℃の湯を満たす
2	洗髪の目的と方法を説明し同意を得る	●排尿・排便の確認をする
3	ベッド周囲の環境を整える	●B-1）「足浴」の「留意点と根拠3」に準じる
4	洗髪車をベッドサイドに運び，アース，プラグをコンセントに差し込み，保温ヒーターのスイッチを入れる	
5	患者の掛け物を胸のあたりまで下げ，身体をベッド上に対角線（看護師の手前側に頭部，反対側足元に足部）になるように移動させる または，ベッドを足元側に少し移動させ，頭側のベッド柵をはずし，患者を上方へ移動させる	
6	洗髪車を移動させ，ベッドおよび洗髪槽の高さを調節する 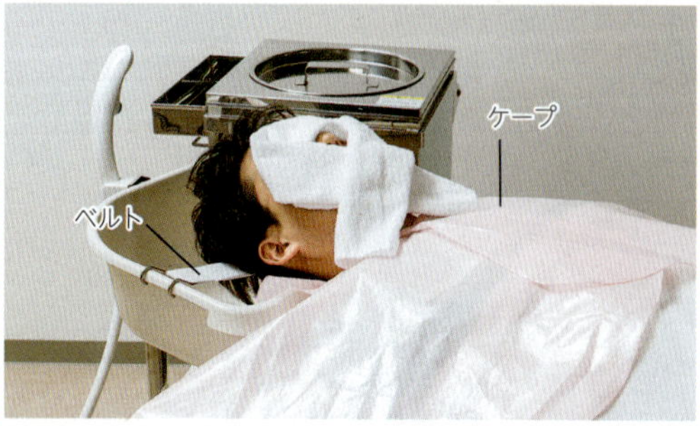	●看護師が作業しやすい高さに設定する ●患者の頭部が洗髪槽の中央になるような位置に設置する。頭部への負担を軽減するために，ベルトを使用して頭部を支える（図5-27）

図5-27　洗髪車を使用した頭部の固定方法

方法	留意点と根拠
7 防水シーツの上にバスタオルを重ねたものを患者の頭部から頸部の下に敷く	
8 患者の安楽を確認し，必要時膝の下に大枕を入れて体位を工夫する	
9 襟のある寝衣は襟元を内側に折り返す	● D-1）「ケリーパッドを使用する方法」の「留意点と根拠6」に準じる
10 頭部にフェイスタオルと洗髪用ケープを巻く	● D-1）「ケリーパッドを使用する方法」の「留意点と根拠7」に準じる
11 耳栓をし，ガーゼまたはタオルで患者の顔を覆う	● D-1）「ケリーパッドを使用する方法」の「留意点と根拠13」に準じる
12 ブラッシング，シャンプー，リンスを行う D-1）「ケリーパッドを使用する方法」の「方法14～20」に準じる	● シャワーを使用するので流量に注意し，湯が飛び散らないようにする ● 清水槽は容量に限りがあるので，途中で空にならないようにする
13 耳栓と顔のガーゼ（タオル）を取り除く	
14 首に巻いていたフェイスタオルで髪の水分を軽く拭き取る	
15 洗髪車をはずす	● 頭部を支え，患者を下方移動させる
16 頭髪の水分を拭き取り，ドライヤーで乾燥させ整髪する	● D-1）「ケリーパッドを使用する方法」の「留意点と根拠25」に準じる ● 抜け毛はまとめてゴミ袋に入れる
17 寝衣を整え，掛け物を元どおりに戻す	
18 ベッド周囲の環境を整える	● B-1）「足浴」の「留意点と根拠20」に準じる
19 使用物品を片づける	● 洗髪車は，洗髪槽，清水槽，汚水槽をよく洗い流して，水気を拭き取り乾燥させる
20 洗髪終了後の観察を行い記録する	

3）湯を使わない方法

● 適　　応：湯を用いた洗髪が禁忌や負担になる患者
● 必要物品：ドライシャンプー剤（図5-28），蒸しタオル2，防水シーツ，バスタオル，フェイスタオル，大枕，ヘアブラシ，ガーゼ，ドライヤー，ディスポーザブル手袋，ディスポーザブルエプロン，ゴミ袋（小）（必要時：小枕）

図5-28　ドライシャンプー剤の種類

方法	留意点と根拠
1 必要物品をワゴンに準備する	● 蒸しタオルは電子レンジや湯を使用して作成し，保温しておく

	方　　法	留意点と根拠
2	洗髪の目的と方法を説明し同意を得る	●排尿・排便の確認をする
3	ベッド周囲の環境を整える	●B-1)「足浴」の「留意点と根拠3」に準じる
4	防水シーツの上にバスタオルを重ねたものを患者の頭部から頸部の下に敷く	
5	患者の安楽を確認し，必要時膝の下に大枕を入れて体位を工夫する	
6	ブラッシングをする	
7	蒸しタオルで頭全体を覆う（➡❶）	❶頭皮の皮脂による汚れを浮き上がらせるため
8	ドライシャンプー剤をガーゼまたは手につけ，髪と頭部を拭く 1) ブラシで1〜2cm間隔で毛髪を小分けし，生え際を出しながら，頭皮，毛髪の根元を十分に拭く（➡❷） 2) ガーゼが汚れたら，適宜交換する	●頭部を振動させないように片方の手で支持しながら行う ●汚れをガーゼに吸い取らせるように拭く ❷毛根部に皮脂腺が開口しているため ●ガーゼで覆ったブラシで汚れを取ってもよい
9	清拭後，蒸しタオルで拭き取る	●全体の汚れと残っている泡を拭き取るようにする。ドライシャンプー剤が残っていると，皮膚炎を起こす可能性がある
10	乾いたタオルで頭髪の水分を拭き取り，ドライヤーで乾燥・整髪し，寝衣を整える	●D-1)「ケリーパッドを使用する方法」の「留意点と根拠26」に準じる ●抜け毛はまとめてゴミ袋に入れる
11	ベッド周囲の環境を整える	●B-1)「足浴」の「留意点と根拠20」に準じる
12	使用物品を片づける	
13	洗髪終了後の観察を行い記録する	

E 口腔ケア

1) 含嗽法

- ●目　　　的：含嗽液の水流により，口腔の食物残渣や剥離粘膜を洗い流し，口腔内の細菌数を減少させ，歯周病や嚥下性肺炎を予防し，口腔内の清涼感を促進する
- ●適　　　応：自力で洗面所に行けない，または起座位が困難な患者
- ●必要物品：トレイ，ガーグルベースン，吸いのみまたはコップとストロー，含嗽水（イソジンガーグル®，重曹水，洗口水，お茶，水など），フェイスタオル，フェイスシールド付きマスク，ディスポーザブル手袋，ディスポーザブルエプロン（必要時：デンタルミラーまたは舌圧子）
  ＊嚥下障害のある患者では吸引器を準備する

	方　　法	留意点と根拠
1	手洗いをする	
2	必要物品を準備する	

方法	留意点と根拠
3 患者の体位を整える	●上体を上げることが可能な場合には，ベッドの上体を患者の状態に合わせて挙上させる
4 患者の襟元にタオルを掛ける	●タオルはVの字になるように掛けると，しっかり頸部を覆うことができる
5 デンタルミラーまたは舌圧子を使って口腔内をよく観察する	●食物残渣の停留や口内炎の有無を観察し，含嗽方法や含嗽水を選択する
6 吸いのみまたはコップとストローを使って患者に水を含んでもらう（図5-29）	●片麻痺の患者では健側が下になるように顔を向かせて行う（➡❶） ❶患側が下になると自力で吐き出すことができず，誤嚥につながるおそれがある ●食物残渣があるときは患側を下にして吸引器で吸引しながら行う（➡❷） ❷食物残渣を誤嚥しやすいため ●吸いのみを使って水を含んでもらうときは，ちょうどよい量になったら手を挙げてもらうなど合図を決めるとよい

図5-29 吸いのみ，ストローの使い方

7 水を含んだら，頬を左右に強く動かしブクブクとうがいをしてもらう	
8 ガーグルベースンを口の横につけ，口角から静かに流し出させる（図5-30）	●顔は横向きにする

図5-30 ガーグルベースンの使い方

9 口の周りを拭く	
10 使用物品を片づける	●ガーグルベースンは個人用として扱い，他者と共有するときは，スタンダードプリコーションに準じて消毒する
11 含嗽後の観察を行い，記録する	

2）口腔清拭法（スポンジブラシを使用する方法）

- ●目　　的：口腔清拭は，含嗽が困難な患者に対して，ガーゼ，綿棒，スポンジブラシ（図5-31）などを用い，歯垢や舌苔，脱落した粘膜を除去し，清潔にすることによって歯周病や嚥下性肺炎を予防し，口腔内の清涼感を促進する
- ●適　　応：自力で含嗽や歯みがきが困難な患者や口腔乾燥のみられる患者
- ●必要物品：トレイ，スポンジブラシ，フェイスタオル，ガーゼ，膿盆，コップ2（清水用，汚水用），含嗽剤，フェイスシールド付きマスク，ディスポーザブル手袋，ディスポーザブルエプロン（必要時：デンタルミラーまたは舌圧子）

図5-31 スポンジブラシの種類

	方　法	留意点と根拠
1	E-1）「含嗽法」の「方法1〜5」に準じる	
2	スポンジブラシに水を含ませ，口腔内を清拭する 　1）スポンジブラシは水分を含ませて軽く絞る 　2）片手の第2指を口角部に入れて頬を軽く引っ張る（➡❷）（図5-32） 　（図5-32 スポンジブラシの使い方） 　3）順序を決めて，拭き残しがないように拭く 〈清拭の順序〉 　（1）上顎，頬粘膜，唇側歯間 　（2）下顎，頬粘膜，唇側歯間 　（3）上顎，口蓋，口蓋側歯間 　（4）下顎，舌側歯間 　（5）舌 　4）薬液を使用した場合には，最後に微温湯で清拭する（➡❺）	●スポンジブラシは必ず湿らせて使用し，水滴が落ちないようにする（➡❶） ❶水分が多いと誤嚥の危険性がある ❷圧排し口腔内がよく見えるようにする ●口蓋部を拭くときは喉の奥にスポンジブラシが当たらないようにする（➡❸） ❸喉の奥に当たると催吐あるいは咽頭反射を起こし，悪心を誘発する ●スポンジブラシは汚水用のコップで適宜すすぎ，固く絞り，清水用コップで再び水分を含ませ使用する ●スポンジブラシの汚れがひどいときは，ガーゼなどで拭き取ってから汚水用のコップですすぐ ●患者の口が開きにくいときは看護師は反対側の手で口角を引っ張りながら，歯肉や頬粘膜を清拭する（➡❹） ❹開口を強いると拒否反応が強くなるため，無理に開口させず，歯肉や頬粘膜をマッサージするように清拭し，快感を体得できるようにする ❺薬剤の味やにおいによる不快感を軽減する
3	口の周りを拭く	●必要時リップクリームやクリームを塗る
4	使用物品を片づける	
5	口腔清拭後の観察をし記録する	

3）歯ブラシを用いる方法

- ●目　　的：歯みがきの機械的操作により食物残渣や歯垢を除去し，う歯や歯周病，口臭を予防し，口腔内の清涼感を促進する。また，唾液腺を刺激することで唾液の分泌を促進し自浄作用を高め，口腔粘膜を保護する
- ●適　　応：自力での歯みがきが困難な患者
- ●必要物品：トレイ，歯ブラシ（図5-33），必要に応じて口腔ケア用品（舌ブラシ，粘膜ブラシ，吸引ブラシなど）（図5-33），歯みがき剤，フェイスタオル，ガーグルベースン，吸いのみまたは紙コップとストロー，コップ2（清水用，汚水用），含嗽水，フェイスシールド付きマスク，ディスポーザブル手袋，ディスポーザブルエプロン（必要時：デンタルミラーまたは舌圧子）

①介護用歯ブラシ　②口腔粘膜ケア用歯ブラシ
③舌ブラシ　④ワンポイントタフトブラシ

図5-33　各種口腔清掃用ブラシ

方　　法	留意点と根拠
1　E-1）「含嗽法」の「方法1〜5」に準じる	
2　ブラシを水に浸し，歯をみがく 〈ブラッシングの順序（例）〉 ①右上顎臼歯頬側→②上顎前歯唇側→③左上顎臼歯頬側→④右下顎臼歯唇側→⑤下顎前歯唇側→⑥左下顎臼歯唇側→⑦右上顎臼歯口蓋側→⑧上顎前歯口蓋側→⑨左上顎臼歯口蓋側→⑩右下顎臼歯舌側→⑪下顎前歯舌側→⑫左下顎臼歯舌側→⑬右上顎臼歯咬合面→⑭左上顎臼歯咬合面→⑮右下顎臼歯咬合面→⑯左下顎臼歯咬合面	●E-2）「スポンジブラシを使用する方法」の「留意点と根拠2」に準じる ●歯垢がたまりやすい部位は歯茎部，口蓋側，歯間部である（図5-34） 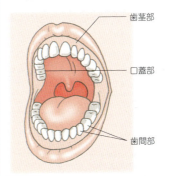 図5-34　歯垢がたまりやすい部分 ●歯ブラシはペングリップで持ち（図5-35），150〜200gぐらいの圧でみがく（→❶） ❶歯肉を傷つけないようにするため歯ブラシを細かく動かすには，ペングリップのほうが巧緻性に富み，圧もコントロールしやすい ●歯茎部では歯ブラシを歯肉と歯の境界部に45度または90度に当て❶（図5-36），横に細かく動かす  図5-35　歯ブラシの持ち方

方法	留意点と根拠
	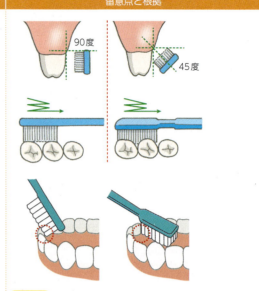 **図5-36** 歯ブラシの使い方 ● 1歯ずつずらすようにみがき，同じところを10回ぐらい動かす ● 歯には外側，内側，歯の間，かみ合わせの4つの面があることを意識して歯ブラシを当てる ● 歯の内側をみがくときは，歯ブラシを縦に持ち，歯ブラシのかかとやつま先を使う ● 患者の頭位は少し前屈させる（図5-37），または右か左に向かせる（➡❷） ❷気管が開くのを防ぎ，誤嚥を少なくするため 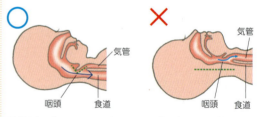 頭部を少し前屈させるか，右か左に向かせることによって誤嚥を少なくする　　顎が上がって頸部が後屈していると誤嚥しやすい **図5-37** 患者の頭位 ● ケアをする位置は，患者に向かって12時の位置が作業しやすいが，側面から作業をするときは8時から9時，または3時から4時の位置に立って行う ● 歯並びによって，ブラシの持ち方を変えたり，清掃補助道具（歯間ブラシやタフトブラシなど）を使用する ● 歯みがきは毎食後や就寝前に行うことが望ましいが，時間に余裕がないときは1日1回でもていねいにみがくほうが効果的である

方　法	留意点と根拠
3　希望により歯ブラシに少量の歯みがき剤をつけ，みがく（→❸）	●清涼感を得ることと着色を防ぐことができる ❸最初から歯みがき剤を用いると，口腔内が泡だらけになり歯牙が観察できない。また歯みがき剤の泡を取り除くために含嗽水がたくさん必要となり，含嗽が困難な患者には洗浄や吸引が必要になる
4　含嗽する	● E-1)「含嗽法」に準じる
5　口の周りを拭く	●必要時リップクリームを塗る
6　使用物品を片づける	
7　歯ブラシ後の観察をし記録する	

❶https://www.lion-dent-health.or.jp/labo/article/care/ol.htm

4）義歯の手入れ

　義歯は，部分床義歯と全部床義歯（総入れ歯）の2種類に分けられ，全部床義歯は歯をすべて失った顎に入れる。部分床義歯は歯が部分的に失われた顎に装着され，残った歯にクラスプ（バネ）をかけ，義歯が動揺したり，移動するのを防ぐ。

- 目　　的：義歯を清潔にし，爽快感を与えるとともに，義歯性口内炎などを予防する
- 適　　応：自力で義歯の手入れができない患者
- 必要物品：義歯用ブラシ，蓋付き容器，膿盆，洗面器，口腔ケア用の物品（歯ブラシ，吸いのみ，ガーグルベースン，フェイスタオル，歯みがき剤），義歯洗浄剤，ディスポーザブル手袋，ディスポーザブルエプロン，フェイスシールド付きマスク

方　法	留意点と根拠
1　必要物品を準備する	
2　目的と方法を説明し同意を得る	
3　義歯を取りはずす 　1）下顎の義歯からはずす	●看護師が義歯を取り扱うときは手袋を装着する ●患者が自分ではずせるときは，はずしてもらう ●部分義歯のときはクラスプに指をかけてはずす（図5-38） 図5-38　部分義歯のはずし方
2）上顎の義歯をはずす	●全部床義歯の場合，上顎の義歯がはずれにくいときは，義歯をしっかりつかみ，奥を下に下げる（図5-39） 図5-39　全部床義歯のはずし方

方　法	留意点と根拠
4　患者の口腔内のケアを行う 　　E-3）「歯ブラシを用いる方法」の「方法2〜4」に準じる	● クラスプのかかった歯は，特に食物残渣や歯垢が付着しやすいので意識的にブラッシングする ● 歯がない場合でも含嗽させ，軟毛ブラシやスポンジブラシで歯肉や粘膜面を拭き取る（→❶） 　❶ 含嗽だけでは，粘膜にこびりついた汚れは取れない
5　義歯を義歯用歯ブラシで洗浄する 　　洗浄は，流水下で水を張った洗面器の上で行う（図5-40）（→❸）  図5-40　義歯の洗浄	● 義歯を洗うときは歯みがき剤を使用しない（→❷） 　❷ 歯みがき剤の中にはみがき粉が含まれているため，義歯のレジンに目に見えない傷をつけるため ● 熱湯に浸けたりアルコールで拭いたりしない（→❹） 　❸ 義歯の床はレジンでできているので，洗面台などに落下させると破損しやすい 　❹ レジンは変形しやすいため
6　義歯を装着する 　　上顎から装着する	● 片麻痺があるときは，麻痺側口角から先に口腔内に入れる（→❺） 　❺ 麻痺側は伸展がきかないため ● 夜間は義歯をはずす（→❻） 　❻ 義歯の床は粘膜に密着しているため，粘膜を休ませるために一定時間はずす ● 使用しないときは，水を張った容器に浸け，義歯洗浄剤を入れる（→❼）（図5-41） 　❼ 義歯は，乾燥させると破損しやすい。間違って捨てられやすくなるため，紙やティッシュに包んではいけない。また，細菌が付着しやすく口内炎を誘発しやすい。ブラッシングだけでは除去できないため，洗浄剤により殺菌する  図5-41　義歯の管理 ● 洗浄剤は常時でなくても1週間に1回の割合で用いると義歯を清潔に保つことができる。洗浄剤に浸けた後は，流水で洗い，装着してもらう
7　使用物品を片づける	

F 陰部洗浄

- **目　　的**：排泄物や分泌物による汚れや臭気の発生を防ぎ, 陰部や尿路の感染を予防し, 清潔を保つ
- **適　　応**：病状や身体的制限により入浴・シャワー浴ができない患者, おむつを使用している患者
- **必要物品**：タオルケット, バスタオル, 便器, 便器カバー, 防水シーツ, 石けん(陰部用), ガーゼ3～4, フェイスタオル, 微温湯(37～39℃)の入ったシャワーボトルなど洗浄容器(図5-42), ディスポーザブル手袋, ディスポーザブルエプロン, サージカルマスク, ゴミ袋(必要時：ディスポーザブル清拭用タオル)

①シャワーボトル　②ノズル型容器
③ペットボトルとノズルキャップ

図5-42 洗浄に使用できる容器

	方　法	留意点と根拠
1	C「全身清拭」の「方法1～4」に準じる	●掛け物を替えないこともある
2	ベッドの患者の上体を10～20度挙上する	
3	膝を曲げ, 寝衣のすそをやや広げて折り返し, 腰を持ち上げて腰部までたくし上げる	
4	殿部の下に防水シーツを敷き込む	
5	下着またはおむつを取る	
6	タオルケットで一方の下肢を覆い, 他方をバスタオルで覆う(➡❶)	❶保温とプライバシーに注意する
7	便器を挿入する(図5-43) **図5-43** 陰部洗浄(便器の挿入)	●便器の代わりに吸水シートや紙おむつを使用してもよい
8	恥骨上縁から鼠径部に縦折りにしたタオルを当てておく(➡❷)	❷温湯が腹部や背部に流れないようにする
9	膝を立てた状態の患者の両下肢を広げる	
10	陰部へ湯をかける 〈女性の場合〉 ガーゼを持つ手と別のほうの手指で大陰唇を開き, 尿道口, 小陰唇を上から下に向かって, 中央から両側の順で鼠径部, 会陰部, 肛門部を洗い流す	●看護師の前腕内側で湯の温度を確認し, 患者の大腿内側に湯をかけて温度を確認してもらう

方法	留意点と根拠
〈男性の場合〉 陰茎を手で支持し，一方の手で尿道口，亀頭，包皮，陰茎の体部と根部，陰囊部，鼠径部，会陰部，肛門部の順で洗い流す	
11 **洗浄する** ガーゼに石けんをつけて泡立て，陰部を洗い，湯をかけ石けん分を洗い流す（→❸） 〈女性の場合〉 1）恥丘，大陰唇，鼠径部，会陰部，肛門部を石けんで洗う（図5-44a） 2）陰部洗浄容器を持ち，上から下，中央から両側に向かって湯をかけて石けん分を十分に洗い流す（図5-44b）	● 陰部は，高温や物理的刺激・化学的刺激に弱いため，皮膚・粘膜を傷つけないようにする ● 女性の場合，小陰唇の内側は石けんを使用せず，微温湯で洗い流すだけにする ❸ 肛門周囲の大腸菌などによる尿路感染や腟炎を予防するため，上（尿道口）から下（肛門），中央から両側に向かって洗う

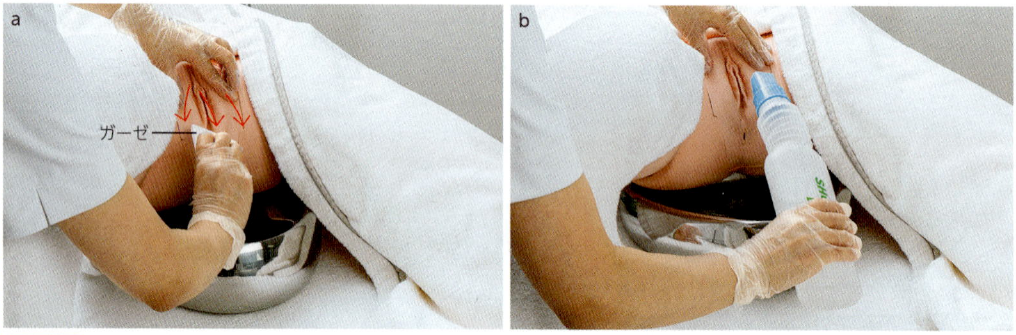

図5-44 陰部洗浄（女性の場合）

〈男性の場合〉 1）陰茎を手で支持し，一方の手で尿道口，亀頭，包皮，陰茎の体部と陰囊部，鼠径部，会陰部，肛門部を石けんで洗う（→❹）（図5-45a） 2）陰部洗浄容器を持ち，尿道口，亀頭，包皮，陰茎，陰囊部，鼠径部，会陰部，肛門部の順で湯をかけ石けん分を十分に洗い流す（図5-45b）	● 包皮は皮膚とずらして洗う ❹ 包皮と亀頭の間には恥垢が貯留し，包皮炎や亀頭炎の原因となるが，皮膚が弱い場合は石けんを使用しない

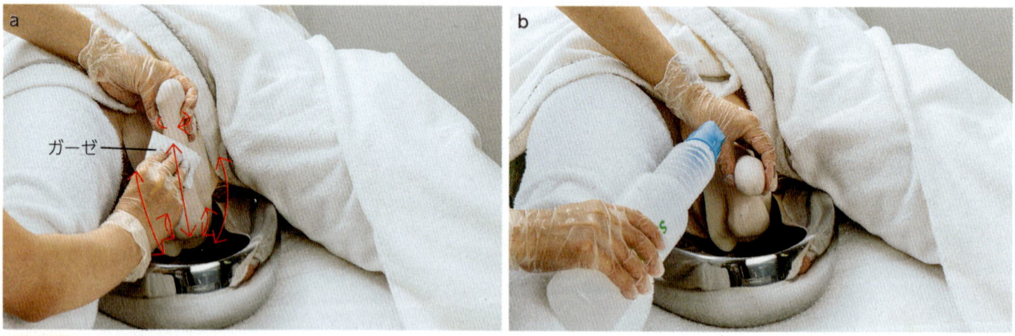

図5-45 陰部洗浄（男性の場合）

12 新しいガーゼまたはディスポーザブル清拭用タオルで陰部，殿部の水分を抑えて拭き取り，恥骨上縁部に当てていたタオルをはずす	● 同時に殿部の観察を行う
13 便器をはずし，便器カバーを掛ける	● 吸水シートや紙おむつを使用した場合はゴミ袋に入れる
14 手袋をはずす	

方法	留意点と根拠
15 片方の下肢を覆っていたタオルケットを広げ，下肢全体に掛け，他方の下肢に掛けていたバスタオルを取り除く	● 保温とプライバシーに注意する
16 下着またはおむつをつける	
17 防水シーツを取り除き，寝衣，体位を整える	
18 ベッド周囲の環境を整える	● B-1)「足浴」の「留意点と根拠20」に準じる
19 使用物品を片づける	
20 陰部洗浄後の観察を行い，記録する	

G 整容

1) 爪切り

- 目　　的：爪を整えることにより，皮膚への損傷を予防する
- 適　　応：自力で爪を整えることのできない患者
- 必要物品：家庭用爪切り（ネイルニッパー：図5-46），爪ヤスリ，ティッシュペーパー，ディスポーザブル手袋，ディスポーザブルエプロン，ゴミ袋小

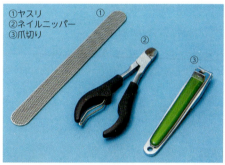

図5-46　爪切りに用いる物品

	方法	留意点と根拠
1	必要物品を準備する	● 入浴，手浴または足浴後に実施する（➡❶） ❶ 爪が柔らかくなっている
2	爪切りの目的と方法を説明し同意を得る	
3	ベッド周囲の環境を整える	● B-1)「足浴」の「留意点と根拠3」に準じる
4	上肢，下肢の安楽が保持できるように小枕や膝枕を使用し，体位を整える	● 手・足先を出すため室温に注意する
5	爪の状態を観察する	● 爪体の屈曲具合，色調，肥厚状態，感染（乾癬，真菌）の有無，爪周囲の発赤，疼痛，膿などの有無を確認する
6	患者の手指，または足指の下にティッシュペーパーを敷く	
7	爪切りで先端を横に真っすぐに切る（図5-47a, b） 1) 黄線の部分より少し上で切る（➡❷） 2) 両角は丸みをつけて残しておく（➡❸）	● 爪を切る側に看護師は座る ● 最初に爪切りを当てたときに，どの部分を挟んでいるか確認する（➡❹） ❷ 深爪にしないため ❸ 両角を残さず深く切ると巻き爪の原因になる ❹ 確実に切るため ● 患者が希望する長さがあれば，それに応じる ● 糖尿病がある場合は，1mm程度長めに切る（➡❺） ❺ 糖尿病患者は易感染状態にあるため，切りすぎて深爪になると感染を起こす危険性があるため

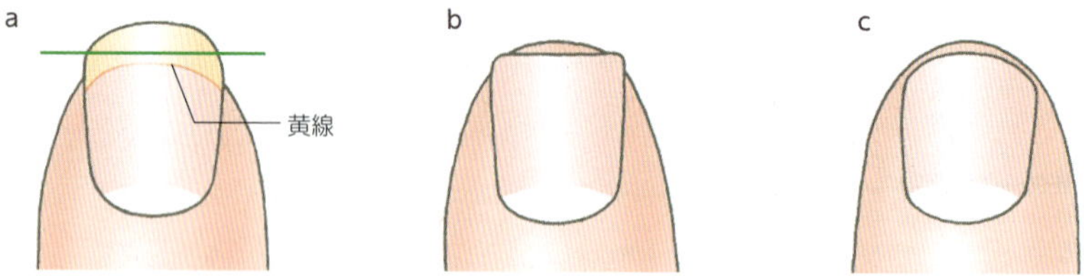

方　法	留意点と根拠

図5-47　爪の切り方

	方　法	留意点と根拠
8	爪ヤスリで爪を滑らかにする（図5-47c） 1）滑らかかどうか看護師の指先で確認する 2）切り落とした爪は，散らないようにティッシュペーパーで包み込んで捨てる	●左右の爪角から中心部に向かって一方向にかける（➡❻） ❻爪の切り口が滑らかになるため
9	患者の寝衣，体位を整える	
10	ベッド周囲の環境を整える	●B-1）「足浴」の「留意点と根拠20」に準じる
11	使用物品を片づける	
12	爪切り後の観察を行い，記録する	

2）ひげそり

- ●目　　的：身だしなみとして行う。また，顔を清潔にすることで爽快感が得られる
- ●適　　応：自力でひげそりができない患者
- ●必要物品：かみそり（ひげそり用），石けんとブラシまたはシェービングフォーム，シェービングカップ（50±2℃の湯を入れる），蒸しタオル2，タオル，ディスポーザブル手袋，ディスポーザブルエプロン（必要時：ローションやクリームなど）

	方　法	留意点と根拠
1	必要物品を準備する	●出血傾向の有無をチェックしておく（➡❶） ❶出血傾向がある場合，ひげそりにより出血する危険性がある。ひげが長いときは，あらかじめカットしておく ●蒸しタオルは電子レンジや湯を使用して作成し，保温しておく
2	ひげそりの目的と方法を説明し同意を得る	●排尿・排便の確認をする
3	ベッド周囲の環境を整える	●B-1）「足浴」の「留意点と根拠3」に準じる
4	患者の襟元をタオルで覆う	●タオルはVの字になるように掛けると，しっかりと頸部を覆うことができる
5	ひげのある部分を蒸しタオルで数分間蒸らし，顔を清拭する（➡❷）	❷ひげが柔らかくなり，皮膚も滑らかになり，ひげがそりやすくなる
6	泡立てた石けんまたはシェービングフォームをひげのある部分につける（電気かみそり使用時は，プレシェーブローションを使用する）	●石けん使用時はブラシを湯で湿らせ，よく泡立てる ●石けんまたはシェービングフォームはそる部分だけにつけ，30秒以上おく（➡❸） ❸ひげを柔らかくし，かみそりのすべりをよくするため ●泡が目，鼻，口に入らないようにする

方法	留意点と根拠
7　かみそりをぬらしてひげをそる 　1）皮膚のたるみやしわを片方の手で伸ばしながらそる 　2）かみそりは時々シェービングカップですすぐ	●逆ぞりはしない（➡❹） ❹ひげには一定の流れがあり，この流れと同じ方向にかみそりを当てる（順ぞり）のが，ひげそりの基本である。逆ぞりは肌を傷める ●深ぞりをしたい場合は，かみそりをひげの流れに対して45度から直角ぐらいの角度に当てる
8　そり終わったら，蒸しタオルで石けん分をよく落とす	
9　衿元のタオルで，水分を拭き取る	
10　ローションやクリームをつける（➡❺）	❺かみそりの刃が皮膚表面の角質層や皮脂膜まで一緒に削り取ってしまうため，皮膚を保護する
11　寝衣，体位を整える	
12　ベッド周囲の環境を整える	●B-1）「足浴」の「留意点と根拠20」に準じる
13　使用物品を片づける	
14　ひげそり後の観察を行い，記録する	

H　寝衣交換

- 目　　的：清潔な寝衣に取り替えることによって，皮膚の機能を正常に保ち，気分を爽快にする
- 適　　応：病状や身体的制限により自力で寝衣の着脱ができない患者。パジャマの場合は，比較的ADLが自立しており，寝衣の着脱に一部介助を要する患者。点滴挿入中は袖が細いものやTタイプパジャマは避ける
- 必要物品（和式寝衣の交換）：和式寝衣（図5-48），タオルケット，ランドリーバッグ，ディスポーザブル手袋，ディスポーザブルエプロン

図5-48　寝衣の種類と名称

	方　法	留意点と根拠
1	必要物品を準備する	● B-1）「足浴」の「留意点と根拠3」に準じる
2	寝衣交換の目的と方法を説明し同意を得る	
3	ベッド周囲の環境を整える	
4	タオルケットを掛け物の上に掛け，その下で掛け物一式を足元まで扇子折りにする	● 掛け物の上部を少し折り返す。タオルケットの頭側を患者に持ってもらい，タオルケットの足元側と掛け物の頭側を一緒に患者の足元側へ扇子折りにする（➡❶） ❶ 患者が外気に当たることがないため，保温が維持できる ● 掛け物を替えないこともある
5	着ている寝衣のひもをタオルケットの下で解く	● パジャマを着用中で座位が可能な場合は，ベッドの上体を挙上，または端座位にして上半身の着替えを行う
6	手前側の前身頃を脱がせる 1）前身頃を襟元からすそへ向けて脇へ下ろす 2）襟元を肩のほうへ引き上げるように緩め，肩を脱がせる（➡❷） 3）患者の肘関節を看護師が片方の手で下から支え，他方の手は寝衣の袖を持ち，患者の腕から袖を抜く（図5-49a）	● ベッドの位置や作業領域を考慮し，作業しやすい側から交換する ● 肩→肘→手の順に脱がせる ❷ 手関節から脱がせると袖に肘が引っかかる ● 寝衣を引っ張らずに行う ● 上肢に障害があるときは，健側から脱がせる（➡❸） ❸ 障害部位の安静を保ちゆとりをもたせるため ● 上肢に点滴静脈注射が留置されているときは，留置されていないほうから脱がせる（図5-50） ● Tタイプパジャマの場合，両方の袖を脱衣したのち頭部を脱がせる
7	脱いだ前身頃を内側に巻き込むようにしてベッドの上に置く（図5-49b）	
8	新寝衣の片側を着せる 1）患者が脱いだ側に新寝衣の前身頃が上になるように広げ，一方の身頃は扇子折りにし患者の体側に沿うように置く（➡❹） 2）新寝衣の広げた前身頃の袖口をたくし上げて持ち，看護師の片手を袖口から入れて患者の手関節の下を持ち，もう一方の手で袖を患者の前腕に通す（図5-49c） 3）袖山にあたる襟を持ち，肩まで引き上げる 4）襟元を確かめ，脇縫いを体側に合わせて，前身頃を広げる	● 新寝衣の内側と汚れた寝衣がなるべく触れないように，注意しながら行う ● 迎え袖で袖を通す ❹ 脱いだほうにすぐに着せることで，身体の露出時間を少なくする
9	新寝衣の背部を着せる 1）反対側に回り，患者を側臥位にし，体位を安定させる 2）旧寝衣を内側に丸めるようにして，患者の身体の下に敷き込む 3）新寝衣の背縫いを脊柱に合わせ，扇子折りにしていた部分を身体の下に敷き込む 4）ひもの中心を脊柱に合わせ，腰部に置き，残りは身体の下に敷き込む（図5-49d）	● 看護師が反対側へ移動せず，患者を向こう側へ側臥位にして寝衣を交換する場合もある ● 新寝衣は旧寝衣の下に敷き込む
10	仰臥位にする	

方法	留意点と根拠

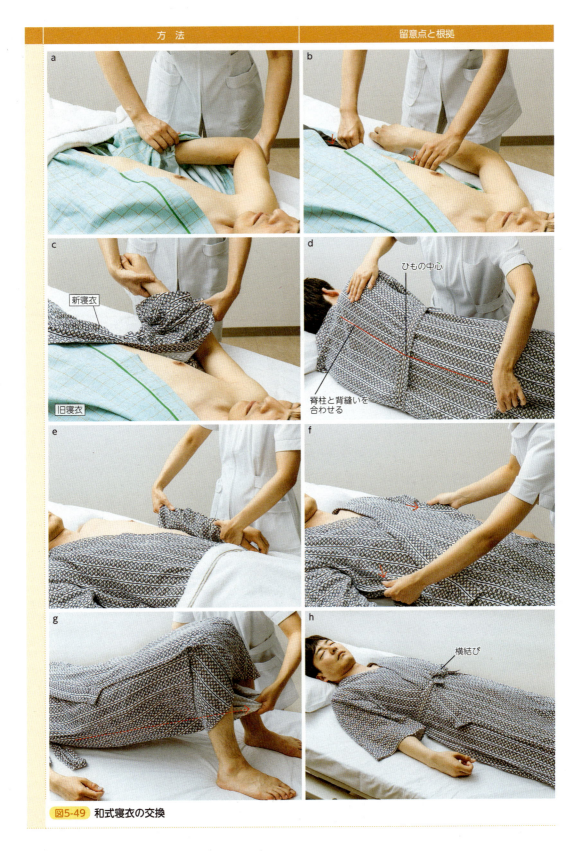

図5-49 和式寝衣の交換

方 法	留意点と根拠

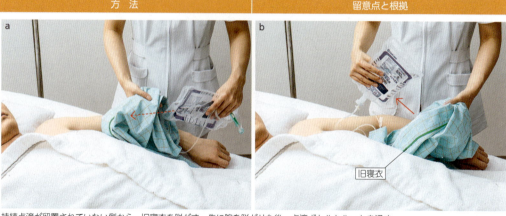

持続点滴が留置されていない側から，旧寝衣を脱がす。先に腕を脱がせた後，点滴ボトルとルートを通す

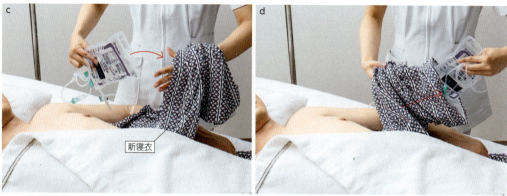

持続点滴が留置されている側から，新寝衣を着せる。先に点滴ボトルとルートを通した後，腕を入れる。実施後は，点滴の滴下を確認する

図5-50 持続輸液中の寝衣の着脱

11 旧寝衣を脱がせる 1）看護師は反対側に移動し，旧寝衣を身体の下から引き出す 2）肩側から脱がせ，袖をはずし，下肢に向けて脱がせ，内側に巻き込むようにして取り除く（➡❺） 3）旧寝衣はランドリーバッグに入れるかワゴンの下に置く	❺落屑やほこりなどの飛散を防ぐため，内側に丸める
12 新寝衣を着せる 1）新寝衣を患者の身体の下から引き出す 2）袖口から看護師の片方の手を入れ，他方の手で患者の前腕を下から支える。袖口から入れた看護師の手で患者の手関節を持って支え，上腕を袖に通す（図5-49e） 3）前身頃を広げ，襟を合わせ，左前身頃を上にして着せる（➡❻）	●パジャマの一番上のボタンは，患者の状態に合わせて掛けないこともある ❻和式寝衣の合わせ方は右前身頃を下にする。左前身頃を下にするのは，死亡時の着せ方である
13 新寝衣のしわを取り除く 1）寝衣の両脇縫いの部分を持ち，背縫い中央にくるようにしわを伸ばす（図5-49f）。このとき可能な患者には膝を立てて背と殿部を少し挙上してもらう 2）患者の股間から背縫いを持ち，しわを伸ばす（図5-49g） 3）寝衣のすそを緩く合わせる	●両手に同じ力を入れて「ハ」の字を書くように，足元側に引っ張り出す ●和式寝衣の場合には，足を動かせる余裕のあるようにする

	方　法	留意点と根拠
14	ひもを結ぶ（図5-49h）	●必ず横結びにする（→❼） ❼日本において縦結びは死亡時の結び方である ●内臓を圧迫しないように適当な緩さで結ぶ
15	〈パジャマのズボンの場合〉15-16 ズボンを脱がせる 　1）膝を少し開き気味に立ててもらう 　2）殿部を浮かせてもらい，ズボンを殿部から引き下げる 　3）片方ずつ足首から脱がす	
16	ズボンを履かせる 　1）新ズボンをたくし上げて持ち，患者の踵を支え，片方ずつ足首まで通す 　2）患者に殿部を浮かせてもらい，掛け声と同時にズボンを一気に腰部まで上げる	●ズボンのゴムの強さを確認しておく ●片側麻痺がある場合は，患側から履かせる
17	患者に着心地を確認する	●パジャマの場合，ズボンのゴムがきつすぎないか再度確認する
18	タオルケットを取り除き，掛け物，体位を整える	
19	ベッド周囲の環境を整える	●[B]-1）「足浴」の「留意点と根拠20」に準じる
20	使用物品を片づける	
21	寝衣交換後の観察を行い，記録する	

文　献

1) 霜田幸雄・城座映明編著：からだのしくみ　生理学・分子生物学Ⅰ〈シリーズ看護の基礎科学1〉，日本看護協会出版会，1999，p.284-286.
2) 岡田隆夫編：カラーイラストで学ぶ　集中講義　生理学，メジカルビュー社，2008，p.139.
3) 加藤圭子・深田美香：洗髪援助に関する実験的検討―頭皮の皮脂と自覚症状について，鳥取大学医療技術短期大学部紀要，32：68-76，2000.
4) 大橋久美子："快適"な起床を早期回復につなげる術後患者のモーニングケア，看護技術，65（1）：66-75，2019.
5) 石井範子・阿部テルコ編：イラストでわかる基礎看護技術　ひとりで学べる方法とポイント，日本看護協会出版会，2002，p.53-82.
6) 大岡良枝・大谷眞千子編：NEWなぜがわかる看護技術LESSON，学習研究社，2006，p.18-46.
7) 川村佐和子・志自岐康子・松尾ミヨ子編：ナーシンググラフィカ⑱　基礎看護学―基礎看護技術，メディカ出版，2004，p.193-220.
8) 三上れつ・小松万喜子編：演習・実習に役立つ基礎看護技術　根拠に基づいた実践をめざして，第2版，ヌーヴェルヒロカワ，2005.
9) 河合幹・亀山洋一郎・山中克己・他編：口腔ケアのABC QOLのためのポイント110，医歯薬出版，1999，p.70-99，p.128-160.
10) 岸本裕充：ナースのための口腔ケア実践テクニック，照林社，2002，p.53-59.
11) 植田耕一郎：脳卒中患者の口腔ケア，医歯薬出版，1999，p.105-115.
12) 里光やよい：洗髪，月刊ナーシング，27（4）：24-31，2007.
13) 真砂涼子：全身清拭，月刊ナーシング，27（4）：32-46，2007.
14) 大久保祐子：陰部洗浄（排泄介助），月刊ナーシング，27（4）：48-57，2007.
15) 西澤由美子：フットケアとそのサポート，月刊ナーシング，26（9）：36-46，2006.
16) 横山友子・杉本吉恵・田中結華・他：洗髪による頭皮のATP値と皮脂量の変化，大阪府立大学看護学部紀要，20（1）：9-17，2014.

第 Ⅳ 章

診療に伴う援助技術

1 与薬・採血

学習目標
- 与薬・採血の意義と重要性について理解する。
- 与薬・採血の危険性，看護師の役割と法的責任を理解する。
- 与薬・採血の方法とその特徴を理解する。
- 与薬・採血を安全に実施できる。

1 与　薬

1）与薬とは

　与薬とは検査・治療，予防のために，薬物を適切な投与方法を用いてより安全で効率よく生体に作用させることの総称である。

　「与薬」には，薬物の投与目的・薬理作用・あらゆる投与方法・薬物管理・服薬遵守指導などの包括的意味と，看護師が行うケアの内容が含まれている。与薬の方法と種類は**表1-1**のとおりである。

2）薬物療法とは

　薬物を用いて治療を行うことを薬物療法といい，以下の3つに大別される。

（1）予防接種
　薬物を用いて，人間のもつ自然治癒力・免疫能を強め，発病を予防する（ワクチン）。

（2）原因療法
　薬物をその病気の原因に対して直接作用させ，病気を治癒する（抗生物質など）。

（3）対症療法
　病気によって起こる苦痛を伴う自覚症状や，問題となる他覚症状を軽減緩和する（悪心，疼痛，発熱，浮腫などの治療薬）。

3）薬物の作用に影響する因子

（1）個　体
　年齢，腎機能・肝機能，性別，体重，体質・遺伝的な要因。

（2）その他
①薬の用量：その薬物の作用による効果が得られ，副作用の発現や障害の発生を最小限にとどめるために決められている量。

表1-1 与薬の方法と種類

方法		種類
経口与薬 (per os：PO, by mouth)		散剤 錠剤 カプセル 水剤, 油剤 バッカル剤
注射 (injection)	血管外投与	皮内注射 (intradermal；ID) 皮下注射 (subcutaneous；SC) 筋肉内注射 (intramuscular；IM)
	血管内投与	静脈内注射 (intravenous；IV) 点滴静脈内注射 (drop of intravenous；DIV) 中心静脈栄養 (total parenteral nutrition；TPN) 動脈内注射
経直腸・腟与薬 (坐薬)		直腸 　全身：抗癌薬, 解熱鎮痛薬, 抗生物質 　局所：排便坐薬, 痔 腟 (真菌, 腟炎治療薬)
経皮与薬		塗布・塗擦 貼付
吸入法		蒸気吸入 間欠的陽圧呼吸 (intermitent positive pressure breathing；IPPB) ネブライザー
点眼・点鼻・点耳		

②服用時間：患者の状態と薬の性質を考慮して決められる（食前, 食後, 食間, 時間ごと, 頓服）。例；鉄剤は吸収のよい空腹時に服用, 抗生物質は血中濃度を維持するために時間投与, 利尿薬は朝食後に服用, など。
③与薬方法：経口, 注射, 坐薬, 経皮, 吸入, 点眼など。
④薬物の剤形：錠剤, カプセル, 散剤, 糖衣錠, 水薬, 軟膏など。
⑤薬物の併用：協力作用と拮抗作用。
⑥薬物と飲食品・嗜好類との相互作用：
・鉄剤≠お茶, コーヒー（タンニン酸による吸収阻害）。
・テトラサイクリン系抗生物質≠牛乳, 乳製品（カルシウムと化合し吸収率抑制）。
・ワルファリンカリウム≠納豆, 緑黄色野菜（ビタミンKによる抗凝固作用阻害）。
・降圧薬≠グレープフルーツ（血圧低下）。

4）投与方法による薬物の体内動態

薬物はその投与方法によって体内動態が異なる（図1-1）。したがって, 薬物療法に際しては, その薬物の作用のみでなく, 薬物の体内動態を踏まえて, より効果的な投与方法を選択する。

5）各注射による薬剤の吸収速度, 作用持続時間, 投与できる量

薬剤を効果的に用いるには, その吸収速度, 作用時間についての情報は不可欠であり,

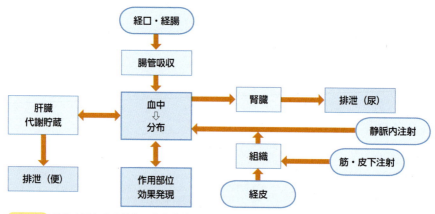

図1-1 投与方法による薬物の体内動態

畑尾正彦・宮本尚彦編：最新医療ミスをなくすための注射・点滴マニュアル，医学芸術社，2002，p.68．より引用

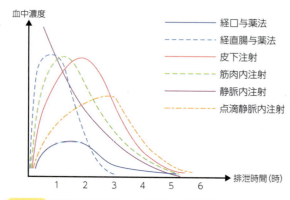

図1-2 薬剤の与薬方法と血中濃度・排泄時間

それを知る意味でも，図1-2に示した与薬方法と血中濃度の関連は貴重な判断材料である。また，薬物はその投与量を誤れば，効果が期待できないどころか，危険を招くおそれすらある。したがって，投与方法の違いが投与量とどのように関連しているかを理解しておく。

（1）薬剤の吸収速度

　静脈内注射，点滴静脈内注射＞筋肉内注射＞皮下注射＞皮内注射。

（2）薬剤の作用持続時間

　点滴静脈内注射＞皮下注射＞筋肉内注射＞静脈内注射。

（3）投与できる薬剤の量

　点滴静脈内注射＞静脈内注射＞筋肉内注射＞皮下注射＞皮内注射。

6）与薬に関する法律・基準など

①医師法
②薬事法
③日本薬局方
④麻薬及び向精神薬取締法，覚せい剤取締法，大麻取締法，毒物及び劇物取締法

⑤保健師助産師看護師法
⑥厚生労働省医政局長通知

7）与薬上の原則と注意事項

（1）医師の指示を確認する

〈6つのRight〉

①正しい患者　Right Client
②正しい薬剤　Right Drug
③正しい目的　Right Purpose
④正しい量　　Right Dose
⑤正しい方法　Right Route
⑥正しい時間　Right Time

（2）指示薬の確認を3回（以上）行う

　指示された薬剤であるか，必ず2回以上で確認する（ダブルチェック）。

〈3つのCheck〉

①薬品庫から取り出すとき
②容器から取り出す直前
③容器を戻したり廃棄するとき（空容器の確認）

（3）原則として準備した本人が実施する

（4）薬剤を投与する際は患者の状態を観察し，指示された薬剤を投与してよい状態であるか判断する

（5）患者のアレルギーの有無・禁忌について情報を確認する

（6）薬剤の安全性を確認する

・有効期限。
・保管状態〔温度，遮光（図1-3），湿度〕
　①常温：15～20℃，②室温：1～30℃，③冷所：特に規定するもの以外は15℃以下。
・薬物の変化の有無（混濁，変色）。
・異物混入の有無，など。

（7）機器・器材の安全性を確認する

・滅菌材料の使用期限。
・ディスポーザブル製品の破損の有無，包装の破れ。

図1-3　遮光が必要な薬剤

表1-2 薬物のアレルギー表

型	現れる主な副作用
Ⅰ型（即時型）	アナフィラキシーショック，蕁麻疹様発疹，気管支喘息
Ⅱ型（細胞毒性）	溶血性貧血，顆粒球減少症，血小板減少症
Ⅲ型（アルサス型）	糸球体腎炎，血清病，全身性エリテマトーデス（SLE）
Ⅳ型（遅延型）	薬疹，肝障害，神経障害

・機器の動作確認。
（8）実施にあたっては患者に十分な説明を行い，不安を与えることがないように配慮する
（9）患者のプライバシーが守られるよう配慮する
（10）使用薬剤の治療効果，副作用〔アレルギー反応（表1-2），アナフィラキシーショック，末梢神経麻痺，静脈炎，薬液漏出による皮膚壊死など〕を観察する
（11）終了後，適正に廃棄処理する
・針はリキャップせず，そのまま針捨て容器へ廃棄する。
・患者に使用した輸液セットの針，留置針，輸血バッグ，注射器などは，医療用廃棄物として適正に処理する。
（12）与薬を実施した看護師は，記録・署名する
　記録内容：与薬時刻，薬剤名，用量，与薬方法，患者の状態および反応。

8）劇薬・毒薬・麻薬の取り扱い
（1）毒薬・劇薬
　毒薬・劇薬とは，作用が強く，過量投与すると，毒性の発現や有害作用を起こすおそれのある医薬品をいう。
①表　　示
・毒薬：黒地に白枠・白字，「毒」の文字を記載（図1-4）。
・劇薬：白地に赤枠・赤字，「劇」の文字を記載（図1-5）。
②管　　理
　「業務上毒薬又は劇薬を取り扱う者は，これを他の物と区別して，貯蔵し，又は陳列しな

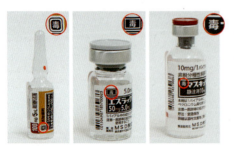

図1-4　毒薬の表示

図1-5　劇薬の表示

図1-6　麻薬の表示

ければならない。」（薬事法第48条第1項）

「毒薬を貯蔵し，又は陳列する場合には，かぎを施さなければならない。」（同第48条第2項）

（2）麻　薬

麻薬は「麻薬及び向精神薬取締法」により規制されており，モルヒネ，コカイン，コデイン，LSDなど中枢神経系に作用して神経機能に影響を及ぼす物質で，依存性があり，濫用した場合の有害性が強いものをいう。

①表　示

「㊨」の記号（一般的に赤色表示）を記載（図1-6）

②管　理

「麻薬取扱者は，その所有し，又は管理する麻薬を，その麻薬業務所内で保管しなければならない。」「保管は，麻薬以外の医薬品（覚せい剤を除く。）と区別し，かぎをかけた堅固な設備内に貯蔵して行わなければならない。」（麻薬及び向精神薬取締法第34条）

③取り扱い時の注意

- 麻薬を取り扱うことができる者は，医師，歯科医師または獣医師のうち，都道府県知事より麻薬施用者免許を受けた者である。
- 麻薬管理者は，医師，歯科医師，獣医師または薬剤師のうち，都道府県知事より麻薬管理者免許を受けた者である。
- 患者に交付され施用した後の残量は看護師が勝手に破棄することはできない。施用した残りおよびアンプル容器は麻薬管理者に返却する。
- 外来患者に交付された麻薬は，患者もしくは家族が，麻薬施用者または麻薬管理者のいる病院に，使用した残りを持参して破棄申請を行う。
- 在宅医療では，アンプルに入ったままの麻薬注射薬を患者・家族に交付または譲り渡すことは禁止されている。
- 麻薬による事故や紛失は都道府県知事に届け出る（麻薬及び向精神薬取締法第50条の22）。

2 採　血

1）採血とは

採血とは生体から血液を採取することであり，採血部位によって，静脈血，毛細管血，動脈血に大別することができる（表1-3）。血液は，多くの生体情報を含み，疾患の診断，治療，経過観察，予防のための客観的情報を提供する重要な試料である。

表1-3 採血の種類

静脈血	臨床血液検査，凝固・線溶検査，臨床化学検査，免疫血清学検査，遺伝子検査に至るまで，多種多様な検査に用いられる
毛細管血	耳朶，指頭，足踵から行われ，新生児や乳幼児のほか静脈採血が困難な成人や自己血糖測定の場合に実施される
動脈血	血液ガス分析に用いられる

2）血液検査結果に影響を及ぼす因子

（1）病態変動
①病態の変化による変動。
②医療処置による変動：手術，輸血，透析，輸液，麻酔，薬物投与，全身マッサージなど。

（2）生理的変動
①個体間変動：性別，年齢，遺伝，人種，環境，職種，肥満，生活習慣（運動，喫煙，飲酒，食事）
②個体内変動：長期（妊娠，月経周期，季節差），短期（日内リズム，運動，体位，ストレス，食事，嗜好；喫煙や飲酒など）。

（3）検体採取
①**採取条件**
・採血方法，駆血圧と前腕運動，採血部位，採血時の体位。
・採血管の選択，採血量，採血のタイミング（生理的変動，処置の影響）。
・抗凝固薬の種類（全血，血漿，血清の違い），分離剤。

②**検体の取り扱い**
・採血後の処理（撹拌など）。
・溶血，検体容器の形状，無栓放置，保存条件（温度，時間）。

3）採血時の注意事項

（1）血液検査項目に適した採血管を準備し（表1-4），適切な時間に適切な採血法で適切量を採血する（表1-5）。採血管の順番に注意する。
（2）採血した検体は，適切な方法で保存する。
（3）溶血を防ぐために，転倒混和は泡立てないようにゆるやかに行う。
（4）採血による合併症を防ぐ。
①消毒薬によるアレルギー：アルコール過敏症の有無を確認する。

表1-4 採血管の例

用途（検査項目）	採血管	薬剤	備考
血球成分		EDTA-2K	採血後，ただちに静かに転倒混和
凝固		3.13％クエン酸Na	
血糖		NaF	採血後，ただちに静かに転倒混和
生化学 免疫血清		血清分離剤 凝固促進剤	
アンモニア		ヘパリンNa 血漿分離剤	採血後，ただちに冷却し速やかに提出

※採血管の順番については「看護技術の実際」を参照

表1-5 各採血法の長所と短所

採血法	長所	短所
注射器による採血	・血管穿刺が容易 ・吸引圧が調整できるので，細い血管からの採血にも適している	・採血後，採血管に分注が必要 ・分注時，針刺し事故のリスクが大きい
真空採血 (採血針の場合)	・分注による針刺し事故のリスクが少ない ・1回の穿刺で複数の採血管に採血することができる	・吸引圧が高いので，細い血管からの採血には適さない ・採血管交換時の固定に注意が必要
真空採血 (翼状針の場合)	・血管穿刺の確認が容易 ・分注による針刺し事故のリスクがない ・1回の穿刺で複数の採血管に採血することができる	・注射針の固定や抜去が煩雑 ・デッドスペースが大きいため，凝固検査などで注意が必要

②神経損傷：機能障害を最小に抑えるために，利き腕と反対側の血管を選択することが望ましい。

③皮下出血（血腫）：針が血管内に十分刺入されていない場合や，逆に深く刺しすぎて血管壁を貫通した場合，採血後の止血が不十分な場合に起こりやすい。ワルファリンカリウムなどの抗凝固薬やアスピリンなどの抗血小板薬を服用している患者では，特に注意する。

④血管迷走神経反応：採血中や採血直後に一時的な血圧低下，気分不快，冷汗などの症状を示すことがある。既往歴がある患者では，仰臥位で行ったほうがよい。

看護技術の実際

A 経口与薬

- 目　　的：薬剤が消化管局所から吸収され，門脈，肝臓を経て肝静脈から全身に薬効を及ぼす
- 適　　応：経口による薬物投与が効果的と判断された患者
- 必要物品：与薬トレイ，指示書，指示薬，コップまたは薬杯，水または微温湯（必要時：はさみ，オブラート，タオルなど）

	方　法	留意点と根拠
1	指示書の記載内容を確認し，薬剤を準備する	●複数での確認を行う
2	患者に経口与薬の必要性，内服時間を説明し同意を得る	
3	手洗いをする	
4	指示書と準備した薬剤を照合する	●患者氏名，薬剤名，用量，日時，方法，投与目的を確認する
5	ベッドサイドで，患者氏名と指示書の名前が一致していることを確認する	●患者に氏名をフルネームで名乗ってもらうか，リストバンドと照合する（➡❶） ❶誤った薬物の投与を防ぐため
6	指示書の薬剤名，用量，日時，方法を再度確認する	

方　法	留意点と根拠
7　患者を内服しやすい体位にする（→❷）	●座位または頭部を挙上する ❷誤嚥を予防するため
8　内服を介助する 〈内服薬〉 　1）水または微温湯を少量患者の口に入れ，口内を湿らせる 　2）舌中央部に薬剤をのせる（→❸） 　3）錠剤，カプセルはかみ砕かないように指導する（→❺） 　4）水（微温湯）を口に含むように伝え，水とともに薬を飲み込むように促す 　5）薬剤を飲み終えたことを確認する 〈舌下錠〉 舌の下に入れる（→❽）（図1-7a） （ニトログリセリンなどの狭心症の治療薬や喘息治療薬） 〈バッカル錠〉 歯肉と頬の間の頬側部に入れる（→❾） （性ホルモン製剤や消炎酵素剤）（図1-7b） 図1-7　経口投与	●錠剤には，味やにおいを消すための糖衣錠，腸で溶解されるようにコーティングされたフィルムコーティング錠，モルヒネ剤など時間をかけて溶解するようにつくられた徐放剤などがある ●散剤は患者の希望によりオブラートに包む（→❹） ❸舌中央部は味蕾がないため，味を感じない ❹口の中で薬が広がるのを防ぎ，飲みやすくし，苦味を軽減できる ❺かみ砕くと，目的外の部位で吸収され，薬効が得られなかったり，薬剤の血中濃度が急に高くなり危険なため ●液剤が油性で飲み込みにくい場合は，冷水に浮かべて一気に飲み込むように説明する ●内服薬は飲水制限がなければ，多め（120mL以上）の水で服用する（→❻） ❻薬剤が食道から胃へ移行するにはカップ1杯（120mL）の水が必要である ●水薬はよく振ってから，指示された量を薬杯に入れる（→❼） ●服用後に開口してもらい，口腔内・咽頭部に薬剤が残っていないことを確認する ❼水薬は，保管中に薬剤と溶剤が分離するため ❽唾液によって溶かし，口腔粘膜から血中に速やかに吸収させ，肝臓での代謝を受けずに全身に分布させ，薬効を速く，強く出現させるため ❾唾液によって溶かし，口腔粘膜に直接作用させたり徐々に吸収させるため ●舌下錠は飲み込んだりかみ砕いたりしないように説明する。服薬中は，会話は避ける（→❿） ❿薬物は口腔粘膜から吸収され，直接血中に入るため
9　内服後2〜3分してから楽な体位に戻す（→⓫）	⓫薬剤が食道を通過して胃に届くまで横にならない
10　後片づけをする	
11　患者の状態を確認し，記録する	●与薬時間，薬剤名と濃度・容量，用量，与薬方法，与薬前・中・後の患者の状態，実施者氏名を記録する

B 直腸内与薬（坐薬）

- ●目　　的：薬剤を直腸内に挿入し，直腸粘膜から直接吸収して静脈叢から血行性に作用させることにより，薬物の代謝分解を避け，薬効を局所および全身に及ぼす
- ●適　　応：坐薬を用いた薬物投与が適切であると判断された患者
- ●必要物品：与薬トレイ，指示書，指示薬（坐薬），ディスポーザブル手袋，ディスポーザブルエプロン，潤滑油，ガーゼ，膿盆，トイレットペーパー

方　法	留意点と根拠
1　A「経口与薬」の「方法1〜6」に準じる	
2　排便・排尿の状態を確認し，必要時排泄をすませる	

方法	留意点と根拠
3 環境を整える	●カーテンを閉める
4 体位を整える	●左側臥位または仰臥位になってもらう
5 寝衣をたくし上げ，下着をずらして肛門部を露出する	●仰臥位の場合は，膝を立てて肛門部を露出できるようにする
6 看護師は手袋を着用する（➡❶）	❶糞便に触れる場合があり，感染予防のため
7 患者に口呼吸を促す（➡❷）	❷腹圧がかかりにくく、肛門括約筋が弛緩しやすい
8 坐薬を包装紙から取り出し，ガーゼの上に置き，挿入する側に潤滑油をつける	
9 坐薬をガーゼの上から利き手で持つ（➡❸）	❸看護師の指の体温で坐薬が溶解するのを防ぐため
10 利き手と反対側の手の母指と示指で肛門を開き，利き手で坐薬を挿入する（図1-8）	●利き手の示指で臍の方向に坐薬を押し込む ●腹圧がかからないように患者に口呼吸を促す ●内肛門括約筋部より深く挿入する(3cm以上)（➡❹）（図1-9） ❹腹圧がかかった場合の排出を防ぐため

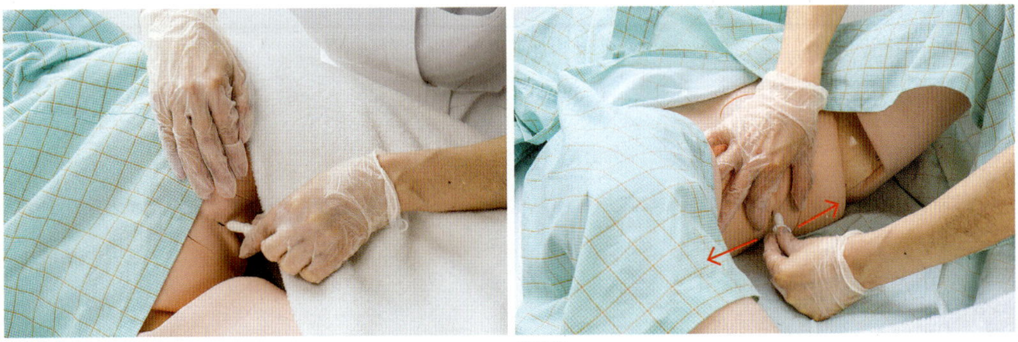

左側臥位　　　　　　　　　　　　仰臥位

図1-8 直腸内与薬

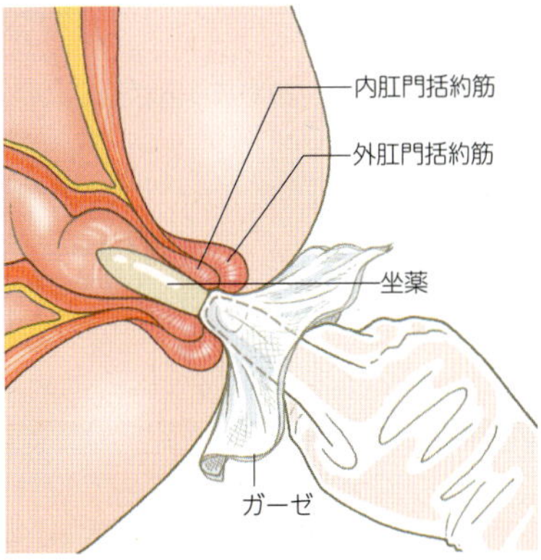

図1-9 坐薬の挿入

11 ガーゼの上から1〜2分肛門部を強めに押さえておく	
12 坐薬の肛門からの排出がないことを確認し，ガーゼをはずし，手袋をはずす	
13 患者の寝衣を整え，体位を元に戻す	

方法	留意点と根拠
14 環境を整える	●カーテンを開ける
15 手洗いをする	
16 後片づけをする	
17 患者の状態を確認し，記録する	●A「経口与薬」の「留意点と根拠11」に準じる

C 皮膚塗擦

- ●目　　的：薬物を皮膚に摩擦しながらすり込むことによって，局所および脂腺や汗腺，毛包から吸収されて血行に入り全身に薬効を及ぼす
- ●適　　応：皮膚塗擦による薬物投与が効果的と判断された患者
- ●必要物品：与薬トレイ，指示書，指示薬（軟膏），ディスポーザブル手袋，ディスポーザブルエプロン，（必要時：蒸しタオル，タオル，オリーブ油）

	方　法	留意点と根拠
1	A「経口与薬」の「方法1〜6」に準じる	
2	環境を整える	●必要時スクリーンまたはカーテンをする
3	塗擦部位の寝衣や下着を取り，塗擦部位を露出する	
4	塗擦部位を洗浄または清拭し，乾燥させる	●可能な限り石けんと湯で古い軟膏を洗い流す（➡❶） ❶古い軟膏が付着していると，新しい軟膏の作用が減弱する ●古い軟膏や痂皮などが取れにくい場合は，オリーブ油を十分浸透させたガーゼで清拭する（➡❷） ❷オリーブ油によって古い軟膏が浸軟され，除去しやすくなる
5	皮膚の状態を観察する	●かゆみ，血管の表出，発赤，腫脹など
6	指示薬剤を適量手掌に取り，指腹で擦り込む	●皮膚に感染がみられるときは手袋を用いる ●薬剤は皮膚の割線方向に沿って，滑らかに均等に塗擦する ●薬剤を擦り込むときは，爪を立てず，患者の皮膚を傷つけないようにする
7	寝衣・体位，掛け物を整える	
8	後片づけをする	
9	患者の状態を確認し，記録する	●A「経口与薬」の「留意点と根拠11」に準じる

D 注射与薬

注射用途別，注射針のゲージとインチ，および注射針の適応別刃面は**表1-6**，**図1-10**参照。

1）皮下注射

- ●目　　的：皮下組織は血行に乏しく，筋肉と比較して薬液の吸収が緩徐なため，緩やかな薬効を期待する場合に用いる

表1-6 用途別，注射針のゲージとインチ（成人用）

	ゲージ（G）	色		インチ（"）	形 状	用 途
太 ↑ ↓ 細	18G	Pink		1½"	R・B※ S・B	・輸血
	22G	Black		1"〜1½"	R・B※ S・B	・静脈内注射 ・点滴静脈内注射 ・静脈血採血
	23G	Deep blue		1"〜1¼"	R・B※ S・B	・皮下注射 ・筋肉内注射
	27G	Medium gray		¾"	S・B	・皮内注射

※「"」を「mm」で表すと 1"≒25 mm　1½"≒38 mm
※各写真モデル針の形状は「※」付で表示

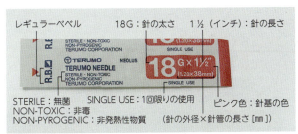

RB：regular bevel（レギュラーベベル）

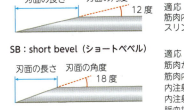

適応：皮下注射，筋肉内注射，インスリン自己注射

SB：short bevel（ショートベベル）

適応：皮内注射，筋肉が薄い場合の筋肉内注射，静脈内注射，点滴静脈内注射，輸血，静脈血採血

〈注射針の表示内容〉

図1-10　注射針

- ●適　　応：緩やかな薬効が期待される患者
- ●必要物品：与薬トレイ，指示書，指示薬，ディスポーザブル手袋，ディスポーザブルエプロン・サージカルマスク（薬液準備時使用），注射器（2 mL，5 mL），注射針（22〜25G），プラスチックカニューレ（薬剤調剤用），消毒綿，膿盆，針捨て容器

	方　法	留意点と根拠
1	指示書の記載内容を確認し，薬剤を準備する	●3度確認する
2	患者に皮下注射の必要性を説明し同意を得る	
3	手洗いをし，与薬トレイに必要物品を準備する	
4	指示書と準備した薬剤を照合する	●2名以上で行う ●冷所保存していた薬剤は室温に戻す
5	無菌操作で注射器に薬液を準備する 　1）注射器とプラスチックカニューレを無菌操作で取り出し，接続する（図1-11）	●注射器の入った袋は内筒の吸子頭側のほうから開き，筒先を不潔にしない ●注射針は包みを左右に開いて取り出す（➡❶） ❶注射針は包みを突き破って取り出すと，開いて取り出すより汚染の機会が多い❶

方　法	留意点と根拠

〈注射器〉

〈筒型の形〉
横口（1〜10mL）　中口（10mL〜）　ロック型

- 薬剤調整時やキャップ時の針刺しを防ぐために，近年では，プラスチックカニューレ（図1-11）を用いることもある。使用方法は針に準ずる

〈プラスチックカニューレ〉
アンプル用　　バイアル用
写真提供：株式会社ジェイ・エム・エス

図1-11　注射器とプラスチックカニューレ

2）手袋をつける（→❷）

〈アンプルの場合〉（図1-12）

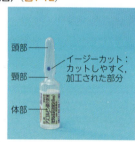

プラスチック製　ガラス製

図1-12　アンプル

3）アンプル内の薬液は，全量がアンプルの体部に落ちていることを確認する
4）アンプルの頸部を消毒用綿で消毒し折る

- 注射器の目盛と針の刃断面が一直線にそろうようにし，抜けないようにしっかり接続する（→❸）
- ❷薬液による皮膚への汚染を防ぐため
- ❸注射時，針の向きがわかり，注入量が見える
- 頭部に液がたまっているときは，頭部を指ではじくか，頭部や体部を持って振る（図1-13）

頭部を指先ではじく　　頭部を持ち，軽く振る

図1-13　アンプル頭部に薬液がたまっているとき

- イージーカットの印（●印）のある部分を上にして，消毒用綿で軽く包んで，手前から奥へ弧を描くようにして折る（→❹）
- ❹指をガラス片で切らないようにするため，また薬液の中にガラス片が入らないようにするために，消毒用綿で覆いながら頸部を折ってカットする
- 全周にラインが入っているイージーカットは，向きにかかわらずカットできる
- プラスチック製の場合は，頸部をひねってカットする
- 注射器に接続した注射針のキャップをはずし，キャップは不潔にならないように与薬トレイの中に置くか，接続側が手指に触れないように指間に挟んでおく
- アンプルのカット面に触れないようにしながら，アンプルの中に注射針を入れる

5）必要量の薬液を注射器に吸い上げる

- 薬液が少なくなったらアンプルを横にして，針の刃断面がガラス壁に接するようにして吸引する（図1-14）

方　法	留意点と根拠

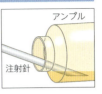

図1-14 アンプルの薬液が少なくなったとき

6) 注射器内の空気を抜く
- 注射針が上になるように注射器を持ち，内筒を引く（→❺）
  ❺針管の内部にある薬液が，空気を押し出すときに飛散するのを防ぐため
- 針基部分に消毒用綿を当て，指で注射器をはじいて気泡を上に移動させ，注射器内の空気を抜く（→❻）
  ❻針基は手で触れる不潔部分であるため，針先から出て，針管の外側を伝わって針基へ流れた薬液が再び針先に戻ると，注射針が汚染されるため

7) プラスチックカニューレをはずし，注射針に付け替える
- 近年，針刺し事故防止のために，調剤時に使用した針ははずし，新しい用途に応じた針に付け替えることが多い。どうしてもリキャップが必要な場合は，針先をいったんキャップの内壁に当ててから針を進める方法や片手リキャップ法を行う

〈バイアルの場合〉
1) バイアルに添付されている溶剤，または薬剤によって決められている溶剤と容量を注射器に吸引する
2) バイアルのキャップをはずす
3) 溶剤をバイアルに注入する（図1-15a）
- バイアルのゴム栓をアルコール綿で拭く
- コアリング（ゴム栓に注射針を刺したとき，削り取られたゴム片が薬液中に混入すること）（図1-16）しないよう，針はゴム栓中央部に垂直に刺す
- バイアル内の空気を適宜注射器に吸引しながら注入する（→❼）（図1-15b）
  ❼溶剤を入れバイアル内の圧が高くなりすぎると薬液が飛散したり，注射針が注射器からはずれたりするため

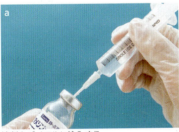
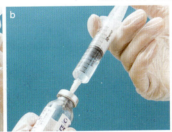

溶剤をバイアルに注入する　バイアル内の空気を吸引する
図1-15 溶剤の注入

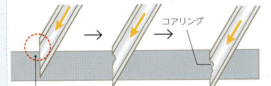

コアリング発生の機構　　注射針の適切な刺し方
図1-16 バイアルのコアリング

方法	留意点と根拠
4）注射針を抜き，薬液が透明になるまで溶剤を完全に溶解する 5）薬液を注射器内に吸引する	●注射針を抜かず，そのまま薬液を吸引する場合もある ●薬液吸引時，バイアル内が極度の陰圧となることがまれにあるため，薬液吸引前にシリンジに空気を吸引し，バイアル内へ注入して圧を調整する（図1-17）

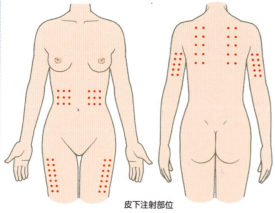

図1-17　薬液の吸引

薬液を注射器に吸引する　　薬液を残さず吸引するために，注射針の針穴がゴム栓付近にくるようにする

6）注射器内の空気を抜く 7）刺入に適した注射針に替える	
6　吸い終わった空アンプル，空バイアルは指示書と再度照合し，膿盆または所定の廃棄容器に捨てる	●注射終了時までアンプルを捨てないなど規定されている場合は内規を守る（麻薬の空アンプルは絶対に捨ててはいけない）
7　患者のもとに必要物品を運び，患者を確認する	●患者にフルネームを名乗ってもらうか，リストバンドと照合する
8　患者に説明して協力を得る	
9　環境，体位を整える	●必要に応じてスクリーンまたはカーテンをする ●患者を安楽な体位にし，安全な注射部位を選択する（➡❽） ※上腕後面外側や大腿前面外側，腹部などがよく選択される（図1-18）

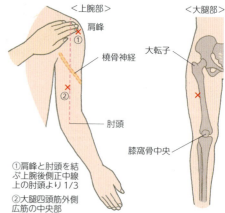

皮下注射部位

図1-18　皮下注射の注射・刺入部位

〈上腕部〉　肩峰　橈骨神経　肘頭
①肩峰と肘頭を結ぶ上腕後側正中線上の肘頭より1/3
②大腿四頭筋外側広筋の中央部

〈大腿部〉　大転子　膝窩骨中央

上腕部と大腿部の皮下注射の刺入部位

方法	留意点と根拠
	❽神経血管の分布が少なく，皮下組織の厚い場所を選択する。上腕の肩峰下部は，皮下注射に十分な皮下脂肪が発達していない人が多く，薬液の吸収力が低い。また，腋窩神経を損傷する危険性もあるため，避けることが望ましい
10　注射部位の皮膚を消毒する	●針を刺す部分を中心に，縦6〜7cm，横5cmくらいを目安に消毒用綿で楕円形を描くように，うずまき状に中心から外に向かって消毒する（➡❾） ❾上下に一側から他側に向かって拭くと拭き残しの部位が生じる❷
11　注射器内に空気が入っていないことを確認する	
12　注射する 　1）利き手とは反対側の手で，消毒した周囲の皮膚をつまむ 　2）皮膚に針を刺入する	●皮下脂肪の厚さを確認する（➡❿） ❿注射針の正しい位置（組織）への刺入と薬液の吸入のため，5mm以上の組織（皮下脂肪）が必要である。皮膚をつまみ上げた指と指の幅が1cm以上であることを確認する❸ ●利き手の第3〜5指の基節骨の背を患者の皮膚に固定し，注射針の刃断面を上に向け，10〜30度の角度（表皮のすぐ下に刺入するつもり）で刺入して0.5〜1cm進める（図1-19）

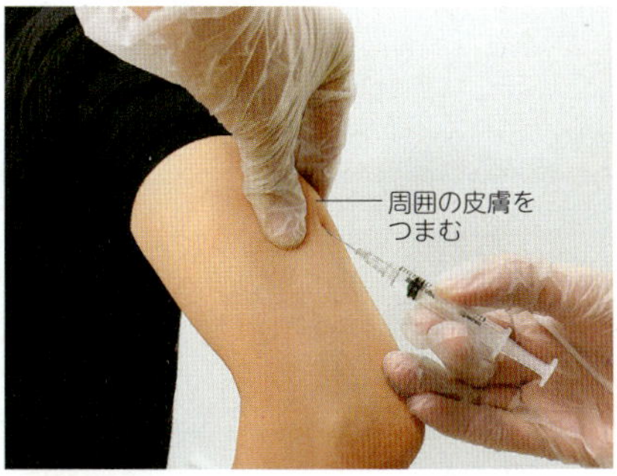

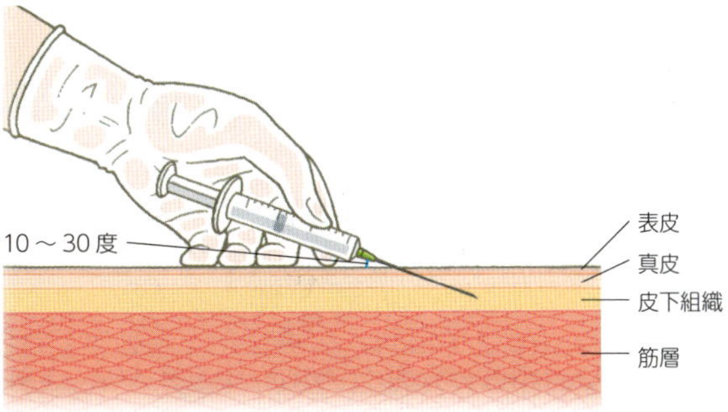

図1-19 皮下注射の刺入法と刺入角度

3）激痛やしびれがないこと，内筒を引いて血液の逆流がないことを確かめ，薬液を注入する 　4）注入が終わったら，注射針を抜去して，注射部位を消毒綿で軽く押さえて圧迫止血をし，マッサージする 　5）注射針は，針捨て容器に捨てる	●時間をかけて吸収させたい薬剤（インスリンなど）の場合は，マッサージを行わない ●注射針はリキャップしない
13　患者の寝衣・寝具を直し，安楽な体位にする	
14　患者の状態に異常がないか観察する	
15　後片づけを行う	●注射器は医療廃棄容器に捨てる ●空アンプルや空バイアルがある場合はもう一度指示書を確認し，所定の方法で廃棄する
16　観察・報告・記録をする	●注射時刻，指示薬の薬剤名，濃度，量，注射方法，注射部位，患者の一般状態，反応および局所の状態，実施者のサイン

❶小笠原みどり・松岡淳夫：ディスポーザブル注射針の開封方法と汚染について—めくり法とつき破り法の場合，日本看護研究学会誌，10（1）：98-102，1987．
❷杉野佳江，他：消毒用エタノール綿による皮膚消毒に関する実験，愛知県立看護短期大学雑誌，3：61-66，1972．
❸半田聖子・大串靖子・今充：確実な皮下注射・筋肉内注射に関する一考察，看護研究，14（4），43-50，1981．

2）皮内注射

- **目　　的**：ツベルクリン反応やアレルゲンテストで，表皮と真皮の間の皮内に微量の薬剤を注入し，皮膚反応を調べるために行う
- **適　　応**：薬剤の投与により皮内反応を確認する必要のある患者
- **必要物品**：与薬トレイ，指示書，指示薬，ディスポーザブル手袋，ディスポーザブルエプロン・サージカルマスク（薬液準備時使用），注射器（1〜2mL），注射針（26Gまたは27G），消毒綿，膿盆，針捨て容器

	方　法	留意点と根拠
1	準備は D-1）「皮下注射」の「方法1〜8」に準じる	
2	環境，体位を整える	● 必要に応じてスクリーンまたはカーテンをする ● 患者を安楽な体位にし，安全な注射部位を選択する ※前腕屈側を第1選択とし，そのほかに，注射後の皮膚反応を見やすい上腕や背部などを選択する（図1-20） 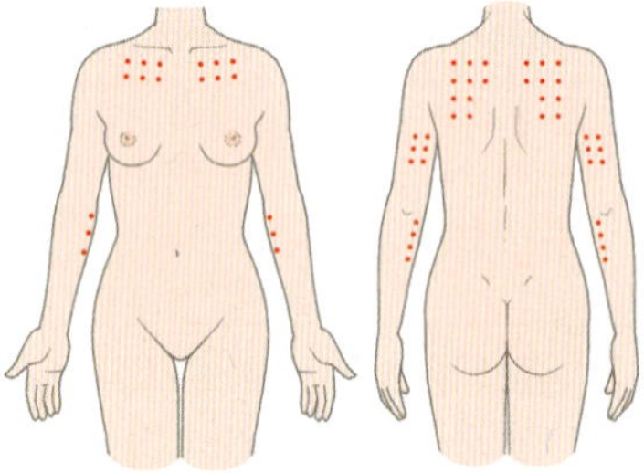
3	注射部位の皮膚を消毒する	● D-1）「皮下注射」の「留意点と根拠10」に準じる
4	注射器内に空気が入っていないことを確認する	
5	注射する 1）利き手と反対側の手で消毒した周囲の皮膚を引っ張るようにして押さえる（図1-21a） 2）皮膚に針を刺入する 3）内筒を引いて血液の逆流がないことを確かめ，薬液を注入する 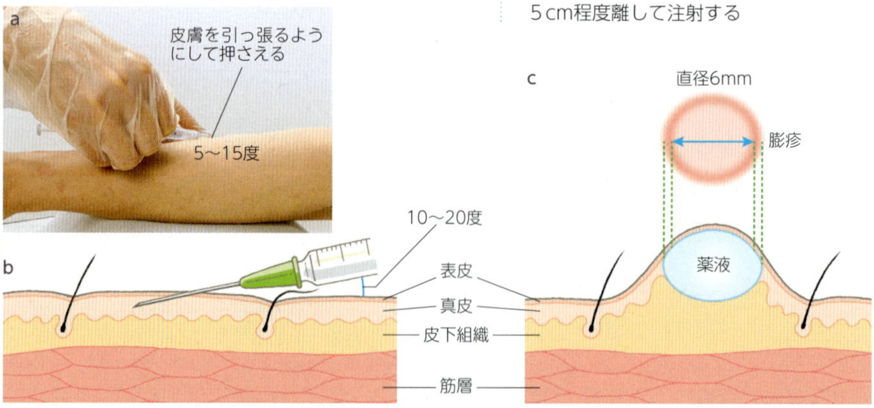	● 利き手の第3〜5指の基節骨の背を患者の皮膚に固定し，注射針の刃断面を上に向け，ほぼ平行に近い角度（5〜15度）で表皮下に刺入して1〜2mm進める（図1-21b） ※0.1mLの薬液が正しく皮内に入ると，皮膚にできる膨疹の直径は約6mmである（図1-21c） ● 皮膚反応試験の場合，テスト液と注射液の注射部位は，5cm程度離して注射する

図1-20　皮内注射部位

図1-21　皮内注射の刺入法と刺入角度

方　法	留意点と根拠
4）注入が終わったら，注射針を抜去して，注射部位を消毒綿で軽く押さえる 5）注射針は，針捨て容器に捨てる	●皮膚反応を見るため，マッサージは行わない（→❶） ❶薬液が刺入部から漏れないようにするため ●注射針はリキャップしない
6　患者の寝衣・寝具を整え，安楽な体位にする	
7　患者の状態に異常がないか観察する	●過敏症試験の場合，まれにアナフィラキシーショックをきたすことがあるので，ショック時の対処ができるように準備しておく
8　後片づけを行う	●注射器は医療廃棄容器に捨てる ●空アンプルや空バイアルがある場合はもう一度指示書を確認し，所定の方法で廃棄する
9　観察・報告・記録をする	●注射時刻，指示薬の薬剤名，濃度，量，注射方法，注射部位，患者の一般状態，反応および局所の状態，実施者のサイン

3）筋肉内注射

- ●目　　的：筋層内に少量の薬剤（一般に2mL程度，最大5mLまで）を注入し，皮下注射よりも速く作用させたいとき（皮下注射の1/2の時間）や，静脈内注射よりもゆっくり長い効果を期待するとき（静脈内注射の5倍の時間），あるいは皮下や皮内注射では投与できない刺激性の強い薬剤を投与するときに用いる
- ●適　　応：疾患の特徴，病期などにより筋肉内注射による薬剤投与が適切と判断された患者
- ●必要物品：与薬トレイ，指示書，指示薬，ディスポーザブル手袋，ディスポーザブルエプロン・サージカルマスク（薬液準備時使用），注射器（2.5～5mL），注射針（23～25G），消毒綿，膿盆，針捨て容器

方　法	留意点と根拠
1　準備はD-1)「皮下注射」の「方法1～8」に準じる	
2　環境，体位を整える	●必要に応じてスクリーンまたはカーテンをする ●患者を安楽な体位にし，安全な注射部位を選択する（→❶）（図1-22） ❶筋肉内注射は，血管や神経の分布の少ない部位を選択しなければならない。なかでもクラークの点が推奨されている ●三角筋は十分大きな筋肉ではないため，第一選択は中殿筋とする。特にBMIが18.5未満の対象者には，三角筋の選択は禁忌である❶ ※三角筋部：前後の腋窩ひだを結んだ線と肩峰中央からの垂線の交点（肩峰より約10cm程度下） ※中殿筋部： 〈クラークの点〉 ●上前腸骨棘と上後腸骨棘を結ぶ線の前方1/3部分 〈ホッホシュテッターの部位：前方殿部注射部位〉 ●手掌を患者の大転子に当て，示指先端を上前腸骨棘に当て，中指先端を腸骨稜に触れたときの中指の近位関節に近い部分

方　法	留意点と根拠
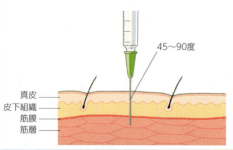 図1-22 筋肉内注射部位	●クラークの点は解剖学的に中殿筋の直上にあり，上殿神経から遠く神経損傷の危険が低いため，安全性の高い部位である❷ ●ホッホシュテッターの部位は，クラークの点で選定した部位に比べて上殿神経から離れていたという報告❸もあるが，対象者の体格や実施者の指の大きさによって部位が変動する可能性がある❹
3　注射部位の皮膚を消毒する	●D-1）「皮下注射」の「留意点と根拠10」に準じる
4　注射器内に空気が入っていないことを確認する	
5　注射する 　1）利き手と反対側の手で消毒した周囲の皮膚を母指と示指で引っ張るようにして押さえる（→❷） 　2）皮膚に針を刺入する（図1-23） 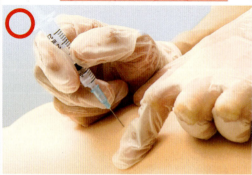 環指と小指を皮膚に固定する 図1-23　筋肉内注射の刺入法と刺入角度	●注射器をペンを握るように利き手に持ち，環指と小指を患者の皮膚に固定し，皮膚面に90度の角度で素早く注射針を刺入する ❷皮下組織を圧迫することによって針が筋肉に達しやすくなるため ●注射針の刺入深度は，三角筋，殿部ともに1.5〜2cmを目安にする（→❸） ❸中殿部の皮下組織厚（cm）は成人男性で0.7±0.3cm，女性平均1.0±0.4cmであり，筋肉に達するためには，針の刺入深度は1.5〜2.0cmが必須である。ただし，BMIが30を超える対象者においては，2.5cm以上必要である❶ ●体型により，刺入角度や刺入深度を調整する ●三角筋への注射時は，上肢は手掌を体幹につける ●皮下組織に影響を与える薬液や皮下組織を変色させる薬剤（鉄剤）はZ字型法（図1-24）で注射する 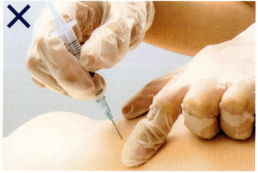 手首が安定していない

方法	留意点と根拠
	図1-24 Z字型法 針刺入前に皮膚を引き，表皮と皮下組織を一方へ寄せた状態で針を刺入し，皮膚を引いたまま注射器を把持する／針を抜くと同時に指を離すと皮膚が元の状態に戻り，注入した薬液が筋層に密閉される
3) しびれ感や放散痛がないか患者に確認する 4) 内筒を引いて血液の逆流がないことを確かめ，薬液をゆっくり注入する 5) 注入が終わったら，注射針を抜去して，注射部位を消毒綿で軽く押さえマッサージをする（➡❹） 6) 注射針は，針捨て容器に捨てる	●皮下注射の場合より血管損傷の頻度が高いので，血液が逆流した場合は，注射針を少し引いて再度逆流がないことを確認した後，または注射部位を変更した後に注入する ●薬剤によっては薬効持続（徐放効果）を期待する注射もあるので，マッサージをしない場合もある ❹マッサージは，薬液の浸透や吸収を促し，患者の疼痛を軽減する ●注射針はリキャップしない
6　患者の寝衣・寝具を直し，安楽な体位にする	
7　D-1)「皮下注射」の「方法14～16」に準じる	

❶高橋有里・菊池和子・三浦奈都子・他：BMIからアセスメントする筋肉内注射時の適切な注射針刺入深度の検討，日本看護科学会誌，34：36-45，2014．
❷佐藤好恵・成田伸・中野隆：臀部への筋肉内注射部位の選択方法に関する検討，日本看護研究学会誌，28（1）：45-52，2005．
❸岩永秀子・髙山栄：三角筋，中殿筋における筋肉内注射の適切な部位の検討，東海大学健康科学部紀要，9，29-33，2004．
❹高橋有里・小山奈都子・菊池和子・他：筋肉内注射部位に関する文献検討から得られた課題，岩手県立大学看護学部紀要，7，111-116，2005．

4) 静脈内注射

- ●目　　的：速やかで確実な薬効を期待する場合（救急措置を含む）や，経口投与が不可能な場合，静脈内にしか投与できない薬剤を使用する場合などに用いる
- ●適　　応：疾患・障害の特徴や病状から静脈内注射が適切と判断された患者
- ●必要物品：与薬トレイ，指示書，指示薬，ディスポーザブル手袋，ディスポーザブルエプロン・サージカルマスク（薬液準備時使用），注射器，注射針（21～23G・SB針），消毒綿，駆血帯（図1-25），肘枕，処置用シーツ，膿盆，針捨て容器

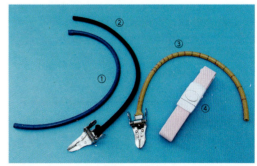

①金具（ピンチ）なし，②金具（ピンチ）あり，③目盛付き（目盛を合わせることで適切な血管の怒張が可能），④幅広（ワンタッチ）タイプ

図1-25 様々な駆血帯

	方　法	留意点と根拠
1	準備は D-1)「皮下注射」の「方法1～8」に準じる	
2	環境，体位を整える	● 必要に応じてスクリーンまたはカーテンをする ● 患者を安楽な体位にし，安全な注射部位を選択，処置用シーツを敷く ※静脈内注射は一般に肘関節部に行い，尺側前腕皮静脈，橈側皮静脈，肘正中皮静脈，前腕正中皮静脈などが選定される（図1-26）

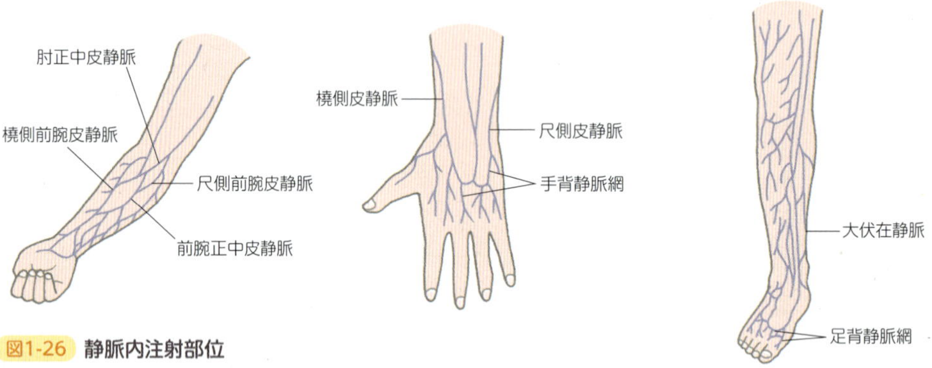

図1-26 静脈内注射部位

3	肘関節の下に肘枕を置く	
4	注射部位より7～10cm上の中枢側に駆血帯をする（図1-27）	● 駆血帯は締めすぎないように60mmHg程度の均等な圧力をかけて結ぶ（➡❶） ❶ 駆血圧60～80mmHgで静脈怒張度が最も高く，強く締めれば苦痛が増すため，60mmHgが適切な駆血圧である❶ ● 駆血帯の端は中枢側にくるように，また，ほどきやすいように結ぶ ● 駆血しても静脈が透視できなかったり，触知できなかったりした場合は，軽く静脈に沿って指先でタッピングしたり，穿刺部位を右房より下げたり（臥床時ではベッドから下げる），温罨法や温浴によって静脈を怒張させる ● 駆血帯は2分以上締めてはいけない

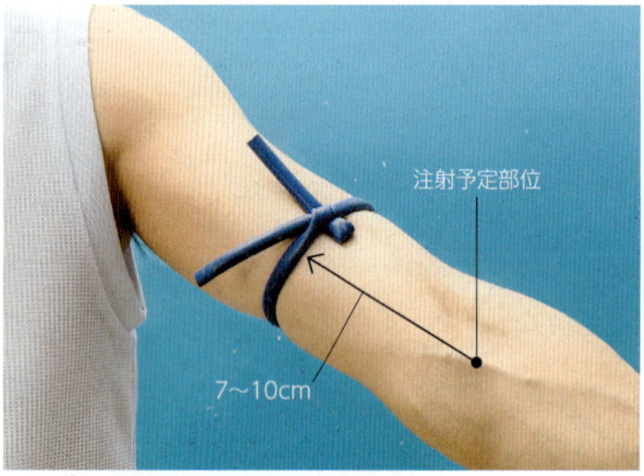

図1-27 駆血帯の位置と結び方

5	患者に母指を中にして手を握ってもらう	
6	注射部位を消毒綿で消毒し，乾燥させる	● D-1)「皮下注射」の「留意点と根拠10」に準じる
7	注射器内に空気が入っていないことを確認する	
8	利き手と反対側の手の母指で，注射部位より末梢側の皮膚を末梢側に引っ張るようにして，固定する	
9	注射針を刺入する（図1-28a）	● 利き手で注射針の刃断面を上に向けて持ち，中指～小指の背を皮膚に固定して，目的とする静脈の走行に一致させ，10～20度の角度で刺入する（図1-28b）

方法	留意点と根拠

図1-28 静脈内注射の刺入角度

	方法	留意点と根拠
10	注射針の先が血管に入ったら,注射針を寝かせたまま進めていく	●針で血管を持ち上げるようなイメージで,皮膚と平行になるように進めていく(➡❷) ❷針が血管を突き破らないため ●針が血管内に入ると抵抗が少なくなる感じがし,自然に血液が逆流してくる。血液の逆流がみられない場合は,内筒をゆっくり引いて逆流を確認する
11	駆血帯をはずし,患者の握った手を開いてもらう(➡❸)	❸静脈の怒張を除去するため
12	薬液を注入する(図1-29a) 1) 薬液をゆっくりと少し(1mL程度)注入し,患者の様子に変化がないことを確認する(➡❹) 2) 薬液の残りをゆっくり,数十秒かけて注入する	●注射針の先端の位置を保ちながら注射器を持つ手を替えて利き手で内筒を押す方法と,そのまま非利き手で内筒を押す方法がある ❹静脈内注射によるショック事故を防ぐため
13	針を抜いてから,消毒綿で圧迫固定し(➡❺)(図1-29b),止血が確認できたら絆創膏を貼る	❺消毒用綿で圧迫しながら針を抜くと,注射針の刃断面部分で静脈壁を傷つけ,皮下出血を起こすことがあるため,針を抜いてから5分ぐらい圧迫する

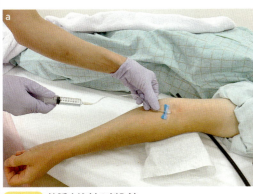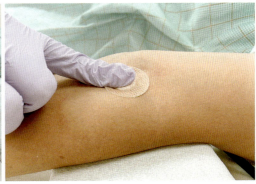

図1-29 静脈内注射の刺入法

	方法	留意点と根拠
14	患者の寝衣・寝具を直し,安楽な体位にする	●患者に注射部位をもまないことや,止血するまで手を下げないようにすることを注意する(➡❻) ●注射後10〜30分は安静にし,異常の有無を確認する ❻再出血を起こしやすいため
15	後片づけ,記録をする	● D-1)「皮下注射」の「留意点と根拠14〜16」に準じる

❶松村裕子・市村美香・佐々木新介・他:静脈穿刺に有効な静脈怒張を得るための適切な駆血圧と静脈怒張に関与する客観的指標について,岡山県立大学保健福祉学部紀要,19(1):31-38, 2012.

5）点滴静脈内注射

- ●目　　的：輸液セットなどを用いて薬液を持続的に静脈内に注射する方法をいう。脱水症状，栄養低下，出血などの際の補給や治療薬剤の持続投与などを目的に行う
- ●適　　応：持続的な薬物の投与が必要と判断された患者
- ●必要物品：与薬トレイ，指示書，指示薬，ディスポーザブル手袋，ディスポーザブルエプロン・サージカルマスク（薬液準備時使用），輸液セット（成人用1mL≒20滴または小児用1mL≒60滴），翼状針（必要時：静脈留置針，三方活栓，延長チューブ），点滴スタンド（必要時：固定板），固定用品（フィルムドレッシング材，テープなど），はさみ，駆血帯，肘枕，処置用シーツ，膿盆，針捨て容器

	方　法	留意点と根拠
1	指示書の記載内容を確認し，薬剤を準備する	●3度確認する
2	患者に点滴静脈内注射の必要性を説明し，同意を得る	●点滴の方法および所用時間を確認し，患者に排泄をすませておくように告げる（➡❶） ●輸液の種類と使用目的，点滴の方法についての説明をする（表1-7） ❶点滴静脈内注射は，目的によって，「抜き刺し」または持続的に行われ，長時間になる場合もあるため（表1-8）

表1-7 点滴静脈注射の種類

種　類	方　法
短時間持続注入	短時間，持続的に投与して終了，抜去する，いわゆる「抜き刺し」
長時間持続注入	長時間あるいは長期間，持続的に投与する
間欠的注入	ヘパリンロックなどにより血管を確保し，1日のうち一定時間帯に投与する

表1-8 輸液剤の種類と目的

種　類	目　的	内　容
糖質輸液剤	水分，エネルギー補給	5％ブドウ糖液
電解質輸液剤	水，電解質補給，電解質バランス是正	等張液：生理食塩水，リンゲル液 低張液：1～4号液，補正用電解質輸液剤
血漿増量剤	血漿増量，低たんぱく血漿の是正	低分子デキストランなど
浸透圧利尿薬	浸透圧利尿，頭蓋内圧下降	20％マンニトール（血漿の4倍の浸透圧） 10％グリセリン液（血漿の7倍浸透圧）
栄養補給剤	アミノ酸補給，エネルギー補給	糖質輸液剤，アミノ酸輸液剤，脂質輸液剤，高カロリー輸液剤，ビタミン製剤など

	方　法	留意点と根拠
3	手洗いをし，トレイに必要物品を準備する	●輸液セットは，輸液の使用目的によって成人用か小児用を選択し（➡❷），使用薬剤に適した輸液セットを選択する（➡❸） ❷成人用は1mL≒20滴，小児用は1mL≒60滴である。微量で投与したいときは，成人に投与する場合でも，小児用の輸液セットを選択する ❸輸液セットはポリ塩化ビニル（PVC）から作られている。ニトログリセリンやインスリンなどPVCに吸着してしまう薬剤に対しては，PVCフリーの輸液セットを用いる（図1-30a）。抗がん剤など，フタル酸エステル（DEHP）を溶出する脂溶性の高い薬剤に対しては，DEHPフリーの輸液セットを用いる（図1-30b）

方法	留意点と根拠

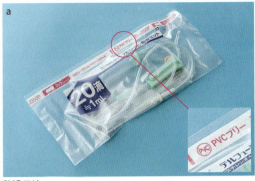 

a　PVC フリー　　　　　　　　　b　DEHP フリー

図1-30　輸液セットの材質

4　指示書と準備した薬剤を照合する	● 2名以上で行う ● 冷所保存していた薬剤は室温に戻す
5　輸液ボトルを無菌的に準備する 　1）薬剤および輸液セットなどの破損・使用期限を確認する 　2）輸液ボトルのふたをはずす 　3）混注する指示薬品がある場合は注射器に吸引し，混注する（➡❹）	● D-1)「皮下注射」の「留意点と根拠5」に準じる ❹混注時の注射針と輸液セットのびん針を刺す部位を区別し，薬液漏れを防ぐ（図1-31）  図1-31　「IN」と「OUT」
4）輸液セットを取り出し，翼状針，三方活栓，延長チューブなどが必要な場合は，無菌的に接続する（図1-32） 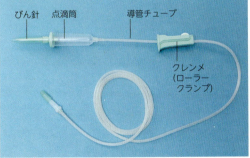 図1-32　輸液セットの各部の名称 5）必要に応じてエアー針を刺す（➡❺）	● クレンメを点滴筒の近くに移動させて閉じておく ● 三方活栓の向きを確認する ● コアリングに注意し，真っすぐに刺す ❺ガラス容器や硬いプラスチック容器では，滴下による内容量減少によりボトル内が陰圧となり，滴下しなくなってしまうため，エアー針が必要である。エアー針は，びん針と離して刺す（図1-33）

方法	留意点と根拠
	![輸液ボトル図] エアー針とびん針が近いと，エアーが輸液と一緒に引き込まれる エアー 液面がどんどん低下する **図1-33** エアー針とびん針近接による問題
6）輸液ボトルのゴム栓を消毒用綿で拭き，びん針を穿刺部に刺す 7）輸液ボトルを点滴スタンドに架け，点滴筒の1/2〜1/3程度まで薬液を満たす 8）輸液ルート内に薬液を満たす	●点滴筒を逆さまにしてクレンメを開いて薬液を満たす方法と，クレンメが完全に閉まっているのを確認後，点滴筒をポンピング（指で軽く圧して緩める方法）する方法がある（図1-34） ●タコ管（空気収集部）がついている輸液ルートでは凸部を下に向けて薬液を満たす ●ルート内に空気の残留があった場合は，指ではじいて点滴筒まで移動させるか，膿盆内に輸液を流して空気を出す
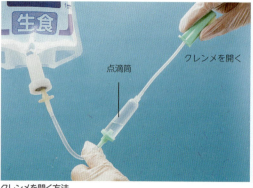 点滴筒　クレンメを開く クレンメを開く方法 **図1-34** 点滴筒への薬液の入れ方	点滴筒を指で圧する クレンメを閉じる 指で圧する方法
6　患者のベッドサイドに必要物品を運び，患者を確認する	●患者にフルネームを名乗ってもらうか，リストバンドと照合する
7　環境，体位を整える	●必要に応じてスクリーンまたはカーテンをする ●患者を安楽な体位にし，安全な注射部位を選択（→❻），処置用シーツを敷く ※刺入部位は肘関節を避け，尺側皮静脈，橈側皮静脈などが選定される 　❻点滴静脈内注射は投与に長時間かかるため，肘関節や手関節の屈曲を可能にするため

方　法	留意点と根拠
8　注射針を刺入し，固定する 〈翼状針の場合〉 　1）翼状針は翼を利き手の母指と示指でつまみ，折りたたむように持つ 　2）刺入する（図1-35）	● D-4）「静脈内注射」の「留意点と根拠3〜8」に準じる

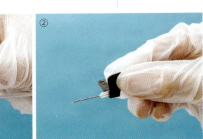

図1-35　翼状針の刺入

3）注射針を針基部まで挿入して，血液の逆流がみられたら，翼状針の翼を開き，駆血帯をはずす
4）クレンメを開き，滴下と患者に痛みがないことを確認する
5）翼状針を固定する（図1-36）

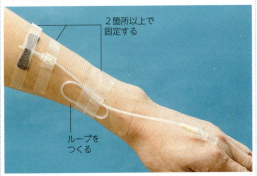

図1-36　翼状針の固定

● 輸液チューブに牽引力が加わっても針が動かないように，刺入部より下にループをつくる（➡❼）
　❼血管の走行が見えるようにするため
● フィルムドレッシング材を全体に貼りつける
● 輸液チューブにループをつくってテープで固定する（➡❽）
　❽輸液チューブに牽引力が加わっても針が動かないようにするため
● 患者が刺入部位の安静が保てない場合は，固定用のシーネを当てがう

〈静脈留置針の場合〉
　1）静脈留置針を刃断面が上を向くように持つ
　2）刺入する（図1-37）

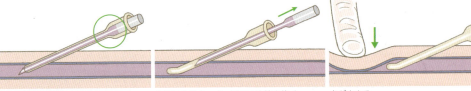

血液の逆流を確認　　　外筒のみを1〜2mm進めて内筒を抜く　　　血が止まる

図1-37　静脈留置針の刺入法

3）静脈留置針が静脈内に進入したら，内筒に血液が逆流しているか確認する
4）外筒のみを1〜2mmゆっくり進め，内筒の金属針を抜去する
5）留置が完了してから，駆血帯をはずす
6）用意しておいた輸液セットと接続する（図1-38）

方法	留意点と根拠
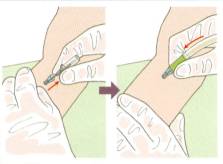 図1-38 輸液セットの接続 7）クレンメを開き，滴下と患者に痛みがないことを確認し，接続部をもう一度ねじ込んで，接続を確実にする 8）静脈留置針を固定する（図1-39） 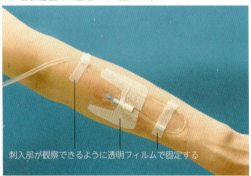 刺入部が観察できるように透明フィルムで固定する 図1-39 静脈留置針の固定	

9　輸液速度を調整する	●手の向きによって滴下数がどのようになるか確認し，滴下数を合わせる（図1-40）

【1分間の滴下数】

$$\frac{全体の輸液量(mL)}{所要時間(分)} \times 1mLの滴下数$$

〈一般用（成人）1mL≒20滴の場合〉

$$\frac{全体の輸液量(mL)}{所要時間(時) \times 3}$$

〈微量用（小児）1mL≒60滴の場合〉

$$\frac{全体の輸液量(mL)}{所要時間(時)}$$

●例1：1mL≒20滴の輸液セットを用いて500mLを5時間（100mL／時間）で滴下する場合

〈1mL≒20滴の場合〉

$$\frac{500mL}{300分} \times 20滴 = 約33滴/分$$

$$\frac{500mL}{5(時間) \times 3} = 約33滴/分$$

〈1mL≒60滴の場合〉

$$\frac{500mL}{300分} \times 60滴 = 約100滴/分$$

$$\frac{500mL}{5(時間)} = 約100滴/分$$

【所要時間の計算】

$$\frac{1mLの滴下数 \times 全体の輸液量(mL)}{1分間の滴下数}$$

●例2：1mL≒20滴の輸液セットを用いて，500mLを60滴／分で滴下する場合

$$\frac{20滴 \times 500mL}{60滴} = 166分$$

図1-40 滴下速度，滴下量の求め方

方　法	留意点と根拠
10　患者の寝衣・寝具を直し，安楽な体位にする	
11　環境を整える	●点滴スタンドや履物の位置を整え，利き手のそばにナースコールを置く
12　用いた物品の後片づけをする	
13　輸液中の患者の状態を観察する（図1-41）	

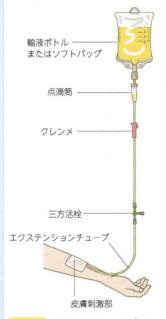

・残量：指示どおり注入できているか
・性状：追加輸液などによる変質はないか
・日光が当たるようなことはないか
・高さは適当であるか（エアー針は刺入されているか）
・滴下速度は適当か
・体動などで滴数が急激に変化することはないか
・点滴筒内の注射液の量は適当か
・スタンドの高さを考慮しながら微調整する
・三方活栓のコックは正しい位置か
・三方活栓のふたはきちんとされているか
・接続部の緩み，点滴漏れはないか
・点滴ルートの屈曲，圧迫はないか
・凸部を上にして安定して固定されているか
・固定は確実か，テープによるかぶれはないか
・挿入部から液の漏れはないか
・発赤・腫脹はないか
・血管に沿って発赤・疼痛など静脈炎の症状はないか

※輸液ラインのみではなく患者の表情，姿勢にも気をつける
※意識障害がある患者の場合は，点滴スタンドは患者の手の届かない場所に置く

図1-41　点滴中のチェックポイント

14　複数の輸液ボトルの指示や混合薬の指示がある場合は，適宜交換する（表1-9）	●輸液面がびん針の先端より上の位置で交換する（→❾） ❾輸液面がびん針の先端より下になると，輸液ボトルが空になり血液が逆流した場合，凝血により針が閉塞することがある

方法		留意点と根拠	
表1-9 輸液の主な混合法			
混合法	方法	適応	
側管注	メインの薬剤とは異なる薬剤を注射器で注入する	一定の時間に薬剤の効果を得たい場合や，事前に輸液内に混合しておくと配合変化が起きる場合	
ピギーバック法	メインの輸液ルートの接続部に，別の輸液セットを接続することによって，2種類以上の輸液を並行して行う	抗菌薬などの注入	
定量筒を用いる方法	定量筒付き輸液セットを使用し，定量筒の混入口からメインの薬剤とは異なる薬剤を注射器で注入する方法	輸液量が制限される場合の薬剤投与や，正確な輸液量を投与したい場合	

	方法	留意点と根拠
15	輸液が終了したら，クレンメを閉め，静脈留置針を固定していたテープやフィルムドレッシング材をはがす	
16	静脈留置針を抜針した後は，D-4)「静脈内注射」の「方法13」に準じる ※翼状針は抜く際にプロテクター内に収納する	
17	患者の寝衣・寝具を直し，安楽な体位にする	●患者に注射部位をもまないことや，手を下げないようにすることを告げる（➡❿） ❿再出血を起こしやすいため ●輸液終了後10〜30分は安静にし，異常の有無を確認する
18	後片づけをし，観察・報告・記録をする	●D-1)「皮下注射」の「留意点と根拠14〜16」に準じる

E 採血

- ●目　　的：血液の成分を分析することで，全身の細胞や組織，臓器などの様々な疾患の出現や各器官の機能を知り，疾病の診断や治療効果の判定のための情報を得る
- ●適　　応：疾患の疑いのある患者，治療効果を判定する必要のある患者
- ●必要物品：与薬トレイ，指示書，ディスポーザブル手袋，注射器（真空採血時：採血用ホルダー），注射針（21～23G　SB針，真空採血時：真空採血針または翼状針），消毒用綿，駆血帯，肘枕，処置用シーツ，膿盆，針捨て容器，採血管，止血テープ（ガーゼ付き絆創膏）

	方法	留意点と根拠
1	患者に説明する	●説明内容 ・検査目的 ・採血量 ・時間 ・絶食の必要性の有無 （絶食が必要な場合は前日に説明する）
2	与薬トレイに使用物品を準備する 1）指示書と照合する 2）採血用具の準備をする（表1-4参照）	・採血管のラベル ・採血管の種類（表1-5参照） ・注射器の大きさ 〈注射器の場合〉 注射器の目盛と注射針の刃断面が同じ側にくるように接続する 〈真空採血の場合〉 採血用ホルダーに採血針を差し込み，接続する
3	環境を整える 1）採血しやすいように物品を配置する 2）袖口などの衣類による圧迫を避け，患者の好む楽な姿勢にする	●穿刺部位は心臓より低い位置になるように腕を下向きにする（➡❶） ❶血管の怒張効果が期待されるため
4	採血部位の下に処置用シーツを敷き，肘の下に肘枕を当てる	
5	採血部位を決定する（図1-42）	●一般的に肘の外側部を走る血管を選ぶ（➡❷） ❷痛みが少なく，血管が比較的太くて弾力があり，皮膚が柔らかい

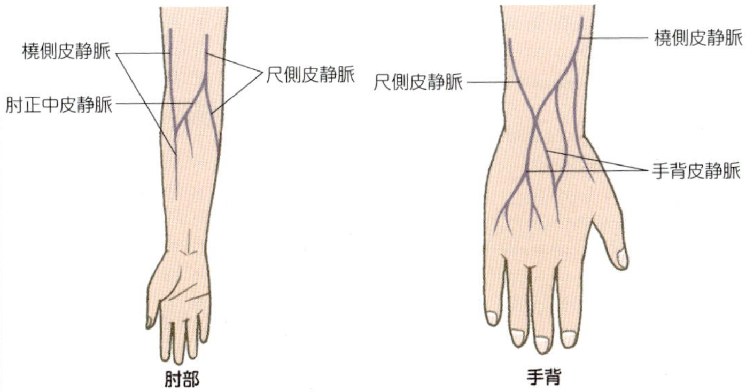

図1-42　静脈採血部位

方 法	留意点と根拠
1) 採血予定部位を露出する	〈採血を避ける部位〉 ・熱傷痕や重度のアトピー性皮膚炎がある場合 ・血腫のある部位 ・輸血・輸液をしている側 ・乳房切除を行った側の腕 ・透析用シャントのある腕の血管 ・下肢の血管（→❸） 　❸血栓形成の可能性があるため，特に高齢者では避ける
2) 手袋を装着し，採血予定部位よりやや上部を駆血帯で縛り，血管の緊張や走行を確認する	〈駆血帯の縛り方〉 ● 採血部位から7〜10cmの部位を締める ● 縛る強さは通常40mmHgが適切とされる❶．駆血帯を強く巻きすぎると，出血斑や過度のうっ血，しびれを生じる場合がある．採血部位より末梢の動脈触知やしびれがないことを確認する ● 長時間駆血帯を装着したままにしておくと，測定値に影響が生じる場合がある（→❹）．1分以内であれば，通常の検査項目への影響は許容範囲内である❷ 　❹一例として5分以上の駆血でALT（GPT）は，10％近く測定値の上昇がみられる場合がある❸ 〈血管の怒張が確認できないとき〉 ● 採血される側の手を軽く握る（→❺） 　❺血管の怒張が促進されるため．何度も手掌の開閉を繰り返すクレンチングは，カリウム値に影響する可能性があるため避ける ● 示指と中指で血管を軽く叩いてみる ● 手首から肘の方向に向かって，前腕をさする．これらの手技を実施しても十分な血管の怒張が得られないときは，いったん駆血帯をはずして以下の手技を施す ● アームダウン（腕を心臓より低く下げる） ● 蒸しタオルやホットパックなどで腕を温める ● 駆血帯の使用が望ましくない検査があるので注意する（乳酸，ピルビン酸，β-TG，血小板第4因子）
6　採血部位を消毒する	● 刺入部位を確認し，中心から外側へ消毒する．消毒後は皮膚に触れずに消毒用アルコールが自然に乾くのを待つ（→❻） 　❻消毒用アルコールが乾かないまま採血すると，注射針内腔にアルコールが入り，溶血する場合がある
7　採血針を静脈に刺入する 　1) 刺入する血管の走行方向，深さ，弾力を立体的にイメージする 　2) 利き手に注射器または真空採血ホルダーを持ち，一方の手の母指を刺入部よりやや末梢の血管上の皮膚に当て，圧迫しながら下方へ押し下げる（→❼） 　3) 動脈硬化のある場合は，針の刺入部位から血管が移動する場合がある．このような血管では，刺入部位から約5cm離れた付近の血管を母指と示指で上下に引っ張るように固定する 　4) 15〜30度以内の刺入角度で皮膚，血管へと2段階で穿刺し，血管壁の抵抗を確認してさらに針を1cm進め採血する（→❽）（図1-43a） 　5) 患者に電撃痛やしびれがないか確認する	❼皮膚をピンと張り，血管が固定され針が入りやすくなる ❽針先が血管を貫通しないようにするため

方　法	留意点と根拠
8　必要量採血する 〈注射器の場合〉 　1）内筒をゆっくり引く（図1-43b）（➡❾） 　2）針が動かないようにホルダーを固定するか，翼状針の場合は針を固定する（図1-44a,b） 　3）採血管をホルダーに対して垂直に差し込む（図4-45a,b） 　4）採血管への血液の流入が停止したのを確認し，1本目が終了したらホルダーから抜き，2本目からも同様に取り替える	❾強く吸引すると針先に血管が吸いつき，血球が破壊され，気泡ができる

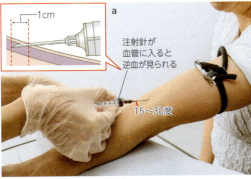

血管に注射針を穿刺する

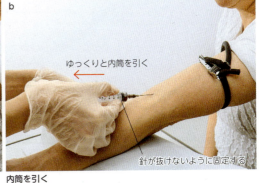

内筒を引く

図1-43　注射器を用いた静脈血採血

〈真空採血の場合〉（図1-44，45）

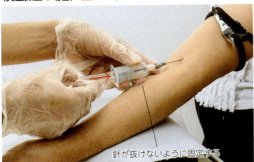

採血針を使用した場合

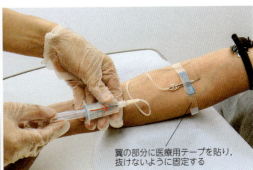

翼状針を使用した場合

図1-44　真空採血の固定方法

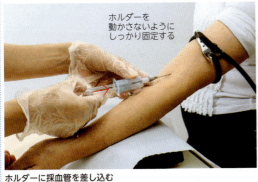

ホルダーに採血管を差し込む

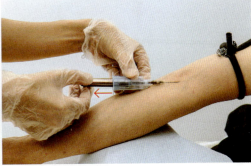

ホルダーから採血管を抜く

図1-45　真空採血（採血針）の方法

方法	留意点と根拠
	●複数の採血管に採血する場合，凝固検査用，生化学検査用，アンモニア用，血球成分用，血糖用の順番で行う。ただし，翼状針を使用する場合は凝固検査用の採血管は2番目とし，最初に生化学検査用を採血する（➡❿） ❿凝固検査用と生化学検査用採血管のどちらを先に採血すべきかに関する確定的なエビデンスは得られていないが，海外のガイドラインにおいては凝固検査用を最初に採取することが推奨されている。翼状針の場合，チューブ内のデッドスペースがあるため，正確な採血量を必要とする凝固検査は，2番目とする ●採血管は，採血管への血液の流入が停止したのを確認後抜く（➡⓫） ⓫採血管に陰圧がかかったままで採血管を抜くと内出血の原因になる ●2本目を採血中に1本目を静かに数回転倒させ，混和する ●一度の採血で，採血管は6本までとする（➡⓬） ⓬採血管の本数が増え，採血ホルダーの摩耗により血液が漏れる可能性があるため
9　必要量の採血終了後，駆血帯をはずす	●真空採血では，必ずホルダーから採血管を抜いた後に駆血帯をはずす（➡⓭） ⓭採血した血液が逆流するのを防ぐため
10　針を抜く 　1）翼状針を使用した場合は固定用テープを取る 　2）刺入部に消毒用綿を軽く当て角度を変えないように針を抜く（➡⓮）	⓮角度が変わると疼痛の原因になる
11　刺入部を消毒用綿で圧迫後，テープで固定する	●5分程度圧迫止血するように患者に説明する（➡⓯） ⓯圧迫止血が不十分だと内出血するため ●抗凝固薬などの服用で出血傾向のある患者は，長めに圧迫する
12　注射器で採血した場合は，採血管内に血液を分注する（図1-46） 図1-46　採血管への分注	●採血管は試験管立てなどに立て，手に持たないようにする（➡⓰） ⓰針刺し事故を防ぐため ●内筒は押さないようにし，自然に吸引され，停止するまで待つ（➡⓱） ⓱内筒を押すと無理な圧が加わり，溶血のおそれがある ●凝固検査の採血管を最優先とし，血液を分注する（➡⓲） ●採血管はよく振って血液を混和する ⓲血液が凝固してしまい，正しい値が測定されない
13　衣服，体位，寝衣を整える	

方 法	留意点と根拠
14 止血の確認をする	
15 後片づけをする	● 血液のついた針，注射器，採血ホルダーは分けず，一緒に針捨て容器に捨てる
16 検体を提出する	● 患者氏名，日付けを確認する

❶日本臨床検査医学会ガイドライン作成委員会編集：臨床検査のガイドラインJSLM2021　検査値アプローチ／症候／疾患，日本臨床検査医学会，2022，p.11-15．
❷渡邊 卓編：標準採血法ガイドライン（GP4-A3），日本臨床検査標準協議会，2019，p.23．
❸濱崎直孝，高木 康編：臨床検査の正しい仕方─検体採取から測定まで，宇宙堂八木書店，2008，p.13-15．

文 献

1) 岩本テルヨ・芳賀百合子・山田美幸：注射技術のエビデンス，臨牀看護，28（13）：2034-2050，2002．
2) 藤田智恵子：与薬事故を防止する看護技術のキーポイント─経皮投与，月刊ナーシング，23（12）：145，2003．
3) 深井喜代子編：基礎看護学③　基礎看護技術Ⅱ＜新体系看護学全書＞，メヂカルフレンド社，2002，p.399-433
4) 村中陽子・玉木ミヨ子・川西千恵美編著：学ぶ・試す・調べる　看護ケアの根拠と技術，2005，p.110-132．
5) 上田裕一・真弓俊彦編著：安全・上手にできる注射マニュアル，中山書店，2007．
6) 畑尾正彦・宮本尚彦編：最新 医療ミスをなくすための注射・点滴マニュアル，医学芸術社，2002，p.68．
7) 小西敏郎編著：輸液管理の新しい知識と方法＜N-Books 2＞，メヂカルフレンド社，2001．
8) 戸倉康之編：注射マニュアル＜エキスパートナースMOOK＞，第3版，照林社，2004．
9) 鬼塚靖子：注射・輸液　コツとワザを身につける！，月刊ナーシング，26（4）：18-53，2006．
10) 竹尾惠子監：Latest 看護技術プラクティス，学習研究社，2003．
11) 高田早苗・川西千恵美編：エビデンスに基づく注射の技術，中山書店，2006，p.39-55．
12) 大岡良枝・大谷眞千子編：NEWなぜ？がわかる看護技術LESSON，学習研究社，2006，p.254-308．
13) 日本臨床検査医学会ガイドライン作成委員編：臨床検査のガイドライン　JSLM2021─検査値アプローチ／症候／疾患，日本臨床検査医学会，2022，p.11-15．
14) 金井正光監：臨床検査法提要，改訂第33版，金原出版，2010，p.46-51．
15) 渡邊 卓編：標準採血法ガイドライン（GP4-A3），日本臨床検査標準協議会，2019，p.23．
16) 安井久美子・荒川満枝・茅野友宣・他：採血部位消毒後の指先接触による汚染の可能性，兵庫県立大学看護学部地域課ケア開発研究所紀要，16：13-22，2009．
17) 濱崎直孝，高木 康編：臨床検査の正しい仕方─検体採取から測定まで，宇宙堂八木書店，2008，p.13-15．

2 罨法

学習目標
- 罨法の意義と重要性について理解する。
- 罨法の温熱・寒冷刺激による身体への作用について理解する。
- 罨法には，疼痛・炎症の緩和などを目的とした治療技法と安楽を目的とした看護技法があることを理解する。
- 対象者の状況に合わせた方法を選択できる。
- 安全と安楽を考慮し，対象者の状況に適した方法で罨法の援助ができる。

1 罨法の意義

　罨法とは，身体の一部に温熱・寒冷刺激を与え，循環系，筋肉系，神経系に作用させる治療法である。この治療法は，病変部を温めたり，冷やしたりして炎症の緩和や疼痛を軽減する目的で古くから用いられてきた。現代では，治療方法の目覚ましい進歩により，補助的手段として用いることが多いが，看護ケアのなかでは苦痛の緩和や不安の軽減，安楽を目的として日常的に用いられている。

2 罨法の種類

　罨法は，温熱刺激を利用した温罨法と寒冷刺激を使用した冷罨法に大別される（表2-1）。それぞれ乾性（乾いた状態のもの）と湿性（水分を含み湿った状態のもの）がある。湿性は乾性のものに比べ，熱伝導率が高いことから，より温かさや冷たさが伝わりやすいという特徴がある。

3 罨法の目的と効果

　罨法の目的には，症状の緩和など治療を目的とする場合と心身の安楽を目的とする場合がある。温罨法・冷罨法ともに，患部など身体に貼用する場合が多いが，電気毛布や電気あんか，湯たんぽなどは，寝床の加温・保温に使われる。罨法の具体的な効果を表2-2に示す。

表2-1 罨法の種類

温罨法	湿性	ホットパック（CMC製品を除く） 温湿布・温ハップ 部分浴（足浴・手浴など）	ホットパックmie 写真提供：三重化学工業株式会社	
	乾性	湯たんぽ 電気毛布・電気あんか ホットパック（CMC製品） かいろ	 ドイツ・サンガー社製 カラーゴム湯たんぽ 写真提供：メディポートホック有限会社	ホット＆コールド コンフォートジェルパック 写真提供：村中医療器株式会社
冷罨法	湿性	冷湿布・冷ハップ	MMI コールドパック	esアイス＆ホット ジェルパック 写真提供：eastsidemed株式会社
	乾性	アイスパック 氷枕 氷嚢	 MMI ソフトアイスバッグ （ハンディ氷のう） 写真提供：村中医療器株式会社	

※湿布とハップは同義として用いられることがあるが，本来湿布は有効成分を含まないもので，ハップは有効成分を含むものをさす．温ハップにはトウガラシエキスなど，冷ハップには，サリチル酸メチル，メントール，ハッカ油などの有効成分が含まれる．

表2-2 罨法の効果

温罨法	冷罨法
・皮膚温や体温の上昇 ・循環の促進，老廃物の排泄促進 ・腸管の蠕動運動の促進 ・筋緊張・拘縮の緩和 ・慢性疼痛の緩和 ・精神的興奮の鎮静 ・薬剤の吸収促進	・皮膚温や体温の下降 ・血管収縮効果による出血や局所の炎症の抑制 ・急性疼痛の緩和 ・精神的興奮の鎮静 ・薬物の吸収抑制

4 罨法の生体への影響

1）循環器への影響

　身体の一部が温熱刺激を受けると，その部位の表在血管は一時的に収縮し血流が減少する．しかし，すぐに血管は拡張し血流はよくなる．これは，温熱刺激による平滑筋の緊張緩和，血管拡張物質の形成，血液粘性の減少によるものと考えられている．血流の増加は，冷えの改善や発痛物質が除去されることによる疼痛の緩和などの効果をもたらす．なお，深部の血管は短時間の温熱刺激では拡張するが，長時間になると表在血管の拡張による血

圧低下を防ぐために逆に収縮する。
　一方，寒冷刺激を受けると，皮膚表面の温度は急激に下降し，それに伴い血管の収縮により血流が低下し，皮膚色は蒼白となる。これは寒冷刺激による血管壁の収縮や痙攣などによるものと考えられている。血管の収縮，血流が抑制されることで局所的な出血に対して止血の効果がある。また，10分以下の短い寒冷刺激では血管は収縮し続けるが，10～30分になると寒冷血管拡張反応により逆に血管が拡張する。刺激が一定であれば，刺激を受けている間は，血管の収縮と拡張が繰り返される（ハンティング現象）。さらに，局所的な寒冷刺激はその部位以外の血管を反射的に収縮させたり，交感神経を刺激して血圧を上昇させることもある。発熱時に，頭部に冷罨法を実施することがあるが，それは苦痛の緩和が目的であり，解熱が目的ではない。解熱を目的とするのであれば，太い動脈（頸動脈，腋窩動脈，大腿動脈）が表在する部分を氷のうやアイスパックで冷却する必要がある。

2）皮膚組織への影響

　60～65℃以上の温熱刺激が加わると，組織細胞のタンパク質は熱凝固し，細胞は壊死する。一方，寒冷刺激では，通常－4～－5℃以下になると凍結壊死を起こす。前者は熱傷，後者は凍傷状態である。しかし，生体の温度への順応や罨法の適用部位と面積，刺激時間，個体の特徴により，60℃以下であっても低温熱傷を，また3～10℃であっても凍傷を発生することがある。個々の特徴では，特に年齢，意識レベル，知覚麻痺，栄養状態，浮腫の有無などが関係している。そのため，意識障害や知覚障害のある患者，浮腫のある患者，乳幼児，高齢者などでは，適用可能かどうかを慎重に判断するとともに，合併症の出現を注意深く観察する必要がある。

3）感覚器への刺激

　皮膚上には触覚，痛覚，温覚，冷覚を感じる受容器（感覚点）があり，温覚と冷覚を合わせたものを温度感覚という。温度感覚点の分布は，温点0～3/cm^2，冷点6～23/cm^{2}と，温点よりも冷点のほうが密度が高い。また，顔面，胸部，腹部など感覚点の密な部位では温度の感受性が高くなっている。このように，感覚点の分布は部位によって異なるため，同じ温度刺激でも部位によって感覚の差が生じる。
　また，一度感じた刺激が一定時間持続すると，それに対する感覚は弱くなっていく。20～40℃の範囲での温度刺激は順応が生じやすく，特に33℃前後は無感温度域といわれており，低温熱傷を生じる可能性が高くなる。15℃以下の低温や45℃以上の高温では温度感覚は持続するが，これは，温覚，冷覚によるものではなく，痛覚が痛みを感じているからといわれている。

4）筋・神経系への影響

　温熱刺激は血管を拡張し，皮膚・皮下組織および筋の温度を上昇させ，筋や結合組織を弛緩させる。しかし，局所だけの温熱刺激では筋肉層までの温度上昇はあまり期待できない。そのため，身体の広い部分を加温することが温罨法の効果を上げることになる。また，腹部や腰部，殿部の温罨法は自律神経を刺激して腸の蠕動運動を促進し，排便や排ガスを

促す。さらに，体温程度の温熱刺激は，知覚神経の興奮を抑えることで，慢性疼痛に対する閾値を上昇させ慢性的な疼痛を緩和する。

一方，寒冷刺激は，知覚神経の働きを抑える。それにより，急性疼痛に対する閾値が上昇し，急性疼痛を緩和する。しかし，長時間の刺激は感覚麻痺や血流循環の阻害，筋の硬直を起こす可能性があり，避けなければならない。

5）代謝への影響

温熱刺激により，細胞の代謝は亢進する。血流の増加により酸素供給量も増えるため，急性期を脱した炎症部位では治癒を促進する効果がある。

一方，寒冷刺激は，細胞の代謝が低下するため急性炎症による腫脹や疼痛などの症状が緩和される効果がある。さらに，病原微生物の活動が低下することで，化膿を抑制する作用がある。

6）心理的効果

温度に関係した感覚には，温度感覚以外に温熱的快適感がある。温度感覚は「熱い」「冷たい」といった感覚であり，温熱的快適感は「暑い，寒い，温かい，涼しい」といった感覚である。平常体温時で快適または不快と感じても，高体温や低体温時では逆の感覚をもつことがある。このように，温熱的快適感は同じ温度刺激であっても内部の温度条件によって大きく左右される。そのため，患者の状況を踏まえたうえで，その人が快適と感じる温度を判断する必要がある。

また，前述したとおり，温罨法には血流の増加や筋の弛緩などの効果がある。副交感神経が優位に働くことで，鎮静やリラクセーションといった効果がある。

5 罨法の禁忌

罨法は，温熱刺激・寒冷刺激の作用から禁忌とされる場合がある。また，禁忌とまではいかないが，意識障害，知覚障害のある患者など慎重な実施が必要な場合もある。そのため，患者の状態をアセスメントし，罨法が適用可能かどうかを正確に判断する必要がある。実施にあたっては，患者の状態に合わせた方法であること，安全・安楽な方法であることを踏まえ，適宜，貼用部や全身状態の観察を行う。表2-3に，罨法の禁忌と注意が必要な場合を示す。

表2-3 罨法の禁忌と注意すべき点

温罨法	冷罨法
出血傾向のある場合：出血を助長させる	循環障害のある場合：血流の低下により循環障害を助長させる
急性炎症がある場合：代謝亢進に伴い，腫脹・疼痛などの症状が増悪する	炎症の慢性期：代謝の低下に伴う酸素供給不足により治癒が遅延する
消化管の閉塞・穿孔：腸蠕動運動の亢進に伴い症状が助長される	開放性の損傷がある場合：血流低下や代謝の低下に伴い治癒が遅延する
血圧変動が大きい場合：血流増加に伴い急激に血圧が低下する	血栓を形成しやすい場合：血流低下により血栓が形成される
血栓がある場合：血流増加に伴い血栓が遊離し，肺・心臓などの血管が閉塞する	

看護技術の実際

A 温罨法

1）湯たんぽ

- ●目　　的：身体の一部に温熱刺激を与え，体温の上昇を図る。また，血管・筋・神経系に作用させ，安静や安楽を図る
- ●適　　応：温熱刺激により体温の上昇，鎮静や安楽感覚を期待したい患者
- ●必要物品：湯たんぽ（ゴム製，金属製，プラスチック製など），湯たんぽカバー，水温計，タオル，温湯（ゴム製の場合：60℃程度，プラスチック製の場合：70～80℃），ピッチャー

	方　法	留意点と根拠
1	患者に説明し，同意を得る（➡❶）	●目的・方法，所要時間など ❶患者の協力を得るため
2	ピッチャーに湯を準備する	●ゴム製湯たんぽの場合：60℃程度（➡❷） ●プラスチック製の場合：70～80℃程度 ❷ゴム材質は熱に弱く，60℃以上で変質する。また，60℃以上であると表面温度が長時間にわたり43℃以上となり，低温熱傷の危険性が高くなる。50℃以下では湯が冷めやすい
3	湯たんぽに湯を1/3ほど入れ，湯たんぽを温める（➡❸）	❸あらかじめ温めておくと，湯の温度低下が少ない
4	湯たんぽの破損の有無を確認する 湯たんぽの栓を閉め，逆さまに振って栓からの漏れ，湯たんぽの破損の有無を確認し，湯を捨てる	●パッキンが古くなっていると湯が漏れやすくなるので，その場合は交換する
5	湯たんぽに設定した温度の湯を入れる ●ゴム製湯たんぽの場合：湯たんぽの2/3程度（➡❹）	●平らな場所に置き，ピッチャーの湯を入れる（➡❻） ❹少なすぎると湯が冷めやすく，多すぎると湯たんぽが丸くなり不安定である

方 法	留意点と根拠
●プラスチック製湯たんぽの場合：湯たんぽを縦にして注入口から湯の水面が見える程度（➡❺）	❺湯が多すぎると動かしたときに漏れたり、また中の空気の温度による膨張により湯が栓から漏れることがある ❻安定感をよくする
6　ゴム製湯たんぽの場合は，湯たんぽ内の空気を抜く（➡❼） （図2-1）	●湯たんぽを平らに置き、口を上に向け、湯を口まで押して空気を出す ❼空気が入っていると熱伝導が悪くなる

図2-1　湯たんぽの空気の出し方

方 法	留意点と根拠
7　栓をする 　　湯たんぽを逆さまにして，湯が漏れないか確認する（➡❽）	❽使用中に漏れて患者が熱傷を負ったり、寝具を汚染したりしないようにするため
8　湯たんぽの周りの水滴をタオルで拭く（➡❾）	❾水滴は冷感を与え、体温下降を招く要因になりやすい
9　湯たんぽを湯たんぽカバーに入れ，カバーの口を結ぶ	●カバーは破れていないことを確認してから使用する（➡❿） ❿カバーの破損は熱傷の原因になりやすい ●カバーの口から湯たんぽの本体が露出しないようにする（➡⓫） ⓫熱傷の防止 ●カバーの材質は保温性の高い厚地のネル、毛布地、綿入れなどがよい（➡⓬） ⓬これらの生地は含気量が多く、熱伝導率が悪いため、湯の温度が低下しにくい。また低温熱傷の予防になる
10　患者に貼用方法について説明する 　　患者の身体から10cm離して湯たんぽを置く（➡⓭）	●患者の体動により湯たんぽの位置の移動が起こる可能性があるので、可動範囲を考える ⓭熱傷の防止 ●栓は上側に向け、カバーの口を患者のほうに向けない（➡⓮） ⓮湯漏れがないように栓は上、かつ患者の反対側に向ける ●ゴム製の湯たんぽの場合、直接貼用することもある。その場合、皮膚に当たる表面温度が43℃以上にならないようにし、長時間の使用は避ける（➡⓯） ⓯表面温度が43℃で約2時間、45℃では約20分間の貼用で熱傷を起こす可能性があるといわれており、長時間の使用は避ける ●知覚麻痺のある場合は、直接貼用しない
11　掛け物の位置を整える	
12　貼用時，貼用部位の皮膚や患者の状態を観察する	●実施中は皮膚の発赤・水疱などの熱傷の徴候、湯漏れの有無、温度変化、温罨法の効果などを観察する。特に乳児や高齢者、意識障害のある患者、麻痺のある患者では、十分な観察が必要である ●必要に応じて湯を交換する

方　法	留意点と根拠
13　記録する	●主な記録事項は，実施時刻，貼用していた時間，貼用部位，患者の反応・状態
14　後片づけをする 　　1）湯を捨て，逆さまにして湯を切る 　　2）ゴム製品の場合は，逆さまに吊るし，自然乾燥させる。湿気の少ない，直接日光の当たらない所に保管する（➡⑯）	●ゴム製品は変質しやすいので，保管する場合，吸湿性がよく空気層をつくるもの（新聞紙をたたんだものなど）を差し込んでおく ⑯ゴム製品は熱や湿気に弱いため

※湯たんぽ以外の方法：保温目的としては，湯たんぽによる方法以外に，電気毛布や電気あんかが使用されることも多い。しかし，湯たんぽと電気毛布，電気あんかの効果を比較した研究では，保温性や快適性において湯たんぽのほうが有効であるという結果も出ている❶。そのため，それぞれの方法による効果や特徴を把握し，安全性を考慮したうえで適切な方法を選択する必要がある

❶坂田五月他：温罨法の違いが生体反応と温度感覚に及ぼす影響─湯たんぽと電気毛布の比較から，日本生理人類学会誌，8（2）：51-60，2003.

2）温湿布

- ●目　　的：身体の一部に温熱刺激を与え，血管・筋・神経に作用させ，血液やリンパ液の循環の促進，老廃物の排出促進，筋肉の緊張や疼痛の緩和を図る
- ●適　　応：温熱刺激により苦痛の軽減が期待される患者
- ●必要物品：タオル（厚地のフェイスタオル），ビニール布，バスタオル，ゴム手袋（厚手），バケツまたはベースン，水温計，湯（70～75℃），小タオル（湿気拭き取り用）
　　　　　　必要時：防水シート，皮膚保護材と綿花

方　法	留意点と根拠
1　患者に説明し，同意を得る（➡❶）	●目的・方法，所要時間など ❶患者の協力を得るため
2　患者の状態を観察する	●意識状態，知覚麻痺（鈍麻）の有無，皮膚の色・異常の有無など（➡❷） ❷意識障害や知覚麻痺（鈍麻）がある場合は，温湿布による熱傷の危険性が高く，注意が必要であるため
3　環境を整える	●カーテンを閉じてほかの人から見えないようにする
4　患者の体位を整える	●貼用部位により体位は異なるが，患者が安楽な体位にする
5　貼用する部位を露出し，バスタオルで覆う。必要時，貼用部位の下に防水シートを敷く（➡❸）	❸リネン類をぬらさないため
6　必要時，温めた皮膚保護材（オリーブ油やワセリン）を綿花につけ，貼用部位に塗布する（➡❹）	●患者に冷感を与えないように皮膚保護材を温める ❹温湿布は，長時間使用していると，皮脂膜を取り，皮膚の抵抗力が低下するので，湿布を貼用する前に皮膚保護材を塗布し，皮膚を保護する
7　水温計で湯の温度を確認する	●70～75℃程度
8　厚手のゴム手袋を着用する	
9　フェイスタオル3枚を重ねて，まとめて縦2つに，扇子折りにする（➡❺）	❺タオルを絞りやすくするため
10　タオルの両端を持って中央から湯に十分浸し，タオルをねじって絞る（➡❻）（図2-2）	❻タオルの両端を持って絞ることで，看護師の手に熱さが伝わるのを軽減する

方法	留意点と根拠
	● タオルは十分に絞り（➡ ❼），水滴が落ちないようにする ❼ 温度が下がると，湿気が多いほど冷感が起こる ● 水でぬらしたタオルを電子レンジで温める方法もある

① 重ねて扇子折りにしたタオルの両端を持ち，中央から湯に浸す

図2-2 タオルの絞り方

② タオルの両端を持って絞る。ある程度水分を切ったところで，最後に固く絞る

11	タオルを手早く広げ，看護師の前腕内側に当て，温度を確認する	● タオルの表面温度は45〜55℃とする（➡ ❽） ❽ 貼用開始時のタオルの表面温度が60℃であっても，皮膚温は皮膚変性を起こすとされる45℃以上にならないと報告されている[1]。また，湯たんぽの場合は，長時間の温熱刺激により43℃でも熱傷を起こすが，タオルの場合は，すぐに温度が低下するため，この温度でちょうどよい
12	貼用部位に徐々にタオルを当てる。タオルの熱さ加減を患者に確認する（➡ ❾）	● 貼用時間は10分程度を目安とする ❾ 温度感覚は個人差が大きいため
13	タオルの上から，ビニール布，バスタオルで覆う（図2-3）	● 手のひらを使い，バスタオルの上から押さえるとタオルが皮膚に密着し，より効果的である

図2-3 タオルの当て方
（手のひらで押さえる／バスタオル／ビニール布／皮膚／フェイスタオル3枚分／皮膚保護材塗布）

14	患者の寝衣や寝具を整え，リラックスできるように環境を整える（➡ ❿）	❿ 緊張は交感神経を刺激することになり，本処置の目的とは反対の効果をもたらすことになる
15	貼用中は適宜，観察を行う	● 皮膚の発赤や異常の有無など ● 必要時，湿布を交換する
16	タオルを取り除く	
17	皮膚の状態を確認し，湿気を拭き取る	
18	患者の寝衣，寝具を整え，一般状態を観察する	
19	記録する	● 主な記録事項は A 1)「湯たんぽ」に準じる

方　法	留意点と根拠
20　後片づけをする	

※上記の方法以外に臨床では，熱布をビニール袋に入れて貼用する方法が多くとられている。この方法では，熱布を直接貼用する方法に比べ，皮膚温の上昇幅や最高温度は低く，熱傷の危険性が少ないといわれている[2]
[1]菱沼典子・他：熱布による腰背部温罨法が腸音に及ぼす影響，日本看護科学会誌，17（1）：32－39，1997.
[2]菱沼典子・小松浩子編：看護実践の根拠を問う，改訂第2版，南江堂，2007，p.128.

3）ホットパック

- **目　　的**：身体の一部に温熱刺激を与え，血管・筋・神経系に作用させ，血液やリンパ液の循環の促進，老廃物の排泄促進，筋肉の緊張や疼痛の緩和を図る
- **適　　応**：温熱刺激により苦痛の軽減が期待される患者
- **必要物品**：貼用部位に適したホットパック，カバーまたはタオル
- **特　　徴**：ホットパックには，カルボキシメチルセルロース（carboxy methyl cellulose：以下，CMC製品）などを用いたゲル性の乾性ホットパックと，セラミックビーズや吸水性ポリマーなどの成分を含んだ湿性ホットパックがある。温熱効果は湿性のほうが大きい。様々なサイズや形状があるため身体にフィットした状態で使用することができる。電子レンジで温めて使用できるものもあり，使用方法が簡便である。しかし，ホットパックのなかには，電子レンジが使用できないものもあるため，用法を確認する必要がある。なお，ホットパックとアイスパックの両方に対応している商品もある。

B 冷罨法

1）氷　枕

- **目　　的**：発熱時，皮膚の温度を下げ，苦痛を緩和し，安静を図る
- **適　　応**：発熱のみられる患者
- **必要物品**：氷枕，留め金，氷枕カバー（またはフェイスタオル），氷，ざる（またはベースン），氷すくい，じょうご，タオル，水

	方　法	留意点と根拠
1	必要物品を点検する（→[1]）	●氷枕に水を入れ，留め金をして逆さまに振って点検した後，水を捨てる [1]水漏れによる寝具や衣類の汚染防止のため
2	製氷機または冷凍庫から氷を出し，ざる（またはベースン）に入れる	
3	氷が入っているざる（またはベースン）に水を流し入れ，氷の角を取る（→[2]）	●フレークアイスの場合は角を取らずそのまま使用する [2]氷の角を取らないと，氷の角で器具を傷める。また氷枕使用時の感触が悪い
4	氷枕に氷を約1/2～2/3（600～800g）入れ（→[3]），水を約200mL注ぐ（→[4]）	●フレークアイスの場合は，水は不要である [3]氷をいっぱいに詰めると氷枕の安定が悪くなる [4]水は氷と氷の隙間を埋めて，空気による熱伝導の不良と氷枕の感触の不快さをなくす
5	空気を抜く	●氷枕の口を上に向け，口近くに水が見えるまで平らに氷枕を押さえ，中の空気を抜く（→[5]）（図2-4）

方 法	留意点と根拠
 図2-4 氷枕の中の空気の出し方	❺空気があると熱の伝導が悪い
6　氷枕の口を確実に閉じる  図2-5 氷枕の留め金の止め方	●留め金は２個使用し，両方向から交差させるように止める（➡❻） ❻水漏れを確実に防止するため ●留め金は上向きに止める（➡❼）（図2-5） ❼口から水がにじんでもこぼれない
7　水漏れの点検をする	●逆さまにして水が漏れないことを確認する
8　外側の水滴をタオルで拭き取る（➡❽）	❽皮膚は湿潤すると傷つきやすくなる。また寝具やリネン類の汚染を防ぐ
9　氷枕にカバーを掛け，表面温度を調節する（➡❾）	❾冷却による感覚の麻痺やそれによる凍傷などを防ぐため ●表面温度は15℃前後が適当である（➡❿） ❿15℃以下の皮膚温は侵害受容器を刺激し，痛覚を引き起こす。また，10℃以下では凍傷が発生する危険性が高くなる ●タオルを用いる場合，頭に当たる部位が二，三重になるように巻く
10　物品を患者のもとに運び，説明する（➡⓫）	目的，必要性など ⓫不安を軽減し，協力を得るため
11　適当な高さになるように枕を調節して氷枕を貼用する 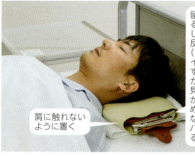 肩に触れないように置く　留め金をかける部分を上にし，床頭台と反対側に置く（ここでは，イメージしやすくする目的から留め金が見えているが，実際は留め金が露出しないようにカバーを掛ける） 図2-6 氷枕を置く	●氷枕の中央に患者の頭を置く ●留め金を上向きにして，患者がよく向く側（床頭台側）と反対側に置く（➡⓬）（図2-6） ⓬患者がよく向くほうに留め金があると気になる。また顔面を損傷するおそれがある ●氷枕が肩に当たらないように置く（➡⓭） ⓭肩に氷枕が当たると血液の循環障害を起こし，肩こりの要因となる ●必要に応じて，枕の下にバスタオルなどを敷き，シーツの湿潤を防ぐ

方　法	留意点と根拠
12　貼用状態を観察する	●観察のポイントは，知覚麻痺の有無，皮膚の状態（紅斑，青紫色など），枕に安定感はあるか，氷のゴロゴロした不快感はないか（➡⑭），氷が溶けて温度が上昇していないか ⑭水が少ないと生じる
13　記録する	●主な記録事項はA1）「湯たんぽ」に準じる
14　後片づけをする 　　1）氷と水を捨てる 　　2）氷枕を逆さまにして水を切り，所定の場所に逆さまに吊るす 　　3）乾燥したら，パウダーを塗布した棒状の新聞紙を内側に入れる 　　4）湿気がなく直射日光の当たらない場所に保管する（➡⑮）	⑮ゴム製品は熱と湿気に弱いため

2）アイスパック

- **目　　　的**：発熱時，皮膚温を下げ，苦痛を緩和し，安静を図る。また，疼痛の緩和，止血など医師の治療の補助などとして用いる
- **適　　　応**：発熱のある患者，苦痛の軽減が期待される患者
- **必要物品**：貼用部位に適したアイスパック，カバーまたはタオル，タオル（湿気拭き取り用）
- **特　　　徴**：アイスパックは様々な形状があるため，身体にフィットした状態で使用することができる。冷凍庫で冷やすものもあれば，瞬時に冷却パックとして使用できるディスポーザブルのものまであり，使用方法が簡便である。なお，ホットパックとアイスパックの両方に対応している商品もある

文　献

1) 大岡良枝・他編，大岡良枝・他著：NEWなぜ？がわかる看護技術LESSON，学研メディカル秀潤社，2006．
2) 村中陽子編，村中陽子・他著：基本的看護ケアEBNの実践に向けて，医歯薬出版，2001．
3) 阿曽洋子・他編，井上智子・他著：基礎看護技術 第8版，医学書院，2019．
4) 菱沼典子・他編，菱沼典子・他著：看護実践の根拠を問う，第2版，南江堂，2007．
5) 志自岐康子・他編，習田明裕・他著：ナーシンググラフィカ　基礎看護学③ 基礎看護学技術，メディカ出版，2017．
6) 川島みどり編，川島みどり・他著：実践的看護マニュアル　共通技術編，改訂版，看護の科学社，2002．
7) 坂井建男・河原克雅編：カラー図鑑　人体の正常構造と機能改訂第3版，日本医事新報社，2017．
8) 長谷部佳子：温罨法が就床中の生体に与える影響に関する基礎的・応用的研究，日本看護研究学会雑誌，26（5）：45-57，2003．
9) 日本看護技術学会 技術研究成果検討委員会温罨法班：便秘症状の緩和のための温罨法Q&A Ver. 3.0．
　　<https://jsnas.jp/system/data/20160613221133_ybd1i.pdf>（アクセス日：2020/4/10）
10) Robert F.Schmidt，岩村吉晃・他訳：感覚生理学第2版，金芳堂，1989．

3 吸入・吸引

学習目標
- 吸入・吸引の目的と看護師の役割を理解する。
- 呼吸機能の解剖生理学的知識を活用しながら，吸入・吸引の原則を理解する。
- 吸入・吸引に用いられる物品の原理と特徴を理解する。
- 吸入・吸引の実施にあたっての注意事項を理解する。
- 吸入・吸引の基本手技を身につける。

1 吸　入

　吸入とは，霧状にした薬液あるいはガス体を吸気とともに吸い込むことで，気道や肺胞に直接吸収し，局所的または全身的な効果を期待するものである。その種類は，ネブライザー吸入，酸素吸入などがある。

1）ネブライザー吸入

　ネブライザー機器による吸入療法は，薬剤をエアロゾル粒子（霧状）にすることにより，気道に直接到達させる治療法である。ネブライザーとは，エアロゾル（液体が気体に混じり，微粒子状に浮遊している状態）をつくる装置を指し，この装置を用いて薬液を吸入する。粒子の大きさによって到達・沈着する部位が異なるので（図3-1），目的に応じて，適したネブライザー機器を選択する。

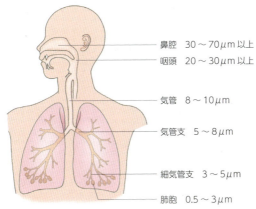

図3-1　エアロゾル粒子の大きさと主な沈着部位
資料：日本耳鼻咽喉科感染症・エアロゾル学会

表3-1 各ネブライザーの長所と短所

方式	長所	短所
超音波式	大量噴霧が可能，静か	薬物の変性，過量の水分吸入，少量の噴霧には不適，装置が大型，ステロイド懸濁液の吸入不可
ジェット式	耐久性に優れる	騒音，比較的大型，交流電源が必要なものが多い
メッシュ式	静か，軽量小型，電池で駆動可	耐久性未確認，選択の機器が少ない

高野頌・他：デバイスの選択と使用方法，耳展，55（1）：32-39，2012．より引用

（1）ネブライザーの種類

ネブライザーは，形式と電源の形式から次の3種類に分けられる。その長所と短所を表3-1に示す。

①超音波式ネブライザー（図3-2）
超音波振動子の振動を利用して，薬液を霧状にするタイプ。

②ジェット式ネブライザー（図3-3）
圧縮空気を送り，アトマイザー構造（ジェット気流で陰圧が生じ，大気圧が水面を下げ，

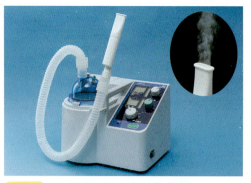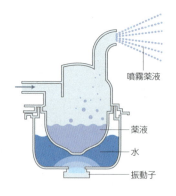

図3-2 超音波式ネブライザーとその構造

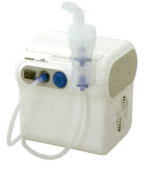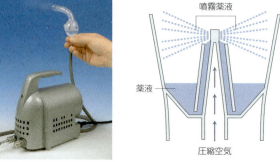

コンプレッサー式 ネブライザー NE-C28
写真提供：オムロンヘルスケア株式会社

日商式吸入用コンプレッサー
写真提供：アルフレッサファーマ株式会社

図3-3 ジェット式ネブライザーとその構造

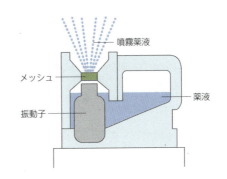

NE-U200
写真提供：オムロンヘルスケア株式会社

図3-4　メッシュ式ネブライザーとその構造

毛細管に薬液を押し上げるベルヌーイの原理を応用して，強いジェット気流を当て，粒子を発生させる）により，吸い上げた液体を霧状にするタイプ。

③**メッシュ式ネブライザー**（図3-4）
振動などによって薬液をメッシュの穴から押し出して，霧状にするタイプ。

(2) ネブライザー吸入の実施上の留意点
・効率的に施行するには，呼吸法を含めた患者指導が必要になる。
・吸入時間は3～5分。
・薬液を使用する場合にはアレルギーの有無を確認する。
・医療安全・感染対策上，機器の管理を十分に行う。
・ネブライザーは，細菌汚染を受けるとエアロゾルとともに細菌を噴出するため，感染の原因となる。

2）酸素吸入（酸素療法）
(1) 酸素吸入とは
酸素の供給が不十分となり，細胞のエネルギー代謝が障害された状態を低酸素症という。酸素吸入は，空気中よりも高い濃度の酸素を投与することで低酸素症を改善する治療法として行われる。室内空気中の酸素吸入濃度（fraction of inspiratory oxygen：F_IO_2）は21％である。酸素吸入源の主な種類は，中央配管と酸素ボンベである。中央配管は，施設内に液体酸素タンクを設置して，そこから配管を通って病室に気化された酸素を供給するシステムである。病室のアウトレットに酸素流量計を接続して使用する。酸素ボンベは，中央配管のない場所や移動時など，中央配管が使用できない状況において酸素吸入を行う場合に使用する。

(2) 酸素吸入器具（酸素供給デバイス）の種類（図3-5）
酸素吸入器具には，低流量システムと高流量システムの2種類がある。

①**低流量システム**
患者の吸気（1回換気量）よりも，低い流量の酸素が投与される。そのため，供給する酸素とともに周囲の大気も吸入することになる。したがって，酸素濃度を厳密に調整しな

	低流量システム				高流量システム
方式	患者の1回換気量以下の流量で酸素を投与				患者の1回換気量以上の流量で酸素を投与
原理	酸素流量計から流れる酸素がそのまま患者に供給される				ベルヌーイの法則に基づくベンチュリー効果による
	鼻カニューレ	簡易型酸素マスク（単純フェイスマスク）	リザーバー付きマスク		ベンチュリーマスク
	アトム酸素鼻孔カニューラ OX-20	酸素フェイスマスク	酸素フェースマスクリザーバーバッグ付		酸素フェイスマスク酸素希釈器付
投与酸素流量(L/分)	1 / 2 / 3 / 4 / 5	5～6 / 6～7 / 7～8	6 / 7 / 8 / 9 / 10		4(青) / 4(黄) / 6(白) / 8(緑) / 8(桃) / 12(橙)
投与可能な酸素濃度目安(%)	24 / 28 / 32 / 36 / 40	40 / 50 / 60	60 / 70 / 80 / 90 / 90～		24 / 28 / 31 / 35 / 40 / 50
特徴	安価で簡便 会話や食事が可能 二酸化炭素の再呼吸がないため，二酸化炭素の排泄障害がある患者にも使用できる	安価で簡便 鼻カニューレよりも高い濃度の酸素投与が可能	高濃度の酸素投与が可能		吸入する酸素濃度を規定し，一定に保つことができる 二酸化炭素の再呼吸がないため，二酸化炭素の排泄障害がある患者にも使用できる
留意点など	吸入酸素濃度が患者の1回換気量によって変動する 酸素流量計が6L/分を超えると，吸入酸素濃度の上昇が期待できない 鼻閉や口呼吸であると効果が減退してしまう 鼻腔への刺激による不快感	吸入酸素濃度が患者の1回換気量によって変動する 装着による圧迫感がある 会話がしにくい マスク内にたまった二酸化炭素（呼気ガス）を再呼吸しないように酸素流量は通常5L/分以上にする必要がある。そのため，吸入酸素濃度は40％以上になり，低濃度酸素吸入には適さない。やむをえず酸素流量5L/分以下で使用する場合，患者のPaCO$_2$上昇に留意する	マスクを密着させて装用することが必須条件 装着による圧迫感がある 会話がしにくい マスクが密着せず，外から大気を吸入してしまうと高濃度の酸素が吸入されない		色ごとに分けられた最適酸素流量を守らなければ，正しい酸素濃度を高流量で投与できない 装着による圧迫感がある 加湿装置が付属していないため，気道乾燥に注意する必要がある

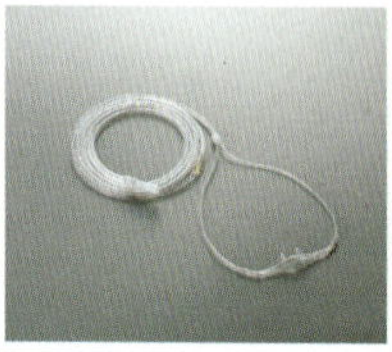

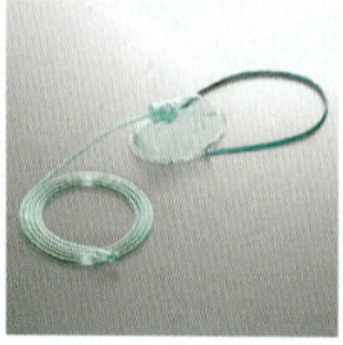

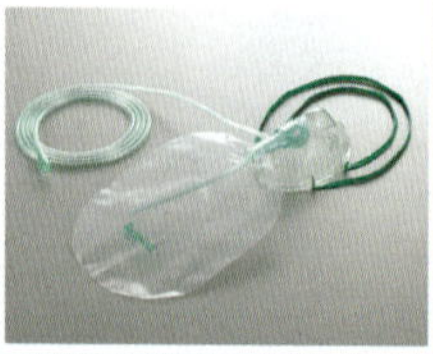

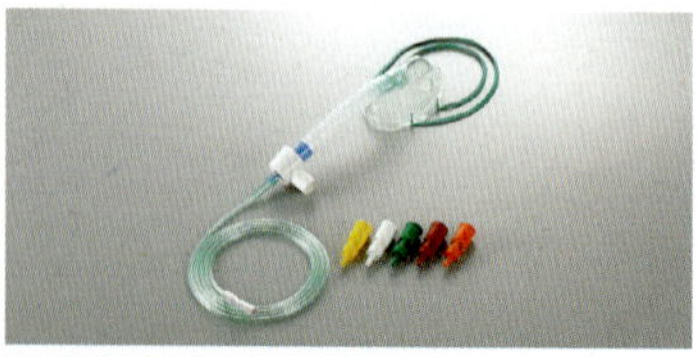

図3-5 酸素吸入器具（酸素供給デバイス）の種類と特徴

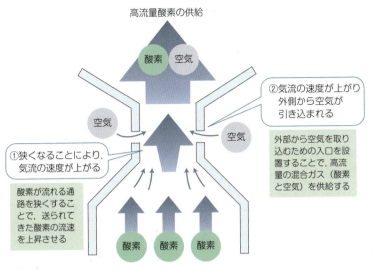

図3-6　ベンチュリー効果のモデル図

くてもよい状態にある患者に適用する。
- **鼻カニューレ**：両鼻孔に浅く挿入した管から酸素を吸入して使用する。
- **簡易型酸素マスク（単純フェイスマスク）**：口鼻を覆うように装着するマスクで，マスク内に酸素を供給して使用する。
- **リザーバー付きマスク**：簡易型酸素マスクの酸素供給部にリザーバーバッグを追加し，高濃度の酸素を供給するマスクである。呼気中にリザーバーバッグに酸素をため，吸気時にリザーバーにたまった酸素とチューブから流れてくる酸素を吸入して使用する。

②**高流量システム**

患者の1回換気量に影響されずに酸素流量により，吸入酸素濃度を安定して投与できる。最大吸気量以上の流量の酸素を供給し，患者が吸気時に周囲の大気を吸入しないようにすることで規定濃度の酸素を吸入できる。大量の酸素を患者に投与するシステムという意味ではない。

- **ベンチュリーマスク**：ダイリューターとよばれるアダプターを装着することによってベンチュリー効果を発生させ，吸入する酸素濃度を設定できる。ダイリューターは6種類あり，酸素濃度の違いによって色分けされている。
- **ベンチュリーネブライザー**：ネブライザー効果による加湿機能が備わったベンチュリーマスクである。

2　吸　引

1）吸引とは

吸引とは，滲出液，露出液，血液，分泌物などが貯留し，異常な状態を引き起こしたとき，体外にそれらを排除する方法のことをいう。本節では，気道浄化によって患者の呼吸を助ける気道吸引の技術を取り上げる。

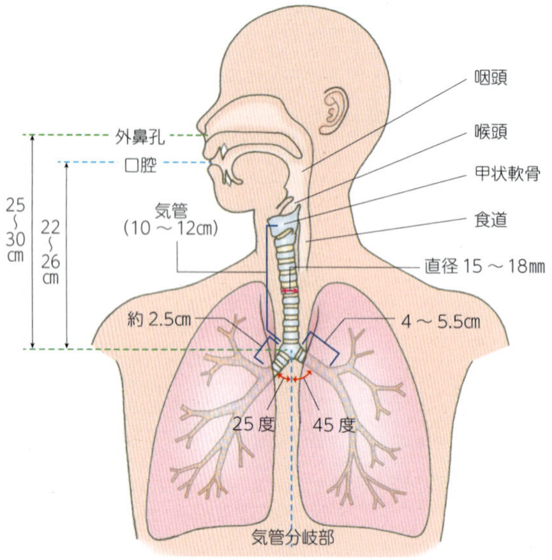

図3-7 呼吸器の構造と気道の長さ

　気道吸引には，口腔・鼻腔吸引と気管吸引がある。口腔・鼻腔吸引は，患者が自力で喀出できない口腔・鼻腔内の痰や異物を専用のカテーテルを用いて行う。気管吸引は，人工気道を含む気道からカテーテルを用いて機械的に分泌物を除去するための準備，手技の実施，実施後の観察，アセスメントと感染管理を含む一連の流れのことをいう[1]。吸引は，一時的ではあるものの気道内の空気を奪い，患者を低酸素状態に陥らせ，合併症を引き起こす可能性のある侵襲的手技である。そのため，聴診などによって，気管内の分泌物の貯留を確認し，吸引の必要性を判断したうえで実施する。看護師は，呼吸器の解剖生理学を理解し，こうした判断を適切に行わなければならない。また，本来は，痰などの気道内分泌物を患者自身で喀出することが重要である。したがって，吸引の援助では，患者が自己喀出できなかった気道内分泌物を除去することが基本となる。

2）吸引器の主な種類

(1) 中央配管式吸引器
　施設内の吸引供給設備に接続することで使用できる。陰圧医療ガスであり，吸引ポンプで配管内の空気を屋外に排出して陰圧にすることで供給されている。
　痰の吸引以外に術野の血液，消化管内容物，全身麻酔時の余剰麻酔ガスなどの除去にも使われる。
　吸引器に取り付ける吸引容器（瓶）は，従来，ガラス製の吸引容器（瓶）が使用されており，洗浄後に再使用していたが，近年は，感染予防の観点からプラスチック製のディスポーザブル（使い捨て）容器に置き換わっている。

(2) 電動式卓上吸引器
　通常の電源によって使用できる吸引器である。在宅療養において痰の吸引が必要な患者に用いられることが多い。

ディスポーザブル吸引容器（中央配管用）
クーデックキューインポット
写真提供：大研医器株式会社

ガラス製の吸引瓶（中央配管用）
減圧器付吸引器 AV-5（シュレーダー方式）
写真提供：小松精機株式会社

電動式卓上吸引器
写真提供：パシフィックメディコ株式会社

図3-8 吸引器の種類

3）気管吸引実施の判断とリスク

日本呼吸療法医学会による「気管吸引ガイドライン2013」[1]では，気管吸引は2時間ごとというように時間を決めてルーチンに行うべきではなく，必要と判断された状況においてのみ，実施することが推奨されている。その内容は次のとおりである。

(1) 努力性呼吸が強くなっている（呼吸仕事量増加所見：呼吸数増加，浅速呼吸，陥没呼吸，補助筋活動の増加，呼気延長など）。
(2) 視覚的に確認できる（チューブ内に分泌物が見える）。
(3) 胸部聴診で気管から左右主気管支にかけて分泌物の存在を示唆する副雑音（低音性連続性ラ音：rhonchi）が聴取される。または，呼吸音の減弱が認められる。
(4) 気道分泌物により咳嗽が誘発されている場合であり，咳嗽に伴って気道分泌物の存在を疑わせる音が聴こえる（湿性咳嗽）。
(5) 胸部を触診しガスの移動に伴った振動が感じられる。
(6) 誤嚥した場合。
(7) ガス交換障害がある：動脈血ガス分析や経皮酸素飽和度モニターで低酸素血症を認める。
(8) 人工呼吸器使用時
　　a) 量設定モード使用の場合：気道内圧の上昇を認める。
　　b) 圧設定モード使用の場合：換気量の低下を認める。
　　c) フローボリュームカーブで，特徴的な"のこぎり歯状の波形"を認める。

気管吸引は，表3-2に示すような合併症を引き起こすリスクがあり，それを念頭に置きながら注意深く実施する必要がある。

気管吸引では，表3-3に示すとおりの観察や確認を行う。

4）気管吸引の方法[1]

（1）開放式気管吸引

人工呼吸回路の接続部のコネクターを人工気道から取りはずし，気道を開放した状態で吸引カテーテルを気管チューブ内に挿入して行う吸引法である。

表3-2 気管吸引の主な合併症とその理由

気管支粘膜の損傷	吸引カテーテルによる気管分岐部への物理的刺激によって生じやすい。出血を伴う場合もある
気道感染（肺炎）	不衛生な吸引手技
低酸素血症	気管吸引によって気道内の酸素が吸われる。人工呼吸器を一時的にはずすことによって生じる
気管支攣縮	吸引カテーテルの物理的刺激などによって，気道平滑筋が攣縮を起こす。気道閉塞による喘息様症状を引き起こす場合もある
肺胞の虚脱（無気肺）	人工呼吸器をはずすことによって陽圧が解除されることで肺胞の虚脱が起こる
血圧変動	気道刺激によって交感神経が興奮し，血圧を上昇させる。迷走神経反射による血圧低下が起こる場合もある
不整脈	気道への刺激によって交感神経が興奮することでアドレナリンなどのホルモンの分泌が生じて不整脈を誘発する。迷走神経反射による徐脈が生じる場合もある

表3-3 気管吸引時のアセスメント

項目	観察内容	アセスメントのポイント
気道内分泌物	色，量，粘性，出血の有無の確認	□分泌物の異常はないか？ □気道内分泌物は除去できたか？
呼吸状態	視診：呼吸数，呼吸様式，胸郭の動き，チアノーゼ 聴診：呼吸音の左右差・副雑音（低調性連続性副雑音；rhonchi・粗い断続性副雑音；coarse, crachies）の有無 触診：振動や胸郭の拡張性	□吸引前よりも呼吸状態は改善しているか？ □吸引後の呼吸状態の変化はないか？ □呼吸音が改善し，副雑音は消失したか？ □分泌物が残存している所見はないか？
循環動態	心拍数，脈拍数，血圧，心電図，顔色，四肢末梢の冷感・皮膚色	□循環動態の変化はないか？
酸素化・ガス交換	経皮酸素飽和度（SpO_2） 呼気二酸化炭素（$EtCO_2$） 動脈血ガス分析の値	□酸素化（SpO_2，PaO_2）は改善したか？ □二酸化炭素の排出はできたか？ □低酸素症や高二酸化炭素血症を引き起こしていないか？
患者の自覚症状	呼吸困難の訴えなど ファイティング（患者の呼吸リズムと人工呼吸器の換気パターンが同調できずに咳込む）の有無	□患者の自覚症状は改善したか？ □ファイティングは生じず，患者と人工呼吸器の呼気リズムは同調しているか？
人工呼吸器のグラフィックモニター	換気量の増加 最高気道内圧（PIP） フローボリュームカーブの波形："のこぎり歯状の波形"	□換気量は改善したか？ □最高上気道内圧は低下したか？ □"のこぎり歯状の波形"は消失したか？
人工呼吸器の回路	人工呼吸器の作動状態 回路の接続状態・リークの有	□人工呼吸器の作動状態に異常はないか？ □回路が正しく接続され，漏れはないか？

（2）閉鎖式気管吸引

　特殊なコネクターを，気管チューブや気管切開チューブに接続した状態で使用し，気道を大気に開放することなく人工気道にカテーテルを挿入して行う吸引法である。このコネクターは，シースとよばれる内面が滅菌されているビニールカバーで包まれた吸引カテーテルがシース内で可動できるようになっている。

　開放式と閉鎖式の吸引には，使いやすさやコストなどで一長一短がある。以下の場合には，閉鎖式が推奨されている[2]。
①換気（呼吸）において高いPEEP（CPAP）が必要とされる患者
②酸素化能が悪く，換気の中断が致命的な患者
③空気／飛沫で感染する病原体の気道内感染がある（疑いを含む）患者

　また，各群950例超のデータを集めメタ解析を行った研究では，閉鎖式は，開放式に比べて人工呼吸器装着期間や死亡率に影響しないが，人工呼吸器装着関連肺炎を減らすことが示されている[3]。

看護技術の実際

A　ネブライザー吸入

- **目　的**：①気道粘膜を湿潤することによって気道内の線毛運動を促進させる
　　　　　②直接的に薬剤を気道局所に到達させることによって薬効をもたらす
- **適　応**：手術などに伴う呼吸管理において気道のクリアランス（浄化）が必要な患者。下気道の感染症や喘息などの呼吸器疾患患者
- **必要物品**：ネブライザー機器本体，ネブライザー用回路，マスクもしくはマウスピース，滅菌蒸留水（超音波式ネブライザーの場合），指示された薬剤・生理食塩水，ティッシュペーパー，含嗽用物品（コップや吸い飲みに入れた水・ガーグルベースン）

方　法	留意点と根拠
1　実施前の準備 　1）患者に説明をする 　（1）患者の氏名を確認する 　（2）必要時バイタルサインを測定し，患者の状態（体調や気分など）を確認する 　（3）ネブライザー吸入について患者に説明し，了解を得る	●患者に対して次の内容を説明する ・吸入の目的と方法，実施時間など ・使用する薬剤名・作用・副作用 ・薬剤に対するアレルギーの有無 ●患者の不安や緊張を緩和し，協力が得られるようにかかわる ●食事の直前，直後は避ける ●薬液の吸入時間は，そのデバイスの噴霧出力と薬液量によって異なる
2　吸入の準備する 　1）薬剤の準備 　（1）患者の氏名と準備した薬剤が指示書どおりであるかを確認する 　（2）指示された薬剤を注射器などに準備する	●薬剤や滅菌蒸留水は清潔操作にて取り扱う ●ネブライザー薬液の吸入・計量といった注射以外の目的で使用する注射器は「緑色」など，医療事故防止のため色分けされている

方　法	留意点と根拠
2）ネブライザー吸入器の準備 ［超音波式ネブライザーの場合：図3-9］ （1）電源がオフになっていることを確認したうえで（→❷），電源プラグをコンセントに接続する （2）作用水槽に滅菌蒸留水を表示推移の位置まで入れる （3）指示された薬剤を薬液槽に入れる （4）薬液槽と噴霧槽を作用水槽に取り付け，噴霧槽固定つまみで固定する （5）噴霧槽の噴霧口に蛇管とマウスピース（またはマスク）を取り付ける （6）電源を入れる （7）噴霧量・風量・タイマーの基本ダイヤルを作動させて，吸入口から霧状の薬剤が噴出することを確認する	❷感電や火災，故障のおそれがあるため 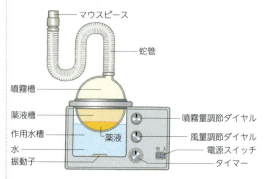 図3-9　超音波式ネブライザーの各部名称
［ジェット式ネブライザーの場合］ （1）電源がオフになっていることを確認したうえで，電源プラグをコンセントに接続する （2）指示された薬剤を薬液ボトルに入れる （3）付属物品を接続する（排水管・バッフル・外気導入管など） （4）噴霧口にマウスピース（またはマスク）を接続する （5）電源を入れる （6）吸入口から霧状の薬剤が噴出することを確認する	
［ジェット式ネブライザー：コンプレッサータイプの場合：図3-10］ （1）電源がオフになっていることを確認したうえで，電源プラグをコンセントに接続する （2）指示された薬剤を吸入器に入れる （3）コンプレッサーに接続した吸気ホース（ゴム管）に吸入器を接続する （4）電源を入れる （5）吸入口から霧状の薬剤が噴出することを確認する	●吸入器の準備など，状況によってベッドサイドにて行う場合もある 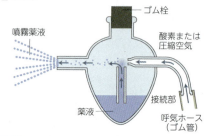 図3-10　コンプレッサータイプの吸入器の各部名称
3　吸入を実施する 1）患者氏名を確認する 2）患者の周囲の環境を整える 3）吸入しやすいように患者に座位，またはファーラー位になってもらう（→❸）	●患者に氏名を名乗ってもらう。ネームバンドで確認する ●次のような視点でベッドサイドやベッド上の環境整備を行う ・患者が胸部を十分に拡張し，リラックスして吸入が受けられる ・ネブライザーを適切に操作でき，安定するスペースを準備にする ・ティッシュペーパーを患者が手に届く場所（オーバーベッドテーブルの上など）に置く ❸上半身を挙上することにより，横隔膜が下がって，胸郭が拡がりやすくなるため，呼吸しやすくなる

方法	留意点と根拠
4）患者の口腔内の状態を確認する	● 上半身の挙上が難しい場合は，側臥位になってもらう ● 患者の口腔内が清潔かどうかを確認し，必要時，含嗽を行う
5）患者の襟元から胸元にかけてタオルをかける（➡❹）	❹ 噴霧によって衣服が濡れないようにする
6）吸入器を設置し，電源を入れて操作する。	● 患者の頭部よりも低い位置にネブライザーを設置できているかを確認する（➡❺） ❺ 患者の頭部よりも高い位置にネブライザーがあると，蛇管に貯留した薬液や水が患者の口腔内に流れ込む危険性がある
7）吸入器からの噴霧を目視にて確認する 8）患者に実施方法を説明し，器具を手渡す （1）吸入口の正しいくわえ方，持ち方 ・マウスピースを手に持ち，その先をくわえて軽く口を閉じること（➡❻）	❻ 口を軽く閉じることによってマウスピースと口唇の間にわずかな隙間ができて，適切な流入速度を維持することができ，粒子を深く吸い込むことができる ● 口を大きく開けた状態では，室内の空気も吸い込んでしまうため，薬液の効果が低下する。また，舌根も盛り上がるため，粒子の通りも悪くなる ● 口を閉じた状態では，マウスピースを口で把持するだけで疲れてしまう。また，ゆっくりとリラックスして深呼吸をすることができなくなる
（2）呼吸の仕方 ・肩の力を抜き，頭部を前屈し過ぎないようにすること（➡❼） ・深く，ゆっくりと吸い，2〜3秒息をこらえてから吐くこと ・息苦しくなるなど，身体に異変を感じた場合，速やかに知らせてほしいことを伝える（➡❽）	❼ 頭部を前屈しすぎると気道が拡がらず，噴霧された薬液が効果的に吸入できなくなる ❽ 吸入により気道が刺激され，気管支攣縮による気道閉塞を起こす可能性がある。吸入する薬物に対するアレルギー反応や副作用に注意する必要がある
9）患者に実施してもらう （1）患者に吸入口をくわえて，軽く口を閉じてもらう （2）風量と噴霧量を調整して，吸入を開始する（➡❾）	❾ 風量や噴霧量が多すぎると，患者がむせてしまうことがある ● 機種によって違いがあるが，タイマーで吸入時間を設定する。患者の協力が得られる場合，噴霧が終了したら知らせてほしいことを説明し，協力を得てもよい
（3）患者の呼吸の仕方を誘導する	● 初回時など，患者が効果的に吸入できるように教育的なサポートを行う
（4）貯留した唾液や痰が速やかに排出できるようにティッシュペーパーを患者の手元に置く （5）適宜，吸入中の患者の状態（呼吸状態や顔色，気分不良など）を観察する	● 気道のクリアランスが目的の場合，必要時，効果的な排痰法についても説明する ● 多量のエアロゾルを吸入することによるむせや呼吸困難の出現に注意する ● 薬剤のアレルギー反応や副作用の出現に注意し，呼吸困難や気分不良が生じた場合など，患者の全身状態の変化があればただちに中止し，医師に報告する
（6）患者に含嗽を行ってもらう	● 口腔内に残存した余分な薬液の吸収を防いだり，苦みなどの不快感を取り除く
（7）患者の衣類が濡れていないかを確認し，衣服やリネン類，体位を整える （8）手洗いをする	
4 吸入後の観察 患者の呼吸状態，SpO₂，バイタルサイン，排痰の有無，量・性状の観察を行い，アセスメントする	

方　法	留意点と根拠
5　吸入器の片づけをする 　1）電源を切る 　　　[超音波式ネブライザーの場合] 　2）マウスピース，蛇管，薬液カップ，噴霧槽を取りはずす 　3）作用水槽の蒸留水を排水する 　4）物品を流水洗浄し，薬液消毒後，十分に乾燥をさせる 　　　[ジェット式ネブライザーの場合] 　2）吸入器を本体から取りはずす 　3）吸入器を流水洗浄し，薬液消毒後，十分に乾燥をさせる	●ネブライザー吸入は適正な使用を行わなければ，粒化したエアロゾル粒子が微生物によって汚染される可能性があり，院内肺炎に代表される院内感染の医原性因子になりうる❶ ●吸入器は，感染予防の観点から1回の使用ごとに消毒・洗浄を行う。また，使い回しをしない ●日本臨床工学技士会（2016）による「医療機器を介した感染予防のための指針」❷では，次のとおりに明記されている 1）超音波式の消毒 ・本体：体の表面の汚れは，水または水で薄めた中性洗剤もしくは消毒用エタノール（77〜81vol%程度）や塩化ベンザルコニウムなどを含ませた柔らかい布を絞ったもので清拭する ・構成部品：薬液ボトル・メッシュキャップ・マウスピース・マスクアダプタ・吸入マスクなどを逆性石けん液（0.1%）溶液に10分間浸漬した後に，十分水洗いし，ガーゼなどの柔らかい布で水を拭き取り，十分乾燥させる。消毒の場合は，消毒用エタノール・グルタラール・次亜塩素酸ナトリウム，グルコン酸クロルヘキシジンなどが使用できるが，詳細は取扱説明書で確認すること 2）ジェット式の場合 ・本体：本体（コンプレッサモータ）や送気用ホースの汚れは，水または水で薄めた中性洗剤もしくは消毒用エタノール・塩化ベンザルコニウムなどを含ませた柔らかい布を絞ったもので清拭する ・ネブライザーキット（ネブライザー嘴管）など：薬液ボトル・マウスピース・ノースピース・吸入マスクなどを塩化ベンザルコニウム溶液に10分間浸漬した後に，十分水洗いし，ガーゼなどの柔らかい布で水を拭き取り，十分乾燥させる。その他の消毒液は，消毒用エタノール・グルタラール・次亜塩素酸ナトリウム・グルコン酸クロルヘキシジンなどが使用できるが，詳細は取扱説明書で確認すること
6　記録する	●主に，時刻，薬剤の種類，量，実施時間，患者の呼吸状態を記録する

❶渡邊毅・兵行義・高橋晴雄：ネブライザー機器の取り扱いと院内感染，Montly Book ENTONI，219：43-47，2018.
❷日本臨床工学技士会・医療機器管理業務検討委員会編：医療機器を介した感染予防のための指針−感染対策の基礎知識，日本臨床工学技士会，2016.

B 酸素療法

- ●目　　的：①酸素吸入によって吸入気の酸素濃度を上げ，低酸素症を改善・予防する。②呼吸仕事量の軽減する
  　　　　　※肺高血圧症や心不全患者の場合，その予防・改善効果が期待できる
- ●適　　応：①急性期にある患者の場合：一般的には，動脈血酸素分圧（PaO_2）が60Torr（mmHg）以下，もしくは経皮的動脈血酸素飽和度（SpO_2）が90％以下の状態
  　　　　　②慢性期にある患者の場合（在宅酸素療法の適応基準，厚生労働省，2016）

- 高度慢性呼吸不全例：慢性閉塞性肺疾患（COPD），間質性肺炎など：在宅酸素療法導入時に動脈血酸素分圧55Torr（mmHg）以下の者，および動脈血酸素分圧60Torr（mmHg）以下で睡眠時または運動負荷時に著しい低酸素血症をきたす者であって，医師が在宅酸素療法を必要であると認めた者
- 慢性心不全患者：医師の診断により，NYHA Ⅲ度以上であると認められ，睡眠時のチェーン-ストークス呼吸がみられ，無呼吸低呼吸指数が20以上であることが睡眠ポリグラフィー上確認されている症例とする

  ※NYHA（New York Heart Association：ニューヨーク心臓協会）とは，心不全の重症度を自覚症状からⅠ～Ⅳ度に分類したものである。慢性心不全治療を考慮するときの目安として利用される

  ※AHI（Apnea-Hypoxia-Index）：無呼吸・低呼吸指数とは，「睡眠時無呼吸症候群（sleep apnea syndrome：SAS）」の重症度を示す数値である。AHI：（無呼吸数＋低呼吸数）÷睡眠時間

  「無呼吸」とは「少なくとも10秒以上の呼吸停止状態」

  「低呼吸」とは「気流が半分以上低下し，同時に酸素飽和度が4％以上低下するか，あるいは睡眠から覚醒すること」

  軽症：5～20回未満，中等症：20～40回未満，重症：40回以上
- チアノーゼ型先天性心疾患
- 肺高血圧症

1）中央配管からの酸素吸入

● **必要物品**：医師の指示書，指示された酸素吸入器具（酸素供給デバイス）〔低流量システム：鼻カニューレ，簡易型酸素マスク，リザーバー付きマスク，高流量システム：ベンチュリーマスク，ベンチュリーネブライザー〕，酸素チューブ（※鼻カニューレは必要なし），中央配管アダプター用酸素流量計（酸素加湿瓶付き），滅菌蒸留水

  ※酸素加湿瓶内に貯留させた滅菌蒸留水は，時間経過につれて汚染される。また，加湿瓶に蒸留水を継ぎたしする行為は，細菌を繁殖させ，感染のリスクとなる。そのため，蒸留水の継ぎたしは行わず，加湿器自体を蒸留水とともに清潔なものに毎日交換することが推奨される。これらのリスクを回避するためにディスポーザブル加湿器を使用することが望ましい。

	方　法	留意点と根拠
1	**実施前の準備** 1）医師の指示書の記載内容を確認する 2）患者の氏名を確認する 3）患者に説明する 4）患者の状態を観察・アセスメントする	●記載内容の確認は，酸素投与の方法，酸素投与量，酸素濃度 ●患者に対して酸素吸入の目的と方法，実施時間などを説明し，了解を得る ●患者の不安や緊張を緩和し，協力が得られるようにかかわる ●必要時バイタルサインを測定し，患者の状態を確認（体調や気分など）する

方　法	留意点と根拠
2 酸素吸入の準備をする 　1）中央配管アダプター用酸素流量計を準備する 　　［加湿瓶付き酸素流量計の場合］ 　（1）加湿瓶の表示水位どおりに滅菌蒸留水を入れる（➡❶） 　（2）加湿瓶を酸素流量計に取り付ける 　　［滅菌水パック（ディスポーザブル）用酸素流量計の場合］ 　（1）滅菌水パックにコネクターを接続する 　（2）コネクターに酸素流量計を接続する 　2）指示された酸素吸入器具（酸素供給デバイス）を準備する 　3）ベッドサイドに行き，中央配管に取り付ける 　（1）患者に説明する 　（2）中央配管の酸素アウトレットを確認する 　（3）中央配管の酸素アウトレットの栓を取りはずす 　（4）酸素流量計アダプターと中央配管の酸素アウトレットに「カチッ」と音が鳴るまで押し込み，接続する	● 滅菌蒸留水は清潔操作にて取り扱う ❶ 加湿瓶内の滅菌蒸留水の量が少なすぎた場合，適切な加湿が行われなくなる。多すぎた場合，酸素チューブ内に水が流入し，適切な酸素供給が行われなくなる ● 酸素流量計への加湿瓶の取り付けが不十分な場合，酸素が漏れて適切な酸素供給が行えなくなる。取り付けが不十分な場合，加湿瓶と酸素流量計の接続部から「シュー」という漏れた音が聞こえる。中央配管に接続して酸素を流した際，加湿瓶の取り付け部分から酸素が漏れる音の有無を聴いたり，手で触れてみたりするなどして確認する ● 患者の頭元でセッティングする場合が多い。そのため，患者に説明のうえ，落下などに注意しながら準備する ● 医療用ガス配管設備のアウトレットとアダプターは，誤った器具を接続しないようにガスの種類によって形状が違う。接続に際して表示と形状が合っているかを確認する ● きちんと接続されると「カチッ」と音がなる。音がしない場合，酸素流量計の接続が不完全で，適正な酸素供給が行われないため，注意する必要がある

非使用時は蓋が閉じられている

アダプターを接続するために蓋を開けたところ

【酸素：緑】
【アウトレットからの取りはずし方】
アウトレットリングを奥に押す（右に回すタイプもある）

図3-11　中央配管のアウトレット

方　法	留意点と根拠
4）酸素流量計に酸素チューブを接続する 　5）酸素流量計の目盛りを目視しながら，つまみを左に回し（反時計回り），指示された流量の酸素を流す	● 滅菌水パック（ディスポーザブル）の場合は，酸素チューブとの接続口を折って開通させる ● 酸素流量計の見方（図3-12） ・浮子が球型：球の中央で読む。"TOP OF BALL"と示されている場合は，球の上端を読む ・浮子がコマ（T字）型：浮子上縁で目盛りを読む ・どちらの型でも目盛りと視点の高さを合わせて読む。また，酸素流量をダイヤルで数字を設定するタイプもある

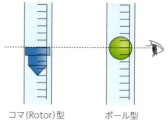

図3-12　酸素流量計の目盛りの見方

6）酸素吸入口から酸素が出ているかを確認した後，酸素流量計のつまみ（ダイヤル）を右に回し（時計回り），酸素流量を「0」まで下げてoffにする	● 酸素が出ているかは，音を聴くなどして確認する。前述のとおり，酸素流量計の加湿瓶取り付け部分からの漏れの有無も確認する ● リザーバーバッグ付きマスクの場合は，リザーバーバッグが適正に膨らむかも確認する

方　法	留意点と根拠
3　酸素療法を開始する 1）患者に器具の使用方法と使用上の注意点について説明し，協力を得る 　（1）各酸素吸入器具の着用方法に関すること 　（2）酸素は支燃性（燃焼を助ける性質）があり，患者の周辺が引火しやすい状態のため，2m以内での火の使用（ライターや煙草など）は厳禁であること 　（3）酸素チューブの屈曲・捻転に気をつけてほしいこと 　（4）適宜，様子を見に来るが，身体の異常や違和感があれば，すぐにナースコールなどで呼んでほしいこと 2）患者の体位を整え，患者に酸素吸入器具を装着する 　（1）鼻カニューレ（図3-13） 　①鼻腔が清潔であり，閉塞がないことを確認する 　②眼鏡をかける要領で両耳介部にチューブをかけ，鼻腔挿入部の先端を両外鼻孔に挿入する 　③スライドリングを調整して酸素カニューレを固定する 　（2）酸素マスク（図3-14），リザーバーマスク（図3-15） 　①酸素マスクを患者の顔に当て，ゴムを後頭の耳介部上にまわす 　②酸素マスクを正しい位置（鼻と口を覆う）に合わせる 　③酸素マスクが顔に密着するようにゴムを締める 3）指示された酸素量まで酸素流量計の目盛りを上げ，酸素を流す	●家族や面会者など患者の周囲の人も，火気厳禁の指示が守れるように説明や掲示を行う 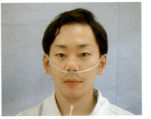 図3-13　鼻カニューレの装着例 ●スライドリングを締めすぎて皮膚を圧迫しないように注意する ●酸素が出てくるプロング部分が挿入部の皮膚を圧迫しないように注意する 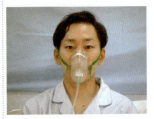 図3-14　酸素マスクの装着例  図3-15　リザーバーマスクの装着例
4　酸素吸入中の観察・管理を行う 1）患者の呼吸状態や全身状態の観察・アセスメントを行う 2）酸素投与の効果や副作用（CO_2ナルコーシス，酸素中毒）をアセスメントし，必要時医師に報告する 3）酸素吸入器具（マスクやチューブ，ゴムなど）が皮膚と接触する部分の発赤や損傷剥離の有無を確認し，保護材を貼付するなどの予防や対処を行う 4）鼻カニューレや酸素マスクのはずれ，酸素チューブの屈曲や閉塞の有無を確認し，必要時，患者に説明し，協力を依頼する 5）加湿瓶内の蒸留水の残量確認を行い，必要時，交換する	●呼吸状態のほか，バイタルサインやCO_2ナルコーシス，酸素中毒の症状も併せて観察する ●マスク周辺部やゴムが密着する耳介部など（図3-16）の皮膚損傷や剥離に留意し，必要時，保護材を貼付する ●滅菌蒸留水の追加注入は行わない（→❷） ❷感染リスクが高まる

方法	留意点と根拠
	耳介上部 鼻孔周囲 鼻カニューレ　　　簡易型酸素マスク 鼻孔上部 密着部位 **図3-16** 酸素吸入器具による皮膚トラブルの好発部位
5　酸素吸入に開始に関する記録を行う 　酸素吸入の開始時刻，酸素流量，酸素濃度，患者の反応や状態，施行者名を記録する	
6　酸素吸入を終了する 　1）医師の指示書を確認する 　2）患者に対して酸素終了の説明が医師からされているかを確認する 　3）酸素流量計のつまみ（ダイヤル）を右に回し（時計回り），酸素流量を「0」まで下げてoffにする 　4）酸素吸入器具を患者からはずす 　5）中央配管に接続されている酸素流量計をしっかりと保持する 　6）中央配管のアウトレットから酸素流量計を取りはずす 　7）中央配管の酸素アウトレットの栓を装着する 　8）患者の呼吸状態や全身状態の観察を行う 　9）適宜，様子観察のために　訪室するが，息苦しさなどの身体の異常や違和感があればすぐにナースコールなどで呼んでほしいことを説明し，協力を得る 　10）使用した物品を片づける	●取りはずし方は，「2-3）ベッドサイドに行き，中央配管に取り付ける」を参照 ●スタンダートプリコーションに準じた処理を行う
7　酸素吸入に中止に関する記録を行う 　酸素吸入の中止時刻，酸素濃度，患者の反応や状態，施行者名を記録する	

2）酸素ボンベからの酸素吸入

● **必要物品**：医師の指示書，指示された酸素吸入器具（酸素供給デバイス），酸素ボンベ，ボンベ用架台，圧力調整器付き酸素流量計，酸素加湿器，滅菌蒸留水，必要時；酸素流量計と酸素ボンベを接続するための工具（スパナ）

【酸素ボンベに刻印されている表示内容】（図3-17）

①容器所有者番号
②充填するガスの種類
③容器検査年月日
④容器の記号番号
⑤内容積（L）
⑥質量（kg）
⑦耐圧試験圧力　単位：MPa
⑧最高充填圧力（圧縮ガス）単位：MPa

図3-17 酸素ボンベに刻印されている表示内容

【酸素ボンベ内の酸素残量と使用可能時間の算出方法】
1）酸素ボンベの酸素残量を計算する
　①酸素ボンベの残量（L）＝ボンベ容量（L）×ボンベ残量（MPa）÷ボンベ圧力（MPa）
2）酸素ボンベの使用可能時間を計算する
　使用可能時間（分）＝ボンベ残量（L）÷患者の酸素使用量（L/分）
　（例題）500L酸素ボンベ（14.7MPa充填）の内圧計の残圧は4.4MPaを示している。酸素を3L/分で吸入している患者の移送時に使用する。使用可能時間（分）を求めよ。
　（解答）使用するボンベの満タン充填時は14.7MPaで500Lとなっている。現在，ボンベ内の残圧が4.4MPaとなっているので，酸素残量は（500×4.4）÷14.7＝149Lとなる。この患者の場合は1分間に3Lで酸素吸入しているので，149L÷3L＝49.6分。つまり，この酸素ボンベの使用可能時間は約50分となる。

	方　法	留意点と根拠
1	**実施前の準備** 1）医師の指示書の記載内容を確認する 2）患者の氏名を確認する 3）患者に説明をする 4）患者の状態を観察・アセスメントする	●次の内容を確認する。酸素投与の方法，酸素投与量，酸素濃度 ●患者に対して酸素吸入の目的と方法，実施時間などを説明し，了解を得る ●患者の不安や緊張を緩和し，協力が得られるようにかかわる ●必要時バイタルサインを測定し，患者の状態（体調や気分など）を確認する
2	**酸素吸入の準備をする** 1）酸素ボンベを準備する （1）ボンベ内のガスが「酸素」であることを確認する （2）酸素ボンベをボンベ用架台に固定する （3）準備する場所で引火しやすい環境でないことを確認する （4）酸素ボンベに圧縮調整器付き酸素流量計を装着する（**図3-18**）	●酸素ボンベの色は「黒」である。ボンベに「O_2」の刻印がある。ボンベに酸素のラベルが取り付けられてあることを確認する ●酸素ボンベを地面と垂直になるように真っ直ぐに置き，バルブ近くにある吹き出し口と酸素流量計が垂直になるように密着させて固定具のネジを回す（必要時，スパナを使用する）

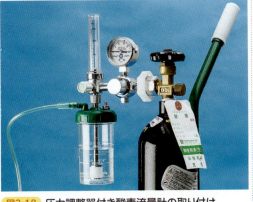

図3-18 圧力調整器付き酸素流量計の取り付け

①酸素ボンベの吹き出し口の先に人がいないことを確認する（➡❶）

❶誤噴出による事故を防止する

方　法	留意点と根拠
②酸素ボンベの吹き出し口に圧力調整器付き酸素流量計の接続部を密着させ，固定具を回して接続し，固定していく ③固定具を最後まで回し，酸素ボンベにしっかり固定されたことを確認する ④酸素流量計の調節つまみ（ダイヤル）が閉じていることを確認したうえで酸素ボンベのバルブを開く ⑤酸素流量計の圧力計の表示を観て，ボンベ内の酸素残量を確認する	●患者の移送途中や検査などの待ち時間の間にボンベ内の酸素がなくなるような事故を避けるため，必ず使用前に酸素ボンベ内の酸素残量と使用可能時間を確認する（図3-19） ●検査室に中央配管があれば，それに付け替えて，酸素ボンベ残量を維持するようにする ●酸素残量が少ない場合（5MPa以下）は，新しいボンベを使用する ●必要な酸素量は，患者によって異なるため，酸素ボンベの残量と使用可能時間を算出して確認する 酸素流量調整器　　圧力計 満量で約14.7MPaを示す（35℃，1atm）。酸素ガスを使用すると指針が下がっていく 酸素ガス容器 **図3-19 酸素ボンベ用酸素流量計の表示**
⑥接続部からの酸素の漏れがないことを音や気流の流れで確認する ⑦酸素流量計のつまみ（ダイヤル）を回して流量を設定し，酸素が適正に流れているかを確認する。確認後，つまみ（ダイヤル）を回し，「off」にする ⑧移動手段に合わせて，酸素ボンベの架台を選択し，装着する（車椅子，ストレッチャー，ベッド用）	●接続が不十分な場合，加湿瓶と酸素流量計の接続部からシューッという漏れた音が聞こえる。音の有無を聴いたり，接続部を手で触れてみたりするなどして確認する
3　酸素ボンベを使用する 1）準備した酸素ボンベなどを患者のもとに運ぶ 2）患者に器具の具体的な使い方や使用上の注意点について説明し，協力を得る 3）酸素ボンベに装着した酸素流量計の接続部に酸素チューブを取り付ける 4）酸素流量計のつまみ（ダイヤル）を回して流量を設定し，酸素が適正に流れているかを確認する 5）患者に酸素カニューレ，マスクなどの酸素吸入器具を装着し，酸素吸入を始める 6）酸素ボンベの「充填」の札を切り取り，「使用中」の札にする 7）酸素吸入中の観察・管理を行う	
4　酸素吸入を終了する 酸素流量計のつまみ（ダイヤル）を回し，「off」にする	●中央配管での酸素吸入をしている患者の場合は，酸素ボンベから中央配管にデバイスを変更し，酸素吸入を再開してから酸素ボンベの酸素吸入を終了するようにする

方　法	留意点と根拠
5　酸素ボンベを片づける 　1) 酸素ボンベのバルブを回して完全に閉じる 　2) 酸素流量計のつまみ（ダイヤル）を回して，圧力調整器内の酸素を抜き，圧力計の表示が「0」になったことを確認する 　3) 固定具を回し，圧力調整器を酸素ボンベから取りはずす 　4) 未使用のボンベ，使用中のボンベ，使用済みのボンベを区別して，直接日光の当たらない固定できる所定の場所に酸素ボンベを保管する．必要時，「空」の札にする	
6　使用した物品を片づける 　酸素吸入器具や酸素流量計，加湿瓶などを片づける	●スタンダードプリコーションに準じた処理を行う
7　記録する	

C 吸　引

1) 口腔・鼻腔吸引

● 目　　的：①口腔・鼻腔に貯留した分泌物や異物を除去する．②分泌物を除去することによって気道内を浄化し，換気を改善する．③喀痰検査の検体を採取する
● 適　　応：口腔・鼻腔に貯留した分泌物や異物を自己喀出できない患者，喀痰検査の検体採取が必要な患者
● 必要物品：吸引器，吸引容器（瓶），ディスポーザブル滅菌吸引カテーテル（成人の場合12Frもしくは14Fr），コネクティングチューブ，アルコール綿，膿盆，水道水を入れたカップ（容器），個人防護具（マスク，手袋，エプロン，ゴーグル），手指消毒アルコール，ハンドタオル，聴診器，パルスオキシメータ

方　法	留意点と根拠
1　実施前の準備 　1) 患者の状態を観察・アセスメントし，吸引の必要性を判断する 　2) 手洗いを行う 　3) 吸引器と吸引容器（瓶），コネクティングチューブを接続する 　4) 必要物品を揃え，患者のベッドサイドに行く 　5) 患者の氏名を確認する 　6) 患者に説明し，協力を得る	●患者の全身状態を観察し，吸引が可能かどうかを判断する．必要時，バイタルサインを測定する ●患者に対して吸引の目的と方法，実施時間などを説明し，了解を得る ●患者の不安や緊張を緩和し，協力が得られるようにかかわる
2　吸引器の準備をする 　1) 中央配管設備のアウトレットの近くに吸引器を固定する 　［電動式卓上吸引器の場合］ 　吸引器を安定した卓上に置く	●患者の枕元でセッティングすることが多いので，患者に説明のうえ，落下などに十分注意しながら準備する

方　　法	留意点と根拠
2）中央配管の吸引用アウトレット（黒）を確認後，栓をはずして，吸器のアダプターをカチッと音が鳴るまで押し込み，接続する（図3-20）	●医療用ガス配管設備のアウトレットとアダプターは，誤った器具を接続しないようにガスの種類によって形が違うものになっている。接続に際して中央配管の表示と形を確認する ●きちんと接続されると「カチッ」と音がなる。音がしない場合，吸引器との接続が不完全であるため，適正な吸引が行われない 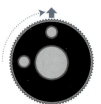 図3-20　吸引用アウトレット：黒 ●アウトレットからの取りはずし方：アウトレットリングを奥に押す（右に回すタイプもある） ●吸引容器（瓶）の内容物が満タンに近くなると吸引圧が上がらなくなる。そのため，8割ほどたまったら，吸引容器（瓶）を交換する ●吸引圧は，口腔・鼻腔粘膜を傷つけないように一般的に20〜26kPa（150〜200mmHg）で調整される
［電動式卓上吸引器の場合］ 吸引器のコンセントを入れる 3）吸引器の作動確認と吸引圧の調整を行う （1）吸引器の開閉コックを「開く」にする（図3-21） ［電動式卓上吸引器の場合］ 電源を「オン」にして吸引器を作動させる （2）コネクティングチューブを折り曲げ，圧力計の目盛りが上昇することを確認する （3）コネクティングチューブを折り曲げた状態で吸引器の圧力調整バルブを回し，適正な吸引圧に調整する （4）吸引器の開閉コックを「閉まる」にする （5）電源を「オフ」にして吸引器を停止させる	 酸素流量計と吸引器が取り付けられたところ 図3-21　中央配管からの酸素吸入
3　吸引を実施する 1）患者に吸引の目的・方法・所用時間などについて説明し，協力を得る 2）吸引器のコックを「開く」にする ［電動式卓上吸引器の場合］ 電源を「オン」にして吸引器を作動させる 3）患者の体位を整える 4）患者の襟元にハンドタオルをかける（→❶） 5）スタンダードプリコーションに従って，手洗いを行い，手袋，エプロン，マスク，必要時ゴーグルを装着する 6）不潔にならないように吸引カテーテルを袋から取り出し，コネクティングチューブに接続する 7）吸引圧をかけた状態でコップの中に吸引カテーテルの先端を入れ，通水する	●吸引刺激によって咳嗽反射が起こることなど，吸引に際して苦痛を伴うことも併せて説明する ●必要時，体位ドレナージを行い，効果的な排痰を促す ❶患者の衣服が汚れるのを防ぐ ●吸引カテーテルは，調整孔があるものとないものがある。調整孔なしタイプは，カテーテルを屈曲すると吸引圧がかからなくなり，屈曲を解除すると吸引圧がかかる。調整孔ありタイプは，調整孔を母指で塞ぐと吸引圧がかかる

方 法	留意点と根拠
	 調整孔がないものの場合　調整孔があるものの場合 **図3-22** カテーテルの取り扱い
8）患者に吸引カテーテルを挿入することを伝える 9）利き手の示指と中指，母指で吸引カテーテルの先端から5～8センチの部分を持つ。なお，1回の吸引時間は，挿入開始から終了まで10～15秒程度とする	●通水することにより，カテーテルの滑りを良くし，粘膜への負荷を少なくする ●吸引によって低酸素状態になるのを避けるため，時間内に1回の吸引を終了する
[口腔内に吸引カテーテルを挿入する場合] 10）吸引圧をかけずに吸引カテーテルを静かに口腔内から咽頭まで挿入する（図3-23） 11）吸引カテーテルが目的部位まで達したら，吸引圧をかける 12）吸引カテーテルをゆっくり回転させながら，少しずつ引き抜いて吸引する	●咽頭部までの挿入とする。それ以上に深く挿入し，気管まで至ると，上気道の汚染した分泌物を下気道に流入させ，肺炎のリスクとなる❶ ●一般的なカテーテル挿入の長さ（成人）は10～13cm ●嘔吐反射が誘発されないように，口蓋垂を刺激しないように留意する ●吸引カテーテルを回転させる際，「こよりをよる」イメージで回す

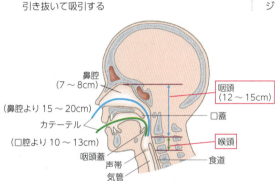

図3-23 口腔・鼻腔吸引のカテーテル挿入の長さ

[鼻腔内に吸引カテーテルを挿入する場合] 10）吸引圧をかけずに吸引カテーテルを静かに鼻腔内に挿入する 11）吸引カテーテルが目的部位まで達したら，吸引圧をかける 12）吸引カテーテルをゆっくり回転させながら，少しずつ引き抜いて吸引する	●一般的なカテーテル挿入の長さ（成人）は15～20cm ●吸引カテーテルの挿入は，鼻粘膜を傷つけ，出血させないように愛護的に行う ●カテーテルの先端を顔面と平行に鼻孔から2cm程度挿入した後，さらに顔面と垂直になるように咽頭方向に向けてカテーテルを送り込むように進める（図3-24） **キーゼルバッハ部位**（鼻孔から約20mm内側）は出血しやすいので注意が必要

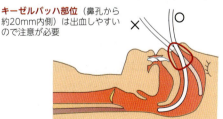

図3-24 鼻腔吸引における吸引カテーテルの進め方

方　法	留意点と根拠
13）1回吸引するごとにカテーテルの外側をアルコール綿で拭き，その後，通水してカテーテルの内腔を洗浄する 14）吸引中，吸引後の患者の顔色や呼吸状態を観察し，全身状態をアセスメントする 15）必要時，患者の呼吸状態を確認したうえで，再度吸引を行う	●吸引中は，パルスオキシメータを装着することで，呼吸状態の変化をモニタリングしやすい
4　吸引を終了する 　1）吸引が終了したら，吸引カテーテル・コネクティングチューブ内に通水し，内腔を洗浄する 　2）吸引カテーテルをコネクティングチューブからはずし，廃棄する 　3）手袋，マスク，エプロンを廃棄する 　4）吸引器のバルブとコックを閉める 　　［電動式卓上吸引器の場合］ 　　電源を「off」にして吸引器を停止させる 　5）患者に終了したことを伝え，ねぎらいの言葉をかける。また，呼吸困難感などの症状の出現や増強がないかを確認する 　6）速乾性擦り込み手指消毒の後，患者の体位や環境を整える	
5　吸引後の観察・アセスメントする 　1）患者の呼吸状態や痰の量・性状，全身状態の観察を行い，患者の状態のアセスメントや吸引の評価を行う 　2）咽頭痛や鼻出血の有無など吸引による粘膜の損傷がないかを確認する	●患者の肺野を聴診し，呼吸状態や痰が十分に吸引できたかを評価する
6　記録を行う 　吸引の実施時間，吸引物の量と性状，患者の状態についての記録を行う	
7　吸引器の後片付け 　1）吸引終了後の吸引カテーテルは，使い捨てとする 　2）施設の取り決めに準じて使用物品を廃棄する 　3）吸引容器（瓶）に吸引物が8割程度たまっている場合は，新しい吸引容器（瓶）に交換する	●スタンダードプリコーションに準じた処理を行う

❶水田麻美：気管・口腔吸引，ルーチンでやっているケアを見直そう！ クリティカルケアの根拠，重症集中ケア，17（4）：31-34，2018．

2）気管吸引

- ●目　　的：①気管挿管チューブや気管に貯留した分泌物や異物を除去する。②分泌物を除去することによって気道内を浄化し，換気を改善する。③喀痰検査の検体採取する
- ●適　　応：気管挿管や気管切開などの人工気道を有し，気道内にある分泌物や異物を効果的に自己喀出できない患者，人工呼吸器装着中で喀痰検査の検体採取が必要な患者
- ●必要物品：（開放式気管吸引の場合）吸引器，吸引容器（瓶），ディスポーザブル滅菌吸引カテーテル（成人の場合12Fr　※1mm＝3Fr）（図3-25），コネクティングチューブ，滅菌手袋，滅菌水または生理食塩液を入れた滅菌コップ（滅菌コップには1回吸引ごとにカテーテル内を洗浄するために用いる），水道水の入ったコップ（吸引終了後に，吸引カテーテルから吸引瓶までの接続チューブを洗浄する目的でのみ使用する），アルコール綿（カ

気管チューブ内径	気管チューブ外径	推奨吸引カテーテル
8mm	10.8mm	12Fr(4.0mm)
7.5mm	10.2mm	10Fr(3.3mm)
7mm	9.5mm	10Fr(3.3mm)

吸引カテーテルの太さ	利点	欠点
太い	痰が多く引ける	気道内の酸素を多く吸引してしまう 肺胞が虚脱しやすい
細い	患者の苦痛が少ない	痰の吸引量が少なく時間がかかる 高い吸引圧が必要になる

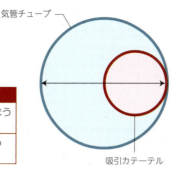

図3-25 気管チューブに対して推奨され吸引カテーテルの太さ

テーテルの表面を拭くためにアルコール綿を使用する),膿盆,個人防護具（マスク,手袋,エプロン,ゴーグル；日本呼吸療法医学会の「気管吸引ガイドライン2013」[1]では，「未滅菌の清潔な使い捨て手袋を使用する。開放式気管吸引では滅菌手袋を使用しても構わない」「開放式気管吸引の際には，マスクとゴーグルを終始着用することが望ましい。特に，呼吸器感染症の場合はこれらの着用を推奨する」と明記されている。本稿では，滅菌手袋を使用する場合の手順を明記している),手指消毒アルコール，聴診器，パルスオキシメーター，ハンドタオル，用手換気を行う場合は，①ジャクソンリース（もしくはバッグバルブマスク）②気道内圧マノメータを準備する

・患者に留置されている気管チューブの内径2分の1以下の外径サイズが推奨されている[1) 8)]

・例：内径が8mmの気管チューブの場合，2分の1の外径は4mmとなる。1mm=3Frのため，4×3Fr=12Frの吸引カテーテルを選択する

	方　法	留意点と根拠
1	**実施前の準備** 1) 患者の状態を観察・アセスメントし，吸引の必要性を判断する。	●患者の全身状態を観察し，吸引が可能かどうかを判断する。必要時，バイタルサインを測定する ●「気管吸引ガイドライン2013」[1]では，「見て，聴いて，触れる」という3つの基本となる観察法を実践することが大切であるとしている
	2) 手洗いを行う 3) 吸引器と吸引容器（瓶），コネクティングチューブを接続する 4) 必要物品をそろえ，患者のベッドサイドに行く 5) 患者の氏名を確認する 6) 患者に説明し，協力を得る	●意識のある患者に実施する際，吸引の目的と必要性，方法，実施時間などを説明し，了解を得る。耐えられない場合には合図などで伝えるよう取り決めをしておくなど，患者の不安や緊張を緩和し，協力が得られるようにかかわる。意識がない場合にも，必ず言葉かけを行う
2	**吸引器の準備をする** 1) 中央配管設備のアウトレットの近くに吸引器を固定する [電動式卓上吸引器の場合] 吸引器を安定した卓上に置く	●患者の頭元でセッティングすることが多いので，患者に説明のうえ，落下などに十分注意しながら準備する

方　法	留意点と根拠
2）中央配管の吸引用アウトレット（黒）を確認後，栓をはずして，吸引器のアダプターをカチッと音が鳴るまで押し込み，接続する	●医療用ガス配管設備のアウトレットとアダプターは，誤った器具を接続しないようにガスの種類によって形が違うものになっている ●接続に際して表示と形を確認する。きちんと接続されると「カチッ」と音がなる。音がしない場合，吸引器との接続が不完全であるため，適正な吸引が行われない
3）吸引器のコンセントを入れる 4）吸引器の作動確認と吸引圧の調整を行う （1）吸引器の開閉コックを「開く」にする 　［電動式卓上吸引器の場合］ 　　電源を「オン」にして吸引器を作動させる （2）コネクティングチューブを折り曲げ，圧力計の目盛りが上昇することを確認する （3）コネクティングチューブを折り曲げた状態で吸引器の圧力調整バルブを回し，適正な吸引圧に調整する （4）吸引器の開閉コックを「閉まる」にする 5）電源を「オフ」にして吸引器を停止させる	●吸引容器（瓶）の内容物が満タンに近くなると吸引圧が上がらないため，8割ほどたまっている場合は，交換する必要がある ●気管内の粘膜を傷つけないように吸引圧は一般的に20kPa（150mmHg）で調整される
3　吸引の準備をする 　1）患者に吸引の目的・方法・所用時間などについて説明し，協力を得る 　2）吸引中，心電図・パルスオキシメーターなどによるモニタリングができるようにしておく 　3）吸引器のコックを「開く」にする 　　［電動式卓上吸引器の場合］ 　　　電源を「オン」にして吸引器を作動させる 　4）患者の体位を整える 　5）患者の襟元にハンドタオルをかける（➡❶） 　6）スタンダードプリコーションに従って，手洗いを行い，手袋，エプロン，マスク，必要時ゴーグルを装着する 　7）気管チューブのパイロットバルーンにカフ圧計（図3-26）を接続し，気管チューブのカフ圧が適切であること（20～30cmH$_2$O）を確認し，必要時，調整する（➡❷）  図3-26　カフ圧計	●吸引刺激によって咳嗽反射が起こることなど，吸引に際して苦痛を伴うことを説明する ●必要時体位ドレナージを行い，効果的な排痰を促す ❶患者の衣服が汚れるのを防ぐために行う ●人工呼吸器と気管チューブの接続をはずしたときに気道内の分泌物などが飛散するため，吸引実施者だけでなく，補助者も同様に装着する ❷カフ圧が下がっていると下気道に分泌物などが垂れ込み（図3-27），肺炎を起こす原因になる 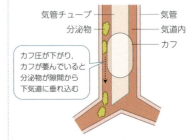 図3-27　下気道への分泌物の垂れ込み ●気管吸引の前には，咽頭部に貯留した唾液などの液体を口腔または鼻腔を介して吸引除去しておく。人工気道にカフ上部吸引ポートが付いている場合には，カフ上部に貯留した液体も吸引除去しておく
4　吸引を実施する 　※吸引実施者と補助者の2名で行う 　※用手換気を行う場合は，ジャクソンリース回路もしくは，バッグバルブマスクを準備し，補助者が用手換気を担当する	●人工呼吸器は陽圧換気のため，吸引のために人工呼吸器を一時的にはずすと，肺胞の虚脱や酸素供給の低下が生じる可能性がある。呼吸障害を引き起こす要因になるため，用手換気を行う場合がある

方　法	留意点と根拠
1）吸引カテーテルを把持し挿入するほうの手，もしくは両手に滅菌手袋を清潔操作に留意して装着する	●気管内へ細菌類が侵入しないように，気管吸引は無菌操作で行う
2）不潔にならないように吸引カテーテルを袋から取り出し，コネクティングチューブに接続する	●吸引カテーテルは，調整孔がないタイプとあるタイプがある。調整孔なしタイプは，カテーテルを屈曲すると吸引圧がかからなくなり，屈曲を解除すると吸引圧がかかる。調整孔ありタイプは，調整孔を母指で塞ぐと吸引圧がかかる
3）吸引圧をかけた状態で，コップの中に吸引カテーテルの先端を入れ，通水する	●通水することにより，カテーテルの滑りをよくし，粘膜への負荷を少なくする
4）患者に吸引カテーテルを挿入することを伝える	
5）利き手の示指と中指，母指で吸引カテーテルの先端から5〜8センチの部分を持つ	
6）補助者は，患者から人工呼吸器を一時的にはずし，人工呼吸器側にテストラングを装着する	
7）吸引カテーテルの先端を持っていない手で気管チューブを軽く把持する	●患者の気管チューブを把持することで，吸引カテーテルを引き抜く際の陰圧による気管チューブの事故抜去を予防する。ただし，吸引実施者が把持することに伴って，患者の体動などによる事故抜去につながらよう注意する必要がある
8）吸引圧をかけずに吸引カテーテルを静かに気管チューブ内に挿入する。なお，挿入前に必ず吸引カテーテルを挿入する長さを確認しておく	●挿入のタイミング：自発呼吸がある患者の場合は，吸気にタイミングを合わせて挿入する
9）吸引カテーテルが目的部位まで達したら，吸引圧をかける	●挿入の深さ：気管分岐部に吸引カテーテルが接触し，機械的刺激による粘膜の損傷を防ぐために挿入の長さは気管チューブの長さ＋3cm以内を目安とする
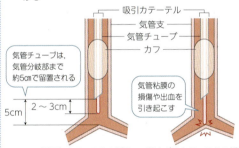　図3-28　吸引カテーテル挿入の影響	●挿入時の留意点：挿入吸引時に不適切な無菌操作を行うと下気道に細菌が侵入し，感染の原因となる。そのため，吸引カテーテルが周囲に触れないように注意して挿入する必要がある。また，愛護的操作を心がける ●吸引圧をかけずに挿入することによって気道内の酸素を吸引して低酸素状態になるのを避ける❶。一方，吸引カテーテル挿入後に一気に吸引圧をかけることで，気管壁に吸引カテーテルが吸い付き，粘膜を損傷させる危険性がある ●吸引圧をかけながら挿入する方法では，一気に吸引圧をかけることがないため，気管壁への負担が少なく，必要以上にカテーテルを挿入せずに貯留している分泌物を吸引しやすくする。このことから，吸引圧をかけながら挿入するほうが望ましいと考えるケースもある❷❸。
10）吸引カテーテルをゆっくり回転させながら，少しずつ引き抜いて吸引する。1回の吸引時間は，挿入開始から終了まで10〜15秒程度とする	●吸引カテーテルを回転させる際，「こよりをよる」ようなイメージで回す
11）用手換気を行う場合，補助者が，吸引カテーテルが気管チューブから吸引カテーテルが引き抜かれたタイミングでジャクソンリース（もしくはバッグバルブマスク）を患者に装着し，用手換気を行う	●用手換気は，手技の習熟が不十分な場合，肺の過膨張による圧外傷や換気不良，低酸素など患者に重篤な悪影響を及ぼしかねない。手技のトレーニングとともに気道内圧マノメータ（図3-29）を用いた適正加圧による用手換気を行う
12）補助者は，テストラングをはずし，人工呼吸器に患者の気管チューブを再装着する	
13）人工呼吸器の作動状態を確認する（患者の人工換気が正しく行われているかを確認する。胸郭の動きと左右差の有無，人工呼吸器との同調性，1回換気量を確認する）	●気管吸引において，気管内チューブが抜けている，人工呼吸器が正しく再装着されていない，回路がはずれているといったトラブルのリスクがある。このようなトラブルは，呼吸障害につながるため，十分な注意と確認が必要である
14）1回吸引するごとにカテーテルの外側をアルコール綿で拭き，その後，滅菌コップに入れた滅菌水または生理食塩液で通水してカテーテル内腔を洗浄する	●吸引カテーテル表面に付着している分泌物を除去し，下気道に細菌や微生物を押し込まないようにする

方　法	留意点と根拠
15) 吸引中，患者の顔色や呼吸状態を観察し，全身状態をアセスメントする 16) 必要時，患者の呼吸状態を確認したうえで，再度吸引を行う	●患者の肺野を聴診し，呼吸状態や痰が十分に吸引できたかを評価する 写真提供：コーケンメディカル株式会社 **図3-29** マノメータ
5　吸引を終了する 1) 吸引が終了したら，吸引カテーテル・コネクティングチューブ内をコップに入れた水道水で通水し，内腔を洗浄する 2) 吸引カテーテルをコネクティングチューブからはずし，廃棄する 3) 手袋，マスク，エプロンを廃棄する 4) 吸引器のバルブとコックを閉める 5) 患者に終了したことを伝え，ねぎらいの言葉をかける。また，呼吸困難感などの症状の出現や増強の有無を確認する 6) 速乾性擦り込み手指消毒の後，患者の体位や環境を整える 7) 気管チューブのパイロットバルーンにカフ圧計を接続し，気管チューブのカフ圧が適切であること（20〜30cmH₂O）を確認し，必要時，調整する 8) 吸引終了後の患者の観察を行う	●スタンダートプリコーションに準じた処理を行う ●カフ圧が低いと下気道に分泌物などが垂れ込み，肺炎を起こすリスクが高まる。カフ圧が高過ぎると気管粘膜の血流障害や潰瘍を引き起こすリスクが高まる ●患者の呼吸状態や痰の量・性状，全身状態の観察を行い，患者の状態のアセスメントや吸引の評価を行う（表3-3「気管吸引時のアセスメント」を参照）
6　吸引器の後片付け 1) 吸引終了後の吸引カテーテルは，使い捨てとする 2) 施設の取り決めに準じて使用物品を廃棄する 3) 吸引容器（瓶）に吸引物が8割程度貯まっている場合は，新しい吸引容器（瓶）に交換する	
7　記録 吸引の実施時間，吸引物の量と性状，患者の状態についての記録を行う	

❶日本呼吸療法医学会　気管吸引ガイドライン改訂ワーキンググループ：気管吸引ガイドライン2013（成人で人工気道を有する患者のための），人工呼吸，30（1）：75-79，2013．
❷露木菜緒：使いこなし人工呼吸器，初めての人が達人になれる，南江堂，2012，p.90．
❸十文字英雄：吸引に関する物品，閉鎖式吸引カテーテル，人工呼吸ケアの機器・物品100 現場で頼れる早引き事典，呼吸器ケア，2018 夏季増：107-110，2018．

3）閉鎖式気管吸引

●必要物品：吸引器，吸引容器（瓶），閉鎖式吸引カテーテル（気管チューブと人工呼吸器の間に取り付けられている）（図3-30），専用洗浄水（生理食塩水や滅菌蒸留水），コネクティン

グチューブ，アルコール綿，膿盆，個人防護具（マスク，手袋，エプロン，ゴーグル），擦式手指消毒アルコール，聴診器，パルスオキシメータ，ハンドタオル

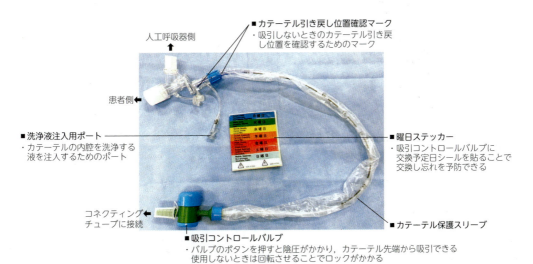

図3-30 閉鎖式吸引カテーテルの構造と機能

方　法	留意点と根拠
1　実施前の準備 　　開放式気管吸引に準じる	
2　吸引器の準備をする 　　開放式気管吸引に準じる	
3　吸引の準備をする 　　1）〜8）開放式気管吸引の手順と同様 　　9）閉鎖式吸引カテーテル側の吸引コントロールバルブのコネクターキャップをはずし，アルコール綿で清拭してから，コネクティングチューブを接続する 　　10）吸引圧を20KPa（150mmHg）に調節する 　　11）吸引コントロールバルブのボタンを回転させ，ロックを解除する（図3-31） 矢印をカテーテルの方向に向ける 図3-31 吸引コントロールバルブのロックの解除 　　12）吸引コントロールバブルのボタンを押して，カテーテルの先端に陰圧（吸引圧）がかかることを確認する（図3-32）	

方　法	留意点と根拠

図3-32　陰圧の確認

4　吸引の実施 　1）吸引カテーテル保護スリーブ内の吸引カテーテルのみを，適切な深さまで挿管チューブに挿入する（図3-33）	●吸引カテーテルに表示されている目盛りを目視しながら，吸引カテーテルのみを押し進めるようにする ●吸引カテーテルは1cmごとに目盛りが表示されており，その目盛りと気管チューブの目盛りを参考する ●吸引カテーテル挿入の長さは，目盛り付きカテーテルの場合，気管チューブの長さに2〜3cmプラスした長さとする

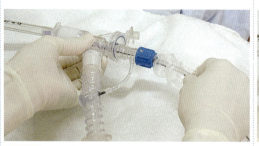
図3-33　吸引カテーテルの挿入

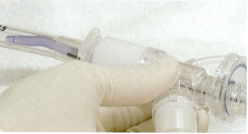

2）吸引コントロールバルブのボタンを押して，吸引圧をかけながら，挿入した吸引カテーテルをゆっくり引き戻す（図3-34）	●吸引時間は，10〜15秒とする ●保護スリーブ内の吸引カテーテルは，引き戻し位置確認マークが適切な位置に来るまで引き戻す必要がある（図3-35）

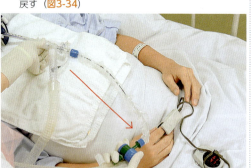
図3-34　吸引カテーテルを引き戻す

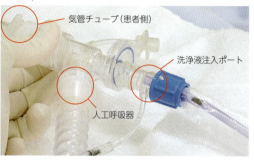
図3-35　保護スリーブ内の吸引カテーテル
（気管チューブ（患者側）／洗浄液注入ポート／人工呼吸器）

方　法	留意点と根拠
3）吸引カテーテルの洗浄液注入用ポートに専用洗浄液を接続する（図3-36）  **図3-36** 洗浄液注入用ポートの接続 4）接続した洗浄液を注入しながら吸引圧をかけて吸引カテーテルの内腔を通水する 5）吸引カテーテルの内腔の分泌物や異物の洗浄が十分にできたら，通水を終える 6）吸引コントロールバルブのボタンを回転させ，ロックする（図3-37）  **図3-37** 吸引コントロールバルブの固定 7）吸引コントロールバルブのコネクターと洗浄液注入ポートをアルコール綿で清拭する 8）吸引コントロールバルブのコネクターのキャップを付ける 9）吸引中，吸引後の患者の顔色や呼吸状態を観察し，全身状態をアセスメントする	● 引き戻しが不十分であると，洗浄液が患者の気管に流れ込むおそれがある．引き戻し過ぎると吸引カテーテルの側孔または先端が弁を超え，スリーブ内に入り込んでエアリークが生じるおそれがある ● 吸引カテーテルの内腔を洗浄することによって，分泌物を除去し，細菌の繁殖を防止する ● 洗浄液が，気管チューブ内に垂れ込まないように，気管カテーテルの位置を確認し，吸引しながら，注入する． ● 1回の吸引後，さらに吸引が必要であると判断した場合には，呼吸・循環状態を確認したうえで1）〜5）を再度行う ● 誤って吸引することを防ぐ ● 患者の肺野を聴診し，呼吸状態や痰が十分に吸引できたかを評価する
5 吸引を終了する 1）吸引器のコックを閉める 2）閉鎖式吸引システム（カテーテル）を人工呼吸器回路に沿わせて置く 3）閉鎖式吸引カテーテルは24〜72時間ごとに交換する 4）以降は，開放式気管吸引に準じる	● 体位変換時などに閉鎖式吸引カテーテルを誤って引っ張り，気管内挿管チューブの事故抜去を防ぐため ● 製品によって交換期間が異なるため注意する ● 交換し忘れ予防のために，製品に曜日が記載されたステッカーが入っている．初回実施時に次回交換費日にあたる曜日のステッカーを吸引コントロールバルブに貼用する
6 吸引器の後片づけ 開放式気管吸引に準じる	

文献

1) 日本呼吸療法医学会 気管吸引ガイドライン改訂ワーキンググループ：気管吸引ガイドライン2013（成人で人工気道を有する患者のための）．人工呼吸．30（1）：75-91，2013．
〈http://square.umin.ac.jp/jrcm/pdf/kikanguideline2013.pdf〉（アクセス日：2020/4/9）
2) 日本呼吸器学会咳嗽・喀痰の診療ガイドライン 2019作成委員会編：第6章 人工呼吸器関連の気道分泌管理，咳嗽・喀痰の診療ガイドライン2019，メディカルレビュー社，2019，p.131-133．
3) Kuriyama A, Umakoshi N, Fujinaga J, Takada T：Impact of closed versus open tracheal suctioning systems for mechanically ventilated adults：a systematic review and meta-analysis. Intensive Care Med. 41（3）：402-411, 2015.
4) 渡邊毅・兵行義・高橋晴雄：ネブライザー機器の取り扱いと院内感染，Montly Book ENTONI，219：43-47，2018．
5) 日本臨床工学技士会・医療機器管理業務検討委員会編：医療機器を介した感染予防のための指針─感染対策の基礎知識，日本臨床工学技士会，2016．
6) 高野頌・大木幹文・大越俊夫，伊藤正行：デバイスの選択と使用方法，耳鼻咽喉科展望，55（Suppl.1）：32-39，2012．
7) 水田麻美：気管・口腔吸引，ルーチンでやっているケアを見直そう！クリティカルケアの根拠，重症集中ケア，17（4）：31-34，2018．
8) American Association for Respiratory Care：AARC Clinical Practice Guidelines. Endotracheal suctioning of mechanically ventilated patients with artificial airways. Respir Care, 55（6）：758-64, 2010.
9) 露木菜緒：使いこなし人工呼吸器，初めての人が達人になれる，南江堂，2012，p.90．
10) 十文字英雄：吸引に関する物品 閉鎖式吸引カテーテル，人工呼吸ケアの機器・物品100 現場で頼れる早引き事典，呼吸器ケア，2018夏季増刊：107-110，2018．
11) 日本呼吸ケア・リハビリテーション学会 酸素療法マニュアル作成委員会・日本呼吸器学会 肺生理専門委員会：酸素療法マニュアル（酸素療法ガイドライン 改訂版），日本呼吸ケア・リハビリテーション学会，2017．

4 皮膚・創傷の管理

学習目標
- 創傷の種類や治癒過程など，創傷の基礎知識を理解する。
- 創傷の治癒過程に応じた観察ポイントや援助方法を理解する。
- 褥瘡の基礎知識を理解し，予防のための援助が実施できる。
- ドレッシング材や包帯の種類，特徴を理解する。
- 患部の状況に応じた方法を選択し，包帯法を実施できる。

1 皮膚の構造と機能（図4-1）

皮膚は表面から表皮，真皮，皮下組織の3層で構成されている。

（1）表皮

表皮は，厚さが0.1～0.2mmと非常に薄い膜であり，角層，顆粒層，有棘層，基底層からなる。最下層にある基底細胞は分裂して角化細胞をつくり出す。分裂を繰り返すことで角

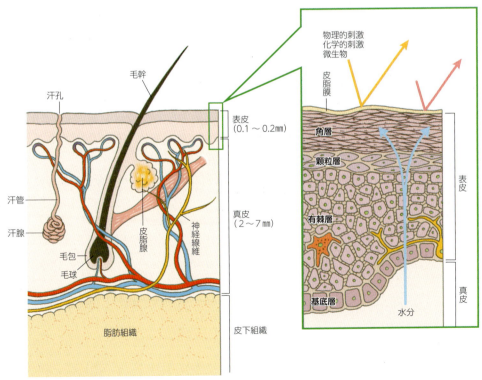

図4-1 皮膚の構造

化細胞が表層に向かって移動し，1か月ほどで垢となり剥がれ落ちる。また，角層の角化細胞内には天然保湿因子が含まれ，細胞間に分布する角質細胞間脂質とともに，適度な水分を保持している。

表皮は，皮脂腺から分泌される皮脂と，汗腺から分泌される汗などが混ざり合い，弱酸性の皮脂膜で覆われている。皮膚の役割には，①物理的刺激に対する保護作用（外力を和らげる），②化学的刺激に対する保護作用（紫外線などから守る），③微生物に対する保護作用（細菌の侵入・繁殖を防ぐ）がある。

（2）真　皮

主に膠原線維（コラーゲン線維）や弾力線維，その間を充填している基質からなる。さらに血管やリンパ管，神経，汗腺なども分布している。線維成分に富んだ真皮が表皮と接することで，皮膚の強度を維持している。また，基質により真皮には柔軟性，弾力性があり，生体内部を保護する役割をもつ。なお，神経が分布しているため，真皮の創傷は痛みを伴う。

（3）皮下組織

脂肪組織が大部分を占めており，外部からの物理的刺激を和らげる。エネルギーの貯蔵や体温の保持などの役割がある。

2 創傷の基礎知識

1）創傷の種類

創傷とは「外部からの作用により皮膚・皮下組織および粘膜に解剖学的な連続性が断裂した状態」と定義されている。開放性損傷を「創」，非開放性損傷を「傷」といい，両者を合わせて「創傷」とよぶ。創傷の種類は，分類の仕方により様々であるが，一部を表4-1に示す。

2）治癒の種類

創傷の治癒は，再生治癒と瘢痕治癒の2つに分類される。創傷は浅い場合（真皮浅層）は再生治癒，深い場合（真皮深層）は瘢痕治癒する（図4-2）。

①再生治癒：表皮や真皮の浅い層までの創傷では，表皮，真皮内に残存する毛包や汗腺からも角化細胞が再生されるため，瘢痕を残さない。

②瘢痕治癒：真皮の深層よりさらに深い創傷では，まず欠損部分が肉芽組織で充填されるため瘢痕を残す。

表4-1　創傷の種類

原因による分類	機械的損傷	外力により身体が損傷されることをいう。切創，刺創，裂創，挫創，咬創，擦過創など
	非機械的損傷	温熱による熱傷，寒冷による凍傷，電気による電気傷，放射線による損傷，化学薬品による損傷など
発症と継続時間による分類	急性創傷	創傷のメカニズムが順調に経過し治癒するもの。手術創，外傷など
	慢性創傷	創傷のメカニズムが順調に経過せず，治りにくい創傷。末梢動脈疾患，静脈うっ滞による下腿潰瘍，糖尿病による潰瘍，褥瘡など

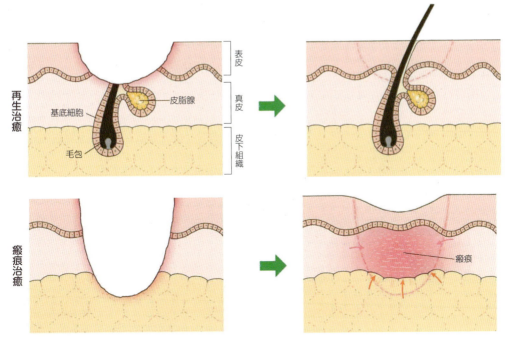

図4-2 創傷の再生治癒と瘢痕治癒

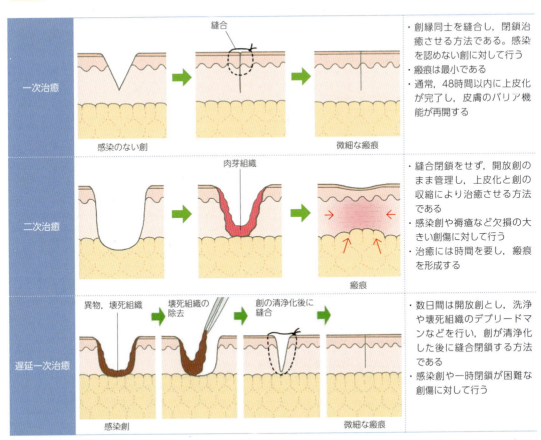

図4-3 創傷の治癒形態

3）治癒の形態

治癒の形態は，一次治癒，二次治癒，遅延一次治癒の3つに分類される（図4-3）。

4）創傷の治癒過程

創傷の治癒過程は共通しており，一定の経過をたどる。一般的には，①出血・凝固期，②炎症期，③増殖期，④成熟期からなる（図4-4）。慢性創傷は，治癒過程のいずれかが障害されて治癒が遅延した状態である。創傷の治癒過程には様々な阻害因子が影響を与える。主なものを表4-2に示す。

	出血・凝固期	炎症期	増殖期	成熟期
創の状態	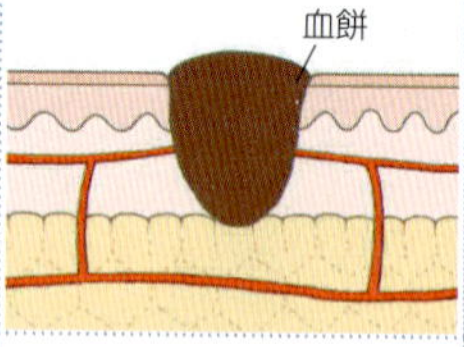 血餅	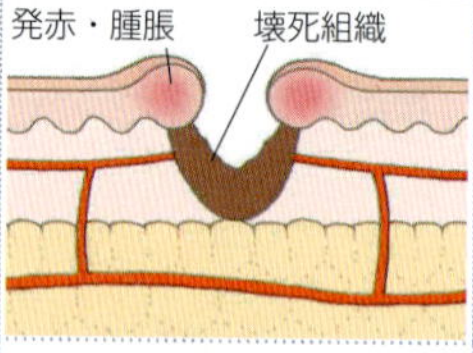 発赤・腫脹　壊死組織	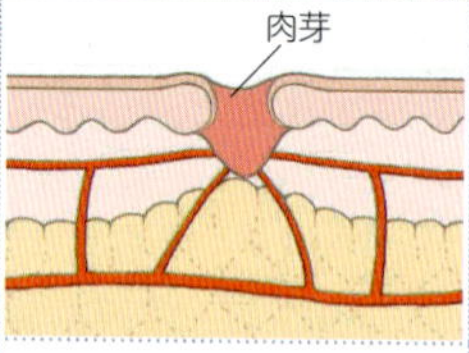 肉芽	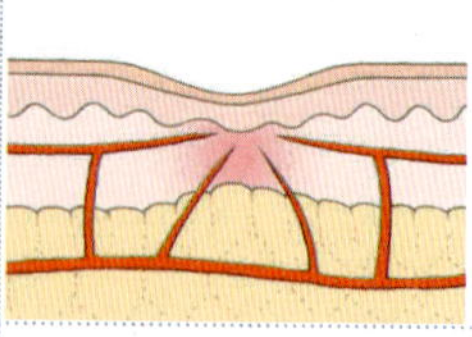
期間	・受傷直後〜数時間	・受傷直後〜約3日間	・炎症期後半〜数週間	・増殖期後半〜1年以上
特徴	・血液の凝固・止血	・炎症細胞の浸潤 ・細菌や壊死組織の貪食 ・創の清浄化	・肉芽形成と上皮化 ・肉芽全体の収縮による創収縮	・炎症細胞の消失 ・瘢痕形成 ・瘢痕の成熟（硬い瘢痕組織となる）
観察ポイント	・止血の有無	・感染の有無（創周囲の発赤，腫脹・疼痛・熱感，滲出液の色・においなど） ・壊死組織の有無 ・肉芽の状態（血行障害や不良肉芽がないか）	・感染の有無（創周囲の発赤，腫脹・疼痛・熱感，滲出液の色・においなど） ・創の湿潤環境が保てているか ・肉芽の状態（血行障害や不良肉芽がないか）	・瘢痕の状態（発赤，肥厚など）
主な治療	・止血を促す	・創の清浄化を図り，壊死組織がある場合は，デブリードマンを行う	・ドレッシング材や外用薬を用いて，創部の湿潤環境の維持と創部の保護を図る	・外部からの物理的刺激を除去し（成熟期前期の創部はまだまだ脆弱である），スキンケアにより皮膚を清浄な状態に保つ。通常はドレッシング材を使用することは少ない

図4-4　創傷の治癒過程と観察ポイント，主な治療

表4-2　創傷治療の阻害因子

局所因子	感染，局所の血行障害，浮腫，乾燥，異物，壊死組織，外力など
全身因子	低栄養（低タンパク，低アルブミン），ビタミン欠乏（A, C, B群など），代謝性疾患（糖尿病など），血液疾患（血液凝固障害など），循環系疾患（閉塞性動脈硬化症など），薬剤（ステロイド薬，抗がん薬，免疫抑制薬など），加齢，肥満など

3 創傷の観察

　創傷治癒を促すケアを実施するためには，創や創周囲の皮膚の状態および全身状態を観察したうえで，総合的なアセスメントを行う必要がある．特に，創の状態を正確に判断することが適切な創傷処置につながる．創傷の主な観察項目を表4-3に，治癒過程の各期における局所の観察ポイントを図4-4に示す．

 ## 4 創部の環境調整

　創傷の治療を促進するためには，創床環境調整と湿潤環境の調整が重要といわれている（図4-5）．

1）創床環境調整

　創傷が治癒しない場合は，何らかの阻害因子が存在する．これら因子を取り除き，創傷治癒に適した環境づくりを行うことを創床環境調整（wound bed preparation）という．これには，①壊死組織の除去（デブリードマン），②感染の制御，③滲出液のコントロール，④創縁の管理が含まれる．

表4-3　創傷の観察項目

局所の観察	・創傷治癒の過程 ・滲出液の状態（量，色，性状，においなど） ・肉芽形成の状態や瘢痕の状態 ・創周囲の皮膚の状態（乾燥，湿軟※，びらん，発赤の有無など） ・感染徴候の有無・程度（発赤，腫脹，熱感，疼痛）
全身の観察	・感染徴候の有無（発熱，全身倦怠感など） ・バイタルサイン ・治癒の阻害因子の有無（低栄養状態，循環不全など）

※湿軟とは，組織，特に角質層が水分を大量に吸収して白色に膨張した状態（ふやけ）．皮膚バリア機能が低下し，びらんや感染を生じやすい

創床環境調整 wound bed preparation	湿潤環境の調整 moist wound healing
治癒を阻害している因子を除去し，治癒する創傷へ変化させる	創傷を湿潤環境下に置くことで，創傷治癒を促進する
・壊死組織の除去 ・感染・炎症の制御 ・滲出液のコントロール ・創傷の管理	・ドレッシング材の活用

図4-5　創部の環境調節の基本的な考え方

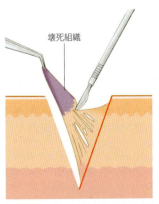

図4-6　壊死組織の除去（デブリードマン）

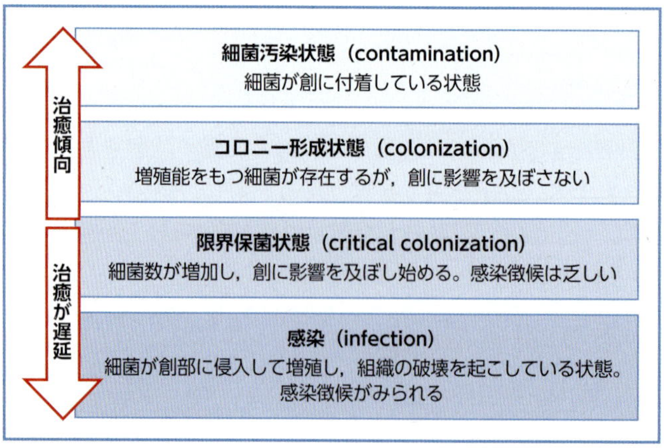

```
治癒傾向 ↑
細菌汚染状態（contamination）
　細菌が創に付着している状態

コロニー形成状態（colonization）
　増殖能をもつ細菌が存在するが，創に影響を及ぼさない

限界保菌状態（critical colonization）
　細菌数が増加し，創に影響を及ぼし始める。感染徴候は乏しい

感染（infection）
　細菌が創部に侵入して増殖し，組織の破壊を起こしている状態。
　感染徴候がみられる
治癒が遅延 ↓
```

図4-7　創と細菌の関係

（1）壊死組織の除去（デブリードマン）

壊死組織が残存していると細菌が繁殖し，感染が起こりやすいうえ，上皮化や創収縮が阻害される。そのため，壊死組織の除去（デブリードマン）が必要となる（図4-6）。

（2）感染・炎症の制御

感染や炎症を抑えるために，切開，排膿，創洗浄，抗菌薬の投与などを実施する。創傷においては，細菌が存在するだけでは感染とはいわない。一般的に培養組織1g当たり10^5個以上か，毒性の強い菌であれば1g当たり10^3個以上の菌数で感染を生じるといわれている。創と細菌の関係を図4-7に示す。

（3）滲出液のコントロール

滲出液には，好中球やマクロファージ，線維芽細胞，細胞増殖因子などが含まれ，それらは壊死組織の減少，組織の再生，細菌の増殖抑制など創傷の治癒過程に深く関与している。そのため，創部を適度な湿潤環境に保つことが重要となる。創部が乾燥している場合，滲出液が過剰である場合は，治癒遅延の原因となるため，創の状態に合わせた外用薬やドレッシング材の使用が重要となる。

（4）創縁の管理

ポケット形成や瘢痕化により治癒が遅延している病的創縁に対しては，ポケットの切開や創縁の切除を行う。

2）湿潤環境による治癒促進

湿潤環境下において線維芽細胞などが活性化され，良好な肉芽が形成される。良好な肉芽組織の表面では，基底細胞が遊走・移動して円滑に上皮化が進む。一方，乾燥環境下では，創表面が乾燥した痂皮を形成し，基底細胞の遊走を妨げるため上皮化が阻害され，結果として創傷治癒が遅れる。そのため，創傷治癒を促進するためには，創傷の湿潤環境を保つ（moist wound healing）ことが重要である。

5 創傷処置

1）創・創周囲の洗浄と保護

　従来の創傷処置の基本は，創部を消毒し乾燥させることであった。しかし，創部の消毒効果についてのエビデンスはないうえ，消毒によって創傷の治癒遅延を招くために，現在では感染のない創部に対しての消毒は行わない。また，褥瘡などの慢性創傷の場合は，洗浄が推奨されている。洗浄は，1日1回もしくはドレッシング材の交換ごとに実施する。

（1）ドレッシング材を剥がし，創・創周囲の皮膚を観察する

　皮膚を傷つけないように皮膚を押さえながら，ドレッシング材の種類に応じてゆっくりと剥がす。ドレッシング材が剥がれにくい場合は剥離剤を使用する。創部や創周囲の皮膚の状態（発赤，発疹，水疱，テープによる皮膚障害の有無），剥がしたドレッシング材に付着している滲出液の量や性状を観察する。ドレッシング材の状態を観察することで，ドレッシング材の選択や交換時期を判断することができる。たとえば，滲出液の量が創の面積よりも大きいのは，交換時期が遅い，適切な吸収力のドレッシング材を選択していないといった判断ができる。

（2）創周囲を洗浄する

　創周囲は，滲出液，汗，ドレッシング材などにより汚染している。創周囲の洗浄の目的は，これらを除去することで創感染のリスクを減少させ，上皮化を促進することである。

　創周囲の皮膚は，タンパク質やコレステロールなどが多いため，弱酸性の洗浄剤を用いる。洗浄剤をしっかり泡立て，泡で包み込むように愛護的に洗う。このとき，ガーゼやタオルでこすってはいけない。洗浄には38℃程度の微温湯を用い，洗浄剤が残らないように十分洗い流す（図4-8）。

（3）創を洗浄する

　創の洗浄の目的は，創面の異物や壊死組織を除去することで，細菌の繁殖を抑え，創の治癒を促進させることである。

　創の洗浄には，生理的食塩水（38℃程度）か水道水を使用する。異物や壊死組織を除去するため十分な量の洗浄液を用い，圧をかけて洗浄する。肉芽形成の時期は，肉芽を損傷

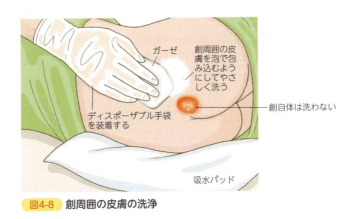

図4-8　創周囲の皮膚の洗浄

しないようにやさしく洗浄する。洗浄後は清潔なガーゼで創および創周囲の水分を押さえ拭きする。

明らかな感染徴候を認める感染創に関しては，洗浄前に消毒薬を用いることがある。その際も，消毒後に洗浄することで無用な組織障害を最小限にとどめ，消毒薬への感作を避けて接触性皮膚炎を抑える効果が期待できる[1]。

（4）創を保護する
①ドレッシング材による保護

創傷治癒を促進するためには，創の治癒過程に適したドレッシング材を用いる。ドレッシング材の種類を表4-4に示す。

a. 創面保護に用いるドレッシング材

透明あるいは半透明のポリウレタンフィルムに耐水性のある粘着材を塗布したものである。気体は通すが，水やバクテリアの浸入を防止する。創部からの滲出液により湿潤状態を保ち，創部が治癒するための環境をつくる。

b. 創面閉鎖と湿潤環境の形成に用いるドレッシング材

創面に密着させることにより，閉鎖性環境下でドレッシング材の親水性ポリマーが滲出液によりゲル状に変化し，創面の湿潤環境を保持する。

c. 乾燥した創を湿潤させるために用いるドレッシング材

ドレッシング材に多量に含まれる水分によって乾燥した壊死組織を軟化させ，自己融解を促進する。

d. 滲出液を吸収し保持するために用いるドレッシング材

創に過剰な滲出液をためないように創面の滲出液を吸収する。水分吸収力に優れ，かつ滲出液を保持する機能をもつ。深さのある創に充填し，過剰な滲出液を吸収する。

e. 感染抑制作用が期待できるドレッシング材

創を湿潤環境に保ちながら，創内部には低濃度の銀イオンが放出される。細菌などを含む滲出液を内部に閉じ込め，創部への逆戻りを防ぐ。銀イオンが放出されるので，滲出液に含まれた細菌を迅速かつ効率的に抗菌することができる。

f. 疼痛緩和に用いるドレッシング材

創面を適切な湿潤環境に保つことで，疼痛を緩和する。

②ガーゼによる保護

ガーゼは吸水性，通気性，速乾性に高く，創面が乾燥しやすい。また，滲出液がガーゼ全体に広がり，創周囲の皮膚にまで滲出液が付着してしまうという欠点があり，現在は，ドレッシング材を用いることのほうが多い。ガーゼで保護する場合は，創面が乾燥しないように注意する。また，ガーゼを剥がす際，創面とガーゼが固着している場合には微温湯や生理的食塩水で創面を十分に湿らせてからゆっくりと剥がす。

2）ドレッシング材やテープ類による皮膚障害

ドレッシング材やテープ類の長期間の貼付や頻回な交換は，発赤，表皮剥離，水疱形成，湿軟などの皮膚障害を生じる。そのため，固定や剥がし方について適切な方法で行うとともに（図4-9），異常の早期発見のために創周囲の皮膚の観察も行う。

表4-4 ドレッシング材の種類と機能

機 能	種 類	主な製品名	
創面保護	ポリウレタンフィルム	オプサイト®ウンド, 3M™テガダーム™トランスペアレント ドレッシング, パーミエイドS	オプサイト®ウンド 写真提供：スミス・アンド・ネフュー株式会社
創面閉鎖と湿潤環境	ハイドロコロイド	デュオアクティブ®, コムフィール®アルカス ドレッシング, アブソキュア®-ウンド	デュオアクティブ®CGF 写真提供：コンバテックジャパン株式会社
乾燥した創の湿潤	ハイドロジェル	ビューゲル®, ニュージェル®, グラニュゲル®, イントラサイト ジェル システム	グラニュゲル® 写真提供：コンバテックジャパン株式会社
滲出液吸収性	ポリウレタンフォーム	ハイドロサイト®プラス	ハイドロサイト®プラス 写真提供：スミス・アンド・ネフュー株式会社
	ポリウレタンフォーム／ソフトシリコン	メピレックス®ボーダー	メピレックス®ボーダー フレックス 写真提供メンリッケヘルスケア株式会社
	アルギン酸塩	カルトスタット®	カルトスタット® 写真提供：コンバテックジャパン株式会社
	キチン	ベスキチン®W-A	ベスキチン®W-A 写真提供：ニプロ株式会社
	ハイドロファイバー®	アクアセル®, アクアセルAg	アクアセル® 写真提供：コンバテックジャパン株式会社
	銀含有ドレッシング材	アクアセル®Ag, アルジサイト銀	アルジサイト銀 写真提供：スミス・アンド・ネフュー株式会社
感染抑制作用	ハイドロコロイド	デュオアクティブ®	
疼痛緩和	ポリウレタンフォーム／ソフトシリコン	ハイドロサイド®ADジェントル, メピレックス®ボーダー	
	ハイドロファイバー®	バーシバ®XC	
	キチン	ベスキチン®W-A	
	ハイドロジェル	グラニュゲル®	

【テープ固定の方法】

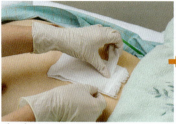
ガーゼの中央を軽く押さえる

緊張をかけずに中央から端に向かって貼り，剥がれないように押さえる

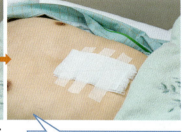

テープを引っ張りながら貼ると，皮膚に緊張がかかってしまう

【テープの貼り方】
良い例　　　　　　　　　　悪い例
テープ　ガーゼ　　　　　テープ　ガーゼ
肌　　　　　　　　　　　肌

【テープの剥がし方】
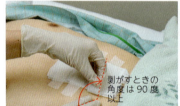
剥がすときの角度は90度以上
皮膚を押さえながらゆっくりと剥がす

【ポリウレタンフィルム材の剥がし方】
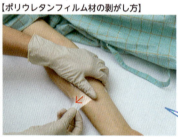
皮膚に対して，水平方向に引き伸ばしながらゆっくりと剥がす

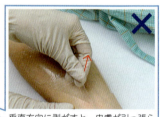
垂直方向に剥がすと，皮膚が引っ張られる

図4-9　テープの固定と剥がし方

【皮膚障害を予防するための対策】
・テープを貼付する部位は必要最小限にする。
・同一部位への貼付は避け，少し位置をずらして貼る。
・テープを引っ張りすぎない。関節部位に貼付する際は，伸縮性のあるテープを選択する。
・皮膚の湿軟を避けるため通気性のよい素材のテープとする。
・発赤などのアレルギー反応がみられた場合は，テープの種類を変更する。アレルギー反応がみられた皮膚に対して適切な処置を行う。

6 褥瘡の予防と管理

　日本褥瘡学会では，褥瘡を「身体に加わった外力は骨と皮膚表層の間の軟部組織の血流を低下，あるいは停止させる。この状況が一定時間持続されると組織は不可逆的な阻血性障害に陥り褥瘡となる」と定義されている[2]。最近では，ギプスや深部静脈血栓予防ストッキング，酸素マスクなどで発生する医療関連機器圧迫創傷（Medical device related pressure ulcer：MDRPU）が問題となっている。これらは必ずしも「骨と皮膚表層との間の組織損傷」ではないため，新しい包括的な褥瘡の定義が検討されている。

1）褥瘡の発生要因

発生要因としては，外力（圧迫，ずれなど）・応力（生体に負荷された外力は生体内部では応力となる），組織耐久性の低下（低栄養，末梢循環不全，浮腫，皮膚の湿潤，失禁など），回避能力の低下（活動性の低下，知覚・認知障害）などが挙げられる。

2）褥瘡の好発部位

骨突起部で皮膚が薄く，圧迫やずれによる負担がかかりやすい部位に生じやすい。仰臥位では仙骨部に体重の44％が集中する。多くの患者は仰臥位で臥床していることが多いため仙骨部の発生頻度が最も高いが，体位によって好発部位は異なる（図4-10）。病的骨突出や関節拘縮のある患者は，外力・応力の影響を受けやすく，褥瘡を生じやすい。

3）褥瘡の状態評価

褥瘡の深さによる分類としてよく用いられているのは，米国褥瘡諮問委員会（National Pressure Ulcer Advisory Panel：NPUAP，図4-11）により作成された分類である。わが国では，褥瘡の状態を評価するスケールとして，日本褥瘡学会が発表したDESIGN®とDESIGN-R®（表4-5）がある。DESIGN-R®はDESIGN®の改訂版として2008年に発表されたものであり，患者間や異なる褥瘡においても重症度を比較することが可能となり，予測妥当性のあるスケールとして国内で広く使用されている。

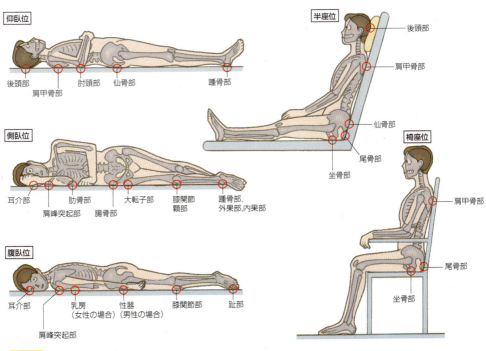

図4-10 褥瘡の好発部位

カテゴリ/ステージⅠ：消退しない発赤	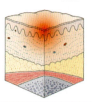	通常骨突出部に限局された領域に消退しない発赤を伴う損傷のない皮膚。色素の濃い皮膚には明白なる消退は起こらないが、周囲の皮膚と色が異なることがある。 周囲の組織と比較して疼痛を伴い、硬い、柔らかい、熱感や冷感があるなどの場合がある。カテゴリⅠは皮膚の色素が濃い患者では発見が困難なことがある。「リスクのある」患者とみなされる可能性がある
カテゴリ/ステージⅡ：部分欠損または水疱 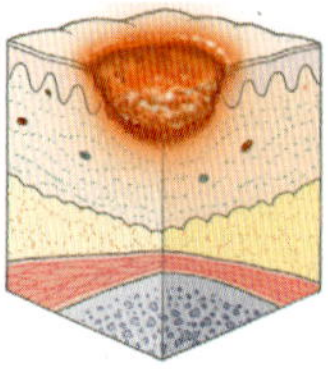		黄色壊死組織（スラフ）を伴わない、創底が薄赤色の浅い潰瘍として現れる真皮の部分層欠損。皮蓋が破れていないもしくは開放・破裂した、血清または漿液で満たされた水疱を呈することもある。 スラフまたは皮下出血*を伴わず、光沢や乾燥した浅い潰瘍を呈する。このカテゴリを、皮膚裂傷、テープによる皮膚炎、失禁関連皮膚炎、浸軟、表皮剥離の表現に用いるべきではない *皮下出血は深部組織損傷を示す
カテゴリ/ステージⅢ：全層皮膚欠損（脂肪層の露出）		全層組織欠損。皮下脂肪は視認できるが、骨、腱、筋肉は露出していない。組織欠損の深度がわからなくなるほどではないがスラフが付着していることがある。ポケットや瘻孔が存在することもある。 カテゴリ/ステージⅢの褥瘡の深さは、解剖学的位置により様々である。鼻梁部、耳介部、後頭部、踵部には皮下（脂肪）組織がなく、カテゴリ/ステージⅢの褥瘡は浅くなる可能性がある。反対に脂肪層が厚い部位では、カテゴリ/ステージⅢの非常に深い褥瘡が生じる可能性がある。骨/腱は視認できず、直接触知できない
カテゴリ/ステージⅣ：全層組織欠損	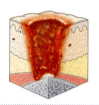	骨、腱、筋肉の露出を伴う全層組織欠損。スラフまたはエスカー（黒色壊死組織）が付着していることがある。ポケットや瘻孔を伴うことが多い。 カテゴリ/ステージⅣの褥瘡の深さは解剖学的位置により様々である。鼻梁部、耳介部、後頭部、踵部には皮下（脂肪）組織がなく、カテゴリ/ステージⅣの褥瘡は浅くなる可能性がある。反対に脂肪層が厚い部位では、カテゴリ/ステージⅣの非常に深い褥瘡が生じることがある。カテゴリ/ステージⅣの褥瘡は筋肉や支持組織（筋膜、腱、関節包など）に及び、骨髄炎や骨炎を生じやすくすることもある。骨/筋肉が露出し、視認することや直接触知することができる
分類不能：皮膚または組織の全層欠損－深さ不明 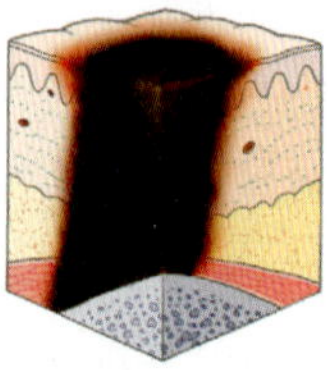		創底にスラフ（黄色、黄褐色、灰色、緑色または茶色）やエスカー（黄褐色、茶色または黒色）が付着し、潰瘍の実際の深さがまったくわからなくなっている全層組織欠損。 スラフやエスカーを十分に除去して創底を露出させない限り、正確な深達度は判定できないが、カテゴリ/ステージⅢもしくはⅣの創である。踵に付着した、安定した（発赤や波動がなく、乾燥し、固着し、損傷がない）エスカーは「天然の（生体の）創保護」の役割を果たすので除去すべきではない
深部組織損傷疑い－深さ不明	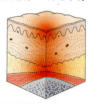	圧力や剪断力によって生じた皮下軟部組織が損傷に起因する、限局性の紫色または栗色の皮膚変色または血疱。 隣接する組織と比べ、疼痛、硬結、脆弱、浸潤性で熱感または冷感などの所見が先行して認められる場合がある。深部組織損傷は、皮膚の色素が濃い患者では発見が困難なことがある。進行すると暗色の創底に薄い水疱ができることがある。創がさらに進行すると、薄いエスカーで覆われることもある。適切な治療を行っても進行は速く、適切な治療を行ってもさらに深い組織が露出することもある

図4-11 NPUAP/EPUAPによる褥瘡の深達度分類

EPUAP/NPUAP著，宮地良樹・真田弘美監訳：褥瘡の予防&治療クイックリファレンスガイド．株式会社ケープ，2009，p.8より引用したものにイラストを追加した

表4-5　DESIGN-R® 褥瘡経過評価用

DESIGN-R® 褥瘡経過評価用　　カルテ番号(　　　)　患者氏名(　　　)　　月日　/　/　/　/　/　/

Depth 深さ 創内の一番深い部分で評価し、改善に伴い創底が浅くなった場合、これと相応の深さとして評価する					
d	0	皮膚損傷・発赤なし	D	3	皮下組織までの損傷
	1	持続する発赤		4	皮下組織を越える損傷
	2	真皮までの損傷		5	関節腔、体腔に至る損傷
				U	深さ判定が不能の場合

Exudate 滲出液					
e	0	なし	E	6	多量:1日2回以上のドレッシング交換を要する
	1	少量:毎日のドレッシング交換を要しない			
	3	中等量:1日1回のドレッシング交換を要する			

Size 大きさ 皮膚損傷範囲を測定:[長径(cm)×長径と直交する最大径(cm)] *3					
s	0	皮膚損傷なし	S	15	100以上
	3	4未満			
	6	4以上　16未満			
	8	16以上　36未満			
	9	36以上　64未満			
	12	64以上　100未満			

Inflammation/Infection 炎症/感染					
i	0	局所の炎症徴候なし	I	3	局所の明らかな感染徴候あり(炎症徴候、膿、悪臭など)
	1	局所の炎症徴候あり(創周囲の発赤、腫脹、熱感、疼痛)		9	全身的影響あり(発熱など)

Granulation 肉芽組織					
g	0	治癒あるいは創が浅いため肉芽形成の評価ができない	G	4	良性肉芽が、創面の10%以上50%未満を占める
	1	良性肉芽が創面の90%以上を占める		5	良性肉芽が、創面の10%未満を占める
	3	良性肉芽が創面の50%以上90%未満を占める		6	良性肉芽が全く形成されていない

Necrotic tissue 壊死組織 混在している場合は全体的に多い病態をもって評価する					
n	0	壊死組織なし	N	3	柔らかい壊死組織あり
				6	硬く厚い密着した壊死組織あり

Pocket ポケット 毎回同じ体位で、ポケット全周(潰瘍面も含め)[長径(cm)×短径*1(cm)]から潰瘍の大きさを差し引いたもの					
p	0	ポケットなし	P	6	4未満
				9	4以上16未満
				12	16以上36未満
				24	36以上

部位[仙骨部、坐骨部、大転子部、踵骨部、その他(　　　)]　　合計*2

*1:"短径"とは"長径と直交する最大径"である
*2:深さ(Depth:d.D)の得点は合計には加えない
*3:持続する発赤の場合も皮膚損傷に準じて評価する

©日本褥瘡学会/2013

4) 褥瘡発生のリスクアセスメント

　褥瘡の予防には、褥瘡発生のリスクアセスメントを行うことが重要である。リスクアセスメントスケールには、ブレーデンスケール、K式スケール、OHスケール、厚生労働省危険因子評価などがある。看護実践でよく用いられているものが、ブレーデンスケールである（表4-6）。「知覚の認知」「湿潤」「活動性」「可動性」「栄養状態」「摩擦とずれ」の6項目からなり、リスクを点数化し評価する。点数は6～23点数の範囲であり、点数が低いほど褥瘡発生のリスクが高いとされる。また、褥瘡対策は2012年の診療報酬改定から入院基本料の策定要件に組み込まれ、褥瘡の危険因子の評価に厚生労働省危険因子評価が用いられている。評価項目には、「基本的動作能力（ベッド上：自力体位変換、イス上：座位姿勢の保持、徐圧）」「病的骨突出」「関節拘縮」「栄養状態低下」「皮膚湿潤」「皮膚の脆弱性（浮腫）」「皮膚の脆弱性（スキン－テアの保有、既往）」が含まれる。なお、スキン－テアとは、「摩擦やずれによって皮膚が裂けて生じる真皮深層までの損傷（部分層損傷）」のことである[3]。

　褥瘡の早期発見のためには、褥瘡の好発部位を中心に身体で圧迫を受けやすい部位をよく観察する。特に、「持続する発赤」か「一時的な発赤」かを正しく判断し、褥瘡の初期段階である「持続する発赤」を早期に発見することが鍵となる。

表4-6 ブレーデンスケール

患者氏名：＿＿＿＿＿＿　評価者氏名：＿＿＿＿＿＿　評価年月日：＿＿＿＿

	1	2	3	4
知覚の認知 圧迫による不快感に対して適切に対応できる能力	**1. 全く知覚なし** 痛みに対する反応（うめく，避ける，つかむ等）なし。この反応は，意識レベルの低下や鎮静による。あるいは体のおおよそ全体にわたり痛覚の障害がある。	**2. 重度の障害あり** 痛みのみに反応する。不快感を伝える時には，うめくことや身の置き場なく動くことしかできない。あるいは，知覚障害があり，体の1/2以上にわたり痛みや不快感の感じ方が完全ではない。	**3. 軽度の障害あり** 呼びかけに反応する。しかし，不快感や体位変換のニードを伝えることが，いつもできるとは限らない。あるいは，いくぶん知覚障害があり，四肢の1，2本において痛みや不快感の感じ方が完全でない部位がある。	**4. 障害なし** 呼びかけに反応する。知覚欠損はなく，痛みや不快感を訴えることができる。
湿潤 皮膚が湿潤にさらされる程度	**1. 常に湿っている** 皮膚は汗や尿などのために，ほとんどいつも湿っている。患者を移動したり，体位変換するごとに湿気が認められる。	**2. たいてい湿っている** 皮膚はいつもではないが，しばしば湿っている。各勤務時間中に少なくとも1回は寝衣寝具を交換しなければならない。	**3. 時々湿っている** 皮膚は時々湿っている。定期的な交換以外に，1日1回程度，寝衣寝具を追加して交換する必要がある。	**4. めったに湿っていない** 皮膚は通常乾燥している。定期的に寝衣寝具を交換すればよい。
活動性 行動の範囲	**1. 臥床** 寝たきりの状態である。	**2. 座位可能** ほとんど，または全く歩けない。自力で体重を支えられなかったり，椅子や車椅子に座るときは，介助が必要であったりする。	**3. 時々歩行可能** 介助の有無にかかわらず，日中時々歩くが，非常に短い距離に限られる。各勤務時間中にほとんどの時間を床上で過ごす。	**4. 歩行可能** 起きている間は少なくとも1日2回は部屋の外を歩く。そして少なくとも2時間に1回は室内を歩く。
可動性 体位を変えたり整えたりできる能力	**1. 全く体動なし** 介助なしでは，体幹または四肢を少しも動かさない。	**2. 非常に限られる** 時々体幹または四肢を少し動かす。しかし，しばしば自力で動かしたり，または有効な（圧迫を除去するような）体動はしない。	**3. やや限られる** 少しの動きではあるが，しばしば自力で体幹または四肢を動かす。	**4. 自由に体動する** 介助なしで頻回にかつ適切な（体位を変えるような）体動をする。
栄養状態 普段の食事摂取状況	**1. 不良** 決して全量摂取しない。めったに出された食事の1/3以上を食べない。蛋白質・乳製品は1日2皿（カップ）分以下の摂取である。水分摂取が不足している。消化態栄養剤（半消化態，経腸栄養剤）の補充はない。あるいは，絶食であったり，透明な流動食（お茶，ジュース等）なら摂取したりする。または，末梢点滴を5日間以上続けている。	**2. やや不良** めったに全量摂取しない。普段は出された食事の約1/2しか食べない。蛋白質・乳製品は1日3皿（カップ）分の摂取である。時々消化態栄養剤（半消化態，経腸栄養剤）を摂取することもある。あるいは，流動食や経管栄養を受けているが，その量は1日必要摂取量以下である。	**3. 良好** たいていは1日3回以上食事をし，1食につき半分以上は食べる。蛋白質・乳製品を1日4皿（カップ）分摂取する。時々食事を拒否することもあるが，勧めれば通常摂食する。あるいは，栄養的におおよそ整った経管栄養や高カロリー輸液を受けている。	**4. 非常に良好** 毎食おおよそ食べる。通常は蛋白質・乳製品を1日4皿（カップ）分以上摂取する。時々間食（おやつ）を食べる。補食する必要はない。
摩擦とずれ	**1. 問題あり** 移動のためには，中等度から最大限の介助を要する。シーツでこすれずに体を移動することは不可能である。しばしば床上や椅子の上でずり落ち，全面介助で何度も元の位置に戻すことが必要となる。痙攣，拘縮，振戦は持続的に摩擦を引き起こす。	**2. 潜在的に問題あり** 弱々しく動く。または最小限の介助が必要である。移動時皮膚は，ある程度シーツや椅子，抑制帯，補助具などにこすれている可能性がある。たいがいの時間は，椅子や床上で比較的良い体位を保つことができる。	**3. 問題なし** 自力で椅子や床上を動き，移動中十分に体を支える筋力を備えている。いつでも，椅子や床上で良い体位を保つことができる。	

※Copyright: Braden and Bergstrom. 1988
訳：真田弘美（東京大学大学院医学系研究科）／大岡みち子（North West Community Hospital. IL. U.S.A.）

5）褥瘡予防のためのケア

（1）体圧の調整と体位の保持

　褥瘡予防や褥瘡発生時のケアでは外力（圧迫，ずれ）の管理が重要である。「沈める」「包む」「経時的な接触部位の変化」の3つの働きによって圧力を分配し，一箇所に加わる圧力を軽減することを圧再分配という。圧再分配をするためには，体圧分散用具の使用，体位変換，ポジショニング，ずれの排除などが必要となる。

①体圧分散用具の使用

　患者に適したものを選択することが大切であり，そのためには，体圧分散用具の種類や特徴を理解する必要がある。体圧分散マットレスの種類を表4-7に，座位時に用いる体圧分散クッションの種類を表4-8に示す。

【体圧分散マットレス使用時の留意点】
・シーツのしわを予防するためにシーツを張りすぎると，張力により接触面積が小さくなり，

表4-7 体圧分散用具の種類

分　類	種類・特徴
機　能	〈静止型〉 ・身体がマットレスに沈み込み，マットレスが身体を包み込むことで，マットレスと身体との接触面積が拡大し，一か所に加わる圧力が小さくなる ・安定感はあるが，対象に応じた体圧調整はできない 〈圧切り換え型〉 ・マットレスに空気が出入りし，マットレスが周期的に膨張と収縮を繰り返すことで身体と接触する部分が変化する ・対象に応じて体圧調整ができるが，自力で体位変換する際には安定感が得にくい
素　材	・エア，ウォーター，ウレタンフォーム，ゲル，ゴムなどがある ・素材によって利点と欠点が異なる

ウレタンフォーム
UF-71　床ずれ予防マットレス
写真提供：フランスベッドホールディングス株式会社

ラテックス
ラテックスフューマット
写真提供：フランスベッドホールディングス株式会社

エア
エアマスター　ネクサス®セット
写真提供：株式会社ケープ

表4-8 座位で用いる体圧分散クッションの種類

素　材	特　徴
ウレタンフォーム	使用が簡便であり，様々な患者に適用できる。長期使用する場合は，ウレタンフォームがへたりやすい
エア	体圧分散効果に優れ，体重が重い患者にも適している。マットレスの内圧調整ができるが，操作がやや難しい
ジェル	やせが著明な患者に適している。重く，表面が冷たい物もある

体圧分散効果が減少する。そのため，しわにならない程度にゆとりをもたせてシーツを張る。
- エアマットレスを使用する場合は，マットレスが正常に作動しているか，内圧設定が患者に適した設定になっているかなどを各勤務帯や移動後に確認する。直接エアマットレスに触れて確認することが重要である。
- 上敷きエアマットレス（普通のマットレスにエアマットレスを敷くタイプ）では，骨突出部の下にあるエアマットレスと普通のマットレスの間に手を差し入れ，底つき現象が起こっていないかを確認する（図4-12）。
- マットレスの高さや患者の活動能力，ベッド柵の高さなどを考慮し，転落を防止する。

②体位変換

a. 仰臥位の場合

体位変換は基本的には2時間以内，体位分散用具を使用している場合は4時間以内で実施することが推奨されている。しかし，夜間の体位変換は患者の睡眠や安楽を妨げる原因にもなる。また，2時間という間隔では長すぎる場合もある。そのため，皮膚の状態，組織耐久性，活動性，全身状態，体圧分散マットレスの種類などを総合的に判断し，対象に適した間隔で実施することが大切である。自力で体位変換をできない場合は，摩擦とずれを引き起こさないよう看護師2名で実施する。

b. 座位の場合

自分で姿勢変換できる場合は，前傾姿勢や側屈姿勢，殿部を浮かせるプッシュアップなどの除圧動作を15分ごとに行う。自分で姿勢変換できない場合は，看護師や介護者が除圧するか，手動ティルト機能付車椅子を使用して，車椅子の角度を変えて殿部の負担を軽減する。

c. スモールチェンジ法

仰臥位から側臥位などの身体を大きく動かす従来的な体位変換ではなく，マットレスの下に小枕を挿入し，身体に傾斜をつくり，自然な身体の動きを模倣して耐圧を変化させるといった，スモールチェンジ法の有効性がいわれている。従来の体位変化に比べ，皮膚へのひずみが小さいことから，創への影響を少なくできると考えられている。患者のベッド

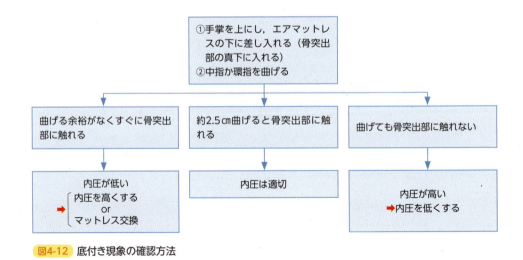

図4-12 底付き現象の確認方法

サイドを訪れるたびに小枕の位置を順番で移動させる動きを繰り返すことで，褥瘡を予防することができる。

③ポジショニング

a. 仰臥位の場合

・30度側臥位

仰臥位では仙骨部に高い圧がかかり，完全側臥位では肩峰部や大転子部に圧が集中する。そのため，仙骨部や肩峰部，大転子に圧がかからないように殿筋での接触面積を大きくし体圧を分散させるのが30度側臥位である（図4-13）。しかし，痩せている患者や殿筋が萎縮している患者では，仙骨部や大転子部に圧が集中してしまう可能性がある。そのため，体圧分散用具を使用したり，患者の骨格などに応じた体位の工夫を考える。

・踵部の除圧

踵部は仙骨部に次ぐ褥瘡の好発部位である。下腿全体に枕を挿入し，膝は軽度屈曲位にして踵部を浮かせる。膝が過伸展しないように注意する（図4-14）。

・ずれの予防

頭側を挙上することで上半身の体重が仙骨や尾骨に集中する。さらに圧迫された部位がずれることで皮膚や皮下組織への栄養血管が引っ張られ，虚血状態となり，褥瘡が発生しやすくなる。ずれを防止するために，頭側挙上の際には①ベッドの屈曲部と大転子を合わせ，②ベッドの下肢側を挙上し，③頭側を挙上する。その後，背中や殿部の皮膚表面に生じる圧やずれを開放するために背抜き（上半身を前方に起こし，寝衣のしわを伸ばす）と足抜き（下肢を持ち上げ，寝衣のしわを伸ばす）を行う（図4-15）。体位変換時のずれ防止には，ポジショニンググローブ，スライドシートの使用が有効的である。

b. 座位の場合

座位時の基本姿勢は，股関節90度，膝関節90度，足関節90度である。この姿勢では，圧

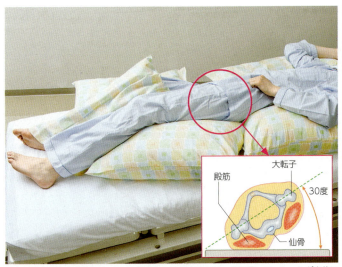

様々なかたちや大きさのクッションを用いて身体を支える。その際，クッションが身体に密着し，隙間ができないようにする

図4-13 30度側臥位

〈良い例〉
踵部はマットレスに接しないようにする

枕を下肢全体に挿入し，仙骨部にかかる圧を下肢全体で受ける。膝を軽度屈曲させることで，膝や腰，腹部への負担を軽減する

〈悪い例〉

枕を下腿だけに挿入すると，膝が過伸展し，仙骨部に圧が集中する

図4-14 踵部の除圧

〈背抜き〉

背面をベッドから離して背中にかかる外力を取り除き，寝衣のしわを伸ばす

〈足抜き〉

下腿をベッドから離して下腿にかかる外力を取り除き，寝衣のしわを伸ばす

図4-15 背抜きと足抜き

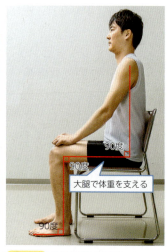

図4-16 座位の基本姿勢

力は大腿後面にかかる。大腿後面には骨突出部がなく，支持面積が広いため褥瘡が予防できる。患者の体形や状態に合わせてクッションなどを活用し，姿勢の保持を図る（図4-16）。

（2）スキンケア

日本褥瘡学会では，スキンケアを「皮膚の生理機能を良好に維持する，あるいは向上させるために行うケアの総称である。具体的には，皮膚からの刺激物，異物，感染源などを取り除く洗浄，皮膚と刺激物，異物，感染源などを遮断したり，皮膚への光熱刺激や物理的刺激を小さくしたりする被覆，角質層の水分を保持する保湿，皮膚の浸軟を防ぐ水分の除去などをいう」と定義している[4]。つまり，褥瘡を予防するためのスキンケアでは，洗浄，保護，保湿，湿潤予防が重要となる。洗浄については，前述の創周囲の洗浄の方法と同様であるため，ここでは，保護，保湿，湿潤予防に対するケアについて述べる。

①保 護

- 骨突出部位にフィルムドレッシング材やすべり機能つきドレッシング材（表面に高い滑り性をもたせたもの）を貼付し，摩擦から皮膚を保護する。
- 体位変換時や車椅子への移乗時などに摩擦やずれを生じさせないよう注意する。

②保 湿

皮膚は皮脂，角質細胞間脂質，天然保湿因子などにより保湿されている。しかし，皮膚が乾燥すると，浅い亀裂が生じ，外部刺激やアレルゲンなどの侵入を防いでいるバリア機能が破綻する。また，乾燥した皮膚は，摩擦により容易に表皮剥離する。そのため，乾燥している皮膚に対しては，皮膚の保湿と被膜を補うケアが必要である。

- 入浴後は速やかに保湿剤や処方されている外用薬を使用する。保湿剤は皮膚の状態に適したものを使用する。
- 部屋の湿度を保つ。
- 皮膚が寒気にさらされないようにする。

③湿潤予防

湿潤とは，表皮の角質層が水分を過度に吸収し「湿軟（ふやけ）」を引き起こす前段階の

状態である。湿潤の原因には，尿・便失禁，発汗などがある。湿潤は，皮脂を取り除き皮膚のバリア機能を低下させ，湿軟により摩擦やずれを生じやすくさせる。また，便や尿はアルカリ性のため，皮膚に刺激を与え皮膚障害の原因となる。そのため，湿潤を予防するケアが重要となる。

- 失禁の状態に合わせた排泄ケア用具（おむつ，肛門用装具など）を選択する。
- 肛門部や殿部に撥水性や被膜性のあるクリームを塗布し，皮膚への刺激を軽減する。

（3）栄養管理

褥瘡には低タンパク，低アルブミン，貧血，ビタミン欠乏などが影響する。食事摂取量や身体計測，血液検査データなどから栄養状態のアセスメントを行い，栄養改善に向けた援助を行う。

7 包帯法

1）包帯法の目的

- 保護：創傷部を覆うことにより，外界からの物理的・化学的・細菌学的刺激から患部を保護する。また，患部からの滲出液や分泌物を吸収する。
- 安静：骨折部や脱臼部，手術部位を固定することで，患部の運動を制限し安静に保つ。
- 支持：貼付，塗布した薬剤などのずれ防止や，ドレーンやカテーテル類がずれて剥がれないように身体に固定する。
- 圧迫：患部を圧迫することで止血したり，滲出液の貯留を防止する。また，静脈血の還流を促すことで，浮腫や腫脹，深部静脈血栓症の予防を図る。
- 整復：骨折や外傷などにより生じた組織の位置異常を伸展して正常な位置に戻す。
- 矯正：骨や筋肉の変形を矯正する。

2）包帯の種類

包帯には，材質により様々な種類があるが，大きく分類すると表4-9のとおりである。各包帯の寸法と用いる部位は表4-10のとおりである。また巻軸包帯の種類と各部の名称，三角巾の各部の名称は図4-17，18のとおりである。

3）包帯法を用いるときの注意点

- 目的・部位に適した材質・幅・長さの包帯を選択する。
- 感染予防に努める。創傷を伴う場合は，感染予防のため滅菌された材料を使用するとともに，清潔操作に留意する。
- 隣接する皮膚の2面が接しないようにする。皮膚と皮膚が接すると，皮膚が摩擦され皮膚障害の原因ともなる。皮膚の2面が接するところは，別々に包帯をする。
- 運動障害を予防する。関節部位を持続的に固定すると，筋肉の萎縮によって運動障害が生じる可能性が高い。そのため，屈伸が可能な関節に対しては，屈伸ができるような包帯材料および包帯法を用いる。また，回復後のリハビリテーションに支障がないように，関節はできるだけ良肢位にする。

表4-9 包帯の種類と特徴

種類		特徴
巻軸包帯	非伸縮性包帯	素材は綿が一般的で，皮膚に対して低刺激だが，伸縮性がないためずれやすい
	伸縮性包帯	素材は綿やゴム繊維で，伸縮性に富むため，関節部位などにずれや緩みが生じにくい
	弾性包帯	素材は綿やゴム繊維で，弾性があるため，関節などの可動域が広い部位の支持や圧迫固定に優れる
布帛包帯	幅の広い布を用いるもの 三角巾，腹帯，胸帯，T字帯など	三角巾などの布タイプは，骨折や脱臼の整復後，上肢を支持挙上する目的で使用したり，また，巻軸帯では巻きにくい頭，肩，胸などの部位を覆うときに用いる
管状包帯	チューブ包帯，ネット包帯	管状包帯は巻きにくい部位などの創傷の被覆，固定の目的で用いる。筒状で伸縮性があるため，素早く簡便に利用できる。また，ギプス，キャストの下巻き用として用いるチューブ包帯をストッキネットという
絆創膏包帯		紙や布などの片面に粘着剤を塗布したもので，ガーゼ，カテーテルなどの支持や，患部の固定・牽引などに用いられる。また各種素材（綿，不織布など）と絆創膏を使用したものは，創傷の被覆に使われ，滲出液を吸収しながら固定ができる。通気性や耐水性，吸湿性に優れたものが開発されており，臨床でも多く使用されている
副子包帯		副子を用いて支持・整復のために用いる
硬化包帯		ギプス包帯や，温めると軟らかくなり冷えると固まる合成樹脂製品のもので，骨折の整復時に用いる。副子包帯よりも固定力が強い
複製包帯		使用に便利な形に作られた眼帯や耳帯などの特殊な包帯

表4-10 包帯の種類別適用部位

種類	寸法		適用部位
巻軸包帯	2号 3号 4号 6号 10号	約14cm（幅） 約10cm 約7cm 約5cm 約3cm	胸部，背部 胸部，鼠径部，大腿部 頭部，四肢 頭部，上腕，下腿部，足 手指，足指
チューブ包帯 ネット包帯	1号 2号 3号 4号 6号 8号	1.0cm（幅） 2.0cm 3.0cm 4.0cm 6.0cm 8.0cm	手指，足指 手指，足指，手の甲，手首，足首 肘，膝，足 膝，肩 頭部，大腿部 胸部，腰部
三角巾	90～150cm（一辺）		頭部，四肢，体幹など
T字体	15～33×80～100cm		会陰部，肛門部
腹帯	腹周囲×140～150cm		腹部
胸帯	胸囲×140cm		胸部

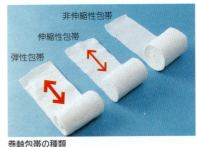

巻軸包帯の種類

巻軸包帯の各部の名称

図4-17 巻軸包帯の種類と各部の名称

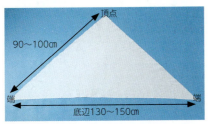

図4-18 三角巾の各部の名称

表4-11 包帯がきつすぎる場合の循環障害・神経障害の徴候

・末梢部分の皮膚・爪床の蒼白
・しびれや痛み
・末梢冷感
・チアノーゼ
・浮腫
・四肢動脈の触値の減弱
・可動性の制限

・血液循環障害や神経麻痺を予防する。圧迫を加えて包帯をしていると，静脈血また動脈血の血液循環が悪くなる。上肢や下肢では起床時から時間がたつと末梢部に浮腫を生じやすく，最初は圧迫していなくても，次第に圧迫された状態となる。特に，弾性包帯や伸縮性包帯ではその現象が生じやすい。また，圧迫による神経麻痺が生じる場合もある。そのため，包帯を用いるときは圧迫しすぎないようにし，循環障害や神経麻痺が早期発見できるように包帯をした部分より末梢は露出し，適宜観察を行う（表4-11）。
・患部の真上から巻き始めない（患部に圧がかかり，痛みの原因になる）。
・固定のためのテープの位置は患部を避ける（患部に圧がかかり，痛みの原因になる）。
・患者のADL状況，活動状況，生活をイメージし，固定がすぐにはずれてしまわないように巻く。ただし，きつすぎて循環障害，神経障害を生じさせないようにする。
・外観を美しく整える。

4）巻軸包帯を巻くときの注意点

・包帯は，末梢から中枢に向かって巻く。
・巻き始めと巻き終わりは環行帯で行う。包帯がずれたり緩んだりしないようにするためには，同一部位を繰り返し巻く環行帯が適している。

- 包帯と体表の間に間隔をあけないよう包帯を転がすようにして巻く。包帯が緩まず、ずれないように巻くためには、巻く部位の横と縦の両方向に力が加わる角度で巻くと効果的である。
- 固定する部位と広がりを考えて、基本形を応用して個々に工夫して巻く。

看護技術の実際

A 巻軸包帯

1）環行帯

- 目　的：太さの等しい部分を巻く場合や、包帯の巻き始めと巻き終わりに用いる
- 適　応：創傷の保護を必要とする患者
- 必要物品：巻軸包帯、はさみ、絆創膏または包帯止め

	方　法	留意点と根拠
1	患者に説明し、同意を得る（➡❶）	●目的・方法などを伝える ❶患者の協力を得るため
2	包帯を巻く部位を衣服から出し、看護師の利き手と反対側の手で支える	●看護師は患者の正面に立つ ●包帯をする部位の皮膚が清潔で湿潤していないか確認する
3	利き手で巻軸を持ち、帯尾をやや斜め上方（中枢側）に皮膚に沿わせて置き、利き手と反対側の母指で帯尾を軽く押さえる（図4-19a）	●包帯は利き手でしっかりと支える（➡❷） ❷巻くことによる振動を少なくする ●巻き始めは手首や足首などの包帯の安定性のよいところを選ぶ（➡❸） ❸包帯がずれにくい
4	巻軸を転がすようにして1回巻く	●通常、右巻きとする ●均一な圧力で巻く（➡❹） ❹圧力が均一でないと、循環障害やずれの原因となり、また快適でない
5	帯尾に重なったら、利き手と反対側の手で帯尾を軽く引き、帯頭をやや引っ張りぎみに巻く（図4-19b）	
6	巻いた包帯の上に帯尾の端の三角部分を折り返す（➡❺）（図4-19c）	❺帯尾をそのまま巻いて引っ張ると巻いた部分が引っ張られて抜けたり、ずれることがある ●中枢側を折り曲げる（➡❻） ❻末梢側を折ると包帯の端になり、擦れて糸の端ができやすい
7	折り返した端を母指で押さえ、その上を2〜3回巻く（➡❼）（図4-19d）	❼上に重ねて巻くと、固定され、くずれにくい ●必要以上に巻かないこと（➡❽） ❽創傷部に不必要な圧力を加えてしまうだけでなく、圧力の不均等にもつながる
8	巻き終えたら、包帯をはさみで切る	
9	切った端を内側に折り返し、絆創膏または包帯止めで止める	●絆創膏は事前に必要な長さにカットしておくとよい ●締めすぎていないか確認する

方法	留意点と根拠
10　患者に安楽か確認するとともに観察を行う	●観察ポイントは以下のとおり 　・包帯部位より末梢部の皮膚の色 　・チアノーゼや感覚麻痺 　・運動制限の有無

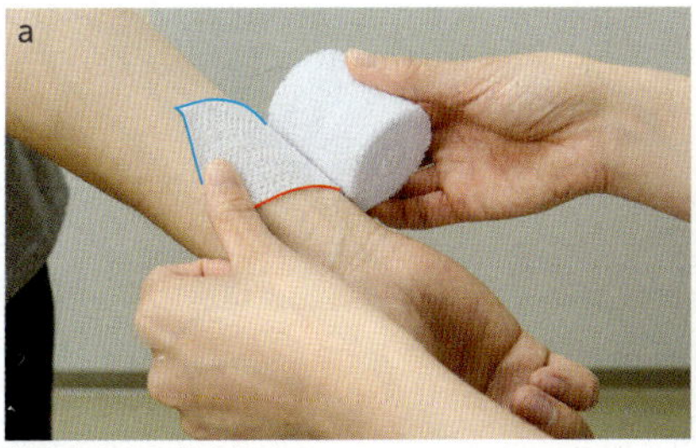

a　斜め上方から巻き始める　　b　ずらした部分の帯尾を軽く引く
c　三角部分を折り返す　　d　折り曲げた三角部分の上から再度巻く

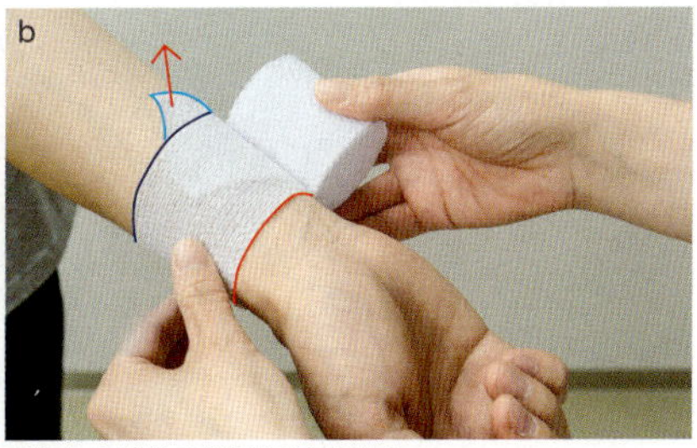

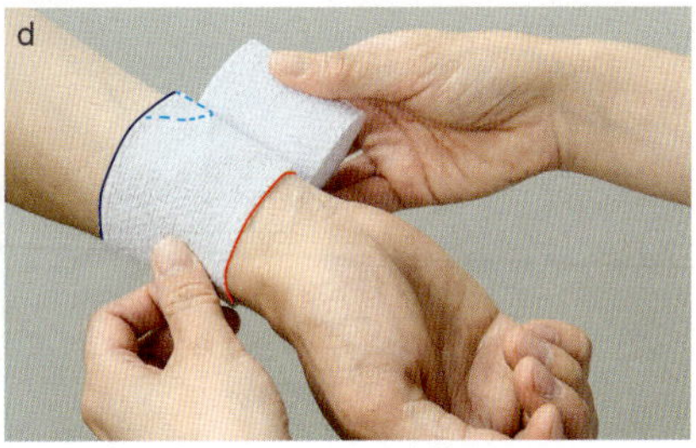

図4-19　環行帯

方法	留意点と根拠
11　衣服を整える	
12　記録する	●施行した時刻，包帯の部位，皮膚の状態など

2）螺旋帯

- ● 目　　的：長さのある部位で，同じ太さの部分を巻く場合に用いる
- ● 適　　応：創傷の保護を必要とする患者
- ● 必要物品：巻軸包帯，はさみ，絆創膏または包帯止め

方法	留意点と根拠
1　患者に説明し，同意を得る（➡❶）	●目的・方法などを伝える ❶患者の協力を得るため
2　包帯を巻く部位を出し，安楽に支える	
3　巻き始めは環行帯で巻く	●四肢の場合は，末梢から中枢に向けて巻く（➡❷） ❷静脈血の還流を阻害しないようにする
4　巻軸をやや斜め上方に向け，先に巻いた包帯に1/2〜2/3幅を重ねて巻く 　1）皮膚に沿わせながら，転がすようにして巻く（➡❸） 　2）包帯が巻く部位の上方に出たら，やや引き加減にする	●1/2重ねると同一部位は二重に，2/3重ねると三重になる ❸包帯の締まりがよくなる

	方　法	留意点と根拠
5	4を繰り返し，螺旋状に目的の部位を巻く（図4-20）	

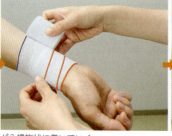

環行帯で巻き始め，1/2〜2/3幅ずつ重ねながら螺旋状に巻いていく
図4-20 螺旋帯

	方　法	留意点と根拠
6	巻き終わりは環行帯で巻く	
7	巻き終えたら，包帯をはさみで切る	
8	切った端を内側に折り返し，絆創膏または包帯止めで止める	●絆創膏は事前に必要な長さにカットしておくとよい
9	患者に安楽か確認するとともに観察を行う	●[A-1）「環行帯」の「留意点と根拠10」に準じる
10	衣服を整える	
11	記録する	●施行した時刻，包帯の部位，皮膚の状態など

3）蛇行帯

- 目　　的：ガーゼ，副子などの包帯材料を用いて患部を保持する
- 適　　応：創傷の保護を必要とする患者
- 必要物品：巻軸包帯，はさみ，絆創膏または包帯止め

	方　法	留意点と根拠
1	患者に説明し，同意を得る（➡❶）	●目的・方法などを伝える ❶患者の協力を得るため
2	包帯を巻く部位を出し，安楽に支える	
3	ガーゼ（副子など）を創傷に固定し，安楽に支える	
4	巻き始めは環行帯で巻く	
5	巻軸を斜め上方に向け，先に巻いた包帯に重ねず，間隔をとって巻く（➡❷）	●間隔のとり方は，創傷部に用いたもの（ガーゼや副子），巻く部位の広さなどに応じて変える ❷固定のため

	方法	留意点と根拠
6	5を繰り返し,蛇行状に巻く(図4-21) ガーゼ 包帯を重ねず,斜め上方に巻き上げる **図4-21** 蛇行帯	●巻軸が巻く部位の上方にきたら,やや引き加減にして,緩みがないように巻く
7	巻き終わりは環行帯で巻く	
8	巻き終えたら,包帯をはさみで切る	●絆創膏は事前に必要な長さにカットしておくとよい
9	切った端を内側に折り返し,絆創膏または包帯止めで止める	
10	患者に安楽か確認するとともに観察を行う	● A-1)「環行帯」の「留意点と根拠10」に準じる
11	衣服を整える	
12	記録する	●施行した時刻,包帯の部位,皮膚の状態など

4) 折転帯

- 目　　的:太さが変化する部位を巻く場合に用いる
- 適　　応:創傷の保護を必要とする患者
- 必要物品:巻軸包帯,はさみ,絆創膏または包帯止め

	方法	留意点と根拠
1	患者に説明し,同意を得る(➡❶)	●目的・方法などを伝える ❶患者の協力を得るため
2	包帯を巻く部位を出し,安楽に支える	
3	巻き始めは環行帯で巻く	
4	巻軸を斜め上方に向け転がし,部位幅の1/2ぐらいのところを利き手と反対側の母指で押さえる	
5	押さえた部分を支点にして利き手で帯身を手前側に折り返す(図4-22a)	●創傷部の上で折り返さない(➡❷) ●帯身の上縁と下縁が逆になる ❷折り返し部は厚くなるため創傷部に負担となる
6	折り返した部分を反対側の母指の先で押さえながら,1/2〜2/3幅を重ねて巻く(図4-22b)	●巻軸を皮膚に沿わせて転がせない(➡❸)ので,しっかり利き手で把持して巻く ❸包帯の向きを中央で折り曲げながら巻き進むため

方法	留意点と根拠
7 折り目が一直線上になるようにして，部位の形に沿わせながら折転を繰り返す（図4-22c）	●折転帯を巻くことに集中すると通常より締まりやすくなるので，きつく巻かないこと

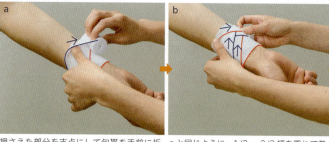

押さえた部分を支点にして包帯を手前に折り返す　　aと同じように，1/2～2/3幅を重ねて巻く

図4-22 折転帯

	方法	留意点と根拠
8	肘関節（または膝関節）の下部を環行帯で巻く	
9	巻き終えたら，包帯をはさみで切る	
10	切った端を内側に折り返し，絆創膏または包帯止めで止める	●絆創膏は事前に必要な長さにカットしておくとよい
11	患者に安楽か確認するとともに観察を行う	●A-1）「環行帯」の「留意点と根拠10」に準じる
12	衣服を整える	
13	記録する	●施行した時刻，包帯の部位，皮膚の状態など

5）亀甲帯

- 目　　的：主に肘関節や膝関節など屈曲する部位を巻く場合に用いる
- 適　　応：肘関節や膝関節の保護を必要とする患者
- 必要物品：巻軸包帯，はさみ，絆創膏または包帯止め

■離開亀甲帯（肘関節に包帯を巻く場合）

	方法	留意点と根拠
1	患者に説明し，同意を得る（➡❶）	●目的・方法などを伝える ❶患者の協力を得るため
2	包帯を巻く部位を出し，肘関節を挟む2か所を安楽に支える	●肘関節は直角，回内回外中間位とする（➡❷） ❷万一，関節の拘縮が起こったとしても最も障害が少ない
3	肘関節を直角に曲げる	
4	肘関節を環行帯で巻く（図4-23a）	
5	4で巻いた包帯に1/2～2/3幅を重ね，上腕側に1回巻く（図4-23b）	
6	肘関節内側を通過して，前腕部で1回巻き，再び上腕部に巻く（図4-23c, d）	●肘関節部を中心にし，対称に離開させる ●肘関節の内側で重ねながら交差させ，上腕側，前腕側へとそれぞれに少しずつずらす
7	5～6を繰り返す（図4-23e）	

方 法	留意点と根拠

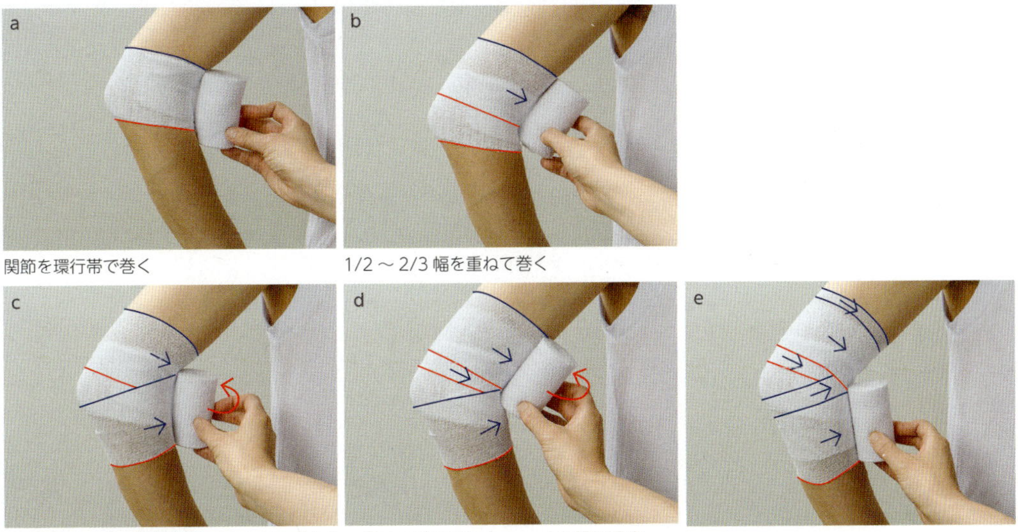

a 関節を環行帯で巻く
b 1/2～2/3幅を重ねて巻く
c・d 関節の中心で8の字を書くようにして交差させ，ずらして巻いていく　c～dを繰り返す

図4-23 離開亀甲帯

	方 法	留意点と根拠
8	上腕側を環行帯で巻く	
9	巻き終えたら，包帯をはさみで切る	
10	切った端を内側に折り返し，絆創膏または包帯止めで止める	● 上腕外側で止める（→❸） ❸内側には神経や血管が走行しているため ● 絆創膏は事前に必要な長さにカットしておくとよい
11	患者に安楽か確認するとともに観察を行う	● A-1)「環行帯」の「留意点と根拠10」に準じる
12	衣服を整える	
13	記録する	● 施行した時刻，包帯の部位，皮膚の状態など

■ 集合亀甲帯（肘関節に包帯を巻く場合）

	方 法	留意点と根拠
1	「離開亀甲帯」の「方法1～3」に準じる	
2	肘関節のやや下方（前腕側）を環行帯で巻く（図4-24a）	
3	肘関節内側を通り，8の字を描くように上腕へ包帯を転がし，肘関節のやや上方（上腕側）で1回巻く（図4-24b）	
4	肘関節内側を通り，環行帯にやや重なるようにして前腕に巻き，再び，肘関節内側を通り上腕部側を巻く（図4-24c, d）	● 肘関節部を中心にし，上腕側，前腕側を交互に，対称に巻く
5	3～4を繰り返す（図4-24e, f）	● 1/2～2/3幅を重ねながら，肘関節部に集合させるように巻く

方　法	留意点と根拠

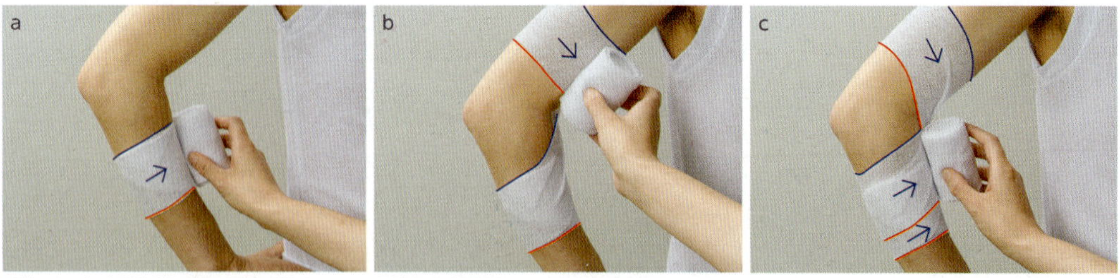

a　関節の下方（前腕側）を環行帯で巻く
b　関節中心部を通り，8の字を描くように関節の上方（上腕側）を巻く
c
d
e
f

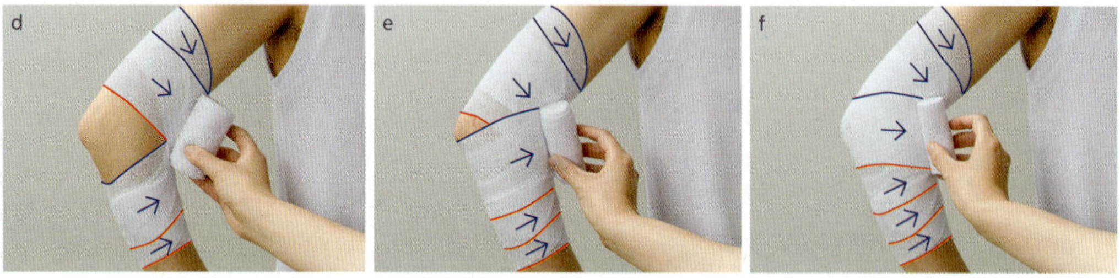

1/2～2/3幅を重ねながら，少しずつずらして中心部に向けて巻いていく

図4-24 集合亀甲帯

	方　法	留意点と根拠
6	肘関節周辺がしっかりと包帯で巻かれたら，肘関節部を環行帯で巻く	● 肘関節部を基点として巻くと締まりやすい ● 肘関節内側に包帯が集まりすぎて，締めすぎたりしないようにする（➡❶） ❶ 圧力がかかりすぎたり，締めずぎると患者に苦痛を与えてしまう
7	巻き終えたら，包帯をはさみで切る	● 外側で止める（➡❷） ❷ 内側には神経や血管が走行しているため
8	切った端を内側に折り返し，絆創膏または包帯止めで止める	● 固定が難しいので，しっかりと止める。止めにくい場合は，肘関節より上方（上腕側）を環行帯で巻き，止めてもよい ● 絆創膏は事前に必要な長さにカットしておくとよい
9	患者に安楽か確認するとともに観察を行う	● A-1）「環行帯」の「留意点と根拠10」に準じる
10	衣服を整える	
11	記録する	● 施行した時刻，包帯の部位，皮膚の状態など

6）麦穂帯

　麦穂帯には，上行する上方麦穂帯と，その逆に走行させる下方麦穂帯がある。
- ● 目　　的：主に，足関節，手関節，肩関節，股関節など部位の太さに差がある場合に用いる
- ● 適　　応：足関節，手関節，肩関節の保護を必要とする患者
- ● 必要物品：巻軸包帯，はさみ，絆創膏または包帯止め

■上方麦穂帯（足関節に巻く場合）

	方　法	留意点と根拠
1	患者に説明し，同意を得る（➡❶）	● 目的・方法などを伝える ❶ 患者の協力を得るため

	方法	留意点と根拠
2	包帯を巻く部位を出す	
3	足部を環行帯で巻く（図4-25a）	
4	包帯を上方（下腿側）に進め，足関節を一周し，指先に向かって進める。8の字を描くように巻く（図4-25b, c）	
5	先に巻いた包帯に1/2〜2/3幅が重なるように少しずつずらしながら巻いていく（図4-25d, e, f）（図4-26）	●足趾が見えるように巻く（➡❷） ❷循環不全の有無を確認するため

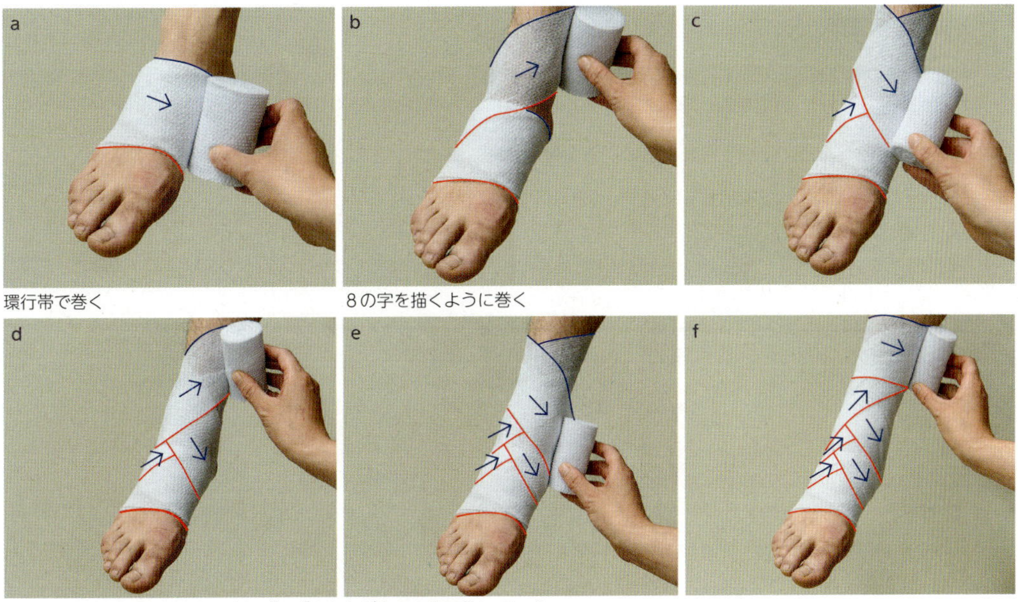

a 環行帯で巻く
b, c 8の字を描くように巻く
d, e, f 1/2〜2/3幅を重なるように少しずつずらしながら8の字で巻いていく

図4-25 足関節の場合

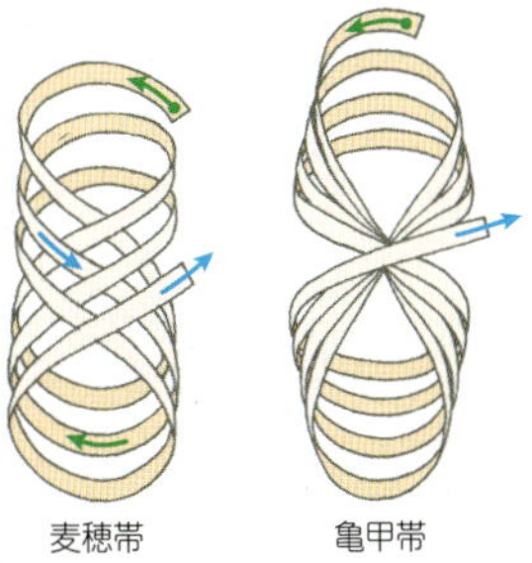

麦穂帯と亀甲帯は，ともに8の字を描くように包帯を巻いていくが，麦穂帯では交差が上方または下方に順次少しずつずれていくのに対し，亀甲帯（離開，集合とも）では交差がずれない

図4-26 麦穂帯と亀甲帯との違い

6	下腿側を環行帯で巻く	
7	巻き終えたら，包帯をはさみで切る	
8	切った端を内側に折り返し，絆創膏または包帯止めで止める	●絆創膏は事前に必要な長さにカットしておくとよい ● A-1)「環行帯」の「留意点と根拠10」に準じる
9	衣服を整える	
10	記録する	●施行した時刻，包帯の部位，皮膚の状態など

Ⅳ-4 皮膚・創傷の管理

7）反復帯（指に巻く場合）

- ●目　　的：頭部や四肢の断端部を巻く場合に用いる
- ●適　　応：頭部や四肢の断端部の保護を必要とする患者
- ●必要物品：巻軸包帯，はさみ，絆創膏または包帯止め

	方　法	留意点と根拠
1	患者に説明し，同意を得る（➡❶）	●目的・方法などを伝える ❶患者の協力を得るため
2	患指をほかの指から離すように指間を広げてもらう	
3	利き手と反対側の母指と示指で包帯を押さえながら，手掌側から手背側にかけて，患指を2～3重に覆う（図4-27a, b）	●包帯がずれないように片側ずつしっかりと押さえる ●指のつけ根まで十分覆うとずれにくい
4	2～3重に覆ったら，包帯を指先に進め，指腹側に折転し，指先から螺旋帯で巻く（図4-27c, d）	●適度な圧力を加えて巻く（➡❷） ❷手指は動かすことが多く，包帯が緩みやすいため ●指先で折転したところは，2重に巻くと，指先が緩みにくい

包帯を折り重ねて患指を2～3重に覆う

帯軸を指腹側に折転し，指先から螺旋帯で巻く

図4-27 反復帯

5	指のつけ根部分を環行帯で巻く	●緩みそうであれば，手首に回し環行帯をして終了する
6	巻き終えたら，包帯をはさみで切る	
7	切った端を内側に折り返し，絆創膏または包帯止めで止める	●指背側で止める（➡❸） ❸指腹部では，物と接触する機会が多く，包帯がはずれやすい ●絆創膏は事前に必要な長さにカットしておくとよい
8	患者に安楽か確認するとともに観察を行う	●A-1）「環行帯」の「留意点と根拠10」に準じる
9	記録する	●施行した時刻，包帯の部位，皮膚の状態など

〈包帯の止め方〉

　包帯の止め方としては，切った端を折り返し，絆創膏などで止める以外に，帯頭を中央で縦に切り結ぶ方法もある。これは，末梢部に近く運動によって絆創膏や包帯止めでははずれやすい場合や，患者が自分ではずしてしまう場合に用いる。また，創傷部や炎症部で結ぶと，治癒遅延の原因とな

るため，結び目は創傷部より十分離した部位に行う。

〈包帯のつなぎ方〉
・最初に巻いた包帯の下側5cmに重ね，同一部位をもう一度巻いて次に進む。
・つないだ部分がずれたり，緩んだりしやすいので，確認して巻き始める。
・大腿・体幹など，周径の太い場合は下側5〜7cmに重ねる。

〈包帯の解き方〉
・皮膚に沿って転がしながら解いてまとめる。
・包帯が血液や分泌物で創傷面に密着している場合は，微温湯や生理食塩水などでぬらして剝がす。

B 布帛包帯（三角巾）

三角巾は患部の大きさに合わせ折りたたんで包帯のように使ったり，身体に巻きつけたり，包んだりして患部の保護や固定に用いる。最近では，様々な包帯材料が開発され，三角巾を用いる頻度は少なくなってきている。しかし，三角巾による包帯法は災害や緊急時などに活用できる技術であるため，基本を理解しておく必要がある。たたみ三角巾のつくり方・三角巾の結び方・解き方を図4-29〜31に示す。

1）頭部の三角巾

● 目　　的：頭部の保護と固定に用いる
● 適　　応：頭部の保護を必要とする患者
● 必要物品：三角巾

	方　法	留意点と根拠
1	患者に説明し，同意を得る（➡❶）	●目的・方法などを伝える ❶患者の協力を得るため
2	髪の毛をまとめる	
3	三角巾の底辺を3〜5cm外側へ折り返す（➡❷）	❷バイアスがほつれると皮膚に沿わず，しっかり固定できない
4	折り返した側を外側にして，三角巾の底辺の中央が眉間，前額部中央にくるように深く当てる（図4-28a）	
5	前額部→頭頂部→後頭部を自然に覆うようにして頭部に沿わせ，後ろに垂らす	
6	三角巾を額に押しつけるように両手を左右に開きながら後方へ引っ張る（➡❸）（図4-28b）	❸頭頂部，後頭部に密着し，しっかりと固定ができる
7	そのまま両端を後頭部まで回し，やや締め加減で両端を交差させる（図4-28c）	●後頭結節の下で締めるようにして，片方ずつ交差する
8	そのまま前額部に回して結ぶ（図4-28d）	●三角巾の縁から1cmぐらい上のところで結ぶ
9	三角巾の頂点を後頸部に静かに引っ張る	●中央から順に端へと引っ張るとよい（➡❹） ❹部分的に強く締まることで苦痛を与えないため
10	垂れた部分（三角巾の頂点側）をたたみ，後頭部の交差させた部分に折り込む	●頂点側を全体に広げて前に持っていき，結び目に折り込む方法もある（図4-28e，f）

第Ⅳ章 診療に伴う援助技術

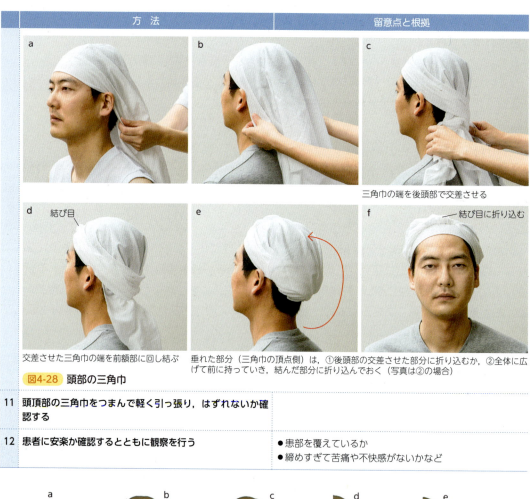

図4-28 頭部の三角巾

| 11 | 頭頂部の三角巾をつまんで軽く引っ張り、はずれないか確認する | |
| 12 | 患者に安楽か確認するとともに観察を行う | ● 患部を覆えているか
● 締めすぎて苦痛や不快感がないかなど |

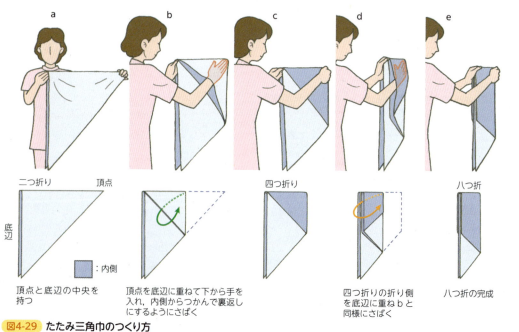

図4-29 たたみ三角巾のつくり方

① 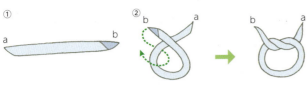 ② ③

bをaの上に重ね，bをaの上から内側に入れる　さらにbをaの上に持ってくる。bをaの上から内側に巻く　最後に両端を持って強く引き締める

図4-30 三角巾の結び方

① ②

aをぐっとb側に引く
aの端を，引き起こすようにして強く引っ張り上げる（結び目が回転して，引っ張り上げた端のほうの延長が一直線になる）

結び目を持つ
引っ張る
片方の手で結び目を持ち，もう片方の手で結び目の下部を持ち，結び目の下部を引っ張ると解ける

図4-31 三角巾の解き方

2）提肘三角巾

■ 骨折の場合

- 目　　的：骨折時，上肢を固定し安静を図る
- 適　　応：上肢を骨折した患者
- 必要物品：三角巾

	方　法	留意点と根拠
1	患者に説明し，同意を得る（➡❶）	●目的・方法などを伝える ❶患者の協力を得るため
2	三角巾の底辺を健側の体側に沿わせ，頂点を患側の肘関節にくるように当てる（図4-32a）	

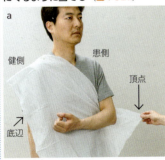
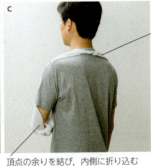

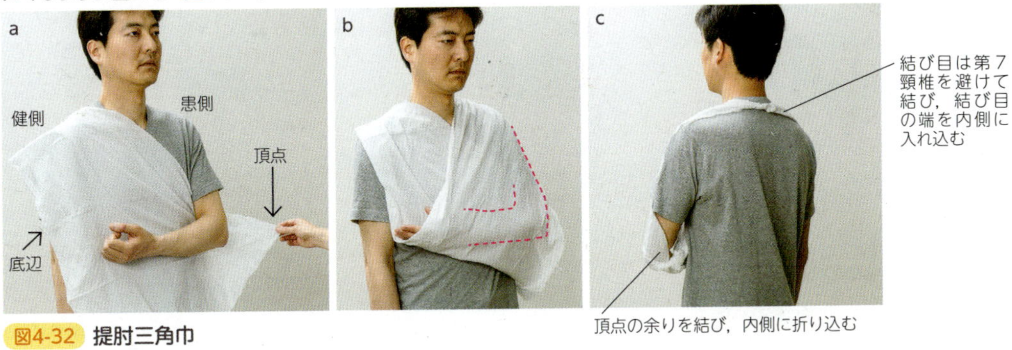

a 健側／患側／頂点／底辺
b
c 結び目は第7頸椎を避けて結び，結び目の端を内側に入れ込む
頂点の余りを結び，内側に折り込む

図4-32 提肘三角巾

3	患側の肘を90度に屈曲し，前腕を腹部で水平に保つよう保持する	●指先が下がらないようにする（➡❷） ❷循環障害予防のため
4	三角巾の下半分を前腕にかぶせるように折り返す（図4-32b）	●手の全体または1/2まで覆う（➡❸） ❸手関節保持のため

	方　法	留意点と根拠
5	両端を後頸部へ回して結ぶ（図4-32c）	● 三角巾は 4 で保持した姿勢がくずれない高さにする ● 結び目の端を内側に入れ込んでおくと見た目もきれいである
6	頂点の余りを結び，内側に折り込む（図4-32c）	● 使用する前に頂点を結び，折り込んでおいてもよい
7	患者に安楽か確認するとともに観察を行う	● 頸部の圧迫感がないか（➡❹） ❹ 腕の重さで頸部に負担がかかりやすい ● 指先が下がっていないか，循環障害はないかなど

■ 肩関節脱臼予防の場合

- 目　　的：片麻痺患者の肩関節脱臼予防に用いる
- 適　　応：肩関節の脱臼予防を必要とする患者
- 必要物品：三角巾（必要時：糸と針）

	方　法	留意点と根拠
1	患者に説明し，同意を得る（➡❶）	● 目的・方法などを伝える ❶ 患者の協力を得るため
2	頂点部に結び目をつくり，しっかり縛る	● 辺の一側を頂点から約20cm折り返して縫い合わせ，縫い合わせを裏側にして使用してもよい
3	患側の肘を90度に屈曲し，前腕が水平に保てるよう固定する	
4	患側の肘関節部に三角巾の頂点側（結んだところ，または縫い合わせたところ）を当て，外側の端で患側の肩を覆うようにして背部へ回す	● 肩の部分は三角巾を十分広げて回す
5	もう一方の端を健側の胸部から腋窩を通して背部へ回す（図4-33a, b）	
6	両端を背中で結ぶ（図4-33c）	● 三角巾の両端を片方ずつ寄せ集め結ぶ（➡❷） ❷ 三角巾で十分覆われ，しっかり固定できる ● 結び目の端を内側に入れ込んでおくと見た目もきれいである

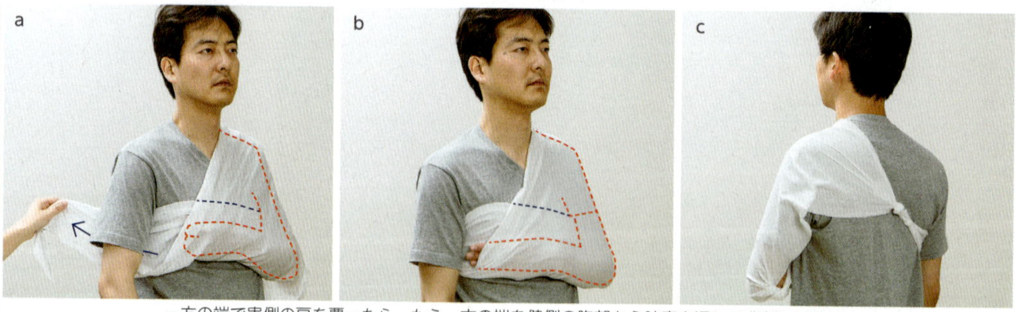

一方の端で患側の肩を覆ったら，もう一方の端を健側の胸部から腋窩を通して背部に回す

図4-33　肩関節脱臼予防の三角巾

	方　法	留意点と根拠
7	患者に安楽か確認するとともに観察を行う	● 腋窩などきつすぎるところはないか，循環障害はないかなど

■ アームホルダー（図4-34）
　腕の骨折や脱臼予防で上肢を固定する場合，三角巾では，長時間の使用が疲れる，装着に手間がかかる，頸部や肩が痛くなるといった問題もある。装着が簡単で安定感があるアームホルダーを使用することもある。しかし，コスト面では三角巾より高額となる。

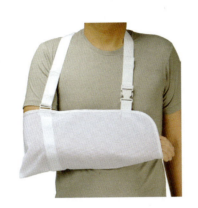

ニューアームサスペンダー
写真提供：アルケア株式会社

図4-34　アームホルダー

3）そのほかの部位の三角巾

■ 上腕・前腕の三角巾
①患部に合わせ，たたみ三角巾をつくる（図4-29参照）
②患部の中央部に三角巾の中央，底辺が末梢側にくるように当てる。
③底辺を引き締めるようにして内側の端を上方に引き上げるようにして巻く（図4-35a）。
④外側の端で下を包みながら，引き締めるようにして巻き，外側で結ぶ（図4-35b）。

■ 手や足の三角巾
①底辺を3～5cm外側に折り返す。
②底辺が踵（手首）側，頂点が指先側になるように三角巾を置き，中央に足（手）を置く。
③足（手）全体を覆うように，三角巾の頂点を折り返す（図4-36a）。
④足背（手背）を覆うようにして底辺を両側から交差させる（図4-36b）。
⑤その後，足（手）関節で交差させて足背（手背）部で結び，結び目を内側へ入れ込む（図4-36c）。

■ 肘の三角巾
①患部に合わせ，たたみ三角巾をつくる。
②患側の肘関節を90度に屈曲させ，回内回外中間位に保持する。
③肘関節にたたみ三角巾の中央を当て（図4-37a），肘関節を三角巾で覆って巻き（図4-37b），肘関節の外側で結ぶ（図4-37c）。

■ 膝の三角巾
①約25cm幅のたたみ三角巾をつくる。
②膝関節を160度に屈曲させ支持する。
③膝関節にたたみ三角巾の中心を合わせ，三角巾全体がやや斜めになるようにして当てる（図4-38a）。

④両端を締めるようにして外側の端を下に，内側の端を上にして膝窩部に回し交差させ（図4-38b），膝関節外側で結び，結び目を内側へ入れ込む（図4-38c～f）。

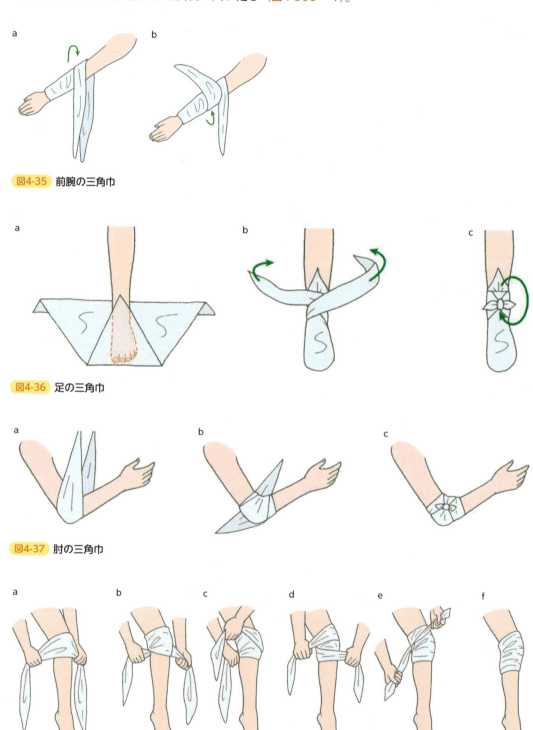

図4-35 前腕の三角巾

図4-36 足の三角巾

図4-37 肘の三角巾

図4-38 膝の三角巾

文献

1) 日本皮膚科学会創傷・褥瘡・熱傷ガイドライン策定委員会編：創傷・褥瘡・熱傷ガイドライン2018，金原出版，2018，p.15．
2) 日本褥瘡学会：褥瘡ガイドブック代2版 褥瘡予防・管理ガイドライン（第4版）準拠，照林社，2015，p8．
3) 日本創傷・オストミー・失禁管理学会 学術教育委員会：テアについて，〈http://www.jwocm.org/pdf/about-tea.pdf〉（アクセス日：2020/4/12）
4) 日本褥瘡学会：褥瘡ガイドブック代2版 褥瘡予防・管理ガイドライン（第4版）準拠，照林社，2015，p195．
5) 溝上祐子編：創傷ケアの基礎知識と実践，メディカ出版，2011．
6) 溝上祐子総監修：褥瘡・創傷・スキンケア WOCナースの知恵袋，照林社，2019．
7) 溝上祐子編著：褥瘡・創傷のドレッシング材・外用薬の選び方と使い方，照林社，2018．
8) 全国柔道整復学校協会監：包帯固定学 第2版，南江堂，2015．
9) 徳永なみじ：包帯法のエビデンス，臨牀看護，28（13）：2051-2060，2002．
10) 阿曽洋子・他編，井上智子・他著：基礎看護技術 第8版，医学書院，2019．
11) 志自岐康子・他編，習田明裕・他著：ナーシンググラフィカ 基礎看護学③ 基礎看護学技術，メディカ出版，2017．
12) 任和子・他著：基礎看護技術Ⅱ〈基礎看護学③〉，医学書院，2017．

5 死亡時のケア

学習目標
- 死亡時の身体的・精神的変化を理解する。
- 死亡時の患者ケアを理解する。
- 患者の死に対する家族の悲嘆を理解する。
- 死亡後のケアを理解する。

1 死への過程

　死に至るまでには，重篤・危篤・臨終というプロセスがあるが，事故などで一瞬のうちに死を迎える場合もあれば，疾患によってゆっくりと死に至る場合もあって，その期間は一定ではない。一般に，どのような治療をしても治癒が望めない状態で，6か月以内に死が予測される状態を終末期とし，生活の質を高く保ち，安らかな死を迎えられるよう援助することをターミナルケアとしている。

2 死亡時の身体的・精神的変化

　まもなく死を迎える状態にみられる身体・精神的変化には次のようなものがある。

1）身体的変化

（1）呼　吸
　不規則で，次第に浅くなる。鼻翼呼吸，下顎呼吸などの努力呼吸や，チェーン-ストークス呼吸が出現することもある。また，気道分泌物の除去（喀出や嚥下）が自分でできず，呼吸に伴って喘鳴が聴かれることも多い。

（2）脈拍・血圧
　脈拍は微弱で結滞が出現。血圧が下降するため，末梢動脈での脈触知が困難となり，次第に頸動脈でも微弱になる。

（3）体　温
　次第に下降し，末梢から冷感が出現する。

（4）意　識
　最後まで意識が清明なこともあるが，筋緊張の低下に伴う言語不明瞭，見当識障害や，せん妄，呻吟などがみられることもある。

（5）血液・リンパ液の循環障害
　皮膚色は蒼白，土色，チアノーゼ（暗紫色）となり，静脈血のうっ滞による紅紫色の斑

表5-1　キューブラー・ロスの「死の受容プロセス」

否認と孤立	死に至る疾病や状態を嘘ではないかと疑い，他から自分を隔離しようとする
怒り	「なぜ私が？」という怒り，憤り，羨望，恨みを周囲に向ける
取り引き	過去の経験から，よい振る舞いをすることで報償のチャンス，つまり延命や苦痛が少なくなることを望む
抑うつ	身体的，経済的，社会的生活上の喪失感や，現世との決別を覚悟するために経験しなければならない悲嘆による抑うつ状態
受容	嘆きや悲しみを通り過ぎ，ある程度静かな期待をもって，近づく自分の終焉を見つめることができる

がみられる。また，尿量の減少と，それに伴って背部，踵部など身体の下側への浮腫がみられるようになる。

（6）反射の減退

対光反射の鈍麻，瞳孔の散大がみられる。

（7）筋肉の弛緩

尿道や肛門の括約筋の弛緩により，便・尿失禁がみられる。また，眼球が落ち込み，下顎が下がり，口唇も弛緩する。舌が喉のほうに落ち込むこと（舌根沈下）によって，気道狭窄や閉塞をきたすこともある。

2）心理的変化

心理的な状況としては，「否認」「怒り」「取り引き」「抑うつ」「受容」という5つのプロセスを踏むといわれている（表5-1）。しかし，これはキューブラー・ロス[1]が死にゆく人々との対話から導き出したものであり，柏木によれば，日本人の場合は死や孤独への恐怖，不安が強く，「受容」の段階では受け入れるというよりもあきらめの気持ちが強いという[2]。

また，アルフォンス・デーケン[3]は，苦痛，孤独，自己の消滅，などの死への恐怖や不安のなかでも，日本の文化では，家族や社会の負担になることをおそれる気持ちが強くなるのではないかと述べている。

3　遺される者の悲しみ

人は，自分にとって大切なもの，愛するものを失うことによって嘆き悲しみ（悲嘆＝グリーフ：grief），以下のような反応が多くみられる。

（1）精神的な反応

長期にわたる「思慕」の情を中心に，感情の麻痺，怒り，恐怖に似た不安，孤独，寂しさ，やるせなさ，罪悪感，自責感，無力感などを感じる。

（2）身体的な反応

睡眠障害，食欲不振，体力の低下，疲労感，頭痛，肩こり，めまい，動悸，便秘，下痢，血圧上昇，白髪の急増，自律神経失調症状，体重減少，免疫機能低下など。

（3）日常生活や行動の変化

ぼんやりする，涙があふれてくる，引きこもる，落ち着きがなくなる，より動き回って仕

事をしようとする，故人の所有物，ゆかりのものは一時回避したい思いにとらわれるが，時が経つにつれいとおしむようになるなど，多様である。

これらを癒し，様々な症状を軽くしたり，抜け出すためには，十分に悲しみ，何らかの方法で悲しみを表出し，受け止める作業が必要で，その悲嘆を乗り越えようとする様々な取り組みをグリーフワークという。通常半年〜1年で特別な介入がなくても，適応に向かうとされているが，個人差が大きい。

終末時の看護師の役割

患者および家族の身体的・精神的安楽を図ることが，第一の役割である。また，患者が死に臨むときは，医師の立ち会いが望ましいことから，患者を正しく観察し，状態の変化をできるだけ早く把握し，報告する。

（1）環境の整備

室内の温度，換気，騒音に注意し，静かで落ち着いた環境にする。病室はできるだけ個室にし，患者および家族のプライバシーを保ち，共に過ごす時間を尊重する。救急時に備えた機器類の整頓にも注意する。

（2）窒息予防

呼吸が楽にできる体位を工夫し，分泌物などは必要時吸引する。義歯ははずしておく。

（3）清　潔

発汗，吐物，排泄物などで汚染されやすいため，負担にならないよう留意しながら，部分清拭や寝衣交換を行う。口唇・口腔は乾燥しやすいので，口腔ケアを行い予防する。

（4）排　泄

体力が許す限り，患者の希望する方法で排泄してもらい，膀胱留置カテーテルやおむつを使用するときには，患者の尊厳を大切にする。

（5）保　温

電気毛布や湯たんぽの使用により，体温低下や四肢の冷感を防ぐ。

（6）食　事

可能な限り，本人の好きな物，望む物を少量でも味わってもらう。

（7）体　位

掛け物の重さなどが気になる場合は，離被架を使用する。体位変換を頻回に行い，褥瘡を予防する。体位変換による苦痛が大きい場合は，除圧用具などを用いて，同一部位の圧迫を避ける。

（8）精神的支持

患者の価値観や宗教を尊重する。会話が難しい状態であっても，患者の汗を拭いたり，マッサージを行うなど細やかな心配りをとおし，非言語的コミュニケーションを図る。

（9）家族への配慮

愛する人を失う悲しみ，苦しみに耐えている家族にも配慮し，状況を考えながら患者のケアを家族とともに行うことが，患者および家族の満足感に結びつくことも多い。ただし，家族にとってはつらい場面もあるので，強要せず，気持ちを確認しながら行う。

5 死亡の確認から退院へ

死亡の確認は医師により行われる。①呼吸停止，②心停止，③瞳孔散大，対光反射消失を「死の三徴候」として，死亡が確認される。看護師は，患者に装着されているもの（心電図モニターの電極や酸素マスクなど）をはずして，家族と別れの時間をつくる。その後，家族が落ち着いたら，筋肉の硬直が現れる前に（死後2～4時間で硬直が始まる），身体を清潔に保ち，死に際して起こった外観の変化を美しく整える。退院時は，死亡診断書などの手続きを忘れず，医師と共に見送る。

看護技術の実際

A 死後のケア

- ●目　　的：身体を清潔に保ち，死に際して起こった外観の変化を美しく整える
- ●適　　応：死を迎えた患者
- ●使用物品：ガウン，マスク，ディスポーザブル手袋，ヘアブラシ，化粧道具，ひげそり，脱脂綿，青梅綿，シーツ，白布，清拭用品，ティッシュペーパー，便器・尿器，膿盆，着替え用衣類（必要時：腹帯，医療用テープ，フィルムドレッシング材，おむつ，皮膚用リムーバーなど）

	方　法	留意点と根拠
1	**家族に説明する** 1）目的，どのようなことを行うか 2）宗教上の習慣や家族の希望を確認する（➡❶） 3）着替えの衣類を預かる 4）貴重品を手渡し，室外へ出てもらう	●ひげそりや化粧など，一緒に行えるところは，家族の意向を確認し，共に実施する ❶宗教によって衣類の着せ方などが違うことがあるため，宗教上の習慣を確認しておく ●着替えの衣類は，生前好きだったものや家族の希望する衣服を準備してもらう（➡❷） ❷仏教では経帷子という白装束が一般的であるが，家に戻るまでは患者が好んだ衣装を身につけさせたいという家族も多いため
2	**必要物品をそろえ，病室へ運ぶ**	●希望があればかつらやヘアピースも家族に準備してもらう
3	**準備をする** 1）ガウン，マスク，手袋をつける 2）患者に挿入されているチューブ類を取り除く	●輸液ラインなどは，固定している縫合糸を医師が切り，圧迫止血をした後，絆創膏を貼付する ●ペースメーカーを挿入している場合は，医師による摘出が必要（➡❸） ❸火葬時に爆発する危険性があるため
4	**体内に残っている汚物を排泄させる**（➡❹） 1）顔を横に向けて膿盆を当て，口を開けて軽く胃部を圧迫し，口腔・胃の内容物を出す 2）便器を当て，腹部を腸の走行に沿ってマッサージし，さらに恥骨に向かって下腹部を圧迫して，膀胱・直腸の内容物を出す	❹移送時に排泄物などが漏出する可能性もあるため，美観が損なわれないようにする ●強い圧迫により脆弱になっている皮膚や内臓を傷つける可能性があるので，行わないこともある

方法	留意点と根拠
5 全身を清潔にし，身体の腔部に綿を詰める（→❺） 　1）全身清拭する	❺体液の漏出を防ぐ目的で綿を詰める。他の魂が入らないように，穴を封印するという儀式的な意味もあるとされている。近年では，綿を詰める代わりに，高分子吸収剤の注入や体液漏れ防止剤のスプレー噴霧が行われる施設も増えている ●死者の場合，洗面器に先に水を張り，その後湯を入れる
2）鼻腔，口腔内をきれいにし，義歯がある場合は入れ，鼻・口・耳に綿を詰める	●綿詰めは苦しそうに見えるということから，家族の希望で行わないこともある ●綿を詰めるときは，自然の形を変えないよう，外から見えないよう注意する
3）肛門・腟に綿を詰める 　4）創の包帯材料は新しい物と取り替える	●腟や肛門は脱脂綿を詰めてから青梅綿を入れ，汚物の漏出を防ぐ。尿とりパッドや紙おむつも活用する ●医療用テープの跡は皮膚用リムーバーで拭き取ると落ちやすい ●身体や頭髪の汚れが著しい場合は，入浴や部分浴，洗髪を行うこともある
6 外観を美しく整える 　1）着物を着せる	●生前に近い姿に整える ●家族の希望がない場合は，左前に衣服を合わせ，ひもは縦結びにする ●前合わせは，この世とあの世とは逆なので，不幸が重ならないよう逆にし，この世と縁を切るといういわれがある。また，輪結び，蝶結びは縁起がよいとされ，魂が戻るなど，あの世への旅立ちの妨げになるという意味があり，縦結びあるいは結びきりとする
2）ひげそり，顔そりをする 　3）女性の場合，化粧をする 　4）髪型を整える	●蒸しタオルでの清拭や，クレンジングクリームを使ったマッサージで，血色がよくなるとされ，実施する施設もある ●目が閉じない場合，脱脂綿を湿らせて眼瞼の上に置いたり，マッサージをする ●口が閉じない場合，顎の下に枕となるものを当て，下顎を上げておく
5）両手を前胸部で組ませる	●手が離れるときは腹部で軽く合わせたり，両脇に置く，手関節部をバンドなどで縛ることは手背の腫脹や皮下出血を起こすため，できるだけ行わない
6）顔に白布をかける 　7）上掛けを掛け，霊安室へ移送する	●顔面を被う白布は，ガーゼを代用してもよい。他の魂が入らないよう封印する意味があるともいわれる
7 使用物品を片づけ，記録する 死に至る過程，死亡時刻，診断医師名，ケアの時刻などを記録する	●患者の忘れ物がないか確認し，家族に手渡す

文献

1) エリザベス・キューブラー・ロス：死ぬ瞬間―死とその過程について，読売新聞社，1998.
2) 相木哲夫：ターミナルケアと庶民の死，多田富雄・河合隼雄編：生と死の様式―脳死時代を迎える日本人の死生観，誠心書房，1991, p.84.
3) アルフォンス・デーケン：死とどう向き合うか，日本放送出版協会，1996.
4) 藤腹明子・小山敦代・荻田千榮：看取りの心得と作法，医学書院，1994.
5) 村中陽子・玉木ミヨ子・川西千恵美編著：学ぶ・試す・調べる　看護ケアの根拠と技術，第2版，医歯薬出版，2013.
6) 任和子・秋山智弥編：根拠と事故防止からみた　基礎・臨床看護技術，第2版，医学書院，2019.
7) 日本グリーフケア研究所ホームページ．〈http://www.grief-care.org/about/〉（アクセス日：2020/4/5）
8) 伊藤茂：今はこうする！エンゼルケアの注意点，エキスパートナース，33 (8)，2017.

索引 *index*

[欧文]

ADL　196
BI　196
BMI　194
CMC製品　406
CTR　165
CVP　165
DEHPフリー　387
DESIGN-R　449
FIM　196
F₁O₂　411
GCS　78
ImSAFER　41
JCS　78
MDRPU　448
MMT　196
NPUAP　449
NRS　80
Numeric Pain Intensity Scale　80
NYHA　421
PmSHELLモデル　41
PPE　16
PVC　386
　　──フリー　387
RB　375
RCA　40
ROM　195
SB　375
SpO₂　75
S状結腸　179
VA-RCA　41
VAS　80
Wong-Baker FACES Pain
　Rating Scale　80
Z字型法　383

[和文]

アームホルダー　473
アイスパック　408
あいづち　9
アキレス腱反射　223
アクシデント　39

握力　206
アサーティブ　10
浅い呼吸　75
浅い触診　65
足クローヌスの判定　225
汗　321
圧覚　321
圧力調整器付き酸素流量計　425
アネロイド血圧計　77, 87
アブミ骨　122
安静　314
アンプル　376
罨法　398
安楽　41
安楽用品　280

胃　178, 179
意識　77
意識内容　77
意識レベル　77
痛み　78
　　──の定義　78
Ⅰ音　165
位置覚　219, 228
一時的導尿　271
1次ニューロン　220
1回拍出量　162
溢流性尿失禁　258
イブニングケア　323
イヤーピース　67
医療安全　34
医療過誤　34
医療関連機器圧迫創傷　448
医療事故　34
医療廃棄物　20
インシデント　36, 39
インタビュー　63
咽頭　110
陰部洗浄　353

ウェーバーテスト　127
上シーツ　52
ウォッシュクロス　335
右腎　178

右心室　161
右心房　161
うつ熱　72
右肺　144
運動麻痺　193

エアー針　388
エアマットレス　454
エアロゾル　409
栄養　244
腋窩温　72
腋窩の視診　238
腋窩の触診　238
エモリエント効果　324
エルプ領域　166
遠位指節間関節　204
遠距離視力　136
嚥下　115
円背　151

横隔膜可動域　158
横隔膜の位置　157
横行結腸　179
横紋筋　190
オープンベッド　55
音　46
オトガイ下リンパ節　119
おむつ交換　265
おむつの種類　267
温罨法　399, 402
温覚　321
音叉　128
　　──の使い方　227
温湿布　404
温度　45
温度覚　219, 226
温ハップ　399

ガーグルベースン　347
臥位　281
外陰　233
外陰部の触診　239, 240

481

回外　192，205
外眼筋運動　140
開口の幅の視診　107
外耳　121
概日リズム　316
外耳道　121
外旋　192
回腸　179
外腸骨動脈　162
外転　192
外転神経　96
外転力　206
回内　192，205
外尿道口　233
外反　192
外鼻　122
開放式気管吸引　415
潰瘍　97
ガウン　16
ガウンテクニック　25
顔の清拭　336
下顎運動　112
下顎の歯肉　109
踵膝試験　232
顎下リンパ節　119
覚醒　77
拡張期　163
拡張期血圧　76
角度計　195
角膜　138
角膜光反射　140
角膜反射　113
下行結腸　179
過呼吸　75
下肢の視診　173
下肢の触診　209
下肢の清拭　338
肩関節　203
　——の運動　310
　——の関節可動域　206
　——の筋力テスト　208
肩関節脱臼予防　472
滑車神経　96
カバー・アンカバーテスト　140
痂皮　97
カフ圧計　432
噛む力　112
簡易型酸素マスク　413
感音性難聴　123
眼球　138
眼球運動　133

間欠熱　72
眼瞼　132，138
眼瞼結膜　139
　——の視診　139
環行帯　460
看護記録　69
喚散　72
感受性宿主　14
関節　190
関節可動域　195，202
関節可動域訓練　309
間接打診法　66
関節痛　193
感染　14
感染経路　14
感染経路別予防策　17
感染源　14
感染性一般廃棄物　20
感染性産業廃棄物　20
感染性廃棄物　20
感染予防　14
　——の3原則　15
肝臓　178，179
　——の触診　187
　——のスクラッチ法　185
含嗽法　346
浣腸　270
顔面　93
　——の視診　106
顔面神経　96，113
顔面頭蓋　93
顔面知覚　112
関連痛　180

機械的損傷　440
気管　94，144
　——の触診　117
気管吸引　414，430
気管呼吸音　147
気管支呼吸音　147
気管支呼吸音化　148
気管支肺胞呼吸音　148
気胸　144，154
椅座位　281
起座呼吸　75
義歯　351
　——の洗浄　352
　——のはずし方　351
傷　440

拮抗反復運動　231
気伝導　123
気伝導時間　128
気道吸引　414
キヌタ骨　122
機能性尿失禁　258
機能的自立度評価法　196
亀背　151
基本肢位　280
客観的情報　69
吸引　413，427
吸引カテーテル　429
嗅覚受容細胞　123
嗅覚のテスト　131
丘疹　97
嗅神経　96
急性創傷　440
休息　314
吸入　409
キューブラー・ロス　477
胸囲　195
仰臥位　281，296
胸郭　144，146
　——の拡張　152
　——の視診　150
　——の触診　151，152
共感性対光反射　141
胸骨角　145
胸骨中線　145
胸式呼吸　74
胸神経　217
胸腹式呼吸　75
胸部の視診　167
胸部の清拭　337
強膜　132，138
胸腰部の可動域　215
気流　45
亀裂　97
近位指節間関節　204
近距離視力　136
近距離用チャート　137
筋弛緩法　319
筋性防御　180
筋肉内注射　381

空気感染　18
空腸　179
駆血帯　383
クスマウル呼吸　75

屈曲 192, 205
クラークの点 382
グラスゴーコーマスケール 78
グリーフ 477
グリーフワーク 478
グリセリン浣腸 269
クリティカル器材 18
車椅子 300
　　——への移乗 302
クレンメ 388
クローズドベッド 55

経管栄養 245
経管栄養法 251
経口与薬 371
頸静脈の視診 168
頸神経 217
傾聴 9
系統的アセスメント 63
系統的レビュー 63
経鼻経管栄養法 245, 251
頸部 94, 117
　　——の可動域 215
頸部動脈の触診 168
頸部リンパ節の触診 119
稽留熱 72
痙攣性便秘 257
劇薬 368
血圧 76, 87
　　——の触診法 89
　　——の聴診法 90
血圧計 77
血管迷走神経反応 371
結節 97
解熱 72
下痢 257
ケリーパッド 340
原因療法 364
検眼鏡 135
肩甲骨下角 145
　　——の特定 200
肩甲線 145
健康づくりのための睡眠指針
　　2014 318
減呼吸 75
検鼻鏡 130

コアリング 377
後腋窩線 145
高音性連続性ラ音 149
高温浴 323
口蓋垂 110
　　——の動き 115
口蓋扁桃 110
口腔 94
口腔ケア 346
口腔底の触診 111
口腔清拭法 348
口腔・鼻腔吸引 414, 427
後頸骨動脈 175
硬口蓋 110
虹彩 132, 138
後索路 219
抗重力筋の視診 216
恒常性維持 71
甲状腺 94, 95
　　——の視診 118
　　——の触診 118
甲状腺ホルモン 95
口唇 108
合成洗浄剤 324
高体温 72
後頭リンパ節 120
硬脈 74
肛門 233
肛門部の触診 240
高流量システム 413
誤嚥 245
コーチング 11
　　——・コミュニケーション 11
股関節 209
　　——の運動 312
　　——の関節可動域 210
　　——の筋力テスト 212
呼気延長 148
呼吸 86
　　——の異常 75
呼吸音 146, 158
呼吸器 144
呼吸困難 75
呼吸数 75
呼吸法 43
個人防護具 16
骨格筋 190
骨伝導 123
　　——時間 128

骨盤高位 281
コミュニケーション 2
コロトコフ音 76, 90
混合性難聴 123
コンフォート 42

サーカディアンリズム 316
座位 281
採血 369, 393
採血管 370, 396
採血針 395
採光 45
最高血圧 76
再生治癒 440
砕石位 281
最大作業域 282
最大拍動点 170
在宅酸素療法 421
最低血圧 76
鎖骨上リンパ節 120
鎖骨中線 145
左腎 178
左心室 161
左心房 161
嗄声 116
擦式手指消毒 24
左肺 144
Ⅲ音 166
三角巾 469
三叉神経 96, 112
3次ニューロン 220
30度側臥位 455
三尖弁 161
　　——領域 166
酸素吸入 411
　　——濃度 411
酸素飽和度 75
酸素ボンベ 411, 424
　　——からの酸素吸入 424
酸素ボンベ用酸素流量計 426
酸素療法 420

指圧 42
シーツ交換 55
ジェット式ネブライザー 410,
　　418
耳介 121

耳介前リンパ節　119
視覚アナログ尺度　80
耳管　122
耳眼水平位　199
弛緩性便秘　257
四肢周囲径　195
四肢動脈の触診　175
視診　65
視神経　96
視神経乳頭　133，142
姿勢　278
指節間関節　204
持続的導尿　275
舌　110
　　――の動き　116
　　――の力　117
下シーツ　48
弛張熱　72
膝蓋腱反射　223
膝窩動脈　175
膝関節　209
　　――の運動　312
　　――の関節可動域　211
　　――の筋力テスト　213
膝関節間の距離測定　209
湿性咳嗽　415
湿度　45
室内気候　45
湿布　399
死の三徴候　479
死の受容プロセス　477
しびれ　193
視野　133
弱アルカリ性洗浄剤　324
弱酸性洗浄剤　324
視野欠損　134
視野検査　137
尺屈　204
ジャパンコーマスケール　78
習慣性便秘　257
臭気　46
集合亀甲帯　465
収縮期　163
収縮期血圧　76
終末期　476
手関節　203
　　――の運動　312
　　――の筋力テスト　207
主観的情報　69
熟眠障害　316
手指衛生　15

手指関節　203
手指の関節可動域　204
手指の筋力テスト　206
手浴　332
腫瘍　97
上顎洞　94
　　――の触診　108
掌屈　204
上行結腸　179
少呼吸　75
上肢の清拭　337
小腸　179
消毒　17
消毒綿球　29
消毒薬　19
小脳　220
小脳機能のアセスメント　230
上方麦穂帯　466
小脈　74
静脈　162
静脈血　369
静脈採血　393
静脈性循環障害　167
静脈内注射　383
静脈瘤　174
静脈留置針　389
照明　45
上腕三頭筋反射　222
上腕周囲径測定　201
上腕動脈　175
上腕二頭筋反射　222
ショートベベル　375
書画感覚　229
食事　244
食事介助　248
食事性便秘　257
触診　65
褥瘡　448
徐呼吸　75
触覚　226，321
ジョハリの窓　7
徐脈　74
視力測定　136
視力表　137
寝衣交換　357
心因性疼痛　80
心音　165
　　――の聴診　172
侵害受容性疼痛　80
心基部　161
心胸郭比　165

真空採血　371，395
神経　217
神経因性疼痛　80
神経損傷　371
深頸リンパ節　120
心雑音　166
心周期　163
滲出液　444
心尖拍動の視診　170
心尖拍動の触診　170
心尖部　161
心臓　161
　　――の大きさ　165
腎臓　178，179
　　――の叩打診　189
　　――の触診　188
心濁音界　171
　　――の打診　171
身長　194
身長測定　198
伸展　192，205
振盪音　154
振動覚　219，227
振動（スリル）の触診　169
腎動脈　179
侵入門戸　14
心拍の聴取　74
真皮　440
深部感覚　219
深部腱反射　218，222
深部静脈血栓症　164
心不全　164
深部知覚のアセスメント　227

水晶体　133
膵臓　179
水分出納　194
水疱　97
水泡音　149
睡眠　314
睡眠困難　316
スキンケア　456
スクラッチ法　66，172
ストレッチマーク　182
ストレッチャー　303
　　――での移送　304
　　――への移乗　304
スプレッド　54
スペキュラム　125

スポンジブラシ　348
スモールチェンジ法　454
スライドシート　291
スリル　169
スワン点　90

せ

精液　235
声音伝導　159
清拭の順序　337
生殖器の視診　239，240
精巣　235
整容　323，355
生理的彎曲　283
咳エチケット　16
脊髄視床路　219
脊髄神経　217
脊柱角　177
脊柱の触診　214
脊椎線　145
舌咽神経　96，115
舌下神経　96，116
積極的傾聴　9
石けん　324
　——清拭　335
舌小帯　110
接触感染　18
截石位　281
折転帯　463
切迫性尿失禁　258
セミクリティカル器材　18
セルフケア能力　196
前腋窩線　145
前眼房　132，138
浅頸リンパ節　120
仙骨神経　217
洗浄剤　324
全身清拭　334
全人的苦痛　79
蠕動音　182
前頭洞　94
　——の触診　108
洗髪　339
洗髪車　344
洗髪台　340

そ

創　440
　——の洗浄　445

送気球　87
総頸動脈　162
創傷　440
創床環境調整　443
早朝覚醒　316
総腸骨動脈　162，179
僧帽筋の筋力　116
僧帽弁　161
僧帽弁領域　166
側臥位　281，298
足関節　209
　——の運動　313
　——の関節可動域　211
　——の筋力テスト　213
足関節間の距離測定　209
側管注　392
足趾関節　209
足底反射　224
側頭下顎関節の視診　107
側頭下顎関節の触診　107
足背動脈　175
速脈　74
足浴　319，330
底つき現象　454

た

ターミナルケア　476
第Ⅴ脳神経　112
第Ⅶ脳神経　113
第Ⅸ脳神経　115
第Ⅹ脳神経　115
第Ⅺ脳神経　116
第Ⅻ脳神経　116
体圧分散用具　453
体位変換　291，454
体温測定　81
体温調節中枢　72
体重　194
体重測定　199
対症療法　364
大腿動脈　175
大腸　179
大腸性便秘　257
大動脈　162
大動脈弁領域　166
体内時計　315
大脳　217
大脈　74
ダイリューター　413
タオルの当て方　405

タオルの絞り方　405
蛇行帯　462
タコ管　388
多呼吸　75
打診　66
多尿　257
樽状胸　146，151
端座位　281
胆汁　179
単純フェイスマスク　413

ち

チーマンカテーテル　275
チェーン-ストークス呼吸　75
チェストピース　67
腟口　233
遅脈　74
中腋窩線　145
中央配管　411
　——からの酸素吸入　421
中央配管式吸引器　414
中温浴　323
肘関節　203
　——の運動　311
　——の関節可動域　205
　——の筋力テスト　208
中耳　122
注射器　376
注射針　375
　——のゲージ　375
注射与薬　374
中心窩　133
中心静脈圧　165
虫垂炎　186
中手指節関節　204
中枢神経　217
中途覚醒　316
超音波式ネブライザー　410，418
腸骨動脈　162
長座位　281
聴診　67
聴診器　90
聴神経　96
腸蠕動音　182
　——の聴診　182
聴力テスト　127
直接対光反射　141
直腸性便秘　257
直腸の触診　240

485

痛覚　321
通気性のテスト　130
通常作業域　282
杖　308
ツチ骨　122
爪　92
　　――の切り方　356
　　――の視診　103
　　――の触診　104
爪切り　355
ツルゴールテスト　102

手洗い　22
低音性連続性ラ音　149，415
低温熱傷　400
低呼吸　421
低体温　72
提肘三角巾　471
低流量システム　411
テープの固定　448
滴下速度　390
滴下量　390
手袋　16
デブリードマン　444
手指足指試験　231
デルマトーム　220
伝音性難聴　123
電子血圧計　77
電子体温計　72
点滴静脈内注射　386
電動式卓上吸引器　414

頭蓋　93
　　――の触診　106
動眼神経　96
橈屈　204
頭頸部　104
瞳孔　132
　　――の大きさ　141
　　――の反射　141
橈骨動脈　175
同調因子　316
頭髪　93
　　――の触診　106
頭皮の視診　105

頭皮の触診　106
頭部の視診　105
動脈血　369
動脈性循環障害　167
トータルペイン　79
特殊浴槽　328
毒薬　368
徒手筋力テスト　196，202，206，212
努力様呼吸　75
ドレッシング材　445，447

内耳　122
内旋　192
内転　192
内反　192
軟口蓋　110
難聴　123
軟脈　74

Ⅱ音　165
2次ニューロン　220
日常生活動作　196
二点識別覚　229
乳がん　235
乳汁　235
乳頭浮腫　143
乳房　233
　　――の視診　236
　　――の触診　237
入眠困難　316
入浴介助　326
ニューロン　218
尿器の種類　263
尿器の保持　264
尿失禁　258
尿道口の消毒　272
尿取りパッドの当て方　267
尿の性状　181
尿閉　257
尿量の観察　264

ネブライザー　409
ネブライザー吸入　409，417
ネラトンカテーテル　275

捻髪音　149

脳　217
脳神経　217
　　――の機能　96
脳頭蓋　93
膿疱　97
ノンクリティカル器材　18
ノンレム睡眠　315

歯　109
バーセル指数　196
肺　144
バイアル　377
バイオハザードマーク　21
肺音　146
背屈　204
排出門戸　14
肺水腫　164
排泄　256
肺尖　145
バイタルサイン　71
肺底　145
肺動脈弁　161
肺動脈弁領域　166
排尿困難　258
肺の打診　155
肺の聴診　158
背部の清拭　339
肺胞呼吸音　148
肺門　145
廃用症候群　283
ハインリッヒの法則　39
麦穂帯　466
ばち状指　104
8の字試験　232
発熱　72
ハップ　399
鳩胸　151
鼻　122，128
　　――の視診　129
　　――の触診　129
鼻カニューレ　413
バビンスキー反射　225
歯ブラシ　349
パルスオキシメーター　75，86
斑　97

半月弁 162
瘢痕 97
瘢痕治癒 440
半座位 281
反射 218
　　──のアセスメント 222
ハンティング現象 400
半腹臥位 281
反復帯 468

ヒートショック 323
ビオー呼吸 75
微温浴 323
皮下気腫 152
皮下出血 371
皮下組織 440
皮下注射 374, 378
ピギーバック法 392
非機械的損傷 440
鼻腔 122
ひげそり 356
鼻甲介 123
尾骨神経 217
皮脂 321
脾臓 178, 179
　　──の触診 188
左鎖骨下動脈 162
悲嘆 477
皮内注射 380
皮膚 92, 439
　　──の視診 99
　　──の触診 101
皮膚つまみテスト 102
皮膚塗擦 374
皮膚分節 220
飛沫感染 18
ヒヤリ・ハット 36
ヒューマンエラー 37
表在感覚 219
表在性反射 218
表在知覚のアセスメント 225
表在痛覚 225
病室の環境整備 58
標準予防策 15
表情 113
氷枕 406
表皮 439
びらん 97
頻呼吸 75

頻尿 257
頻脈 74

ファーラー位 298
フィジカルアセスメント 62
フィジカルイグザミネーション 62
フォーカスアセスメント 63
フォーリーカテーテル 275
深い触診 65
不感蒸泄 321
腹圧性尿失禁 258
腹囲 194
腹囲測定 200
腹臥位 281, 299
複合知覚 220, 228
副雑音 147, 149, 415
腹式呼吸 74
副神経 96, 116
輻輳 133
輻輳近見反射 142
腹大動脈 162, 179
腹痛 180
副鼻腔 94, 122
　　──の打診 108
腹部 177
　　──の区分 177
　　──の視診 182
　　──の清拭 338
　　──の打診音 184
腹部血管音の聴診 183
腹部全体の浅い触診 185
腹部全体の両手触診 187
腹部蠕動 182
腹壁反射 224
浮腫 102
　　──の重症度評価 102
　　──の触診 102, 174
不整脈 74
布帛包帯 469
部分浴 330
プライバシー 46
プラスチックカニューレ 376
ブラッシング 342
ブレーデンスケール 452
分利 72

平滑筋 190
閉眼力 114
平衡感覚 123
閉鎖式気管吸引 417, 434
ペインスケール 81
ベッド上での移動 286
ベッドメーキング 47
ベル型聴診器 68
便器の当て方 261
便器の種類 260
ベンチュリーネブライザー 413
ベンチュリーマスク 413
扁桃リンパ節 119
便の性状 181
便秘 257

膀胱 179
膀胱留置カテーテルの固定 276
房室弁 161
防水シーツ 51
包帯法 457
乏尿 257
ポータブルトイレ 268
歩行介助 307
歩行器 307
歩行のアセスメント 216
歩行の援助 306
ポジショニング 296, 455
ホットパック 406
ホッホシュテッターの部位 382
ボディメカニクス 281
ホメオスタシス 71
ポリ塩化ビニル 386

巻軸包帯 459, 460
膜型聴診器 68
マックバーネー点 186
睫毛 138
マッサージ 42
末梢循環障害 167
末梢循環のアセスメント 173
末梢神経 217
マットレス 49
麻薬 369
マンシェット 87

487

――の巻き方 88
慢性静脈機能不全 164
慢性創傷 440

み

味覚 114
右鎖骨下動脈 162
耳 121, 124
　――の視診 125
　――の触診 125
脈圧 76
脈拍 73, 85
　――の異常 74
　――のリズム 73

む

無気肺 154
無菌操作 28
無呼吸 75, 421
無呼吸・低呼吸指数 421
6つのRight 367
無尿 257

め

眼 132
迷走神経 96, 115
メタボリックシンドローム 194
滅菌 17
　――の方法 21
滅菌手袋 31
滅菌パック 29
滅菌包 30
メッシュ式ネブライザー 411
メドゥサの頭 182
メラノーマ 109
面接 63

も

モイスチャライザー効果 324
毛細管血 369
網膜 142
モーニングケア 323
問診 63

や

薬物療法 364

ヤコビー線 177

ゆ

輸液剤 386
輸液セット 387
輸液速度 390
湯たんぽ 402
指鼻試験 230
指指試験 230

よ

よい姿勢 278
腰神経 217
腰部の清拭 339
翼状針 389
予防接種 364
与薬 364
4M-4Eマトリック分析 41
Ⅳ音 166

ら

ラ音 149
螺旋帯 461
卵巣 235
ランツ点 186
ランドルト環 137

り

離間亀甲帯 464
リザーバー付きマスク 413
立位 281
立体認知 228
隆線 145
良肢位 280
両手触診 65
リラクセーション 42
鱗屑 97
リンネテスト 128
リンパ腫 98
リンパ小節 96
リンパ節 95
リンパの流域 119

る

涙液器官 139
　――の触診 139

ルイ角 145
涙腺 132

れ

冷罨法 399, 406
冷覚 321
冷ハップ 399
レギュラーベベル 375
レッドリフレックス 142
レム睡眠 315
連続性ラ音 149

ろ

漏斗胸 151
肋骨角 150
肋骨下縁 177

わ

和式寝衣の交換 359

看護実践のための根拠がわかる　基礎看護技術　第3版

2008年 8月 8日　第1版第1刷発行	定価（本体4,700円＋税）
2015年 1月 8日　第2版第1刷発行	
2020年11月26日　第3版第1刷発行	
2025年 3月17日　第3版第6刷発行	

編　著　　角濱　春美・梶谷　佳子 ©　　　　　　　　　　　　　　　　　＜検印省略＞

発行者　　亀井　淳

発行所　　株式会社 メヂカルフレンド社

〒102-0073　東京都千代田区九段北3丁目2番4号
麹町郵便局私書箱48号　電話（03）3264-6611　振替00100-0-114708
https://www.medical-friend.jp

Printed in Japan　落丁・乱丁本はお取り替えいたします　　DTP／タクトシステム（株）
ISBN978-4-8392-1666-5　C3347　　　　　　　　　　　　印刷・製本／日本ハイコム（株）　　107122-111

●本書に掲載する著作物の著作権の一切〔複製権・上映権・翻訳権・譲渡権・公衆送信権（送信可能化権を含む）など〕は，すべて株式会社メヂカルフレンド社に帰属します。
●本書および掲載する著作物の一部あるいは全部を無断で転載したり，インターネットなどへ掲載したりすることは，株式会社メヂカルフレンド社の上記著作権を侵害することになりますので，行わないようお願いいたします。
●また，本書を無断で複製する行為（コピー，スキャン，デジタルデータ化など）および公衆送信する行為（ホームページの掲載やSNSへの投稿など）も，著作権を侵害する行為となります。
●学校教育上においても，著作権者である弊社の許可なく著作権法第35条（学校その他の教育機関における複製等）で必要と認められる範囲を超えた複製や公衆送信は，著作権法に違反することになりますので，行わないようお願いいたします。
●複写される場合はそのつど事前に弊社（編集部直通 TEL03-3264-6615）の許諾を得てください。

看護実践のための**根拠**がわかる
シリーズラインナップ

基礎看護技術
● 編著：角濱春美・梶谷佳子

成人看護技術―急性・クリティカルケア看護
● 編著：山勢博彰・山勢善江

成人看護技術―慢性看護
● 編著：宮脇郁子・籏持知恵子

成人看護技術―リハビリテーション看護
● 編著：粟生田友子・石川ふみよ

成人看護技術―がん・ターミナルケア
● 編著：神田清子・二渡玉江

老年看護技術
● 編著：泉キヨ子・小山幸代

母性看護技術
● 編著：北川眞理子・谷口千絵・藏本直子・田中泉香

小児看護技術
● 編著：添田啓子・鈴木千衣・三宅玉恵・田村佳士枝

精神看護技術
● 編著：山本勝則・守村洋

在宅看護技術
● 編著：正野逸子・本田彰子